KB138166

옥스퍼드
세계도시
문명사

2

THE OXFORD HANDBOOK OF CITIES IN WORLD HISTORY
First Edition
The editorial material and arrangement © the Editor 2013
The chapters © the various contributors 2013

THE OXFORD HANDBOOK OF CITIES IN WORLD HISTORY, First Edition was originally published in English in 2013. This translation is published across four volumes and by arrangement with Oxford University Press. CUM LIBRO is solely responsible for this translation from the original work and Oxford University Press shell have no liability for any errors, omissions or inaccuracies or ambiguities in such translation or for any losses caused by reliance thereon.

Korean translation copyright © 2023 by CUM LIBRO
Korean translation rights arranged with Oxford University Press
through EYA(Eric Yang Agency).

이 책의 한국어판 저작권은 EYA(에릭양 에이전시)를 통해
Oxford University Press와 독점 계약한 (주)도서출판 책과함께에 있습니다.
저작권법에 의하여 한국 내에서 보호를 받는 저작물이므로 무단 전재 및 무단 복제를 금합니다.

THE OXFORD HANDBOOK OF CITIES IN WORLD HISTORY

2

전근대 도시

피터 클라크 총괄편집 | **마르크 분 외** 지음
민유기 옮김

책과함께

제2권 | 전근대 도시 | 차례

제2부 전근대 도시

개관

주제

제1권 | 초기 도시 | 차례

제1부 초기 도시

개관

주제

제3권 | 근현대 도시 I | 차례

제3부 근현대 도시

개관

제4권 | 근현대 도시 II | 차례

주제

제2부

전근대 도시

PRE-MODERN CITIES

개관

Surveys

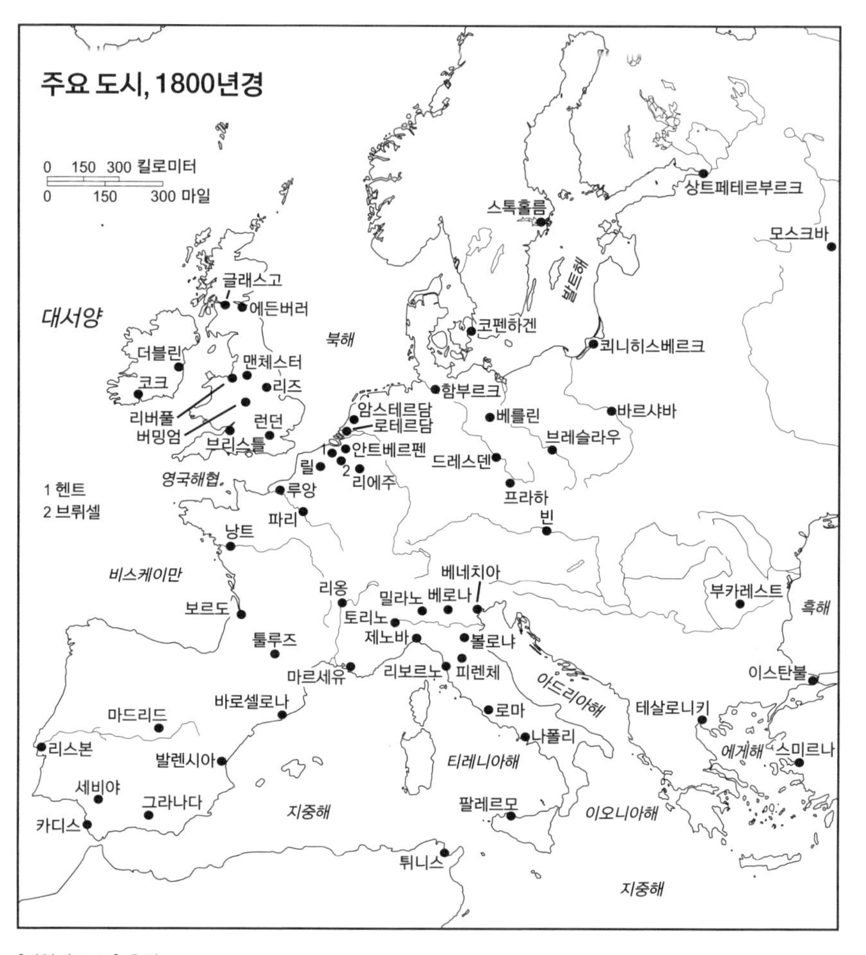
주요 도시, 1800년경
0 150 300 킬로미터
0 150 300 마일
대서양
글래스고
에든버러
더블린
코크
맨체스터
리즈
리버풀
버밍엄
런던
브리스틀
1 헨트
2 브뤼셀
영국해협
북해
스톡홀름
발트해
상트페테르부르크
모스크바
코펜하겐
쾨니히스베르크
함부르크
암스테르담
로테르담
안트베르펜
릴
리에주
베를린
바르샤바
브레슬라우
드레스덴
프라하
루앙
파리
빈
낭트
비스케이만
베네치아
리옹
밀라노
베로나
부카레스트
흑해
보르도
토리노
제노바
볼로냐
툴루즈
마르세유
리보르노
피렌체
이스탄불
아드리아해
바르셀로나
마드리드
로마
테살로니키
리스본
나폴리
에게해
스미르나
발렌시아
티레니아해
세비야
그라나다
지중해
팔레르모
이오니아해
카디스
튀니스
지중해

[지역지도 II.1] 유럽

주요 도시,
1800년경
흑해
카스피해
이스탄불
스미르나
알레포
테헤란
쿰
지중해
다마스쿠스
바그다드
예루살렘
카이로
시라즈
페르시아만
호르무즈해협
오만만
메디나
디리야
무스카트
메카
홍해
사나
아라비아해
아덴만
인도양
0
300
600 킬로미터
0
300
600 마일

[지역지도 II.2] 중동

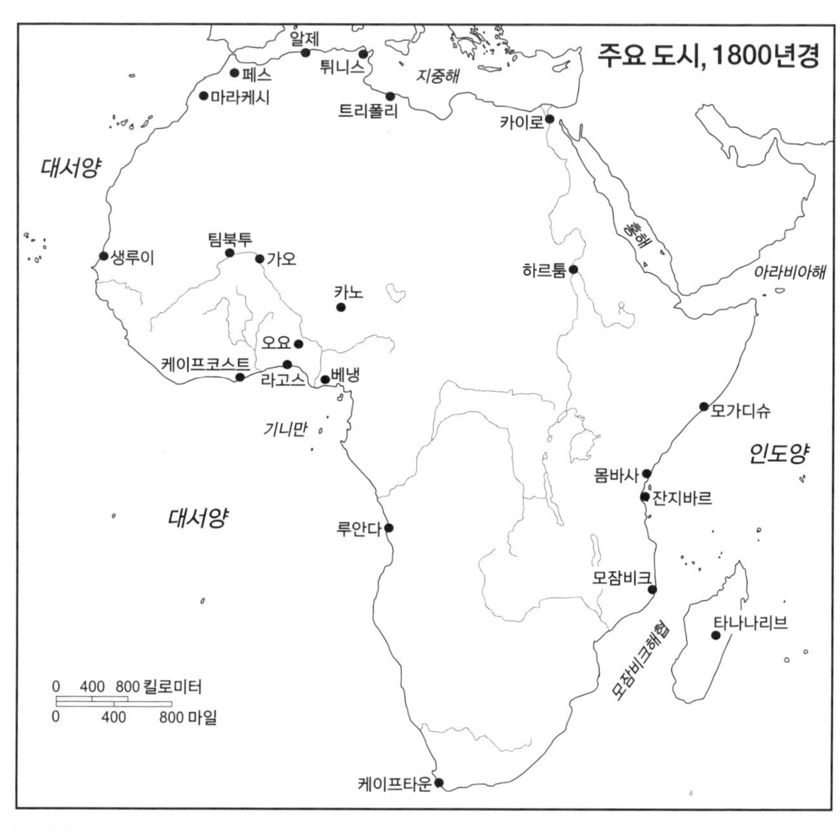

[지역지도 II.3] 아프리카

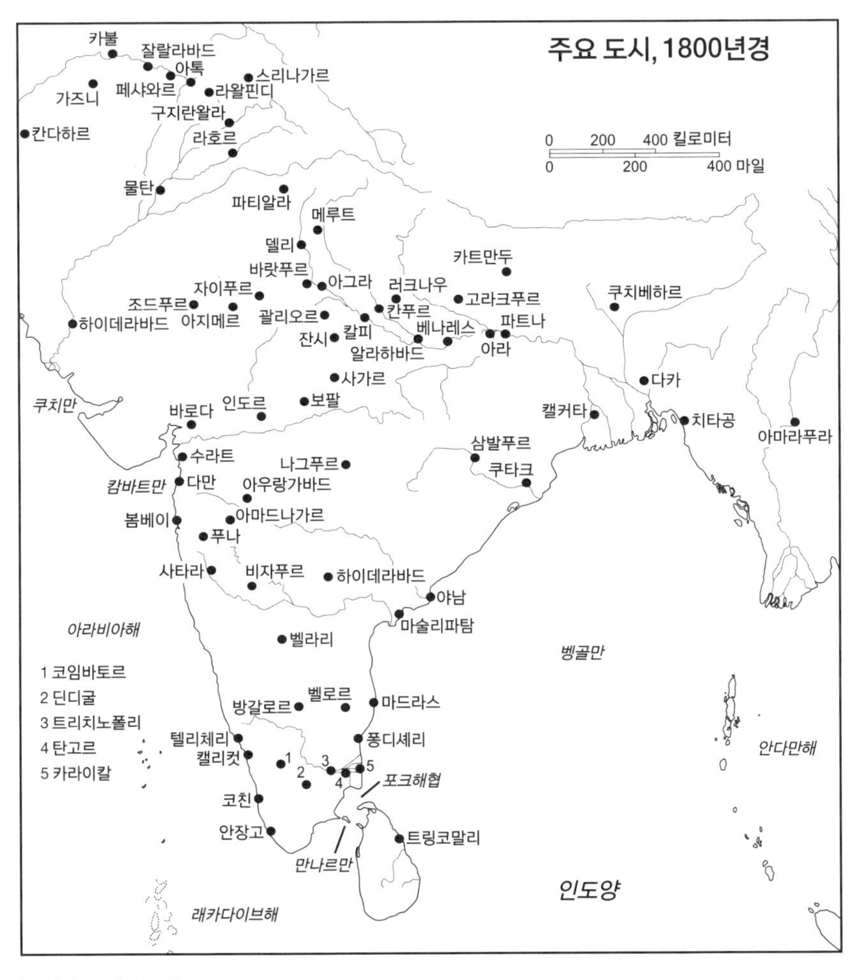

[지역지도 II.4] 남아시아

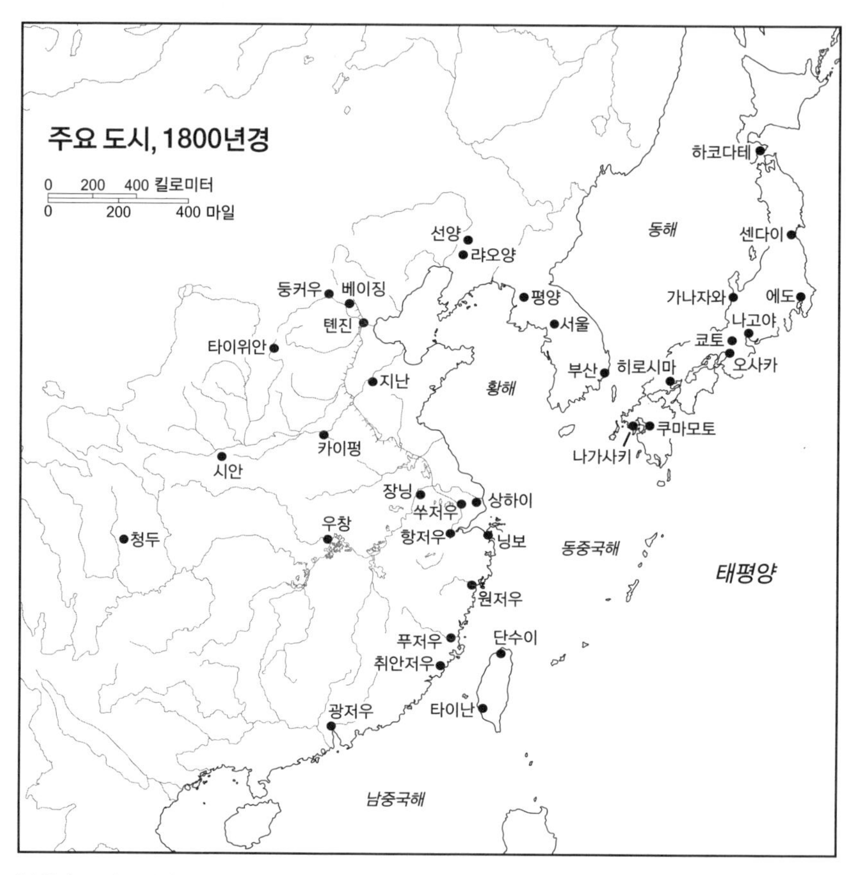

[지역지도 II.5] 동아시아

[지역지도 II.6] 라틴아메리카

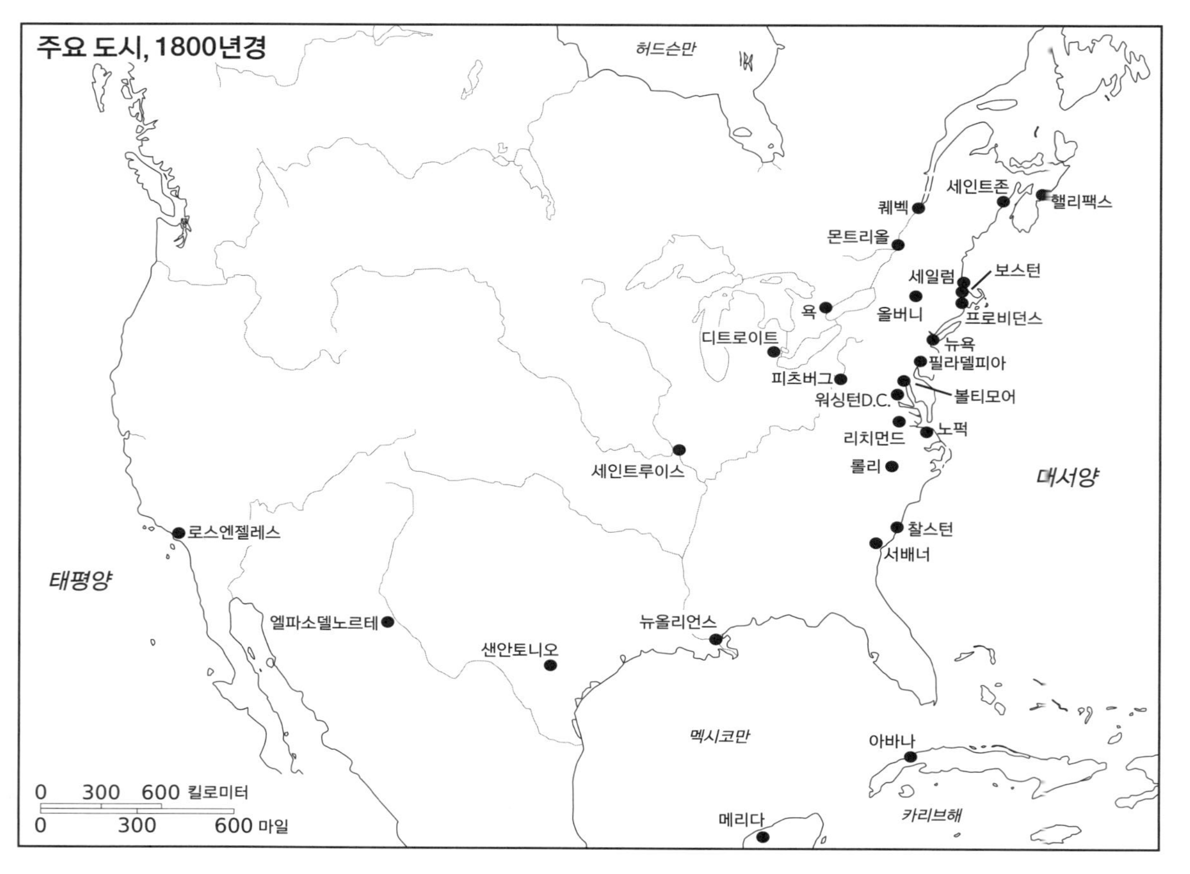

[지역지도 II.7] 북아메리카

제12장

중세 유럽

Medieval Europe

마르크 분

Marc Boone

이 장에서는 먼저 1000년 이전 도시성의 불명확한 기원에서 시작된 중세 유럽 도시화urbanization의 연대기를 식별한다. 더불어 타운town 형성의 서로 다른 시기 및 이를 좌우한 요소들을 고려해본다. 논의는 중세 성기 도시성장의 황금기 동안 도시의 여러 기능에 관한 좀 더 주제와 관련된 설명을 한 후 중세 후기의 위기와 타운에 영향을 끼친 변화로 이어진다. 그다음으로 막스 베버가 유럽 중세 도시의 특성으로 종종 논했던 자치체 공동체주의municipal communalism의 발전에 주목한다. 마지막 부분에서는 도시 이데올로기가 어떻게 성장하고 확산해나갔는지를 고찰한다. 활기차고 유연한 도시경관을 낳음으로써 최초의 '근대성modernity'을 향한 추동력을 지탱해준 인구학적, 경제적, 정치적

변수들의 상호적 영향을 강조하는 것이 이 장의 중심적 논지다.[1]

중세 도시적 유럽의 기원(고대 후기~11세기)

중세 도시적 유럽urban Europe의 기원을 주제로 삼는 것은 도시city가 유럽의 역사에서 완전히 새로운 현상이었다는 잘못된 암시를 줄 수도 있다. 사실, 많은 경우에서 중세의 도시성urbanity은 견고한 도시 전통을 바탕으로 만들어졌는데, 적어도 로마 제국 또는 '로마니타스romanitas'〔로마인의 풍습·제도, 로마성〕[2]의 영향을 강하게 받은 유럽 지역에서 그러하다(3장, [지역지도 I.1], [지역지도 II.1] 참조). 고대 로마의 도시 유산은 가톨릭교회의 조직에서 가장 뚜렷하게 남아 있었다. 가톨릭교회는 주교의 순회 교구를 개발하면서 로마의 '키비타스civitas'〔라틴어로 '도시'〕 네트워크를 취했다. 따라서 교회가 중세 시대 유럽 전역에서 유지했던 주교 관할구는 영토를 극도로 불균형하게 분할했다. 이것은 고대 로마의 핵심 영역이었던 이탈리아에 주교 관할구 수가 인상적으로 많았기 때문이다. 이탈리아에서는 작은 규모의 도시들도 계속해서 주교 관할구가 될 수 있었다. 게다가 '주교가 있는 곳이 바로 도시다ubi episcopus ibi civitas'라는 말처럼 주교bishop의 존재는 도시의 상태를 판단하는 결정적 요인이었다. 이는 플랑드르Flandre 지역의 헨트Ghent, 브뤼허Brugge, 이에페르Ieper〔이프르Ypres〕, 릴Lille, 두에Douai와 브라반트Brabant 지역의 안트베르펜Antwerpen, 브뤼셀Bruxelles, 메헬렌Mechelen 같은 주요 중세 도시들이 위치한 서유럽 저지대 국가들Low Countries에서는 볼 수 없던 현상이었다. 중세에 이들 도시의 성벽 내에는 주교가 없었으며 도시 현실을 반영해 주요 주교구가 설치된 것은 반反종교개혁기부터다. 지중해 지역 밖에서는 도시고고학urban archaeology이 로마 이전 켈트족 시기와 로마 시대에 거주 중심지들이 많은 곳에 있었음을 증명하지만, 이들 정주지settlement가 반드시 '도시적' 특성을 발전시키거나 유지하지는 않았다. 동유럽에서, 그리고 애초 라인강과 다뉴브강 너머에서 도시개발urban development은 기독교의 뒤늦은 도래에 거의 영향 받지 않았다. 그와는 대조적으로, 라인란트Rheinland에서는 로마 시대 선조들의 강한 영향력에 의해 도시 생활이 주목할 정도로 발전했다. 스트라스부르Strasbourg, 보름스Worms, 슈파이어Speyer, 마인츠Mainz, 쾰른Köln, 위트레흐트Utrecht 같은 도시들에는 주교가 있었고, 이 가운데 몇몇은 다가오는 세기에 중요한 역할을 하는 주교후主教侯, prince-bishop[Fürstbischof]와 신성로마 제국의 선제후選帝侯, elector[Kurfürst]가 되었다. 교회권력은 세속적 권력에 의해 강화되었는바, 신성로마 제국 황제들이 많은 주교에게 그들의 교구가 차지하고 있는 영지에 대한 통제권을 부여했기 때문이다. 이탈리아에서 이는 적어도, 포계곡 지역에서는, 도시들의 통제를 받는 콘다도contado[도시 주변의 향촌 지구]를 탄생시켰다.

고대 후기late antiquity의 권력 구조 붕괴 이후 여러 세기에 걸쳐, 5~7세기 동안 도시 생활은 종종 쇠퇴했고 거주지는 대형 공공건물 내의 무단점유 가옥 수준으로 축소되었다. 그 결과, 초기 공공건물의 '사유화privatization'가 나타났다. 로마의 콜로세움, 베로나Verona, 루카Lucca, 님Nîmes, 아를Arles의 원형경기장[아레나]arena, 그리고 많은 신전, 영묘靈廟, mausoleum, 극장, 성당, 욕장, 거대한 귀족 저택들이 습격을 피해 도망친 사람들을 수용하면서 개별적 다층공동주택apartment으로 분할되었다.

공공질서에 대한 위협과 치안의 부재는 처음에는 게르만 부족들의 침입(3세기부터)에 따른 결과였고 이후에는 9세기와 10세기에 이어진 바이킹, 훈족, 혹은 사라센인의 침입에 따른 결과였다. 이 현상은 도시 중심지urban centre를 요새화하는 경향을 낳았다. 수도원과 그 주변의 교외까지도 요새화했고 작은 성벽으로 둘러싸인 방어적 정주지로 변했다. 프랑스 북부 도시들에서 이를 볼 수 있는바, 캉브레Cambrai 인근 생제리Saint-Géry, 랭스Reims 인근 생레미Saint-Rémi, 수아송Soissons 인근 생메다르Saint-Médard, 상스Sens 인근 생트콜롱브Sainte-Colombe, 파리Paris 인근 생드니Saint-Denis가 그 예다. 고대 갈리아의 지중해 권역과 이탈리아 북부에서의 지역권력의 몰락은 종종 귀족의 지휘 아래 무장 부대의 설치로 이어졌다. 이 부대는 도시의 탑들 안(카르카손Carcassonne, 툴루즈Toulouse, 베지에Béziers 등)에, 원형경기장(님, 아를 등)에, 공중욕장public bath(엑스Aix 등)에 설치되었다. 이와 같은 전사들milites과 선한 사람들boni homines의 존재가 이 지역에서 중세 유럽의 많은 지역과 크게 다른 도시와 귀족 사이의 특별한 관계를 형성했다.[3] 이와 동시에 이슬람이 통치한 시기의 이베리아반도(711~1492)와 시칠리아(827~1091)에서 놀라운 도시 문명이 발달하고 있었다. 두 지역 모두 11세기에 도시 문명이 정점에 도달했다. 코르도바Córdoba는 929년 이후 우마이야Umayya 칼리파국〔칼리프국〕의 수도로 21개 지구와 2개 궁전 영역을 합쳐 10만~20만 거주민의 결집체로 발전했다.[4] 팔레르모Palermo는 이슬람이 통치하는 시칠리아의 새 수도가 되었고 10세기에 인구가 10만 명의 문턱에 이르렀다. 두 도시에서 이슬람에 기반을 둔 주목할 문화적 열정은 그리스(비잔티움 지배기) 및 고대 전통과 결합해 바그다드의 화려함과 경쟁할 수 있는 풍부한 도시 문명의 꽃을 피웠다. 한편 서유럽의 도시 생활은, 트리어Trier의 지도에서([도형 12.1] 참조) 알 수 있듯, 축소되었다. 이곳에서 고대 도시는 1100년 무렵 대성당 주변의 방어 중심지, 주교궁 및 그 부속 건물로 규모가 줄어들었다. 이후의 성장과 13세기까지 건설된 새 성벽도 고대 도시의 버려진 공간들을 다시 차지하지 못했다. 1200년까지 트리어 같은 도시들에 있었던 많은 교구교회는 또한 같은 수의 도시 묘지를 의미했다. 이는 고대와는 달리 중세의 도시가 "죽은 자들을 도시화했고, 따라서 도시는 죽은 자들의 도시"라는 자크 르고프Jacques Le Goff의 말을 상기시킨다.[5]

수도원abbey의 발전은 종종 도시 정착지로 발전하거나 교외suburb 개발을 촉발할 수 있는 현지 시장 그리고/또는 지역 시장의 노드node 출현에 결정적이었다. 잉글랜드의 경우 그러한 과정이 캔터베리Canterbury, 우스터Worcester, 윈체스터Winchester에서 나타났다. 농업 성장과 교회 소유 농경지에서 생산된 농업 잉여의 상업화는 770년에서 900년까지 이른바 '카롤링거 르네상스Carolingian renaissance' 시기에 중요성이 커진 독자적 시장의 발전을 가능케 했다. 앙리 피렌Henri Pirenne이 강조한 원거리 교역의 영향보다 유럽 내부의 경제적이고 상업적인 역학이 도시성장urban growth의 주요 자극을 창출했다.[6] 이는 선형적 개발linear development과는 거리가 멀었다. 성장은, 유럽 북해 연안의 초기 교역장들 곧 '엠포리아emporia'[단수형 엠포리움emporium]의 최후에서 보듯, 언제나 좌절될 수 있었는바 저지대 국가들의 쿠엔토빅Quentovic, 돔부

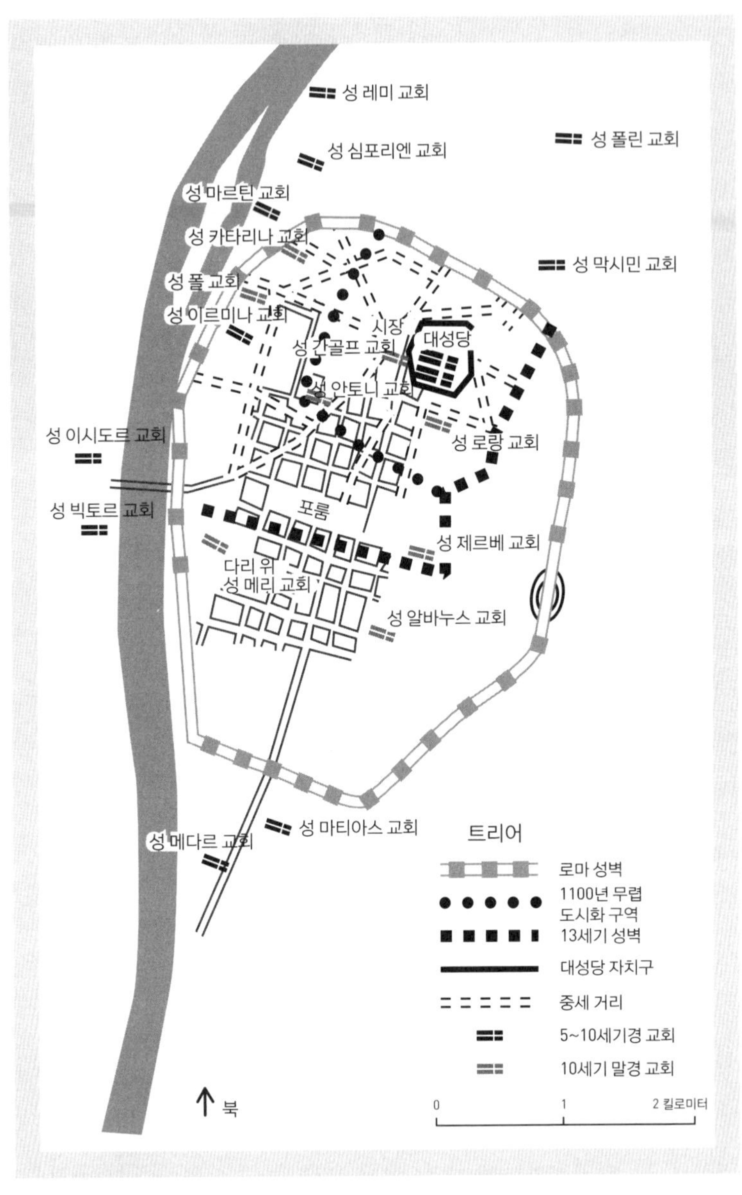

[도형 12.1] 중세 트리어 지도, 고대 후기~13세기 (출처: J.-L. Pinol, ed., *Histoire de l'Europe urbaine*, 2003, part 1)

르크Domburg, 도레스타트Dorestat, 잉글랜드와 스칸디나비아 연안의 햄윅Hamwic, 리베Ribe, 헤데뷔Hedeby, 비르카Birka 등이 그 예다. 이 도시들의 활동은 9세기에 바이킹의 침입으로 빠르게 사라졌고, 한때 중요한 역할을 담당했던 그 흔적은 고고학 증거로만 남아 있다.

유럽 도시들에 문제를 일으켰던 1000년 이전 시기가 지나고, 11세기부터 시작되어 13세기 후반~14세기 초반까지 놀라운 장기지속적 도시성장이 계속되었다. 모든 도시경관urban landscape이 같은 방식으로 영향을 받은 것은 아니며, 도시 네트워크urban network 내 중요한 변화가 그 결과였다.

성장과 발전(11~13세기)

막스 베버Max Weber의 유형학typology에서 중세 도시는 고대의 소비자도시consumer city와는 대조적으로 생산자(혹은 산업)도시producer(industrial) city로서 두드러진다. 그런데 중세 성기盛期, the high Middle Ages에 유럽 도시들에 영향을 끼친 구조적 과정은 지역과 현지에서 매우 다른 결과를 낳았다. 유럽의 가장 도시화한 두 지역인 이탈리아 북부 및 중부와 네덜란드 남부는 인구의 30퍼센트가 도시에 거주했다고 알려졌는데, 많이 언급되는 두 지역 사이 이런 유사성까지도 최근 조르조 치톨리니Giorgio Chittolini에 의해 이의가 제기되고 있다.[7] 도시 정주지의 다양한 전략은 11세기부터 13세기 후반까지 장기간 중세의 경제성장을 특징지은 만큼 논의할 필요가 있다. 유럽의 다른 지역에서도 비슷한 추세가 뚜렷했으며, 이 추세는 대략 서쪽에서 동쪽으로 이동하는 양상과 연대기를 따랐다. 이슬람 지배 아래의 스페인〔에스파냐〕 지역(알안달루스Al Andalus)은 가장 중요한 예외였다. 도시적 유럽을 만드는 데 작동한 요인으로는 현저한 경제발전, 권력, 종교적 이해관계, 지적 발전 등을 주목할 필요가 있다. 여전히 놀라운 것은 가장 도시화한 지역들이 높은 수준의 도시성을 계속해서 누렸다는 것으로, 도시 거주민의 절대 수가 급격히 변동하더라도 말이다. 지역적 맥락은 도시와 정치적·왕조적 권력 사이 관계를 설정하는 데서도 중요하다. 더 넓은 영토에 대한 (개인적 재산 측면뿐만 아니라 집합적 권리collective right 측면에서도) 도시의 지배 문제는 다시 중요해졌다. 오랜 도시성장 시기가 끝날 무렵에는, 기독교 유럽이 새천년을 전후해 가동하기 시작한 내부 식민(지)화internal colonization가 대륙의 북부와 동부 국경까지 뻗쳤고, 신성로마 제국에서는 1240년에서 1300년 사이에 10년마다 약 300개의 새 도시가 세워졌다.[8]

먼저 경제발전을 살펴보자면, 농업 잉여물과 이를 유통하고 상업화할 수 있는 도시 시장urban market의 유무가 결정적으로 중요했다.[9] 대토지소유자들은 농업 성장과 종종 이것에 수반되는 전반적인 토지 개간을 활용하기 위해 상업적 결절지nodal centre의 개발을 촉진하는 데서 확실한 이해관계를 가졌다. 1080년 이래 프랑스 서부의 농민들은 중요한 종교 축일이 아니라 도시 시장이 열릴 때 임대료와 소작료 납부를 요청받았다. 12세기의 아라스Arras 같은 〔도시 내 반대 형태가 공존하는〕 양극성 도시bi-polar city가 발전한 방식은 지역 경제와 상업 성장이 도시개발의 원동력이었음을 분명하게 한다([도형 12.2] 참조). 아라스

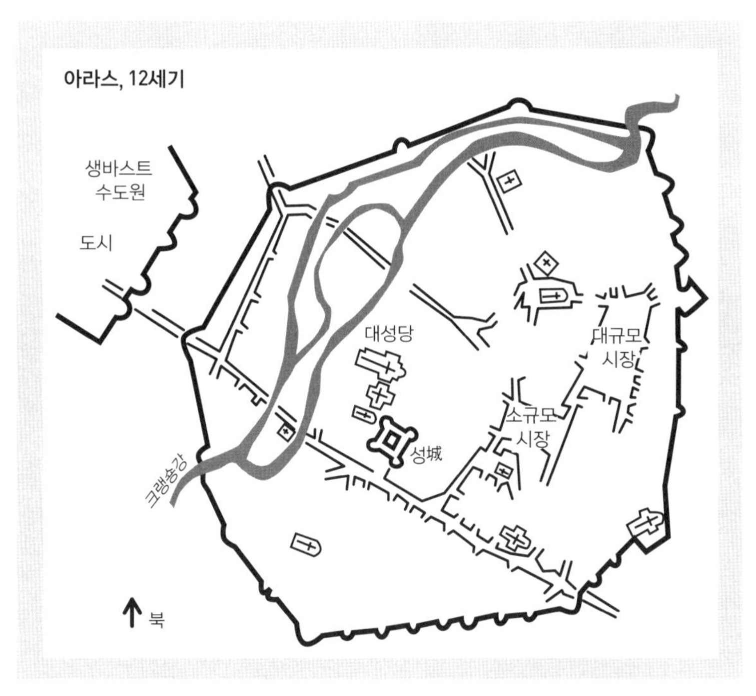

[도형 12.2] 아라스 지도, 12세기 (출처: J.-L. Pinol, ed., *Histoire de l'Europe urbaine*, 2003, part 1)

의 오래된 '키비타스' 핵은 계속해서 주교와 그 휘하 성직자들을 크랭숑Crinchon강 강둑 한쪽에 거주하게 했고 또 강의 수력은 직물 산업 관련 여러 활동이 계속 이루어지게 했으며, 강둑 다른 한쪽에서는 오래된 로마 가도를 따라 생바스트Saint-Vaast수도원 주변에서 자치구burgh가 새로 발전했고, 2개의 시장이 바로 인접해 있었는바 소규모 시장은 곡물, 직물, 무두질한 가죽 등을 거래했고 대규모 시장은 철, 생가죽 등을 취급했다. 두 시장 모두 수 세기 동안 도시의 자랑이었고, 부유한 주변 시골countryside의 농업 생산물이 현지 시장이나 지역 (간) 시장으로 팔려나가는 중요한 연결고리로 남아 있었다.

봉건 세계와 그 생산 체계가 도시 세계와 어려움 없이 공존했던 것은 분명하다. 이것은 시장 조직과 시장 참여자의 보호를 촉진하려 시장의 발전을 장려하고, 도시의 권리를 부여하고, 주요 권리를 보장해주며, 통행료 면제를 합의해준 군주들과 영주들의 남다른 의지를 설명해준다. 아라스의 사례에서 보았듯, 자신의 영지에서 생산되는 잉여 상품(예컨대 양모)을 판매해야 하는 수도원이나 여타 교회 공동체 근처에서 많은 도시 혹은 자치구가 개발된 만큼 종종 교회적 요소 또한 표출되었다. 지역적 경제 교류는 광범위한 도시 네트워크에 통합되었고, 매우 자주 다양한 정기시장(샹파뉴Champagne, 잉글랜드, 플랑드르, 중부 독일)의 개최 주기 속에서 강화되고 공식화되었으며, 정기시장은 통치자의 지원으로 운영되었고, 특히 지중해와 북유럽 및 발트해 연안에서 증가하는 국제무역과 연결되었다.[10] 무역이 강화되면서 내륙 무역과 바다를 연결하는 항구도시port city의 네트워크 필요성이 커졌다. 플랑드르 백작령에서는 백작 필리프 달자스Philippe d'Alsace(재위 1157~1191)가 잉글랜드를 마주 보는 플랑드르 해안에 새 항구들을 만들었다. 칼레Calais, 그라블린Gravelines, 됭케르크Dunkerque, 니우포르트Nieuwpoort, 다머Damme, 비르블리트Biervliet 등이다. 이 도시들은 내륙의 의복 생산 중심지들인 생토메르Saint-Omer, 이프르, 브뤼허, 헨트를 바다를 통해 잉글랜드 양모시장과 연결했다. 이베리아 북부 대서양 연안에서는 바스크Basque, 갈리시아Galicia, 칸타브리아Cantabria 지역에 수십 개의 항구 및 항구타운port town이 새로 생겨나 12세기 중반부터 14세기 초반까지 발전했다.[11] 발트 지역에서 경제발전과 독일에서부터 폴란드를 거쳐 발트 지역에 이르는 유럽의 풍요로운 농업지대 해안을 장악하려는 도시 상인들의 정치적 욕구는 독일 한자Hansa동맹의 형성을 이끌었다. 이 동맹은 13세기 후반에 상인 연합체로 공식적으로 출발해 점차 도시 연맹체로 성장했다. 100개가 넘는 한자동맹 회원 도시들은 서로 연합해 중세에 주요한 정치적 힘을 가지게 되었으며, 러시아 노브고로드Новгород, 노르웨이 베르겐Bergen, 서유럽의 런던과 브뤼허 같은 '외국의foreign' 거점들과 잘 조직된 연결망을 유지했다.

권력의 영향력 측면에서 보자면, 많은 신도시는 군주나 봉건영주나 교회영주의 정치적, 경제적 야망의 직접적 결과였다. 그들은 기존의 정주지 또는 새 정주지에 '도시urban'의 권리를 부여함으로써 그곳이 자신들 각각의 영토임을 각인하려 했다. 따라서 새 정주지는 다른 영주의 야망으로부터 영토를 방어하는 것을 돕는 거점으로 바뀌었다. 프랑스 카페Cape 왕조의 왕들이 이단적 카타리Cathari파 운동을 억제하기 위해 '바스티드bastide'라는 〔방어용〕 타운을 새로 만든 아키텐Aquitaine 지역에서는 지역영주, 툴루즈 백작, 프랑스 왕 사이의 긴장이 고조되면서 신바스티드와 '신시가지〔빌뇌브〕ville neuve' 건설의 물결이 일었다. 툴루즈 백작 레몽 7세Raymond VII(재위 1222~1249)는 이러한 형태의 신도시 40여 개를 만들었는바, 그 전형적 형태와 격자형 도시계획은 근대 초기와 근대 식민지 세계에 새로 세워진 정주지들에서 다시 등장한다. 프랑스 남서부 지역이 프랑스 왕들과 잉글랜드 왕들 간 대결의 최전선이 되었을 때, 양측은 신도시를 지역 거점으로 설립함으로써 새로 정복된 영토의 지배력을 강화하려 노력했다. 코르데스Cordes가 형성된 1222년부터 라바스티드당주La Bastide d'Anjou가 형성된 1370년까지 사이에

450개 이상의 바스티드가 새로 세워졌고, 그중 350개는 1230~1340년에 만들어졌다. 신바스티드는 토지소유주(많은 경우 수도원이었던)와 정치적 지배자 사이의 계약으로 만들어졌다. 좀 더 작은 규모지만 유사한 움직임이 중세 잉글랜드에서도 나타났다. 에드워드 1세Edward I의 통치 기간(1272~1307)에 주로 웨일스에서 약 10개 타운이 새로 만들어졌으며, 웨일스 국경에 도시 거점을 만들려는 야망을 가진 잉글랜드 '식민인colon들'이 거주했다. 신성로마 제국에서는 라인계곡과 알자스의 호엔스타우펜Hohenstaufen, 바이에른의 비텔스바흐Wittelsbach, 이후에 스위스가 될 체링겐Zähringen과 같은 중요한 지역 왕조(왕가)들이 존재했다. 이들은 지역적 영향을 뒷받침하고, 도시를 거점으로 만들어 제국의 권력 앞에서 자신들의 정치적 정체성을 확립하려는 주도적 행동을 취했다. 독일 내륙에서는 지역의 정치적 통치자들이 세속적 권력에 기반을 둔 중심지(뷔르크슈타트Bürgstadt 같은)를 도시로 만들어 발전시켰고, 종종 종교적 통치자들이 기독교적 권력에 기반을 둔 중심지(돔부르크Domburg 같은)를 도시로 만들어 발전시켰다. 뷔르츠부르크Würzburg, 에르푸르트Erfurt, 뮌스터Münster, 오스나브뤼크Osnabrück, 브레멘Bremen, 함부르크Hamburg, 파더보른Paderborn, 할버슈타트Halberstadt, 마그데부르크Magdeburg의 새 주교 관할구는 8세기 이후에 만들어졌고 중요한 도시 중심지로 발전했다. 제국의 이러한 조직은 주교(후)들이 중요한 정치적·군사적 권력을 행사했음을 의미했다.

독일 북부의 킬Kiel과 리가Riga 사이의 해안에서는 수백 개의 도시 정주지가 형성되었다. 대표적인 예는 1143년 홀스타인Holstein 백작 아돌프 2세Adolph II에 의해 만들어진 뤼베크Lübeck였다. 뤼베크는 버려진,

슬라브족의 그로드grod를 말하는 리우비체Liubice라는 명칭을 다시 사용했다.* 북해와 발트해 지역에서 100개가 넘는 타운이 뤼베크의 것을 기반으로 하는 헌장을 받아들여 경제적으로나 정치적으로나 중요한 도시 네트워크인 한자동맹으로의 통합을 촉진했다. 독일인과 슬라브족의 영향력이 합쳐진 중부유럽의 동쪽에서 도시화의 원동력은 주로 지역의 키비타스locatio civitatis 형태를 활용한 독일계 '식민인들'의 정주였다. 새 정주지는 마그데부르크나 뤼베크의 권리를 수용했고 독일의 문화적·정치적 지배력의 확산에 결정적 영향을 끼쳤다. 다른 분야에서와 마찬가지로 유럽은 도시 중심지의 조직과, 서로 다른 사회·민족 집단이 수용되는 방식을 실험했다. 주목할 사례는 거대한 이탈리아 상인도시merchant city들, 특히 베네치아Venezia에 있었던 '폰다치fondaci'였다〔이탈리아어 '폰다치'는 '상관商館'을 뜻하는 '폰다코fóndaco'의 복수형이다〕. 그 용어 자체는 아랍어 '푼두크funduq'에서 유래한 것으로 공간의 4분의 1을 외국인(기독교도) 상인들의 거주를 위해 남겨놓는다는 것이었으며, 폰다치는 종종 주변 도시와 공간적으로 분리되었기에 인지하기가 쉬웠다〔'푼두크'는 아랍어로 '여관'이라는 뜻이다〕.[12] 이는 하나의 모델이 되어 서유럽 전역으로 퍼져나갔다.

더 오래되고 더 커다란 여러 도시가 주도한 이탈리아의 도시화 지역의 사례처럼 도시 자체가 새 도시 정주지의 설립에 관여했다. 이 절차는 독일 황제와의 콘스탄츠Constance 평화조약(1183)이 도시에 자치권을 부여하면서 확립되었다.** 포계곡, 베네토Veneto와 롬바르디아

* '그로드'는 고대에 슬라브족들이 나무로 세운 정착지를 말한다.

Lombardia 지역에서 기존에 흔히 존재하던 농업 정주지는 시민의 승인과 함께 새 도시 중심지로 확대되었다. 많은 경우에 그들은 '보르고프랑코borgofranco' 혹은 '카스텔프랑코castelfranco'라는 명칭으로 식별될 수 있었다. 피에몬테Piemonte 지역에서만 약 200개의 보르고프랑코가 확인되었다. 사르데냐Sardegna에서는 제노바Genova와 피사Pisa의 해양 권력들이 새로운 기반을 발전시켰다. 지중해의 해당 지역에서 그들은 상업적 확장에 필요한 거점을 개발하는 데서 흔히 오래된 로마의 도시적 구조들을 재활용했다. 도시 칼리아리Cagliari를 재건한 피사의 방식은 '식민화' 사업과 매우 유사하다. 이탈리아 본토 토스카나Toscana에서는, 경쟁 도시들인 피렌체Firenze, 시에나Siena, 루카, 아레초Arezzo가 다른 주요 토스카나 도시를 희생시키면서 콘타도contado(도시 주변의 시골)에 대한 장악력을 강화하기 위해 신도시들을 만들었다.

종교의 측면에서 보자면, 성인 숭배와 기독교 유럽 전역의 순례 관행은 수많은 순례자의 이동에 편의를 제공하는 도시 정주지의 설립이라는 결과를 낳았다. 스페인 산티아고데콤포스텔라Santiago de Compostela로 이어지는 길을 따라 11세기 후반과 12세기 전반기 동안 피레네산맥과 산티아고데콤포스텔라 사이에 주목할 수의 자치구들이 새로 생겨났다. 수많은 '자유민franco' 이주민 혹은 정주민을 끌어들인 이 새로운 도시들은 '길camino'들이 강을 가로지르는 지점이나 수도원과 주교청Episcopal이 있는 동네neighbourhood에서 발달했고, 반면 팜플로나

** 콘스탄츠 평화조약으로, 신성로마 제국의 간섭에 맞서기 위해 결성된 북이탈리아의 롬바르디아(도시)동맹은 신성로마 제국 황제 프리드리히 1세의 종주권宗主權을 형식적으로 인정해주는 대신 여러 도시의 광범위한 자치권·자위권 등을 확보하게 되었다.

Pamplona, 하카Jaca, 에스테야Estella, 부르고스Burgos, 레온León 같은 일부 오래된 도시는 '길'의 중심 위치에 자리한 덕분에 재활성화되고 크게 성장했다. 레온 왕국과 카스티야Castilla 왕국의 왕들과 이후 포르투갈의 왕들은 교회와 가톨릭의 이슬람 영토를 향한 '레콩키스타reconquista〔재정복〕'를 통해 그들의 권력을 확장했고, 이는 도시 정주지들과 도시 권리의 확장에 주요한 영향을 끼쳤다. 카탈루냐Cataluña에서는 백작-왕들과 아라곤Aragon 왕들이 경제성장을 위한 계획을 바스티드 같은 기반을 통한 새로운 기독교 인구의 보호 열망과 결합했다. 이 전략은 기독교의 영향력이 좀 더 남쪽인 발렌시아Valencia와 무르시아Murcia에 끼쳤을 때도 다시 사용되었다.

마지막으로, **지적 발전intellectual development**은 교회의 사제단 참사회參事會나 수도원 부속 유명 학교에서 이루어졌으며, 많은 도시에 외부인을 끌어들였거니와 더 잘 훈련된 행정 인력에 대한 도시의 늘어나는 수요를 충족시켰다. 게다가 다른 중세 유럽의 유산인 대학교의 출현은 몇몇 도시의 근본적 진화를 의미했다. 이미 오래된 대학타운university town(1200~1215년에 점차 진정한 대학들이 발전한 볼로냐Bologna, 파리, 옥스퍼드Oxford, 몽펠리에Montpellier 같은)에서는 종교 당국 및 대학 당국과 이들이 위치한 도시 자치체들 사이의 관계가 복잡했고 잦은 문제를 일으켰는데, 이는 대학교수들과 학생들이 도시의 이익과 상충하는 광범위한 특권을 종종 주장했기 때문이다. 황제, 왕, 군주들이 도시에 행사한 압력은 어떤 경우에는 특정 도시가 대학을 수용하도록 강요받았음을 의미했고, 반면 다른 도시들은 대학을 유치하려는 경쟁을 벌이기도 했다. 그러나 중세 대학 대다수가 남유럽의 도시에 자리를 잡는 양상이 나타났는바 이는 도시화의 높은 수준과 다른 지역보다 이른 세속적 공공생활 및 성문법의 존재를 반영했다. 경제발전과 민족주의적 감정 nationalist sentiment의 각성은 중세 후기the late Middle Ages의 새로운 대학 설립의 물결을 설명해주는 것이었으며, 1347년 프라하대학교의 등장은 유럽 중부와 동부에서 하나의 전환점이었다.[13]

위기와 쇠퇴(14~15세기)

1300년 무렵의 서구 세계는 인구(역사)학자 피에르 쇼뉘Pierre Chaunu에 의해 '과잉의 세계un monde trop plein'로 묘사되었다. 이 시기에 경제 및 도시개발 과정을 근본적으로 바꾸는 중대한 위기가 발생했다. 1000년 이후 지속적이고 일반적이던 경제성장의 장기 국면은 13세기 마지막 분기에 도시사회urban society에 직접적이고 중요한 결과를 가져오면서 점차 정체되었다. 이 위기는 플랑드르, 이탈리아 북부, 카탈루냐 지방의 대도시 중심지에서 심각하고 오래간 사회적, 정치적 갈등을 불러일으켰다. 도시 노동력의 전문 분야로의 집중, 특히 섬유 생산에의 방대한 집중은 생활수준의 하락에 따른 심각한 정치적 소요로 이어졌다. 그 결과, 최초의 광범위한 혼란의 물결이 1275년경부터 유럽의 도시사회에 밀려들었고, 1320년 무렵까지 변화무쌍한 수위로 계속되었다. 더 많은 도시 폭동의 물결이 뒤따랐는바 1380년 무렵이 그러했다. 이런 저항 운동은 14세기가 시작될 무렵에, 토머스 로버트 맬서스Thomas Robert Malthus가 얘기한 경제적 한계에 도달했다는 사실을 알려준다.

1315~1317년에 유럽 북서부 지역에 대기근이 닥쳤는데, 이는 이후 나타날 긴 기근 목록의 첫 번째였다. 몇몇 경우에는 인구의 사망률을 측정할 수 있으며 도시들에서 가장 높았다. 플랑드르의 산업도시 이프르는 1316년 5월부터 10월 사이에 인구의 10퍼센트를 잃었다. 이후 몇 년 동안 리투아니아, 잉글랜드, 폴란드의 일부 도시에서 식인 풍습이 언급되었는바 이것은 성경에서와 같은 상투적 표현임에 의심의 여지가 없지만 그럼에도 기근으로 인한 사회적 혼란을 증언해준다.[14]

더 올 것이 있었다. 1347년부터 1350년까지 유럽을 강타한 흑사병Black Death은 도시 인구만 아니라 유럽 전체 인구의 최소 3분의 1을 잃게 한 원인이었다. 더 주목해야 할 점은 가래톳 페스트bubonic plague가 풍토병이 되었고, 거의 10년 또는 15년마다 재발했다는 것이다. 이는 15세기 중반까지 모든 세대가 한 번 또는 그 이상 과도한 사망률에 직면했음을 의미한다. 위태롭게도, 가장 생산적인 집단인 젊은 성인들이 최악의 타격을 당했다. 그들은 어떤 형태의 면역력도 증진할 시간이 없었고 종종 영양이 부족했기에 반복적 질병의 창궐에 더욱 취약했다. 많은 마을이 버려지는 시골에서 일어난 일과는 달리, 도시들은 그들의 배후지에서 새롭고 젊은 인구를 계속해서 끌어모았고 도시 네트워크는 훨씬 줄어든 인구학적 규모에도 놀라운 회복력을 보여주었다. 인구학적 감소는 매우 주요한 영향을 끼쳤다. 예를 들어 주택과 재산의 가치가 급락했고 상당한 부가 재분배되었는데, 이 모든 것은 사회적 관계가 재정의된 도시사회의 책임이었다. 정확한 지표가 거의 남아 있지는 않지만, 재정을 목적으로 하는 1427년 피렌체 최초의 가족 총조사 기록과 같은 예외적 사료인 카타스토catasto를 통해 처음 결혼하는 사람들의 나이 차이가 증가하는 것을 알 수 있다('카타스토'는 중세 이탈리아 도시들의 토지 등기 체계로 재산세의 기초였다). 곧 남성의 결혼 연령은 25세에서 30세로 더 높아졌고 여성의 결혼 연령은 이전보다 훨씬 더 낮아졌다.[15] 그 결과 미망인의 재혼과 청년들의 연장된 청소년기가 심각한 사회적 문제로 대두되었고 격동의 정치 분위기를 조성하는 도시사회가 나타났다.

쇠퇴의 한 영향은 타운경관townscape에서도 확인할 수 있었다. 많은 도시에서 건물들은 거주민들 없이 남겨졌고 종종 교외에서는 전체 구역이 버려지기도 했다. 이것은 시골에서 도시로 또는 도시들 사이에서 더욱 증가한 이주에 힘입어 부분적으로만 상쇄되었다. 15세기 후반기에야 인구학적 회복이 더디게 시작되었다. 그런데 도시적 유럽은 1800년 이후 산업화가 가속화될 때에야 완전히 회복해 1300년 무렵의 인구학적 수준에 다시 도달했다. 근대 초기에 매우 중요한 서유럽의 상업 허브(안트베르펜, 암스테르담, 런던)는 발트해를 포함한 다각적인 국제적 무역으로 활성화되어 경기의 침체를 어느 정도 모면했으며, 1500년 무렵에는 점점 더 높은 생활수준을 누리게 되면서 사람들을 새로 끌어들였다.[16]

전반적 불안정, 더 정확하게는 전쟁과 기근으로 요새화fortification에 대한 새로운 관심으로 도시를 방어하고 외부로부터의 공격에 덜 취약하게 만들 필요성이 제기되었다. 따라서 성벽, 관문, 요새 등에 대한 투자가 되살아났는바 이는 건조환경built environment뿐만 아니라 이러한 작업에 자금이 될 보다 효과적인 재정 구조(세금과 대출)의 구축에도 주요한 영향을 끼쳤다. 재정 구조의 발달은 부의 재분배와 사회적 불평등의 심화를 불러오는 원인이 되었고 새로운 사회 갈등의 근원이 되었다.

일반적으로 도시들이 중세 후기의 반복적인 인구학적 재난의 영향을 견뎌냈고, 유럽의 도시체계urban system에 몇 가지 근본적 변화가 발생했음이 분명하다. 새롭고 더 나은 의사소통과 교환 기술로, 샹파뉴 정기시를 중심으로 한 북유럽과 남유럽 사이의 전통적 육상 교역로는 13세기 후반부터 급격히 쇠퇴하면서 많은 항구도시가 전반적인 상업적 상승세로 이끌린 대서양 연안 개발이 유리해졌다. 스페인 북부 해안, 프랑스 대서양 연안, 잉글랜드의 남부·남동부 해안, 14세기 후반부터 시작된 부르고뉴Bourgogne령 저지대 국가들의 도시들은 —중세 말 유럽 북서부의 선도적 교역장들(엠포리아)의 중요성이 브뤼허에서 안트베르펜으로 점진적으로 옮겨간 변화의 배경에서 알 수 있듯이— 도시 이익과 도시 정책의 원동력이었던 상업 및 경제 거점 네트워크를 만들었다.

새로운 조선술, 항해술, 개선된 보험은 본래 이탈리아의 위대한 해양도시maritime city들인 제노바와 베네치아에서, 또한 피렌체와 밀라노에서 개발되어 점차 유럽의 대서양 연안으로 퍼져나갔다. 이것들은 포르투갈과 스페인, 이후 잉글랜드와 네덜란드의 초기 식민지 기업들을 운영하는 데 도움을 주었다. 예전의 역사 연구들은 독일 북부와 발트해의 한자동맹 지역이 새로운 재정 발전에서 뒤떨어졌다고 보았으나 사실은 그렇지 않았다. 중세 유럽에서 이 지역은 곡물, 목재, 가죽, 모피의 대량 교역의 성장을 지원하는 그들만의 상업 방식을 적용했다.

직물과 야금 경제활동의 구조적 적응은 15세기에 독일 남부에서

괄목할 도시성장의 또 다른 축을 두드러지게 했다. 이 지역에서는 내륙도시inland city인 뉘른베르크Nuremberg, 아우크스부르크Augsburg, 울름Ulm이 베네치아를 거쳐 지중해와 중동으로 직결되는 상업적 연계의 혜택을 누리면서 번창했다.

11세기 십자군 전쟁부터 계속된 전쟁에도 불구하고 알레포, 알렉산드리아, 카이로와 같은 중동의 아랍 항구들과 상업도시commercial city들은 대對서양 교역의 주요 화물집산지entrepôt로 계속해서 기능했다. 동양과 서양의 교역은 중세 내내 동양에 유리했으며, 제노바와 베네치아 상인들의 상업 활동(카탈루냐와 프로방스 항구 포함)은 사치품과 수입품(향신료, 비단) 및 수출품(주로 직물, 은) 모두에서 대륙 간 교역의 중요성을 유지하게 했다. 이 활동은 유럽 도시들을 중동과 아시아로 연결했다. 중동과 그 너머 국가들과의 교역은 유럽인들에게 그들이 아시아와 아메리카에서 식민화의 모험을 할 때 그 유용성이 증명될 경험을 축적하게 해주었다.

중세 도시와 그 유산

도시사회의 오랜 성장과 그 이후의 위기가 끼친 영향은 중세 유럽의 서로 다른 지역에서 차이가 있었음에도 그 이면에서는 유럽 중세 도시의 유산이 무엇이었는지 여전히 질문이 제기된다. 필연적으로, 막스 베버가 제안했던 생각들 가운데 일부가 떠오른다. 베버에게는 부르구스burgus〔성벽으로 둘러싸인 중세 도시〕의 전형적인 주민으로 개인의 권리에 연계되고 동시에 일련의 의무와 책임으로 집단 활동에 참여해야 하는 '뷔르거bürger〔도시민〕'의 출현에서 배태된 중세 공동체의 이상이 가장 두드러진 주제였을 것이다〔'뷔르거'는 도시 성벽 안에 거주하는 이들을 지칭하는 독일어로, 프랑스어로는 부르주아bourgeois다〕. 아론 구레비치Aaron Gourevitch는 중세 뷔르거가 유럽 역사에서 매우 이례적인 현상이었으며 동시대 비잔티움 사회나 이슬람 사회에서는 나타나지 않았던 현상임을 지적했다.[17] 최근 역사 연구들은 '공동체주의communalism'가 유럽의 중세 과거를 분석하는 데서 '봉건제feudalism'나 '의회주의parliamentarism'와 같은 전통적 주제만큼이나 많은 관심을 받을 만하다고 주장한다. 공동체적 요소가 도시사에서 표면화한 것은 —그리고 그렇다고 확인된 것은— 도시들이 교회나 제후국(왕과 황제)과 같은 전통적인 권력을 상대로 특별한 관계를 설정하게 될 만큼의 경제적·정치적 영향력의 수준에 다다랐을 때였다. 이러한 서로 다른 발전 단계는 왜 코무네commune가 12세기 이후로 이탈리아 북부와 중부에서는 왕성했으나 남부에서는 부족했는지를 설명해준다.* 이탈리아 남부에서는 노르만의 정복과 신성로마 제국 황제 프리드리히 2세Frederick II〔재위 1215~1250〕의 코무네 억압(1232년 메시나Messina에서처럼)이 뒤따르면서 북부 및 중부와 유사한 코무네 운동이 막혔다. 코뮌 운동은 이전의 비잔티움과 이슬람 시기에 앞서 있던 도시개발을 고려할 때 잠재적으로 발생할 가능성이 컸다. 비슷한 이유로, 독일 북부 해안의 도시들은 도시 자치를

* '코무네'는 이탈리아어로 '도시 자치 공동체'를 뜻하며, 프랑스어로는 '코뮌'이다. 이하 이탈리아의 경우 '코무네'로, 그 외는 '코뮌'으로 표기한다.

발전시킬 개연성이 높았으나, 이것은 동유럽 도시들에는 거의 영향을 끼치지 않았다. 코뮌의 첫 번째 물결은 플랑드르, 피카르디Picardie와 이탈리아 북부에서 1070~1130년 사이에 일어났는데, 일반적으로 자유 뷔르거들 사이에 상호 이익을 위한 선서가 이루어졌고, 이는 공동서약을 뜻하는 '콘주라티오conjuratio'라 불렸으며 도시 내 자유와 평화 보장을 위한 것이었다.[18]

외부 세계와의 관계 외에도 코뮌은 도시 내부 조직을 재정비했다. 많은 경우에 코뮌은 더 이른 초기의 결사체를 인수했거나 그것을 기반으로 했다. 훨씬 더 이른 초기의 코뮌 사례는 11세기 말에 이미 유럽 북서부 생토메르에 있었던 '길드ghilde'로, 상인들의 보호와 상호 지원을 목표로 하는 결사체에서 도시의 모든 공식적 뷔르거에게 개방된 조직으로 진화했다. 노브고르드에서는 상인 결사체인 이른바 '100명의 이반Hundred men of Ivan'(13세기부터)이 비슷한 역할을 했다. 노브고로드와 모스크바Moskva는 적극적인 상인 결사체가 코뮌 운동에 참여한 두 러시아 타운이었다.

이는 막스 베버가 전형적인 유럽 도시의 또 다른 중요한 요소로 강조한 도시 자치 기구가 갖는 효과를 상기시킨다. 아레초를 사례로 들자면 1098년의 민간 증서가 이미 두 집정관의 존재를 언급했던 반면, 교황 파스칼 2세Paschal II가 1111년에 아레초 '우니베르시타스 키비움universitas civium'〔시민 보편공동체〕에 보낸 공식 서한은 이때까지 집정관들이 활동해온 도시 자치체가 존재했음을 단정적으로 결론짓게 해준다. 이를 통해 자치 기구의 정치적 구조와 이 시기에 존재했던 위원회에 대해 알 수 있다. 많은 경우에 도시 조직체의 존재에 대한 법적 근거는 시민 공무원의 활동에 대해 언급되는 시기 이전에 마련되어 있었다.

중세 성기 봉건적 유럽에서 정치적 혼란과 권력의 분할은 코뮌 운동을 결정적 방식으로 강화했다. 많은 도시에서 지역 주교의 권력은 더는 상업 활동이 그토록 절실히 필요로 하는 평화를 유지할 능력이 없음을 증명했다. 알려진 가장 오래된 코무네의 규약 가운데 하나인 1117년의 피스토이아Pistoia 규약은 도시 집정관에게 도시 내의, 그리고 오래전 '키비타스'였던 교구 영역을 포함하는 도시 주변 콘타도 내의 평화 보장을 의무화했다('피스토이아'는 이탈리아 토스카나의 도시다). 프랑스 북부의 가장 오래된 코뮌들이 주교도시episcopal city들에서 발전했다는 점은 놀랍지 않다. 캉브레(1077), 생캉탱Saint-Quentin(1081), 보베Beauvais(1099), 누아용Noyon(1108~1109), 라온Laon(1110~1116)이 코뮌의 권리를 획득했다. 코뮌들은 도시 내 경제 엘리트들의 이익과 주교들의 봉건권력 사이의 점점 멀어져가는 거리를 반영했다. 코뮌과 평화 운동 사이 밀접한 연결이 코뮌들을 위협하는 영주들에 대한 군사적 대응을 막은 것은 아니었다. 그러나 12세기 말인 1180년에서 1190년 사이에 28개가 넘는 코뮌 헌장을 부여한 프랑스 왕 필리프 2세Philippe II와 같은 상황 판단이 빠른 통치자는 자신의 정치적 의제와 도시 평화 운동의 의제를 서로 결합하는 데 성공했다. 몇십 년 전인 1127~1128년에 플랑드르에서 주요한 정치적 혼란이 있었는데, 이는 도시의 이익을 가능하게 하는 방식으로 해결되었다. 플랑드르의 위대한 도시들인 헨트, 브뤼허, 생토메르, 릴은 알자스Alsace 가문의 새로운 백작 왕조와 협력했다. 알자스 가문의 백작은 프랑스 국왕이 후원한 후보자를 희생시키며 권력을 잡았고, 그 결과 도시들은 처음으로 정치 무대로 몇 걸음

다가가게 되었다. 한 세기 이후, 같은 도시들의 대표들은 정치의 중심부로 진출했고 국제 정치에서도 '스카비니 플랑드리에scabini Flandriae'(단일 도시가 아닌 플랑드르 지역의 시의원alderman)가 등장해 특히 잉글랜드와 상업 조약을 체결하는 데서 중요한 역할을 했다. 시의원 같은 전형적 도시 제도들은 대표자로서 자신들의 역할과 기능을 확장할 수 있었고, 따라서 그들의 행동은 지역 전체와 그 너머를 포괄했다.

막스 베버에 따르면, 시민 행정의 권리는 중세 코뮌의 특성이었다. 시의원, 집정관, 혹은 현지의 법관과 정치적 행정가로 활동한 다른 공직자들로 의인화된 시민권력의 하부에는, 종교단체, 자선단체, 또는 직종별 조직이 결합한 때때로 복잡한 다층적 조직 체계가 발전했다. 여성은 공공기능에서 여전히 배제되어 있었던 만큼, 이런 조직 체계는 야심이 있는 남성이 공적 영역에서 활동할 수 있게 해주었으며, 이는 그들이 코뮌의 주요 원칙인 '공익public good' 혹은 '코뮌 이익bono commune'에 책임감을 느끼고 있었기 때문이다.[19] 도시 거주민들이 자유롭게 만나 내부 협의를 할 수 있는 우니베르시타스[보편공동체]를 구성하려는 소망은 매우 근본적이었다. 많은 경우에서 집정관이나 시의원의 초상은, 예컨대 (1195년 묄랑Meulan의 인장처럼), 도시의 인장印章에서 도시를 대표하면서 도시를 외부 세계에 드러내는 뛰어난 이미지가 되었다([도판 12.1] 참조). 선행 연구들은 예를 들어 시의원들에 의해 통치되는 도시들과 집정관 체제의 도시들 사이에서 나타나는 차이를 지나치게 강조했을 수 있다. 궁극적으로 도시 정부의 형태, 시의원, 집정관, 배심원, 행정관échevin, 통제관 등이 지정되는 방식, 그리고 그 과정에 개입하는 여러 수준의 당국들 사이의 관계는 로마법에서 유래하는

[도판 12.1] 묄랑 코뮌 인장, 12세기 말 (출처: B. Bedos-Rezak, *Corpus des sceaux français du Moyen Age. Tome premier: les sceaux des villes*, Paris, 1980, n°413, 323)

하나의 기본 지침을 따랐다. "모두가 우려하는 것은 모두가 협상하고 승인해야 한다quod omnes tangit ab omnibus tractari et approbari debet." 이것은 원래 사적 소유에 대한 청구 문제를 해결하기 위해 고안된 원칙이었다.

실제로, 많은 도시 정부는 작은 과두정에 의해 지배되는 경향이 있었다. 많은 선거를 처리하고 지시하는 복잡한 규칙과 절차는 20세기 초반의 자유주의적 꿈인 '도시 민주주의urban democracy'에 해당하는 결과를 거의 보장해주지 못했다. 물론 도시 정부들은 선거에서 승리한 이후에 공직자들에게 부여된 권한에 기반을 두었다. 그러나 선거인단 수의 변동, 교구·구역·길드·기업·자선단체의 예비선거, 결정이 이루어지는 방식, 때로는 '다수의major pars' 의견을 선호하고 때로는 '현명한sanior pars' 의견을 선호하는 것 등 모든 요소는 직선적인 '민주적' 과정을 거의 실현하기 어렵게 만들었다. 선택과 의사결정의 복잡한 체계는 코뮌의 정치적 구조를 반영한바 대부분 경우에 세 단계가 있었다. 기초 단계로는, 모든 남성 주민이나 완전한 정치적 권리를 가진 뷔르거들로 구성된 시민총회가 있었다. 이 회의는 이론상 주권적이고 결정적인 권력을 가지고 있었으나 실제로는 거의 소집되지 않았다. 두 번째 단계로는, 길드와 유사한 기관의 대표들로 구성이 되며, 더 많은 참여자는 아닐지라도, 어느 정도 제한적인 자문회가 있었다. 마지막으로는, 시의원과 집행관으로 구성되고 일상적 정치와 재정 문제를 다루도록 만들어진 행정기구가 있었다. 건축학적으로 이런 정치적 구조는 이탈리아 북부 코무네들의 가장 오래된 시민청civic palace에 반영되었다. 브레시아Brescia(1187), 베로나(1193), 베르가모Bergamo(1200), 크레모나Cremona(1206)에 건립된 시민청은 넓게 트인 회랑인 로지아logia가 있었으며, 시장 활동에 개방되었고 대규모 대중 회합을 개최할 수도 있었다. 로지아는 여러 방이 주변을 둘러싸고 있었으며 이 방들에서 문자 그대로 가장 근본적인 대규모 '시민populo'총회가 지지하는 자문회, 시장, 시의원이 소집되기도 했다.[20] 13세기 중반의 나중 국면에서, 이탈리아 중부의 큰 도시 중심지(볼로냐는 잘 문서화된 사례다)와 플랑드르(릴, 헨트, 브뤼허)에서 새로운 중앙시장 광장이 '건설'되었고, 결과적으로 종종 중요하고 비용이 많이 드는 사업들을 논의할 공적 정치 회합이 개최될 수 있는 개방형 공공공간이 만들어졌다.

도시는 개인 뷔르거들의 힘을 결집하고 결속하는 긍정적인 힘으로 작용했고, 시민권의 한계를 규정했으며, 새 이주민들의 유입과 도시가 제공하는 사회적·법적·정치적 보호에 대한 그들의 접근을 규제했다. 실제로, 인구학적 위기가 혹독했던 시기에도, 도시는 도시에서 많은 사람이 사망하는 도시 묘지urban graveyard 효과를 경험했었음에도 사람들을 끌어들였다. 많은 이에게 도시 생활의 장점은 단점과 내재적 위험성을 확연하게 능가했다. 도시가 새 이주민들에게 보인 태도는 차별적이고 제한적이었다. 1191년에 헨트 규약은 새 이주민이 "타운과 구성원에게 전혀 도움이 되지 않는다면toti oppido et universitati inutilis" 그들을 추방할 수 있다고 규정했다.

14세기에 등장한 도시 계정에서 도시에 수익성이 없다고 판단되는 사람들에게 특별세가 부과되었음을 알 수 있다. 이런 조처로 그들이 사라지지 않는다면 그들에 대해 도시에서의 추방과 배제가 뒤이을 수 있었다. 이 조치를 감히 위반하는, 금지를 어기는 개인들은 목숨이 위험했다. 따라서 중세 도시는 삶을 더 쉽게 만들고 사회적 요구에 대응할 수 있는 도시 기반의 편의시설을 제공했거니와, 누가 그것을 공유할 수 있는지에도 명확한 선을 그었고, 그에 따라 사회적 행동, 노동시장, 경제적 기회를 형성했고 유형화했다. 이는 도시의 자체적 주변부 계층과 해당 계층에 대한 집합적 두려움collective fear을 조성했고, 나환자·동성애자·유대인·거지 등에 대한 억압적 행동으로 이어졌다.

누군가가 뷔르거인지 아닌지, 그리고 그 사람이 뷔르거와 관련된 권리와 의무를 누릴 수 있는지는 유럽 도시 공동체의 초석이었고 이후 유럽 사회의 발전에 지대한 영향을 끼쳤으며, 이는 다른 도시 문명들이 개인 거주민들의 권리에 취했던 접근법과는 다른 방식이었다.[21]

시민적 기억의 구축과 이데올로기

많은 시민청에 보존된 가장 소중한 것은 코뮌의 공적 기록과 재정 문서 모두를 포함하는 코뮌 문서고arca communis다. 중세 중기[성기]와 후기에 도시 해방과 도시 (자치) 정부는 도시 기억urban memory의 조직을 통해 그리고 기록물에 대한 성직자의 독점 파괴를 통해 정형화되었다. 이와 같은 도시의 실용적 문해력은 12세기부터 증명되었는데, 이탈리아 북부 도시가 처음이었으며, 이곳에서 각 도시 정치체의 발전(포데스타[도시 집정관]podestà에서 대중 체제로의)은 도시의 기록물이 가진 힘의 양적·질적 진보와 함께 진행되었다. 더욱 일관된 기록물의 힘은 도시 정치인들과 행정가들이 부릴 수 있는 유력한 도구가 되었고 강력해졌는바, 이는 기록물이 또한 지배적 도시의 영향력이 주변부 시골에 행사되는 것을 성공적으로 뒷받침해주었기 때문이다. 데이비드 헐리히David Herlihy와 크리스티안 클라피슈-쥐베르Christiane Klapisch-Zuber가 1427년 피렌체의 카타스토 보고서[일종의 세무 조사 보고서]를 르네상스의 기념비로 간주하는 타당한 이유가 있었는바, 그 문헌들이 많은 예술 작품만큼이나 지적 고양을 준다는 점에서다.[22] 토스카나 지역의 시에나 타운홀town hall의 [실내] 벽화인 암부로조 로렌체티Ambrogio Lorenzetti의 '선한 정부'는 이런 관점을 보여주는 훌륭한 사례다.[23]*

실용적 문해력과 함께, 로마법과 교회법으로부터의 영감, 대학

* 여기서 '선한 정부'는 이탈리아의 시에나파 화가 로렌체티가 그린 프레스코화 연작 〈선한 정부와 악한 정부의 알레고리Allegoria ed effetti del Buono e del Cattivo Governo〉 중 '선한 정부' 부분을 말한다.

으로부터의 지적 사상, 성직자 개혁 운동이 합쳐져 '공동선〔공공선〕common good'에 대한 공동 책임에 초점을 맞춘 시민권력의 새로운 사상을 탄생시킨 도시 이데올로기의 위대한 전통이 진화해 나왔다. 13세기부터 프란체스코회와 도미니크회가 이와 같은 도시 이데올로기를 더욱 발전시켰다.[24] 파도바의 마르실리우스Marsilius Patavinus는 그 유명한 《평화의 수호자Defensor pacis》(1324)에서, 시민들의 자유로운 공동체 회합에서 권력의 근원을 찾는 아리스토텔레스의 관점이 어떻게 이탈리아 도시경험urban experience과 도시 관행에 뿌리내렸는지 예시했다.

이에 앞서 12세기 후반 이후 이탈리아에서 전개된 상당히 독특한 관행은, 도시의 정부 권한을 당시 주요 가문에서 모집해 전문 중재자로 훈련을 시킨 이른바 '포데스타' 곧 순회재판관에 국한함으로써 도시 엘리트 내부의 불화와 갈등을 진정시키는 것을 목적으로 했다. 이탈리아 북부 도시들 사이에서 포데스타의 주목할 만한 순환은 정치적 사상과 관행에 통일적 영향을 끼쳤고 통치에 대한 매우 도시적인 접근을 발전시키는 효과적 도구가 되었다. 규범과 관행의 확산 측면에서 이와 유사한 움직임은 도시 권리헌장의 확산에서 관찰될 수 있다. 일례로, 쾰른이나 뤼베크 같은 훨씬 더 큰 도시들에 의해 채택된 저지대 국가들의 루뱅Louvain의 헌장 또는 보통 규모의 독일 타운인 조스트Soest 시의 헌장이 그러하며, 쾰른과 뤼베크는 차례로 발트해 연안의 수백 개 도시 중심지의 헌장에 영향을 끼쳤다. 이것은 유럽 도시들 사이에서 모방과 적용의 중요성에 대한 강력한 문화적, 정치적 표현이었다.

시민들 사이의 정치적 계약과, 도시 정치체와 그 통치자(주교든 세속 군주든 주권자든 간에) 사이의 정치적 계약에는 각 왕조의 계승이나 치안판사의 연례 서약을 계기로 하는 시간적 차원이 추가되었다.[25] 권리와 의무의 상호적 쌍들이 낭독되고 선서가 이루어졌으며 필요하다면 논의와 토론도 이어졌다. 이런 측면에서 다시, 유럽 도시는 자유의 배양지가 되었지만, 이것은 중세적 의미에서의 자유 곧 시민 개개인의 자유가 아닌 집합적 사업collective enterprise의 자유였다. 중세 키비타스는 정의, 평화, 조화가 신의 사랑divine love의 표현에 불과했던 우니베르시타스universitas〔보편공동체〕의 변형이었다. 공동체는 무엇보다도 종교적 공동체였다. 도시에 속한다는 것은 이교도나 이단, 혹은 체제 반대자가 아니라는 점을 의미했다. 요컨대 중세 유럽 도시에는 양면적 모습이 나타나는바, 중세 유럽 도시는 곧 그 구성원 사이 유대를 형성하고 강화하는 공동체지만 이에 순응하지 않는 이들은 동정심 없이 배제하는 도시 공동체인 것이다.

결론

대체로 중세 도시는 근대 초기 유럽 도시의 중요한 발전을 위한 길을 닦았다. 중세 시기에 만들어진 도시 네트워크, 성벽 안의 도시공간urban space, 많은 중세 시민 제도는 변화와 유행과 성장하는 외부 세력의 영향을 받음에도 전근대 유럽의 도시성을 계속해서 명확하게 해주고 있다. 지금까지 살펴본 것처럼, 중세의 몇몇 발전은 유럽에서 그 영향을 받은 지역에 따라 상당히 다른 결과를 낳아 일부 지역은 시대에 뒤처져 있었고, 이런 지역성은 다음 세기에도 계속될 것이다. 확연한 사실은 개별적 뷔르거, 집합적 책임감collective responsibility, 거의 종교적으로 체험된 뷔르거 공동체에 대한 소속감 등이 도시적 중세 경험의 핵심이자 특성이었다는 점이다. 유럽 도시들이 1500년 이후 가장 큰 도전에 직면하게 되는 것은 다름 아닌 사상 분야와 문화적 표현 분야에서다. 종교적 격변, 경제적 어려움, 새로운 전쟁 기술, 완전히 새로운 소비재, 새로운 이국적 문화, 새로운 생산과 소비 기술, 그리고 더욱 중앙집중화하고 강력해진 '국가state'의 성장에 도시들은 어떤 대응을 했을까? 그 해답은 다음 장에서 논의한다.

주

1 이 글을 토론한 여러 사람에게 많은 빚을 지고 있다. 그중에서도 컬럼비아대학교의 Martha C. Howell, 파리 소르본대학교의 Elisabeth Crouzet-Pavan, 브뤼셀자유대학교의 Claire Billen, 하와이주립대학교의 Peter Arnade는 특별한 감사를 받을 자격이 있다. 편집자는 친절하게 이 글의 수정에 도움을 주었고, Susie Sutch는 영어의 향상을 도와주었다.

2 도시의 기원에 관한 문제(그리고 '무엇'이 도시를 정의하는지에 관한 문제)는 많이 논의된 주제 중 하나다. 도시고고학에 크게 영향을 받은 최근의 지식을 종합하려는 시도에 대해서는 Adriaan Verhulst, *The Rise of Cities in North-West Europe* (Cambridge: Cambridge University Press, 1999), 그리고 Chris Wickham, *Framing the Early Middle Ages. Europe and the Mediterranean 400-800* (Oxford: Oxford University Press, 2005).

3 다음의 종합을 참고하라. Patrick Boucheron, Denis Menjot, and Marc Boone, "La ville médiévale", in Jean-Luc Pinol, *Histoire de l'Europe urbaine. I. de l'Antiquité au XVIIIe siècle* (Paris: Le Seuil, 2003), 308-317 (스페인어 번역본은 Universitat de Valencia, 2010).

4 F. Miranda Garcia, Y. Guerrero Navarrete, *Historia de Espana. III: medieval, territorios, sociedades y culturas* (Madrid: Silex Ediciones, 2008), 47-53, 64-65.

5 Jacques Le Goff, *Histoire de la France urbaine. II: la ville médiévale des Carolingiens à la Renaissance* (Paris: Le Seuil, 1980), 15.

6 여전히 고전인 다음을 참고하라. Henri Pirenne, *Medieval Cities. Their Origins and the Revival of Trade* (Princeton: Princeton University Press, 1923).

7 Giorgio Chittolini, "Urban Populations, Urban Territories, Small Towns: Some Problems of the History of Urbanization in Northern and Southern Italy (Thirteenth-Sixteenth Centuries)", in Peter C. M. Hoppenbrouwers, Anteun Janse, and Robert Stein, eds., *Power and Persuasion. Essays on the Art of State Building in Honour of W. P. Blockmans* (Turnhout: Brepols, 2010), 234-235.

8 이것과 도시의 정의에 관한 포스트 베버주의의 참고문헌에 대해서는 Peter Johanek, F.-J. Post, eds., *Vielerlei Städte. Der Stadtbegriff* (Cologne, Weimar, and Vienna: Böhlau, 2004), Ferdinand Opll and Christophe Sonnlechner, eds., *Europäische*

Städte im Mittelalters (Innsbruck-Wien: 2010).

9 도시와 직접적 배후지의 변증법적 관계에 대해서는 Paulo Charruadas, *Croissance rurale et essor urbain à Bruxelles. Les dynamiques d'une société entre ville et campagnes (1000-1300)* (Brussels: Académie Royale de Belgique, 2011).

10 상업시장의 역사에 대한 개괄로는 Franz Irsigler, "Jahrmärkte und Messesysteme im westlichen Reichsgebiet bis ca. 1250", in Volker Henn, Rudolf Holbach, Michel Pauly, and W. Schmid, eds., *Miscellanea Franz Irsigler. Festgabe zum 65. Geburtstag* (Trier: Porta Alba Verlag, 2006), 395-428.

11 Beatriz Arizaga Bolumburu, "Las actividades economicas de las villas maritimas del norte peninsular", in *Las sociedades urbanas en la Espana medieval. XXIX semana de Estudios Medievales, Estella 2002* (Pamplona: Gobierno de Navarra, 2003), 195-242.

12 이 책의 15장을 보라. 그리고 Donatella Calabi and Derek Keene, "Merchant's Lodgings and Cultural Exchange", in id., ed., *Cultural Exchange in Early Modern Europe*, vol. 2: *Cities and Cultural Exchange in Europe, 1400-1700* (Cambridge: Cambridge University Press/ESP, 2007), 318-331.

13 Hilde De Ridder-Symoens, ed., *A History of the University in Europe, vol.1: Universities in the Middle Ages* (Cambridge: Cambridge University Press, 1992).

14 William Chester Jordan, *The Great Famine. Northern Europe in the Early Fourteenth Century* (Princeton: Princeton University Press, 1996).

15 David Herlihy and Cristiane Klapisch-Zuber, *Les Toscans et leurs familles. Une étude du catasto florentin de 1427* (Paris: Ed. CNRS, 1978).

16 이 책의 14장을 보라.

17 Aaron Gourevitch, *Les catégories de la culture médiévale* (Paris: Gallimard, 1983) (러시아어 초판본, 1972).

18 Knut Schulz, *"Denn sie lieben die Freiheit so sehr ..." Kommunale Aufstände und Entstehung des europäischen Bürgertums im Hochmittelalter* (Darmstadt: 1992); Peter Blickle, *Kommunalismus: Skizzen einer gesellschaftlichen Organisationsform*, 2 vols. (Oldenbourg: 2000).

19 Cf. Elodie Lecuppre-Desjardin and Anne-Laure Van Bruaene, eds., *De Bono communi. The discourse and Practice of the Common Good in the European City*

(13th–16th c.) (Turnhout: Brepols, 2010).

20 전반적인 견해에 대해서는 Elisabeth Crouzet-Pavan, *Les villes vivantes. Italie XIIIe–XVe siècle* (Paris: Fayard, 2009).

21 Leo Lucassen and Wim Willems, *Living in the City. Urban Institutions in the Low Countries, 1200–2010* (New York: Routledge, 2012).

22 앞의 주 15번을 보라.

23 Patrick Boucheron, "'Tournez les yeux pour admirer, vous qui exercez le pouvoir, celle qui est peinte ici', La fresque dite du Bon Gouvernement d'Ambrogio Lorenzetti", *Annales. Histoire sciences sociales*, 6 (2005), 1137–1199.

24 Francesco Todeschini, *Ricchezza francescana. Dalla povertà volontaria alla società di mercato* (Bologna: II Mulino, 2004); M. S. Kempshall, *The Common Good in Late Medieval Political Thought* (Oxford: Oxford University Press, 1999).

25 Elodie Lecuppre-Desjardin, *La ville des cérémonies. Essai sur la communication politique dans les anciens Pays-Bas bourguignons* (Turnhout: Brepols, 2004).

참고문헌

Boone, Marc, *A la recherche d'une modernité civique. La société urbaine des anciens Pays-Bas au bas Moyen Age* (Brussels: Editions de l'ULB, 2010).

Cohn, Sam K., Lust for Liberty. *The Politics of Social Revolt in Medieval Europe, 1200–1425* (Cambridge, Mass.: Harvard University Press, 2006).

Crouzet-Pavan, Elisabeth, and Lecuppre-Desjardin, Elodie, eds., *Villes de Flandre et d'Italie (XIIIe–XVIe siècles). Les enseignements d'une comparaison* (Turnhout: Brepols, 2008).

De Ridder-Symoens, Hilde, ed., *A History of the University in Europe, vol. 1: Universities in the Middle Ages* (Cambridge: Cambridge University Press, 1992).

Ginatempo, Maria, and Sandri, L., *L'Italia della città: il popolamento urbano tra medioevo e rinascimento (secoli XIII–XVI)* (Florence: Le Lettere, 1990).

Gourevitch, Aaron, *Les catégories de la culture médiévale* (Paris: Gallimard, 1983).

Isenmann, Eberhard, *Die deutsche Stadt im Spiitmittelalter, 1250–1500. Stadtgestalt,*

Recht, Stadtregiment, Kirche, Gesellschaft, Wirtschaft (Stuttgart : Ulmer, 1988).

Le Goff, Jacques, *Histoire de la France urbaine. II : la ville médiévale des Carolingiens à la Renaissance* (Paris : Seuil, 1980).

Lecuppre-Desjardin, Elodie, Van Bruaene, Anne-Laure, eds., *De Bono communi. The Discourse and Practice of the Common Good in the European City (13th–16th c.)* (Turnhout : Brepols, 2010).

Pinol, Jean-Luc, *Histoire de l'Europe urbaine. I de l'Antiquité au XVIIIe siècle* (Paris : Seuil, 2003).

Pirenne Henri, *Les villes et les institutions urbaines* (Paris : Librairie Félix Alcan, 1939).

Scheller, B., "Das herrschaftsfremde Charisma der Coniuratio und seine Veralltäglichungen. Idealtypische Entwicklungspfade der mittelalterlichen Stadtverfassung in Max Weber's 'Stadt'", *Historische Zeitschrift*, 281 (2005), 307–336.

Schulz, Knut, "Denn sie lieben die Freiheit so sehr...", *Kommunale Aufstände und Entstehung des europäischen Bürgertums im Hochmittelalter* (Darmstadt : Wissenschaftliche Buchgesellschaft, 1992).

Verhulst, Adriaan, *The Rise of Cities in North-west Europe* (Cambridge : Cambridge University Press, 1999).

Weber, Max, *The City* (Glencoe, Ill. : Free Press, 1958).

Wickham, Chris, *Framing the Early Middle Ages. Europe and the Mediterranean 400–800* (Oxford : Oxford University Press, 2005).

제13장

근대 초기 유럽: 1500~1800년

Early Modern Europe: 1500–1800

브뤼노 블롱데

Bruno Blondé

일리야 판 다머

Ilja Van Damme[1]

결정적 변화의 시기?

1683년 안트베르펜의 코르넬리우스 하자르트Cornelius Hazart [예수회] 신부는 "우리의 선조들은 강력하고, 부유하고, 정의로웠으나 자신들의 자손들을 알아볼 수 없을 것"이라고 불평했다.[2] 하자르트의 '역사적 트라우마'는 그가 신자들의 변화하는 삶의 양식을 이해하지 못한 원인의 하나였으며, 이런 감정은 1700년 이후 네덜란드 남부 도시들의 가톨릭 단체들 사이에 널리 확산되어 있었다. 수십 년 후 또 다른 사제는 헨트의 부유한 시민들이 무엇에 그렇게 불안해했는지 더 분명하게 설명했다.

그들은 행사장이나 모임에서 밤을 보낸다. 그들은 하루 대부분을 졸다가 깨고는 (…) 서둘러 차나 커피나 초콜릿을 먹는다. (…) 미사는 신께 기도하는 대신 여가의 시간으로 여기며, 그들은 그동안 대화하고, 웃고, 인사하고, 최신 패션에 대해 찬양하다가 (…) 곧 서둘러 집에 가서 긴 점심을 한다. 이후 그들은 오후에 누군가를 초대하거나 방문한다. 이렇게 그들의 매일이, 매년이, 인생이 날아가버린다.[3]

당대의 도덕주의자들은 확연한 거대도시와 젠트리계층의 소비 양상에 관한 이런 묘사를 통해 17세기와 18세기에 유럽에서 급변하는 도시 생활을 증언한다. 의심의 여지 없이 근대 초기는 도시적 유럽urban Europe에 '임계 전이critical transition'의 시기였다.[4] 이 시기에 도시들은 사회를 주도하는 행동 규범이 될 '도시적urban' 생활양식을 발전시켰고, 이것은 결국에 도시 성벽 너머로 확산되었으며 오늘날의 도시화한 세계에도 여전히 영감을 주고 있다. 더욱이 근대 초기는 오늘날 유럽 도시 세계의 모형이 되는 주요 도시 정주지urban settlement들과 도시 네트워크의 지형도를 최종적으로 만들어내고 통합했다([지역지도 II. 1] 참조).

그러나 많은 측면에서 근대 초기 도시의 성취는 절대 화려하지 않았다. 도시 세계 전체적으로도 그러하고 타운town들의 미시적 차원에서도 그러하다. 실제로, 1450년과 1750년 사이 수 세기는 '유럽 도시화European urbanization' 과정을 유형이 아닌 그 정도에서 바꾸었다고 의심받을 수 있다. 중세 성기와 19세기의 '혁명적revolutionary' 업적에 견줄 근대 초기의 유럽 도시화 과정은 없었다(12장, 25장 참조). 그러나 이 장은 이러한 유럽 도시사에 대한 목적론적 시각을 취하지 않는다. 이런 시각과는 반대로, 이 장은 근대 초기의 도시적 유럽에서 새로운 것과 '근대성modernity'을 인위적으로 탐구하는 일은 독특하고 단일한 근대 초기 도시경험urban experience에 관한 이해를 더 선명하게 해주기보다는 오히려 모호하게 해준다고 주장한다. 그런 만큼 이 장에서 '근대 초기early modern'는 개념이 아닌 연대기적 식별 도구다. 그런데 근대 초기는 움직이지 않은 채 길게 늘어지는 하품만 하는 시기는 아니며, 이는 아래에서 살펴볼 근대 초기 도시의 형태, 경제, 문화, 그리고 결론에서 소개할 사회구조에서 증명될 것이다.

도시경관

근대 초기 도시city 대다수에서 나타나는 중세적 격자는 〔이 장의〕 연구 시기에 크게 변경되지 않았다. 성벽과 출입문은 계속 도시경관urban landscape에 필수적 요소로 남았다. 예를 들어 독일에서는 5000명 이상이 거주하는 모든 도시에 성벽이 있었다.[5] 그러나 유럽의 모든 곳에서 얇고 높았던 벽들은 견고한 트라스 이탈리엔trace italienne이 도입되면서 개조되었다〔'트라스 이탈리엔'은, 이탈리아식 윤곽을 뜻하는 프랑스어tracé à l'italienne에서 유래한 명칭으로, 이탈리아 건축가이자 인문주의자 레온 바티스타 알베르티Leon Battista Alberti(1404~1472)가 고안한 것으로 알려진 15세기 중반의 성형요새星形要塞, star fort다. 요새의 능보稜堡, bastion가 하늘에서 보면 오각형/육각형의 별 모양을 이루는 데서 그 이름이 유래했다〕. 요새화한 성곽은 전시戰時에는 그 변화에 대응하도록 형태를 갖추었고, 평시에는 우아한 나

뭇길 산책로로 사용될 수 있었다. 근대 초기 도시의 타운 문들을 지나면 흔히 좁고 불규칙하고 구불구불한 거리가 펼쳐졌으며, 이는 대부분의 도시에서 자연발생적 기원과 형태학적 경로 의존성을 반영한다. 르네상스, 그리고 이후 바로크의 기하학적 타운계획town planning과 타운재생town renewal 사상은 우연하게도 기존의 타운 내부에서 구현되었고, 일반적으로 광장, 시티홀city hall과 상업용 홀trade hall, 환전 건물, 교회, 귀족의 대저택palazzo으로 이어지는 대로 등과 같은 경제적 공간과 시민을 대표하는 공간에 초점을 두었다. 1590년 이후 로렌 공작 샤를 3세Charles III 통치 아래 낭시Nancy의 재활성화가 잘 예시해주듯, 정치권력 혹은 종교권력의 영향은 특히나 중요했다([도판 13.1] 참조). 그런데 인구성장이 예상되는 역사적 중심지 바로 외곽이나 도시 성벽에 연결된 교외권suburban area에 초점을 맞추면서, 기존 거리를 의도적으로 파괴하고 뿌리 깊은 재산권property rights과 싸울 수 있는 당국은 거의 없었다. 라인강의 하이델베르크Heidelberg는 되풀이된 군사 공격에도 전통적 이미지를 유지한 매우 전형적인 도시였다([도판 13.2] 참조). 그런데 끔찍한 재난이 개입되더라도 시칠리아 발디노토Val di Noto가 1693년 지진 이후에 그랬던 것처럼 기존 도시들은 완전히 재건될 수도 있었다. 노토Noto, 모디카Modica, 시클리Scicli 같은 〔시칠리아〕 도시들에서 타운 정부는 처음부터 다시 시작할 기회를 잡았고 명확한 사회적 구상으로 바로크 형식의 동질적 도시를 설계했다. 그러나 놀라울 정도로 신도시들은 거의 세워지지 않았다. 주목을 받은 경우는 다시금 특별한 종교적 이상이나 정치-군사적 계획에 의한 도시들이었다. 일례로 소규모 '치유healing' 도시인 셰르펜회벨Scherpenheuvel(1609년 건립)은

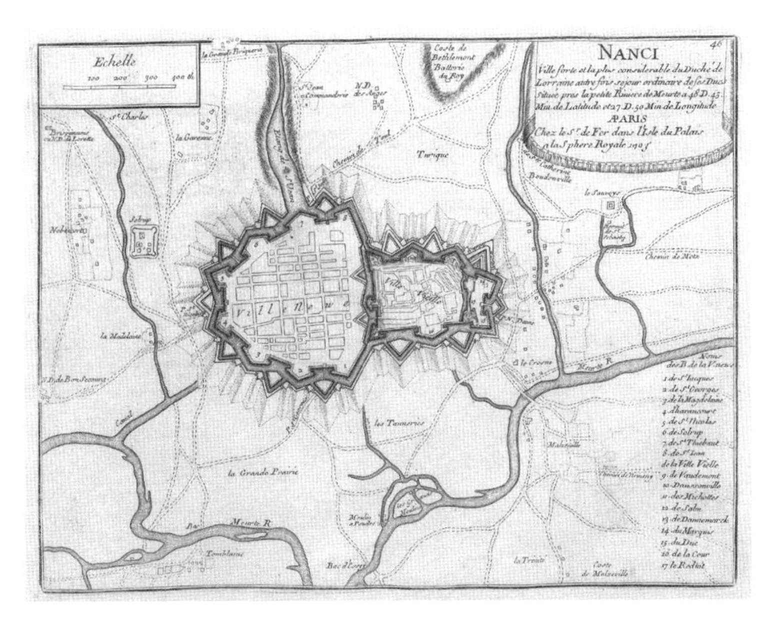

[도판 13.1] 낭시, 유기적으로 성장한 구도시ville vieille와 이후 －중앙광장을 중심으로 정점에 이른－ 더 기하학적으로 구조화한 도시화 사이 차이를 예시해주는 18세기 초반 지도 (출처: Nicolas de Fer, *Table des forces de l'Europe, avec une introduction à la fortification* (Paris: Chez J. F. Benard, 1723), University of Antwerp, Preciosa-library)

〔벨기에〕 브라반트 지역에서 종교전쟁 중에 합스부르크 대공 알브레히트 7세Albrecht VII와 〔그의 부인〕 이사벨 클라라 에우헤니아Isabel Clara Eugenia de Austria에 의해 세워졌고, 러시아의 수도 상트페테르부르크Saint Petersburg(1703)는 대제 표트르 1세Peter I the Great의 야망에 의해 세워졌다. 프랑스의 군사타운military town으로 브루아주Brouage(1555)와 같은 일부 신도시는 도시성장urban growth에 취약하고 부적합하다고 판단되었으며, 실제 그렇게 되면서 당시 유럽 도시체계urban system의 '고착화한fixed 특성'을 입증했다.

[도판 13.2] 하이델베르크 전경, 18세기 초반. 이 독일 도시는 오래된 대학으로 유명했지만 30년전쟁 Thirty Years War(1618~1648) 동안 가혹하게 포위당했고, 17세기 말에 루이 14세의 군대에 의해 다시 포위당했다. 대부분 개신교 신자였던 시민들로 이 도시는 종교적으로 고무된 전쟁에 특히 취약해졌다. (출처: Nicolas de Fer, *Table des forces de l'Europe, avec une introduction à la fortification* (Paris: Chez J. F. Benard, 1723), University of Antwerp, Preciosa-library)

18세기가 되어서야, 빨라도 1750년 이후에야 유럽 대부분의 지역에서 진정으로 '도시 르네상스urban renaissance'라 칭해지는 것들의 맹아가 생겨났다. 잉글랜드는 특히 보수적인 중세 타운경관townscape에 신고전주의 양식을 입혔는바, 커피하우스, 콘서트홀, 오페라하우스, 극장, 공원, 경기장과 같은 새로운 여가공간과 오락공간을 중시하면서 그렇게 했다. 이 시기에도, 서유럽 도시들은 질서와 청결에 대한 계몽된 취향에 따라 기본적 기반설비를 정비하기 시작해 하수구 체계, 가로등, 도로포장, 보행자 통로 등이 변모했으며, 동일한 형태의 거리 명칭이 부여되고 어지러운 상점 간판들이 정리되었다. 그러나 이런 역동성은 드문 사례였고 양적 중요성도 제한적이었다. 19세기 이전의 도시 개선은 무엇보다 느리고, 소극적이고, 주로 점진적인 과정이었다.

많은 도시 성벽이 도시와 그 주변 환경 사이에 경계를 설정하는 것을 목적으로 했지만, 타운과 시골countryside의 경제와 사회는 긴밀하게 혼합되었다. 도시와 도시 밖의 공간적 구분은, 무엇보다도, 타운의 거의 모든 곳에서 발견될 수 있는 돼지, 닭, 염소, 여타의 동물로 애매해졌다. 한편, 도시에 식량을 공급해야 할 필요성이 농민들을 도시로 계속 유입하게 해, 거의 매일, 특히 장날에는 거리와 광장이 혼잡했다. 도시경관의 일부는 근대 초기에 더욱 '농촌화ruralized'되었는데, 예상되던 인구학적 성장이 단속적斷續的으로 이루어졌기 때문이다. 따라서 도시 대부분은 성벽 내부의 빈 부지에 제분소, 도시형 녹지, 과수원과 채소밭을 자랑하듯 가지고 있었다. 그러나 시골이 도시 안으로 슬금슬금 들어왔듯이, 도시화는 주변의 들판, 숲, 목초지 등을 하나둘 잠식해 나갔다. 여관과 선술집〔주점〕tavern은 도시 출입문으로 향하는 대상帶狀 개발ribbon development 구역에 위치하며 공공 경매, 음주, 도박의 장소를 제공했다.* 도시 성벽 밖의 정원은 시민들에게 한가로운 일요일 산책의 기회를 제공했다. 파리나 런던 같은 더 큰 규모의 도시들은 그 인근

* '대상 개발' '띠상 개발'은 주도로를 따라 도시 밖으로 길게 띠 형태로 펼쳐진 선형적 도시 또는 선형적 거리 개발을 말한다.

교외faubourg에 거의 통제가 불가능한 빈민 지역이 성장했고, 집적集積경제economies of agglomeration에 매료된 고도의 각양각색 전문 직업들이 존재했다.

그런데 다시 한번, 이러한 '도시 스프롤urban sprawl'〔무분별한 도시적 팽창〕은 규칙이 아니라 예외로 남았다. 대부분의 근대 초기 지역에서는 역으로 질문을 던질 필요가 있다. 도시주의urbanism를 지배적인 농경사회로부터 구분하는 가장 낮은 문턱은 무엇이었는가? 규모와 밀도는 정주지가 타운으로 인식되는 것에 대한 확실한 보증이 아니었다. 이전의 도시화 물결은 수천 개의 작은 타운들로 유럽의 경관을 점재하고 있었고, 이들 타운은 농촌경제에 확고히 착근해 있었지만 뚜렷하고 다면적인 경제, 종교, 서비스 기능을 가지고 있었다. 일례로, 18세기 말 부르고뉴 남부의 작은 타운 스뮈르-앙-브리오네Semur-en-Brionnais는 널리 도시ville로 인식되고 인정되었다. 이 정주지는 400명 정도만이 거주했는데, 경제 기반이 협소했음에도 일부 행정 및 세금 납부처의 기능을 수행했다. 따라서 스뮈르-앙-브리오네에는 규모는 작았으나 사무실을 가진 명확한 사회적 엘리트, 임대주rentier, 변호사들이 있었으며, 성벽으로 둘러싸인 이 정주지의 출입문을 통과하는 방문객들은 사회적·물리적 구조의 도시적 특성을 의심하지 않았을 것이다.[6] 다른 곳에서는, 도시 네트워크가 거의 전적으로 작은 타운들로 구성되었다. 북유럽 주변부의 노르웨이에서는 1530년까지 겨우 3개의 타운만 있었는데, 6000~7000명 정도가 거주한 베르겐이 각각 1000명 정도가 거주한 트론헤임Trondheim과 오슬로Oslo보다 [거주민 수에서] 훨씬 앞서 있었다.[7]

도시적 유럽에 결정적 변화를 가져온 시기라 하더라도, 이런 변화는 도시 전망이나 도시경관에서 농촌적 차원의 지속적 중요성에 대해서는 분명히 보여주지 못했다.

도시경제

경제사학자들의 관점에서 1500년과 1800년 사이 도시는 전혀 화려하지 않았다. 사실, 얀 드 브리에스Jan de Vries의 표현처럼, 근대 초기 도시화는 실제로 "달팽이의 속도로 느리게" 진행되었다.[8] 그러나 보편적 성취가 미미하다고 해서 근대 초기 도시 세계의 변화를 대수롭지 않게 여긴다면 완전히 잘못된 일일 것이다. 총체적 수준에서 상대적으로 안정적인 인구와 도시화 수치는 흔히 개별 도시의 궤적이 갖는 중요한 차이를 숨긴다. 실제 근대 초기에 도시 정주지의 운명은 연대기적, 지리적, 기능적, 계층적 차이의 결합 논리에 따라 종종 크게 갈렸다. 게다가 도시체계의 변화 또한 주요한 질적 발전을 강화했다.

1450년에서 1650년까지 이어진 '장기長期' 16세기the long 16th century

[표 13.1] 유럽의 도시화 수준 추정치, 1500~1800년

	1500년	1700년	1800년
지중해 유럽	17	19	17
서유럽	15	21	21
북유럽 외곽	2	5	8
동유럽	5	5	6

출처: Peter Clark, *European Cities and Towns, 400-2000* (Oxford, 2009), 128

동안 도시성장은 상당히 고르게 분포되어 있었다. 맬더스[Thomas Robert Malthus]주의적 경제와 인구학적 힘으로 유럽 전역의 타운들에서 인구가 증가했다. 이 기간에 토지소유주와 농민 모두 농산물 가격 상승과 임대료 상승으로 이익을 얻을 수 있었고, 이것은 시골 생산자로부터 부동산 소유자로 자원을 이전했다. 이들은, 시골에 살았건 타운에 살았건 간에, 지출을 통해 도시적 생산과 시장 활동을 강화했다. 이 시대에 시민들의 토지 소유는 상당히 증가했고 소득도 시골에서 타운으로 흘러들었다. 구조적 발전과 단기적 위기 둘 다는, 이탈리아반도에서 대규모로 나타난 것처럼, 농촌 자산들이 시민들에게 이전되는 데 한몫했다. 예를 들어 16세기 말에 베네치아의 도시 자산은 주변의 테라 페르마terra ferma[육지]와 깊게 연결되어 있었다. 농촌경제rural economy에 투자하는 시민들은 종종 개인적 공급망(곡물, 포도주, 올리브유 등)을 확보하기를 열망했고, 인플레이션의 압력으로부터 개인 자산을 보호하면서 안정적 임대 수입을 갈망했다. 더욱이, 이탈리아와 저지대 국가들Low Countries과 같이 오래되고 밀집된 도시화 지역에서는, 거의 전全 시골이 도시경제urban economy의 일부가 되었으며 근본적으로 크고 작은 규모의 도시 네트워크와 얽혀 있었다고 주장할 수 있다. 어쨌든 플랑드르나 홀란트Holland[네덜란드 서부 해안 지방] 같은 지역에서 고도로 전문화하고 상업화한 농업은 근본적으로 도시문화에 적응했다. 거의 모든 곳에서 여름 휴양지resort나 빌라 루스티카villa rustica[농촌주택]를 통해 도시적 생활방식이 시골로 침투했다—이곳은 도시 엘리트들이 여름 동안 햇살이 뜨거운 도시의 숨 막히게 하는 땀과 오물을 피하는 안전하고 고급스러운 ('성城에 준하는') 피난처였다.

'장기' 16세기의 모든 '도시번영'은 도시경제와 확장하는 시골과의 복잡한 상호작용에 많은 빚을 지고 있으며, 도시들은 여러 방법으로 이익을 얻었다. 일부 도시는 상업적 관문 혹은 산업 생산의 중심지였고, 일부 도시는 시장타운market town 혹은 농업 잉여물과 원原산업 상품이 모여드는 중심지로서 좋은 성과를 거두었다. 그러나 세기말에 이르러 초기 도시 위기의 첫 징후가 표면화했다. 유럽의 농업이 점점 수익 감소의 희생양이 되는 동안에, 15세기 후반과 16세기의 대부분에 경제성장을 촉진했던 사회적이고 맬서스주의적인 힘이 도시체계를 위험에 빠트렸다. 게다가 많은 지역에서 종교전쟁이 도시 위기를 악화시켰다. 프랑스와 네덜란드는 16세기 후반에 크게 영향을 받았다. 독일의 타운들은 30년전쟁 동안에 큰 대가를 치렀다. 일례로 마인츠는 1629년과 1650년 사이에 심각한 타격을 입었고 인구의 거의 절반을 잃었다.

여기에 더해, 16세기 말은 유럽 도시 인구의 지리적 재분배 측면에서도 전환점이었다. 수 세기 동안 이탈리아 타운들이 유럽 도시화의 주도권을 잡았지만 16세기 말부터는 알프스 북부 국가의 도시들에 그 주도권을 내주어야 했다. 물론 18세기 말에도 팔레르모, 로마, 베네치아는 각각 인구가 거의 14만~15만 명이고 나폴리Napoli는 인구가 40만 명 이상으로 유럽의 도시위계urban hierarchy에서 거의 최상을 차지하고 있었다. 그러나 이 무렵에는 유럽 북서부 지역이 그 주도권을 잡았고, 런던의 100만 명에 가까운 놀라운 인구 수치는 도시 잠재력의 지리적 변화에 대한 가장 확실한 신호였다.

16세기 동안 이탈리아 도시들은 여전히 매우 주목할 만한 활동들을 계속했다. 스페인〔에스파냐〕 및 포르투갈과의 글로벌 무역 경쟁에도 불구하고, 베네치아와 같은 도시들은 사치품의 주요 생산지 역할 및 여전히 활기찬 육상 무역로를 통해 유럽의 준準사치품과 교환되어 이탈리아로 들어오는 향신료와 비단 같은 레반트 무역 상품의 주요 관문 역할을 계속했다. 그러나 쇠퇴 요소들이 결합해 16세기 후반 이탈리아의 입지에 큰 영향을 끼쳤다. 농업 생산성 둔화는 재정 압박, 비경쟁적 임금, 탈산업화, 레반트와의 무역에서 시장 점유율 하락 등과 맞물려 나타났다. 유사한 흐름이 이베리아반도의 타운들에도 영향을 끼쳤다. 자칫 일반화의 오류를 범할 수도 있지만, 대서양 무역을 둘러싼 영국 및 네덜란드와의 경쟁, 농업 체계의 불균형, 사회 양극화, 중과세 등에 의해 발생한 현지 시장의 문제는 스페인과 포르투갈 도시체계가 지닌 경제성장의 커다란 잠재력을 잠식했다. 따라서 이미 16세기 초반에 유럽 도시화의 중심은 북쪽으로 이동했다. 안트베르펜과, 브라반트·플랑드르·홀란트·제일란트Zeeland〔지금의 네덜란드 서남부 주〕 도시들의 연결망이 그 주도적 위치에 있었으며, 이들 도시는 기본적으로 〔애덤〕 스미스〔Adam〕 Smith식의 경제발전 모델을 따랐다. 안트베르펜은 잉글랜드, 독일, 이탈리아, 스페인, 그리고 지역 무역과 산업의 교차점에서 주요 무역 허브로 성장했다. 저지대 국가들의 도시가 시골에 가한 압력은 상당했는데, 발트 지역으로부터의 수입 증가가 곡물 공급의 병목 현상을 피하게 해주었다.

1648년 뮌스터에서 체결된 베스트팔렌Westfalen조약은 30년전쟁과 네덜란드독립전쟁 이후 유럽이 열망했던 정치적 안정을 (잠시나마) 가져오긴 했으나, 이는 또한 도시경제와 그 농촌적 기반 사이의 관계에서 주기적 변화의 시작을 의미하기도 했다. 그런데 중세 후기의 그것과 비교될 만했던 '위기'는 오래가지 않았다. 1650년 이후 도시경제의 급격한 성장이 정체되었고, 일부 개별 도시의 인구와 활력이 줄었지만 16세기 성장의 성과는 대부분 유지되었다. 이와 같은 높은 수준의 안정화는 도시 엘리트들이 농촌의 토지 소유와 국가 재정에 크게 관여했기에 가능했다. 이런 관여는 부유한 주민들에게 비교적 안정적인 소득을 제공함으로써, 도시들이 탈산업화와 국제적 무역의 시장 점유율 감소로 입은 소득 손실의 충격을 완화하는 데 도움을 주었다. 게다가, 국가 형성 과정이 점차 개별 타운 정부들의 정치적 자율성의 여지를 줄였고, 전쟁과 모든 건설 또한 때때로 대중에게 무거운 세금 부담을 주었으나, 도시 공동체가 단지 대차대조표의 차변에 있는 것만은 아니었다(23장 참조). 증가하는 국가 부채의 주요 수혜자는 대부분 도시 거주민이었다. 그 결과, 종종 농촌경제에서 비롯한 세금의 흐름이 도시경제 체계 내부로 다시 유입되었다. 많은 도시가 확장되는 국가기관들의 지원을 받았고, 타운들은 잉여의 추출과 국가 통제의 증가하는 행정으로 큰 이익을 얻었다. 군인들은 항상 가장 상냥한 거주민 집단은 아니었지만, 마스트리흐트Maastricht 같은 병영도시garrison city들은 근대 초기에 그 중요성이 커졌다. 늘어나는 세금 징수원과 국가 간부 공무원의 영향력은 그 수치나 소득에서 측정이 가능한 것 이상으로 분명히 중요했다. 상위 중산층과 엘리트인 국가 공무원들은 문화와 소비의 중심지로서 도시의 유인력을 크게 늘렸다. 그들은 점점 더 많은 토지소유주를 타운으로 끌어들이는 문화적 분위기에 간접적으로 한몫했다. 심지어 아주 작은 규모의 타운에서도 생활의 중요한 부분이 임대 가구의 존재와 이 가구의 비용 지출을 통해 꾸려졌지만, 이러한 측면에서 주요 수도와 거대도시metropolis들은 경제와 문화의 중요성에서 다른 도시의 위계를 훨씬 능가했다(일본의 경우는 18장 참조).

17세기 후반기에 성장한 수도capital들은 인상적이다. 18세기 말까지 마드리드, 빈, 베를린, 파리, 런던, 바르샤바, 상트페테르부르크, 나폴리는 유럽의 도시위계에서 최상층에 속했다. 훌륭한 궁정 생활과 확장된 관료제로 이들 수도는 군 참모와 수많은 행정 관료는 물론이고 최고위 귀족 구성원들을 끌어들이고 집결시켰다. 이처럼 국가 형성 과정에서 도출되는 사회적이고 경제적인 탄력성momentum은 엄청났다(21장 참조).

규모와 영향은 더 제한적이지만 분명하게 중요한 점은 일부 대서양 항구가 성장과 발전의 핵심이었다는 것이다. 리스본부터 리버풀에 이르기까지 대서양과 동아시아 무역을 담당한 소수의 유럽 항구도시harbour city는 다른 도시체계와의 글로벌 상호 연결로 이익을 얻었다. 지중해의 오래된 무역에 비교해, 대서양의 항구를 이용하는 선단은 아시아 및 아메리카 대륙의 사치품과 설탕·담배·차·커피 등 저렴한 화물의 양을 늘리는 데 혁신을 이루었다. 관문 항구도시의 급속한 확장이 눈에 띄지만, 배후지hinterland의 영향도 적지 않았다. 복잡한 운송망과 유통망을 통해, 식민지 식료품은 교통의 흐름 증가를 자극했고 대륙 전역에서 차·커피·담배·설탕·패션 등의 증가하는 소비자를 위한 긴 공급 사슬의 마지막을 차지한 소매점과 행상들이 혜택을 받았다.

일반화하기는 위험하지만, 잉글랜드의 지방 타운을 제외한 〔유럽의〕 대다수의 중간 규모 타운은 〔근대 초기〕 수 세기 동안 감시 아래 더

딘 성장에 직면했거나 심지어는 절대적으로 쇠퇴했다. 1650~1750년 시기에 대부분의 소규모 타운 역시 성장의 추진력을 상실했다. 지리적 관점에서, 페르낭 브로델Fernand Braudel이 공식화할 끊임없는 '지도 다시 그리기redrawing of the map'는 17세기에는 네덜란드 타운들로, 18세기에는 잉글랜드 타운들로 〔중심〕 변화shift를 유도했다. 암스테르담이 많은 주목을 받았는바 홀란트-제일란트 타운들의 통합적 네트워크 권역인 란트스타트Randstad를 하나의 도시 단위로 파악하는 게 십중팔구 더 적합할 것이다. 네덜란드의 도시화 수준은 17세기 후반기에 42퍼센트까지 치솟았다. 이 '네덜란드의 기적Dutch miracle'을 설명하는 데 도움이 되는 요소로 다음을 언급할 필요가 있다. 싸고 접근성이 좋은 에너지 공급, 농업과 산업 노동의 높은 생산성, 해운 기술의 발전, 저렴한 자본에 대한 쉬운 접근성, 해군 군사 역량의 빠른 확장에 의한 국가의 전투력 증가, 공격적 무역 정책, 그리고 마지막으로 중요한 지역적 전문화와 강화된 교환을 가능하게 하는 다중심적 도시 네트워크 그 자체. 〔네덜란드의〕 델프트Delft는 도기 산업으로 유명해졌고 하를렘Haarlem과 레이던Leiden은 직물 산업으로 특화되었다. 그러나 1700년이 되자 네덜란드는 18세기 경제에서 가장 역동적인 잉글랜드에 패권을 넘겨주어야 했다. 런던은 균형 잡힌 거대도시 개발과 성장에 필요한 모든 자산을 결합했다(21장 참조). 이 도시는 국내무역, 국제무역, 이에 더해 식민지무역colonial trade에서도 중요한 관문이었고, 정치적·사법적·행정적 국가권력이 자리했으며, 거대도시의 생활양식에 갈수록 매료되는 토지소유주들을 위한 주요 소비 중심지로 발전했다. 1700년 무렵에는 60만 명의 인구가 런던에 거주했으며 계몽의 시대the Age of Enlightenment

끝에는 거의 100만 명으로 인구가 점차 증가했다. 부와 경제 권력이 거대도시에 집중되는 점을 부정할 수는 없으나, 소규모 지역 타운도 상당수 번창했다. 놀랍게도, 잉글랜드는 새 전문타운specialist town들을 등장시켰다.

1750년 이후의 시대는 강력한 새로운 도시화의 물결을 목격했다. 이번에는 유럽의 도시화가 다시 '아래로부터의 도시화'로 특징지어졌다. 유럽 전역에서 산업 혹은 특화 상품 혹은 농촌의 시장 기능을 하는 소규모 타운들이 앞선 세기들에서, 작긴 했지만, 그들이 잃어버린 지위의 상당 부분을 회복했다. 분명히 산업화가 여기에 영향을 끼쳤지만— 특히 잉글랜드와 네덜란드 남부에서— 도시위계의 가장 아래에 있는 이 활발한 새로운 역동성에 가장 크게 한몫한 것은 인구와 농업 성장이었다. 게다가 이 시기에 전문적 해변휴양지seaside resort나 온천타운spa town들이 등장하기도 했다.

그러나 1800년 이전 도시적 유럽의 전반적으로 제한되고 선별적이던 경제성장의 잠재력은, 특히 근대 초기의 후반에, 불평등하고 느린 도시화의 성취에도 반영되었다. 실제로 18세기를 특징짓는 종종 높게 평가받는 근대적 변화와 비교해 장기 16세기 유럽 전역의 도시적 성취는 더욱 인상적이었다. 일반적으로 말해, 근대 초기 도시 세계의 변화들은 소득 창출에서가 아니라 소득 재분배에서 더 많은 영향을 받았다. 강한 경제성장의 부재는 장인 작업장이라는 미시적 수준에서 명확한 안정성 양상과 병행되었다. 더 큰 생산 단위를 지향하는 일부 경향이 인식되지만, 길드 기반의 장인들이 제한적인 자본과 적절한 기술 도구들로 원료를 가공하던 소규모 작업장들이 도시의 경제적 타운경관을 우선 특징지었다. 그들의 편재성에도 불구하고 경제 제도로서 길드의 기능, 특정의 조건, 또는 여러 관련성에 대해 일반화하는 것은 매우 어렵다. 리옹Lyon의 견직산업과 같은 몇몇 경우에서 길드는 기술적·조직적 진보와 혁신의 최전선에 있었던 것 같다. 17세기 베네치아와 같은 곳에서는 직물 길드들이 변화하는 소비자 선호도의 중요성을 파악하지 못했다. 자신들의 생산품이 갖는 구식의 '질'을 강조함으로써, 이 길드들은 전통화되었고 결국 스스로 뒤처졌다. 경제 활동 외에도 길드는 대표성, 상호 지원, 사교성, 활력을 위한 기회를 제공했으나, 이러한 기능은 길드마다, 장소마다, 그때그때 달랐다.

전반적 안정성이 우세한 상황에서, 세 가지 중요한 전환이 여전히 더 많은 관심을 받고 있다. 다른 무엇보다도 먼저, 중세 후기 및 근대 초기 도시는 산업 생산의 독점권을 가지고 있지 않았다. 반대로 산업은 특정 원原산업 지역을 낳으면서 점진적으로 농촌화되기까지 했다. 그러나 흔히 2차 고용 형태로 이루어진 농촌 산업 생산의 강력한 성장은 도시의 경제적 잠재력을 거의 잠식하지 않았다. 타운과 시골 사이에서 도시 기업가urban entrepreneur와 상인이 자본을 전문으로 제공하고, 시골에서 만들어진 준準사치품의 생산 및 판매 조직을 담당하는 업무의 분업이 발달했다. 한편, 도시 중심지는 도시 정주지만이 제공할 수 있는 유행하는 기술과 자원을 필요로 하는 최고급 사치품 생산에 계속 특화되었다.

둘째, 역사가들은 대규모 산업 수출 부문에 상당한 관심을 기울였지만, 대부분의 근대 초기 도시, 특히 성공적인 도시들은 대단히 다채로운 직업 구조에 의존했다. 사실 근대 초기 도시의 사회적·경제적 회복력의 상당 부분은 지역 주민들과 배후지에 음식, 신발, 냄비와 팬, 그림, 오락, 전문 서비스 및 종교적 안락함을 제공한 수많은 장인과 전문가에 달려 있었다. 상품과 서비스의 복잡한 경제적·사회적 그물망 내에서 3차 부문의 성장에 대한 분명한 경향이 근대 초기의 진행 과정에서 식별될 수 있었다. 문화의 상업화와 상품화는 눈길을 끄는 극장과 오페라 등 문화 산업의 성장에 기여했고, 특히 소매 부문에서 강세를 보였다. 전반적으로 도시사회에서 상점 주인의 수와 그들의 상대적 중요성이 커졌으며, 이러한 현상은 경제적 팽창에만 국한되지 않았다. 경제적 관점에서, 그 부문은 약간의 생산성 향상—'소매혁명retail revolution'은 결코 아닌—만을 달성했지만, 전통적으로 조직된 장인 상점들의 수가 증가하면서 개방 시장이나 공정한 분위기의 소매업을 잠식한 것으로 보이는데, 특히 내구성 있는 상품과 관련해서 더욱 그러하다.

셋째, 도시위계에서 더 큰 규모의 중심지들로 도시 활동의 집중이 증가하면서 경제에 지대한 영향을 끼쳤다. 거대도시들은 거대한 배후지의 인구학적 잠재력을 흡수하는 것으로 악명이 높았다. 이 책의 다른 장에서 언급되겠으나, 근대 초기 도시들은 장기간 지속되는 '묘지''graveyard' 효과로 특징지어졌다. 높은 사망률과 낮은 출생률의 동반으로 도시 인구는 이주민들로 계속 새로워졌다(22장 참조). 일부는 상향으로의 사회적이동(성)social mobility을 누릴 수 있었지만(24장 참조), 이주민들은 그들이 해결한 인구 문제를 상당 부분 다시 발생시켰다. 곧 그들 다수가 일시적으로 이주한 경우라 결혼을 미루어서 —설령 결혼하더라도— 결과적으로 낮은 출생률을 가져왔다. 그러나 급속히 성장하는 거대도시와 불안정한 인구학적 견고성의 결합 효과는 시골의 인구학적 잉여 상당 부분을 흡수했다. 가장 극적인 사례는, 가장 대표적이지는 않더라도, 아마도 잉글랜드에서 6명 중 1명꼴의 출생을 거대도시에서 경험하게끔 '배정한earmarked' 런던의 경우일 것이다.[9]

더욱이 이들 대도시big city에 식량, 건축용 목재, 연료를 공급해야 하는 필요성은 교통 및 통신 체계 개선에 주요 자극제가 되었다. 분명히, 해상과 내륙 강을 통한 운항이 화물 비용/중량 비율 면에서 우수했다. 바지선 운하들의 통합적 네트워크를 활용해 네덜란드는 17세기에 다중심적 도시체계 구축에서 선도적 역할을 했다. 한편 많은 유럽 지역에서는 도로 운송의 개선이 17세기 후반부터 지역 시장의 통합에 도움이 되었다. 잉글랜드의 경우 유료도로들은 운송비 하락, 운송 효율성 증대, 상품시장 확대에 한몫했다. 유사한 개선은 파리 분지에도 영향을 끼쳤다. 다른 지역에서는 때때로 기술적 진보가 우수했는바 오스트리아 지배의 네덜란드가 그러했다. 이러한 진보가 운송비용을 줄였고, 지식의 교환을 증대했으며, 산업 전문화를 강화했다는 점은 더 강조할 필요도 없다.

지식 교환이라는 종주도시宗主都市, primate city의 또 다른 주요 성과에 대해 논의할 필요가 있다.* 역설적이게도, 거대도시 모델은 도시위계를 자신에게 유리하게 왜곡하면서도 주요한 집중의 잠재력을 가지고 있었다. 매우 자주 거대도시 인근의 타운과 시골은 인구 측면에서

* '종주도시'는 경제발전으로 산업 및 인구가 집중되는 중심적인 거대도시, 또는 인구내파人口內破 현상 곧 특정 지역에 인구가 집중되는 현상으로 생겨나는 중심적 거대도시를 말한다. 현대에는 특정 국가에서 그다음의 도시보다 2배 이상 큰 규모의 도시를 지칭한다.

정체되었음에도 전문화와 거대도시 공급망과의 통합으로 경제적 성과를 얻었다. '부드럽지만' 강력한 결과를 거둔 것 중 하나로는 지방에 매우 커다란 영향을 끼친 거대도시 문화의 발전을 들 수 있다. 루이 14세 Louis XIV[재위 1643~1715]가 전쟁터에서 이런저런 부침을 겪는 동안에도 프랑스 궁전과 파리의 소비 모델이 가진 매력은 엄청났다. 18세기 내내 프랑스 지방과 해외에서 취향을 선도해온 사람들은 최신 유행을 위해 파리로 눈을 돌렸다. 아이러니하게도, 스페인 지배 아래 네덜란드에서 보호주의 정책의 가장 격렬한 옹호자 가운데 한 명이었던 베르게이크 백작Comte de Bergeyck은 스페인으로 가는 도중에 외모 유지에 필요한 남성복을 사기 위해 몇 주를 파리에서 머물렀다.[10] 그 유명한 생토노레거리Rue Saint Honoré[파리의 패션·명품 거리]를 방문할 수 없는 사람들은 현지의 패션 상점들로 발길을 돌렸다. 이곳들은 최신식 프랑스 패션을 판매한다는 구실로, 파리에서 수백 킬로미터 떨어진 곳에서 고객을 유혹해 겉보기에는 불필요하고 경박한 소비 물품에 많은 돈을 지출하게 했다. 파리의 진품은 다른 거대도시들에서 필요한 부분만 약간 수정해mutatis mutandis 손쉽게 확산될 수 있었다. 많은 프랑스인과 영국인이 수도에 가보지도 않았음에도, 사회 깊숙이 스며든 거대도시 모델은 그들의 문화와 소비 선호에 큰 영향을 끼쳤다. 수도의 성장 잠재력은 잘 발전한 주요 도시에만 국한되지 않았는데, 상트페테르부르크가 이를 확실히 예시한다. 표트르 대제에 의해 18세기가 시작될 무렵에 설립된 이 도시는, 1750년 인구 약 9만 5000명에서 1800년 인구 약 22만 명으로 성장한 것에서 예증이 되듯이, 유럽의 도시위계에서 단숨에 선도적 위치를 차지했다.

요컨대, 종합적인 도시화 경향은 근대 초기 도시를 근대적 경제성장 과정에 안착시키는 데는 실패했음을 지칭하는 반면, 도시 순위/규모 위계의 변화에서는 중요한 질적 변화를 보여준다. 이에 못지않게 중요한 것은 도시적 문화 모델과 행동 규범의 통합이 산업화 이전 수 세기 동안 도시 전환에 가장 중요한 공헌을 했을 가능성이 크다는 점이다.

도시문화

도시적 유럽이 근대 초기에 결정적 전환을 경험했다면, 그 하나의 좋은 사례는 도시문화urban culture 차원에서 가장 먼저 모색될 수 있을 것이다. 15세기 말과 19세기 시작 사이에 도시적 유럽에서는 특별한 거대도시의 발전과 고상한 삶의 방식이 최종적으로 정착되었다. 중세 후기부터 도시는 소비자 변화와 문화 혁신의 주요 무대로 변모했다. 소비사회consumer society가 시골을 자신의 영향을 받지 않는 상태로 내버려두지 않긴 했어도, 소비사회를 명시적 부르주아 행동 규범으로 통합하는 데서 결정적이었던 것은 주로 도시민의 진화하는 물질적 태도였다. 중세 후기부터 주택house이 집home으로 변했고, 소유물에 대한 시민들의 애정이 타운의 물리적 경관, 내부 역학, 주민들의 사회적 행동을 바꾸기 시작하면서 상품은 신으로 변모해갔다.

이 모든 변화 가운데 가장 눈에 띄는 것은 타운 주거지의 '석조건축화petrification'에 관한 것일 수 있다. 비록 유럽 지역마다 고유한 건축 규범이 있고 고유한 건축 자재를 선호했으나, 1800년 무렵 유럽의 도시들은 일반적으로 돌과 벽돌로 만들어졌고, 더는 나무와 이엉thatch〔개초蓋草〕으로 만들어지지 않았다. 이 과정은 중세부터 점진적으로 진행되었는데, 런던대화재Great Fire of London(1666) 이후처럼 파괴적 화재가 발생했을 때는 갑자기 가속화했다. 스칸디나비아와 같은 일부 지역에서는 목조 건축물이 석조로 대체되는 것을 보려면 근대 시기를 기다려야 했지만, 제노바, 피렌체, 혹은 베네치아 같은 성장하는 이탈리아 타운들은 아주 이른 시기부터 일류의 석조 시경관cityscape을 자랑했다.

이탈리아와 저지대 국가들에서는 놀랍지 않게 '물질적 르네상스material renaissance'와 어느 정도 유사한 첫 번째 시동을 알아차릴 수 있었다. 15세기와 16세기 동안에 이탈리아 도시 엘리트들의 카사casa〔저택〕와 팔라초palazzo〔대저택〕 내부에서는 더욱 편안하고 다채로운 실내장식의 여명을 목격하게 된다. 가구, 그림, 마욜리카majolica〔15세기경에 이탈리아에서 발달한 도자기. 마졸리카〕, 이런저런 일상용품, '불필요한superfluous' 제품과 같은 '물질적인 것들material things'의 최소한의 다양성과 이것에 지출되는 가계 예산의 비중은 분명히 증가하는 추세였다. 더욱이 실내장식이 유행의 흐름을 밀접하게 따라갔기에 가구가 잘 갖춰진 주택은 다양성versatility을 갖게 되었다. 17세기와 18세기에 자기 제품, 유리 제품, 차와 커피 세트, 시계, 커튼 등에 대한 열풍은 파리와 암스테르담 같은 수도에서 더욱 넓은 사회적 매력을 얻었다. 이것들의 확산은 〔프랑스의〕 샤르트르Chartres나 〔네덜란드의〕 델프트와 같은 경제적 어려움과 붕괴에 직면한 도시들에서도, 심지어는 북유럽과 동유럽의 도시 주변부에서도 확인되었다. 17세기와 18세기에 발생한 '새로운 소비자 양상new consumer pattern'과 중세 후기의 물질적 격차는 십중팔구 그렇게 뚜렷하지는 않았을 것이다. 내구성이 있고, 과시적이며, 값비싼 〔물품 선호의〕 소비자 양상은 초기에 계속해서 큰 역할을 했지만, 그 이후에도 결정적 중요성이 그치지 않았다. 다시 한번 인쇄기, 새 커튼, 마욜리카, 더 싸고 대량생산된 그림들은 학자들이 근대 초기의 후반에나 등장한다고 생각하는 전형적인 합리적 중산층의 '소비자 양상'으로 향하는 여정을 이미 제시했다.

한편, 이 장에서 다루는 전체 기간에 고도로 상품화한 행동 양상의 '도시적 특성'이 눈에 띈다. 이는 사회적 지위를 분명히 표현함과 더불어 '안락성comfort' '쾌락성pleasure' '품위성respectability' '가정성domesticity' 같은 가치에 대한 관심사를 반영한다. 분명히 이전에 강조되었듯, 도시는 귀족과 궁정인의 활력에 빚진 바가 크지만, 자세히 들여다보면 타운이 이 엘리트들의 정신적 틀을 변화시킨 것이지 그 반대가 아니었음을 알게 된다.[11]

이와 같은 물질문화의 확산과 세련됨은 실내공간의 다양화와 함께 등장한다. 17세기 초반의 아우크스부르크에서는 전체 가구의 약 70퍼센트가 4가구household 이상이 거주하는 집에서 살았다.[12] 이는 대부분의 유럽 도시에서 거의 전형적이었다. 부유한 사람들의 저택조차도 다락방, 지하실, 또는 뒷방에 하인이나 세입자 가족을 포함하고 있었다. 그런데 가족 구성원들이 가재도구들을 마구잡이로 쌓아두던 방들에 전문화라는 변화가 나타났다. 성별 구분gender segregation과 사생활에 관한 더 엄격한 개념이 나타나 중세의 개방형 홀하우스hall house〔중세 유럽의 홀 중심 전통 가옥〕를 근본적으로 개편하기 시작했다. 칸막이, 천장, 계단은 가정에 새 구획을 낳았고 개별적 가족 구성원을 저마다 '자신만의' 방 안에 머무르게 했다. 어떤 방들은 독서, 식사, 옷 입기 등과 같은 특정한 가정적 여가를 위해 설치되기 시작했다. 방석, 가죽의자, 위세재들로 장식된 엘리트 주택의 홀이나 응접실은 방문한 손님들에게 환대를 제공했다. 실제로 도시형 '품위문화culture of respectability'가 발달하면서 반半공용공간이 중요해졌다. 카드놀이와 보드게임을 하기 위한 방문이나, 음악을 즐기는 것이 18세기 타운 주민들의 삶에 영향을 끼친 것처럼 차와 커피를 마시는 휴식 시간이 하루를 구성하기 시작했다.[13]

소비지향적 행동은 사적 가구에 스며들었거니와 공적 공간에서도 중요한 위치를 차지했다. 중세 도시적 유럽은 이미 고도로 상업화한 타운경관을 자랑했는바, 수많은 품평회장, 시장, 거리 행상, (공예품) 가게들이 —일반 주택의 1층 방에 즉 거리에서 즉시 출입할 수 있는 곳에— 줄지어 있었다. 분명히 이와 같은 다양한 고품질 물품의 제공은 근대 초기 도시들에 유인력을 계속 부여했다. 농촌은 어떤 맥락에서도 그에 비길 만한 범주나 질의 물품을 제공할 수 없었다. 파리나 런던과 같은 18세기 거대도시권metropolitan area에서 유행용품점의 빼어난 디자인과 가구는 경외와 동시에 조롱의 대상이 되었다. 18세기 파리의 유명한 연대기작자들은 거울, 반짝이는 샹들리에, 정교한 서랍장, 멋진 계산대로 화려하게 장식된 매력적인 상점magazin들에 대한 훌륭한 묘사를 남겼다. 1727년 대니얼 디포Daniel Defoe는 런던의 상점 주인들이 단순히 '고객을 초대하는 쇼'를 만들기 위해 경박한 가구, 금박 입힌 장식품, 유리 케이스에 돈을 투자했다고 비판했다. 디포의 비아냥에도 불구하고, 거대도시의 상점가 방문은 상류층에게 느긋하게 눈요기 쇼핑을 즐기고 예의 바르게 살펴보라고 조언하는 여행안내서의 필수적sine qua non 요소가 되었다. 그러나 대다수의 도시 상점 주인들은 여전히 전통적인 주거지에서 상점을 운영했고, 오래된 형태인 상호 신뢰와 장기간의 개인적 관계를 바탕으로 고객 기반을 구축했다. 소매업의 수가 증가한 것은 대부분의 사업체가 더 영리해진 때문도 판매 방식이 더 매력적으로 된 때문도 아니었다. 오히려 점점 더 많은 유럽 시민이 종교적, 도덕적 족쇄를 벗어던지고 불가피하게 물질주의적 가치관을 갖게 되었기 때문이다. 유럽의 시민들은 여유 있는 사람들의 사적 과소비가 공공의 이익을 가져올 수도 있다는 생각을, 버나드 맨더빌Bernard Mandeville〔네덜란드 태생의 영국 사상가. 1670~1733〕이 그것을 찬양하기 훨씬 전에 이미 수용하고 있었지만, 그것이 더 넓은 도덕적·사회적 인정을 받은 것은 거대도시의 맥락에서였다.

1800년에 유럽 도시 중산층 거주민들의 의식주는 1400년의 조상들의 그것과는 달랐다. 유럽 도시의 '상품화commodification' 과정은 도시의 공간을 변모시켰거니와 시간의 개념도 변화시켰다. 여가와 비노동 시간은 상점가 거리를 거닐고 연극, 음악, 독서, 음주, 산책, 스포츠를 위한 오락 장소를 방문함으로써 '소비'되었다. 19세기 도시민의 페르소나persona로 그렇게 많이 얘기되는 도시 〔산책자〕 플라뇌르flâneur는 여러 곳을 둘러보려 걸음 속도를 높일 필요가 있었다.

따라서 소비자의 변화는 행동의 세련됨 및 사회적 행동 규범의 경계가 계속해서 바뀌는 것과 병행했다.[14] 이 과정의 도시적 성격은 시민들이 적어도 중세 후기부터 시골의 매너를 거칠고, 무례하며, 정제되지 않은 것처럼 묘사하는 방식에 반영되었다. 이 주요한 행동 변화의 궁정 기원에 대해서는 많은 글이 쓰였지만, 당대에 가장 영향력이 있었던 교육자 발다사레 카스틸리오네Baldassare Castiglione〔1478~1529〕와 데시데리위스 에라스뮈스Desiderius Erasmus〔1466~1536〕 둘 모두가 궁정인을 대상으로 하는 저술을 도시적 맥락에서 사고하는 것은 우연이 아니었다. 도시 세계는 '부끄러움' '사생활' '증가하는 신체적 자기통제'의 경계를 변화시키는 과정에서 점차 '진보'하는 행동의 세련됨의 원동력으로 작용했다. 적절한 행동 규범에 대한 접근과 교육은 도시사회의 범위 내에서 불균등하게 배분되었다. 네덜란드 남부 브라반트 중심부의 고도로 도시화한 지역에서는, 심지어 작은 규모의 타운과 큰 규모의 마을village의 사격 동호회와 문학회까지도 15세기에 도시 매너manner와 세련됨refinement의 압력에 크게 영향을 받았다. 예를 들어 무모하게 침을 뱉거나 모욕하는 등 부적절하게 행동하는 회원들은 퇴출당했다. 같은 맥락에서 유럽의 살인율 감소는 제도적 진보의 결과가 아니라, 행동의 양상으로서 폭력을 점점 더 비난하고 주변화한, 성장하는 도시 문화의 구체적 성과물로 주장할 수도 있을 것이다.[15]

사회조직체

젠틸레 세르미니Gentile Sermini는 15세기 초반의 소설에서 마타노Mattano라는 부유한 농민의 캐릭터를 만들어냈다. 그는 매우 부유하며 시에나의 정치 세계에서 자신의 길을 개척하기를 열망한다. 그러나 불행하게도 마타노는 금방 정치적, 사회적 존경을 잃어버린다. 경제력과 정치적 자원을 교환하려는 야심은 마타노가 식사 테이블에 앉았을 때 필수적인 사회적 기술과 식사에 대한 적절한 도시 매너가 부족하다는 점을 그의 친구들이 알아차린 순간에 실패한다.[16] 이 이야기는 촌놈 이주민이 타운에 도착했을 때 직면하게 되는 문화적 문턱을 예시해준다. 또한 도시의 문화적 선호가 사회적 불평등의 재생산에 활용되는 정도에 대한 우리의 인식을 날카롭게 해준다. 게다가, 계층을 벗어난 소비를 금지하는 사치 금지법은 —십중팔구 그 준수가 다소 비효율적일 수 있긴 하지만— 특히 상대적 익명성이 보장되는 아주 큰 규모의 도시에서 매너, 상품, 사회적 지위가 얼마나 밀접하게 연결되어 있는지를 상기시킨다.

정확히 근대 초기 타운개발의 가장 본질적인 특징과 역학의 핵심에 자리하는 것은 바로 접근과 배제의 양상을 가진 복잡한 사회구조다(24장 참조). 도시에 도착하자마자 농촌 출신 이주민 집단은 자신들의 마을에서 보이지 않게 존재하던 것보다 훨씬 더 복잡하고 불평등한 사회 현실에 직면했다. 이와 같은 사회적 복합성의 구체적 형태와 특성은 도시가 수행하는 규모와 기능에 크게 빚지고 있지만, 또한 타운마다 그리고 지역마다 크게 다를 수 있는 문화적, 제도적, 여타 상황적 요소와도 관련 있다. 따라서 사회적 시각에서 볼 때 '근대 초기 타운'은 단순한 방식으로 존재하지 않았다. 일반적으로 말해 가구, 친족관계, 지역 공동체는 마을사회의 핵심 주춧돌인 도시 동네 안에 구현되어 있었고 타운의 생활에서도 중요한 역할을 담당했다. 이러한 '전통적인 사회적 회로' 외에도 몇 가지만 말하자면 시민 기관, 길드, 민병대, 수사학 모임rederijkerskamers〔15~16세기 저지대 국가들 도시 엘리트의 사교용 문학 모임), 사냥 길드, 종교단체와 같은 제도에서도 유대감이 형성되었다. 근대 초기 후반에 동호회와 단체들은 사회구조와 시민사회의 복잡성을 증가시켰다. 게다가 비공식적 유대관계가 시장, 교회, 양수시설 주변, 세탁소 근처, 맥줏집alehouse, 선술집〔주점〕tavern, 커피하우스, 극장, 무도회장, 그 밖의 사교장소 등에서 형성되는 신용, 선물, 종교적 대부 대모 관계, 소문, 여타의 수많은 상호적 관계를 통해 형성되었다. 요약하자면, 시간과 공간에 따른 도시 간 차이에도 불구하고 도시는 공식적이면서 비공식적이기도 한 다중적인 사회적·문화적 회로의 동시성으로 특징지어졌고, 개인은 다중 회선 속에서 돌아다녔다. 이러한 설정 중 일부는 사회적 자본을 구축하는 기회를 제공했고, 다른 설정들은 유대감을 형성하는 데 더욱 한몫했으나, 연쇄적 상호의존성의 복잡한 상호적 작용은 잠재적으로 불안정하고 심지어 폭력적인 사회환경에 전반적 안정성을 추가했다.

부와 소득 분배는 언제나 극도로 왜곡되어 있었다. 16세기 프랑크푸르트Frankfurt에서든 18세기 파리에서든 사회적 불평등은 근대 초기 유럽 전역의 도시 공동체에서 가장 현저한 사회적 특성이었다. 소수의 공무원 집단, 임대주, 상인들이 도시 부의 가장 큰 몫을 요구한 것이나 다름없다. 이 가상의 백만장자들이 주목을 받기는 했으나, 아마도 도시사회의 가장 뚜렷한 특징은 인구밀도가 높은 중산층에서 형성되었을 것이다. 전문직, 상점 주인, 여관 주인, 부유한 장인은 '중간계층 사람들'이었고, 나쁘지 않은 수입을 올렸으며, 독특한 도시성urbanity의 구축에 전적으로 참여했다. 그러나 사회계층이 낮아질수록 사업 운영에서 지적, 육체적 기술 그리고/또는 자본의 중요성은 덜 중요해진다.

사회계층 서열의 맨 아래에서는 엄청난 수의 비숙련 노동자, 운송 노동자, 여성 세탁부 등을 만나게 된다. 요컨대 이들은 고용될 만한 노동력이 거의 없는 사람들로 종종 매우 불규칙적으로 고용되었다. 이러한 사람들은 도시의 소유와 소득에서 아주 작은 부분만을 차지했다.

그러나 지속적으로 (그리고 매우 자주 악화하는) 사회적 불평등은 개인 차원의 사회적 이동(성)을 막지 못했다. 특히 결혼 전략과 결합하면 부의 축적은 사회적 야망에 영리하게 도움이 될 수 있다. 그러나 개인의 사회적 이동(성) 기회는 불균등하게 분포되어 있었고, ―모든 것을 감안해볼 때 결국은― 상향과 하향으로의 사회적 이동(성)은 대부분 서로 상쇄되었다. 삶을 발전시킬 기회는 사교 모임, 제도, 종교단체, 교육, 자본에의 접근에서 제한되었다. 이와 같은 방식으로 도시사회의 많은 부분이 다양한 전략적 네트워크에서 배제되었다. 여성은 주로 결혼을 통해 신분과 사회적 지위를 얻었고 종종 남편이 죽은 후에도 이 지위를 유지했다. 일례로, 과부들은 죽은 배우자의 작업장을 계속 운영할 수 있도록 허용되었다. 결혼을 통해 여성과 남성 모두 지위를 얻었으나, 사회 그 자체는 단호히 가부장적이었다. 독신 여성은 소매업자로 환영받았고, 상인들의 아내들은 남편의 잦은 부재로 상당한 자율성을 얻었지만, 일반적으로 길드는 결코 여성친화적이지 않았다. 타운에서 여성들은 공식적인 정치권력이나 행정권력에서 전적으로 배제되었다. 그들은 또한 대학 교육의 중요성이 높아짐에 따라 교육 격차의 심화를 경험했으나, 근대 초기가 끝나가는 무렵에는 여성 문맹과 남성 문맹의 차이가 좁혀졌다.

정치권력 역시 불평등하게 분배되었고, 여기서 다시금, 한편으로는 신생 근대국가와 다른 한편으로는 현지 도시 과두정치 엘리트의 상호 이익이 표면화되었다. 근대 초기 도시들은 자율성을 엄청나게 잃었고, 군주에 의해 임명이 되지 않은 도시 통치자들은 종종 감독을 받았으나 과두정치와 금권정치의 원리에 의해 점점 더 많이 채용되었다.[17] 게다가, 현지에서 시 당국은 모두에게 인정받았으며 교회의 지원이나 협력으로 도시 거주민의 사생활을 점점 더 침범했다. 예컨대 종교 봉사 기간에는 술집 방문을 금지하는 조례와, 가난한 사람들을 주변화하고 결국에 그들을 범죄자로 만들어버리는 구체적 전략에는 시민과는 다른 유형의 거주민 삶에 대한 우려가 반영되어 있다. 근대 초기 도시가 상당한 경제성장의 창출에 실패한 것은 일반적인 사회적 관성, 특히 빈곤과 직면한 주요 사회적 도전을 극복하지 못한 것과 유사했다. 빈민 구호 제도에 대한 증가하는 압력으로 타운 정부와 빈민 구호 행정가들은 점점 더 신체적 능력을 갖춘 남성들을 구호에서 제외할 수밖에 없었을뿐더러, 구호 자체는 궁핍한 사람들의 종교적·도덕적 행위에 관한 엄격한 규칙의 수용을 조건으로 했다. 근대 초기 도시들은 따라서 그들의 인구를 늘려준 이들에게 삶의 개선을 —만약 이루어졌다손 치더라도— 거의 가져다주지 못했다.

결론

거시적 차원에서, 근대 초기 도시의 빈곤과 사회적 불평등의 감내는 지속적 경제성장의 부재와 연결된다. 좀 더 정확히 말하자면, 1750년 이후 도시와 경제의 성장이 다시 나타났으나 18세기의 전체적 성과는 상대적으로 미미했다. 이러한 관찰은 종종 19세기의 산업화와 도시화에 대한 목적론적 관점과 결합한 잉글랜드의 예외적이고 잘 기록된 성과에 의해 너무 자주 가려졌다. 실제로 잉글랜드는 완만한 경제성장과 느린 도시화라는 일반적 규칙을 벗어나는 주요한 예외였다. 근대 초기에 이 나라는 거의 모든 단계에서 증가한 소득을 축적했고, 이를 기초로 도시화는 뚜렷한 사회구조와 도시문화를 발전시키며 성장했다. 이 역동적인 혼합은 결국 전문타운의 확산, 두드러진 상업문화, 도시건축 및 계획의 르네상스와 같은 근대 초기 말의 '도시 혁신urban innovation' 클러스터로 귀결되었다. 그러나 유럽의 다른 지역에서는 안정성이 규칙이었다. 만약 16세기 타운의 주민이 2세기 뒤에 그곳에 돌아온다면 생계를 유지하는 데 큰 어려움을 겪을 사람이 거의 없을 것이다. 그러나 이러한 안정성의 이면에서는 국가 형성, 소득 재분배, '귀족의 도시화urbanization of nobility'의 복합적 효과가 도시 네트워크를 형성했고 근대 도시적 유럽이 건설될 경제적 플랫폼을 제공했다. 더욱 중요한 점은, 그것이 현대 유럽 문화의 핵심에 여전히 남아 있는 '도시적 생활양식urban way of life'을 선도했다는 것이다. 이러한 점에서 근대 초기는, 의심할 여지 없이, 유럽 도시의 결정적 전환기였다.

주

1 University of Antwerp-Centre for Urban History Bruno.blonde@ua.ac.be and Ilya.vandamme@ua.ac.be

2 인용은 Alfons K. L. Thijs, *Van geuzenstad tot katholiek bolwerk. Antwerpen en de contrareformatie* (Turnhout: Brepols, 1990), 189.

3 J. B. Vermeersch, *Den handel van de ballen en comediën, gestelt in de weeg-schale van gerechtigheyt en min hebbende bevonden* (Ghent, 1738), 50-51.

4 Peter Clark, *European Cities and Towns: 400-2000* (Oxford: Oxford University Press, 2009), 109.

5 James D. Tracy, "To Wall or Not to Wall: Evidence from Medieval Germany", in James D. Tracy, ed., *City Walls: The Urban Bnceinte in Global Perspective* (Cambridge: Cambridge University Press, 2000), 84-85 그리고 표를 보라.

6 Serge Dontenwill, "'Micro-villes' ou 'villages-centres?' Recherches sur quelques localités du Maconais-Brionnais aux XVIIe-XVIIIe siècles", in Jean-Pierre Poussou and Philippe Loupes, eds., *Les petites villes du moyen-âge à nos jours* (Paris: Editions du CNRS, 1987), 255-281, 특히 261.

7 Finn-Einar Eliassen, "The Mainstays of the Urban Fringe: Norwegian Small Towns 1500-1800", in P. Clark, ed., *Small Towns in Early Modern Europe* (Cambridge: Cambridge University Press, 1995), 22-49.

8 Jan De Vries, *European Urbanization, 1500-1800* (London: Harvard University Press, 1984), 254.

9 Edward Anthony Wrigley, "A Simple Model of London's Importance in Changing English Society and Economy, 1650-1750", in E. A. Wrigley, *People, Cities and Wealth. The Transformation of Traditional Society* (Oxford: Blackwell, 1987), 137.

10 Koen De V lieger-De Wilde, *Adellijke levensstijl. Dienstpersoneel, consumptie en materiële leefwereld van Jan van Brouchoven en Livina de beer, graaf en gravin van Bergeyck (ca.1685-1740)* (Brussels: Koninklijke V laamse Academie van België voor Wetenschappen en Kunsten, 2005), 75-82.

11 Ronald G. Asch, *Nobilities in Transition, 1550-1700. Courtiers and Rebels in*

Britain and Europe (London: Arnold, 2003).

12 Christopher R. Friedrichs, *The Early Modern City 1450–1750* (London: Longman, 1995), 40.

13 중국 찻집과의 비교는 이 책의 17장을 보라.

14 시민성과 도시성의 요람으로서 도시는 이 책의 24장을 보라.

15 Maarten F. Van Dijck, "De stad als onafhankelijke variabele en centrum van moderniteit. Langetermijntrends in stedelijke en rurale criminaliteitspatronen in de Nederlanden (1300–1800)", *Stadsgeschiedenis*, 1. no.1 (2006), 7–26.

16 A. J. Grieco, "Meals", in Marta Ajmar-Wollheim and Flora Dennis, eds., *At Home in Renaissance Italy* (London: V&A Publications, 2006), 251–252.

17 이 책의 23장을 보라.

참고문헌

Clark, Peter, *Small Towns in Early Modern Europe* (Cambridge: Cambridge University Press and Editions de la maison des sciences de l'homme, 1995).

Clark, Peter, *European Cities and Towns, 400–2000* (Oxford: Oxford University Press, 2009).

Clark, Peter, and Lepetit, Bernard, *Capital Cities and Their Hinterlands in Early Modern Europe* (Aldershot: Scholar Press, 1996).

Cowan, Alexander, *Urban Europe, 1500–1700* (London: Hodder Arnold, 1998).

De Vries, Jan, *European Urbanization, 1500–1800* (London: Methuen, 1984).

Epstein, Stephan R., ed., *Town and Country in Europe, 1300–1800* (New York: Cambridge University Press, 2001).

Friedrichs, Christopher R., *The Early Modern City, 1450–1750* (London: Longman, 1995).

Hohenberg, Paul M., and Lees, Lynn Hollen, *The Making of Urban Europe, 1000–1950* (Cambridge, Mass.: Harvard University Press, 1985).

Lepetit, Bernard, *The Pre-industrial Urban System: France, 1740–1840* (Cambridge: Cambridge University Press, 1994).

Nicholas, David, *Urban Europe, 1100-1700* (Basingstoke: Palgrave Macmillan, 2003).

Pinol, Jean-Luc, ed., *Histoire de l'Europe urbaine*, 2 vols. (Paris: Seuil, 2003).

제14장

중동: 7~15세기

Middle East: 7th-15th Centuries

도미니크 발레리앙

Dominique Valérian

중세의 중동은 주로 이슬람의 통치 영역에 해당하며, 대부분 7세기 중반과 8세기 중반 사이 이슬람 정복의 첫 번째 기간에 동방the East뿐 아니라 서방the West(마그레브, 스페인〔에스파냐〕, 이후 시칠리아) 또한 점령되었다. 그러나 비잔티움 제국이 아나톨리아Anatolia에 넓은 영토를 보존하고 수도 콘스탄티노폴리스Konstantinopolis가 1453년까지 유지된 만큼 무슬림의 지배가 완전하지는 못했다. 더욱이 11세기 말부터 십자군 전쟁은 서유럽의 라틴 기독교인들이 오리엔트the Orient의 도시들에도 정착할 수 있게 해주었다—시리아의 도시들, 키프로스Cyprus나 포카이아Phocaea 같은 식민 교역장들〔엠포리아emporia, 단수형 엠포리움emporium〕, 혹은 흑해의 해항seaport들이 그곳이다. 이 모든 도시가 어떤 공통된 특성을 갖는다면—특히 환경적 제약과 지역의 무역 네트워크 구성에서 기인하는— 이슬람 도시들이 새 발전 모델과 또 다른 유행의 확산에 강하게 영향을 받았기 때문이다.

19세기와 20세기 초반에, 오리엔트를 연구하는 학자들은 중앙아시아에서 대서양에 이르기까지 7세기부터 20세기까지와 관련되는 이슬람 도시의 구체적 특성을 정의하려고 노력했다.[1] 이러한 본질주의적 시각은, 주로 오스만 제국의 도시 전통에 대해 그들이 알고 있던 것에서 영향을 받은 것이었는데, 이제는 버려졌다. 그 대신에 역사학자들은 조건과 발전의 다양성을 강조하는바, 그것들은 때로는 이슬람(제국)보다 선행한 제국들로부터 물려받은 것이기도 하지만 이슬람 세계의 지역적 진화에 기인하는 것이기도 하다. 그들 대부분은 이제 이 지역 도시의 주요 특성이 이슬람 종교와 근원적으로 관련되었다는 생각을 포기했다.

폴리스에서 메디나까지[2](7~11세기)

무슬림이 비잔티움 제국의 정복을 시작했을 때 그들에게는 제한적 도시 전통만이 있었으며, 이 전통은 근본적으로 카라반도시caravan city와 아라비아의 오아시스oasis에서 형성된 것이었다—주로 메카Mecca와 메디나Medina였다. 침략자 대다수는 유목민인 비非도시 베두인Bedouin의 세계에 속해 있었다. 따라서 무슬림 아랍인들이 도시 생활에 적응해 빛나는 도시 문명을 발전시킨 것은 종종 강하게 도시화한 신생 정복

국가들과의 접촉을 통해서였다. 시리아, 이집트, 마그레브 동부, 예멘과 같은 일부 정복 지역은 이미 오랜 도시 유산이 있었지만, 아라비아반도의 사막은 자연적 제약으로 도시화가 거의 이뤄지지 않았다. 점령 지역에서 이슬람 통치자들은 신도시를 거의 건설하지 않았고, 그 위계는 수정했지만, 기존의 도시 네트워크urban network를 유지했다.

주요 정주 중심지의 지역화에는 구조적 요인이 중요했다. 첫 번째 요인은 수자원 부족으로 특징지어진 기후대帶, climate zone라는 환경이었다. 도시city들은 거주민이 마시고 농지를 관개할 수 있을 정도로 충분한 물 공급이 있을 때만 발전할 수 있다. 따라서 주요 강은 그 크기가 작은 경우에도 도시의 삶을 발전시키는 데 도움을 주었다. 나일강은 물론이고, 오론테스Orontes강뿐 아니라 다마스쿠스Damascus의 작은 강인 바라다Barada강까지도 그러했다. 같은 방식으로 우물은 사막에서 오아시스의 발전을 낳았는바 메디나나 〔모로코 남부의〕 시질마사Sijilmâsa가 그 사례다.

두 번째 요인은 주요 소통 축이 고대부터 중세까지 도시들의 위치에 부여한 연속성continuity이다. 비록 육로가 변경될 수 있다 할지라도, 그것은 자연의 제약에 의해 부분적으로 고정되었다. 알레포의 경우처럼 상인들의 카라반의 몇몇 종착지는 특권을 누렸다. 같은 방식으로 항구port는 예멘이나 지중해 연안에서 중요한 교류의 장소로 유지되었다. 그런데 지중해에서는 한 가지 변화가 일어났다. 이슬람 항구들은 비잔티움 함대의 위협을 받는 국경도시frontier city('타그르thaghr')들이 되었고, 이슬람의 초기 세기들 동안 항구의 역할은 감소하는 경향이 있었다. 반면에 대규모 도시large city는 대초원steppe과 사막에서 떨어진 경작지들의 또 다른 접촉 지점을 따라 발달했다. 따라서 주요한 수도capital는 더는 알렉산드리아, 안티오크, 카르타고가 아니라 카이로 인근의 푸스타트Fustât, 다마스쿠스, 카이루안Kairouan〔카이르완Qairwan〕이 되었다. 지중해에 완전히 등을 돌리지는 않은 채로 이슬람 공간은 내부로 더욱 향하게 되었고, 762년 아바스Abbās 왕조가 바그다드를 건립하면서 그 진화가 확인되었다.*

당시 이 지역 인구의 대다수가 비무슬림으로 남아 있었다면, 이슬람은 정복자들과 도시에 정착한 통치자의 종교였다. 메디나·다마스쿠스 같은 제국의 수도든 지방의 주요 도시든, 도시는 무슬림 권력과 군사력의 중심으로서 주변의 영토를 조직했다. 이집트의 푸스타트(카이로), 7세기 시작 무렵에 팔레스타인 지방의 수도로 설립된 람라Ramla, 마그레브의 카이루안과 같이 새로 세워진 도시들은 정복한 영토를 방어하고 통제하는 중심지로서의 이중 기능을 수행했다. 이곳들은 여러 아랍 부족의 전투원들을 수용하기 위해 계획된 도시-주둔지city-camp였고 정복된 지역을 효과적으로 통제할 수 있도록 전략적인 교차로에 위치했다. 이곳들의 계획은, 종종 신도시의 경우가 그렇듯이, 격자형 도로를 통해 여러 부족과 그 부족의 위임자들에게 할당된 부지를 분리하는 특징이 있었다.[3] 점차 정복자들의 통제가 강해지자, 정치적·종교적 제도들이 새 기념물(궁전, 모스크, 재물창고)을 세우면서 군 주둔지military camp가 진정한 도시가 되었다([도판 14.1] 참조).[4] 바그다드는 아바스 칼

* '아바스 왕조' 또는 아바스 칼리파국〔칼리프국〕은 750년에 아불 아바스Abu'l Abbās가 우마이야 왕조를 무너뜨리고 세운 이슬람 왕조(750~1258)다.

리파국의 수도로서 칼리파 왕국과 거대한 모스크mosque를 중심으로 하는 원형의 계획에 의해 세워졌고 세계 정복의 야심을 드러냈다. 그러나 많은 도시가 기존 문명의 유산을 물려받았다. 우마이야 칼리파국(661~750)의 수도 다마스쿠스와, 알렉산드리아·트리폴리·코르도바는 고대 도시를 무슬림이 재활용한 경우였다. 이곳 정주지settlement는 격변을 일으키지 않았고 도시공간 조직상의 변화는 느렸다. 비잔티움 제국 말에 이미 가시적으로 나타난 진화를 계속하면서, 공공장소(아고라agora, 넓은 상업 거리)들이 점진적으로 지어졌다. 그러나 팔미라Palmyra의 예처럼 우마이야 왕조의 수크sûq[일종의 재래시장]는 기존 축의 상업적 기능을 보존하면서 기존의 주요 열주 거리를 따라 형성되었다.[5] 또한 다마스쿠스에서는, 코르도바와 마찬가지로, 모스크를 짓기 위해 몇

[도판 14.1] 아흐마드 이븐 툴룬Ahmad ibn Tûlûn 모스크, 카이로, 876~879년 건설

십 년 후에 교회를 파괴하기 전까지는 무슬림이 기독교인들과 교회를 공유했다. 무슬림은 공공장소에 대한 극단적 변화를 주지 않은 채 어느 정도 연속성을 유지하게 했고, 점차 이슬람교의 존재에 대한 가시적 표시들을 등장시켰다.

이와 같은 더 오래된 도시들의 행정적·정치적 지배는 새 통치자들에 의해 점진적으로 조직되었는데, 비잔티움과 사산 제국의 행정적 전통을 계승한 지역 엘리트의 도움에 힘입은 바였다. 결과적으로, 새 통치자들은 오래된 도시 궁전에, 때로는 보호되는 구역에 거주했으나 항상 도시 내에 있었다. 매주 금요일에 칼리파khaliifa〔칼리프caliph〕의 이름으로 쿠트바khutba〔이슬람교에서 금요일 정오에 대예배를 드릴 때에 하는 설교〕가 진행된 거대한 모스크는 궁전 복합단지〔복합체〕palatial complex와 연결되기도 했다. 행정은 적어도 초기에는 현지 엘리트들의 손에 맡겨졌고 이들은 자주 이슬람으로 개종했다.

군사적 기능은 국경을 방어하는 도시들에서, 비잔티움 제국과 대면한 시리아 북부에서, 또는 해안도시〔연안도시〕costal city들에서 더 강하게 표현되었다. 여기에서는 국경사회가 조직되어 더욱 강하게 군사화되었으며, 행정관들은 더 큰 자치를 누렸고 성전을 수행하려는 자원자들이 몰려들었다. 이 도시들은 신앙심 깊은 전투원이 거주한 수스Sousse(튀니지)의 수도회요새convent-fortress인 리바트ribat처럼 더욱 강화된 방어 구조물이 특징이었다. 함대의 구성은 우마이야 왕조의 예를 보면 병기고의 건설이나 재활용을 불러왔고, 해안 주민의 해군 경험에서 다시 이득을 취했다.[6]

도시는 대다수 인구의 종교가 아니라 새 통치자들의 종교인 이슬람교의 승인과 확산을 위한 핵심 수단이었다. 모스크는, 처음에는 오늘날처럼 기념(비)적이거나 영광스럽지는 않았으나, 기도와 금요일 설교〔쿠트바〕에 무슬림을 모으기 위해 아주 빠르게 세워졌다. 다마스쿠스의 예를 들면, 거대한 우마이야 왕조의 모스크가 기존의 성당을 대체하면서 8세기 시작 무렵에 지어졌다. 무슬림의 정복은 사회의 이슬람화로 이어졌다. 그 리듬과 형태는 여전히 잘 알려지지 않았지만, 이슬람화는 도시에서 더 빠르게 진행되었다. 그 결과 종교와 관련된 무슬림 학문 환경이 조성되어 쿠란qurān〔꾸란, 코란Koran〕과 예언적 전통(하디스hadiths) 연구와 함께 법, 신학, 아랍어 연구가 등장했다. 일부 도시는 통치자와의 근접성이나 신성한 속성으로 과학과 배움의 거대한 중심지가 되었다. 일례로 메디나는 법학 연구 발전에 중요한 곳이었고 다마스쿠스와 카이루안도 마찬가지였다. 무슬림 종교의 이와 같은 발전 단계는 종교와 정치 모두에서 비롯된 분열의 영향을 받았다는 특징이 있다. 다수의 통치자는 수니Suni파였지만(특히 우마이야와 아바스 두 칼리파 국가에서), 일부는 이슬람의 또 다른 주요 분파인 시아Shiah파를 인정했다. 예멘의 자이드Zaid파가 시아파였으며, 시아파는 무엇보다도 파티마Fátima 칼리파국 통치 아래에서 969년에 카이로에 수도를 건설해 그곳을 거대한 지성적, 종교적 중심지로 만들었다. 조금 덜 주요한 종파인 하리지Khariji파〔하와리즈Khawārij파〕가 오만과 마그레브에서 등장했으며, 마그레브 지역에서는 루스탐Rustam 왕조가 티아레Tiaret를, 미드라르〔바누 미드라르Banu Midrar〕 왕조가 시질마사를 건립했다.

게다가 도시의 지적 활동은 종교에만 국한되지 않았다. 이슬람교도들, 그리고 기독교도들과 유대교도들도 그리스와 페르시아 전통을 계승해 중요한 문헌들을 번역하고 새 문헌들을 많이 생산함으로써 그것들을 발전시키는 거대한 문화 운동에 참여했다. 통치자들의 측근들이 중요한 역할을 하면서, 함단Hamdan 왕조의 알레포에서와 같이, 궁정 학자, 시인, 과학자들을 끌어들였다.

중앙아시아에서 대서양까지 확장된 광대한 이슬람 제국의 형성, 특히 지중해의 남쪽 전체를 포용하는 제국의 형성은, 무엇보다 공유된 언어와 문화를 가진 단일한 강국에 통합된 거대 경제권을 형성하는 데 크게 기여했다.[7] 동일 화폐가 제국의 한쪽 끝에서 다른 한쪽 끝으로 유통되어 무역과 교환을 촉진했다. 같은 방식으로 도로망에 대한 통치자들의 관심은 인력과 재화의 이동(성)mobility을 촉진했다. 그것은 특히나 도시들이 이익을 얻는 무역에 더 많은 자극을 주었다. 도시는 배후지hinterland와 함께 무역을 조직하는 지역 시장의 역할을 했으며 종종 확장된 무역 네트워크를 구성하는 중요한 역할을 했다. 몇몇은 특히 중요했는바 사막이나 바다의 경계에 자리한 도시들, 알레포나 다마스쿠스 같은 도시와 사마르칸트Samarkand 동쪽의 도시들이 그러했다. 900년 이후 부하라Bukhara는 인도의 향신료나 아라비아의 향香, incense 같은 동방 물품들을 지중해에 재분배하는 화물집산지entrepôt가 되었다. 마찬가지로 호르무즈Hormuz해협에 가까운 소하르Sohar는 페르시아만의 진입에 중요한 역할을 했고, 마그레브의 티아레와 시질마사는 9세기 동안 사하라 횡단 금 거래로 이익을 얻는 주요 도시가 되었다.

새로운 무역 네트워크와 상업의 확대는 도시사회에서 두드러진 위치를 차지한 새로운 상인계층의 부상으로 이어졌다. 정치적 체제와 연계되기도 하는 가장 중요한 상인들은 수크(재래시장)의 소규모 소매상들과 구별되어야 한다. 거상巨商들은 확연한 네트워크들을 개발했고 주요 도시에 푼두크funduk(여관과 비슷한 용도로 동시대에 사용된 폐쇄적 건물)를 세웠는바 푼두크는 창고, 교환, 세금 납부의 장소이기도 했다. 푼두크 사용자는 무슬림 아랍인, 특히 카라반 무역에 종사하는 경우가 많았고, 이슬람이 용인하는 종교를 믿는 사람들, 주로 유대인들(디아스포라 덕분에 방대한 상업 네트워크에 참여한)과[8] 기독교인들도 포함되었다.

현지 교역은 시장marketplace에 집중되었다. 때때로 장인의 생산 활동을 포함하는 시장은 도시의 가장 번화한 곳에 중심지에(다마스쿠스의 직선 대로와 같은), 또는 도시의 문과 가까운 곳에 자리했다. 거래 활동은 거리별로 혹은 거리의 집합 단위별로 결합이 되어 있었고, 식료품은 시골과 쉽게 접촉이 가능한 도시 출입문 근처에서, 책이나 직물은 모스크 근처에서 거래되었다. 한때 무질서한 것으로 묘사되었던 수크의 세계는 사실은 매우 구조화되었다. 그곳은 거래를 규제하는 규정들의 집행을 담당하는 공공요원인 무타시브muhtasib에 의해 통제되었고, 이들은 예컨대 무게와 수치 측정의 사기를 방지하는 활동을 했다. 더 일반적으로 무타시브들은 도시 생활을 감독했으며 특히 공공위생 및 공공장소 보호 업무를 담당했다.[9] 그러나 당시 이슬람 도시들에는 기독교 유럽의 중세 도시에서 발전한 길드와 같은 자율적 사업 조직체가 없었고, 노동시장은 조직되어 있긴 했지만 무타시브의 통제 아래에 놓여 있었다.

이슬람 도시의 특징 중 하나는 실제로 몇 가지 간단한 예외 말고는 도시의 자치권이 없고 도시의 고유한 제도나 시민적 공간civic space으로 식별되는 법적 실체가 없다는 점이었다. 도시는 군주의 이름으로 행정관(왈리wâli)에 의해 통치되었고, 행정관은 자신에게 의존하는 행정 및 사법 관료들의 도움을 받았다. 특히 재판관인 콰디qâdî〔카디kadı〕는 도시나 지역적 특성이 아니라 이슬람법 샤리아sharî'a에 따라 판결했다—설령 법과 지역적 관습의 해석에는 다양성이 있었을지라도 이는 모든 이슬람 세계에서 마찬가지였다.

정권이 공식적으로 인정한 유일한 단체는 비이슬람 종교 공동체였다. 〔이슬람 국가의 비무슬림 국민인〕 딤미dhimmî들(주로 기독교도와 유대교도였다)은 경전Book(성서)의 종교를 믿는 이들로 용인되었다.* 무슬림의 통치를 인정하는 대가로, 그들은 자체적 규율 및 지도자들과 함께 스스로 조직하고 신앙생활을 할 수 있었다. 이들 지도자는 자신들 공동체의 구성원들에 대한 권한을 가지고 있었고, 특히 재정 문제에서 이슬람 통치자들에게 중재자로 활용되었다. 그러나 도시경관urban landscape에서 종교 공동체 조직은 눈에 띄지 않았고, 특정 교회나 시너고그synagogue〔유대교 회당〕가 사회적 중심이 될 수는 있었을지라도 종교 공동체나 종교 공동체와 관련된 특정 동네neighbourhood는 존재하지 않았다.

그럼에도, 법적으로 인정되지 않긴 했지만, 도시 생활에서 역할을 할 수 있는 특정의 사회집단이 있었다. 소규모 시장과 기도실(마스지드masjid)을 중심으로 조직된 동네의 경우가 그러했다. 이곳에서는 때때로 종교적 또는 지리적 정체성의 요소가 더해져 연대감이 생겨났고, 이로 인해 동네 사이에 대립도 야기되었다. 또한 피트얀fityân으로 지

* 여기서 '경전'은 무슬림의 경전 쿠란을 말하며, 쿠란에서 딤미는 '경전의 사람들People of the Book'인 기독교도, 유대교도, 사비교도였다. 이후 시크교도, 조로아스터교도, 힌두교 등도 포함되었다.

칭된 젊은이 집단은 때로는 다소 '불량'했는데, 그들끼리는 연대감, 우정, 공유하는 가치로 연결되어 있었다. 시리아에는 10세기부터 도시 민병대인 아다트ahdâths가 조직되었고, 이 아다트가 종종 대大가문 귀족의 후손이었던 우두머리인 라이스rais의 지휘 아래 공공질서를 담당했다. 이 단체는 때로는 도시와 연계된 정체성을 옹호하면서 외부 공격으로부터 도시를 방어했으나, 어떤 정책이 도시의 이익이나 최소한 부유한 주민의 이익과 충돌할 때는 정권에 대항하기도 했다. 그러나 이런 조직들은 결코 지속가능한 정치적 구조로 이어지지 않았고 직접적 도시권력을 행사하지도 않았다.[10]

10세기부터 11세기까지 아랍 지리학자들이 제공한 이슬람 세계의 그림은 밀집된 도로망으로 연결된 도시 중심지urban centre 주변에서 구조화한 강력한 도시화 영역을 보여준다([지역지도 II.2] 참조). 몇몇 도시는 그 규모가 상당했다. 11세기 시작 무렵에 바그다드는 50~70제곱킬로미터에 60만~200만 명의 인구를, 코르도바는 49제곱킬로미터에 10만~50만의 인구를 가졌을 것으로 추정된다. 카이루안은 14제곱킬로미터에 약 10만 명의 인구를, 톨레도Toledo는 10제곱킬로미터에 3만 7000명의 인구를 가졌을 수 있다. 도시 네트워크에는 이슬람 이전의 오래된 도시들은 물론, 일반적으로 이슬람 군대의 정착이나 그 이후에 새 왕조들과 연계된 많은 새로운 도시 토대가 포함되어 있었다. 새 무슬림 통치자들은 이런 도시들에 정주했고, 이를 통해 도시 인구에서뿐만 아니라 주변 시골 지역에서도 이슬람화가 꾸준히 이루어졌다. 따라서 도시들은 정복된 지역들 내에서 새로운 이슬람 문명 확산의 주된 매개체였다.

비잔티움 제국의 아나톨리아 도시들

무슬림은 비잔티움 제국을 전복하려 노력했으나 비잔티움은 11세기 후반기에 셀주크Seljuq 튀르크가 아나톨리아Anatolia를 정복할 때까지 저항했다. 아나톨리아의 도시들은 대부분 로마로부터 물려받은 비잔티움의 도시 전통을 유지했고, 이는 10세기에 8.3제곱킬로미터에 20만~30만 명의 인구를 가진 제국의 메갈로폴리스megalopolis〔초거대도시〕였던 수도 콘스탄티노폴리스에서 잘 나타났다. 콘스탄티노폴리스에서 권력은 황제에 의해 대표되었는바, 황궁은 도시의 중심에 있었고 성소피아Saint Sophia 대성당과 그리스정교회 총대주교궁에서 멀지 않은 곳에 있었다. 교회는 비잔티움 도시에서 중요한 장소를 차지했고, 강력하고 부유한 교회들과 수도원monastery들은 종교적·문화적·경제적 주요 역할을 담당했다. 따라서 특정 동네들은 도시의 공간 구조 형성에 한몫한 큰 수도원들 주변에서 발달했다.

도시들은 농산물의 중요한 시장 역할을 하는 인접한 시골과 긴밀한 관계를 유지했다.[11] 이들 도시는 에페수스, 스미르나Smyrna, 트레비존드Trebizond와 같은 활발한 국제 교역이 이루어진 몇몇 큰 항구에서 중요한 전시 품평회를 개최했다. 제국의 공무원들이 상업세인 코메르키온kommerkion을 부과하는 등 행정 당국은 재정적 이유로 이 도시들에서 중요한 역할을 했다. 그러나 도시들은 또한 먼 곳에 영지를 보유한 영주들의 거주 장소이기도 했다. 비잔티움의 귀족들은 무엇보다도 도시적이었고, 특히 수도에서 주요 행정적·정치적 관직을 맡았다. 그들은 또한 도시 내에 큰 건물들을 소유하고 있었다.

나머지 도시 인구는 에르가스테리온ergastèrion(수공업장과 상점 병행)을 기반으로 한 공예 산업과 무역에 몰두했다. 일부 행위는 에파치eparch 혹은 도시 행정관을 통해 정권의 강력한 통제를 받았으며, 도시 행정관은 길드의 규제와 통제에, 더 일반적으로는 공공질서 유지에 책임이 있었다. 도시 행정관은 예컨대 도시에 효과적 공급을 보장하기 위해 황궁과 밀접한 관련이 있는 사치품인 견직물의 생산과 특정 식료품의 거래를 규제했다. 이러한 거래는 엄격히 통제되었으나, 상업 활동 또는 장인 활동의 대부분은 그렇지 않았다는 점에서, 이것을 중앙 계획 경제planned economy라고 하는 것은 옳지 않다.

11~15세기: '기마병의 도시'

11세기에는 이슬람 세계에 커다란 변화가 시작되었는바, 변화는 새로운 사람들의 도래, 특히 동방의 튀르크인들, 이어 13세기 이후의 몽골인들, 서방의 사하라부터 알모라비드Almoravid 왕조의 베르베르인들과 이집트로부터 힐랄Hilal 아랍인들의 도래에 따른 것이었다.* 이러한 이주와 이주민들이 만들어낸 새로운 정치 세력은 적어도 처음에는 지역 내 불안감을 심화했고 도시의 정치 조직과 통치자의 지위 변화를 가져왔다. 더욱이 11세기는 군사적 개입(십자군 원정, 이베리아반도의 레콩키

* '알모라비드 왕조'는 무라비트Murabit 왕조라고도 하고, '힐랄' 곧 '바누 힐랄Banu Hilal'은 아라비아반도 헤자즈Hejaz와 나즈드Najd 지역의 아랍 부족 연맹체를 말한다.

스타Reconquista, 노르만인에 의한 시칠리아 정복 등)과 증가하는 상업 활동을 통해 지중해에서 유럽이 확장하는 시작점이기도 했다.*

이와 같은 모든 격변의 결과 중 하나는 지역적 위계를 포함한 그 지역의 정치적, 군사적 지형도의 변화였다. 셀주크의 정복 활동은 1071년 이후 아나톨리아의 대부분을 이슬람의 지배하에 놓았으며, 이 과정은 메흐메트〔메메트〕 2세Mehmed II가 콘스탄티노폴리스를 점령하면서 완성되었고, 콘스탄티노폴리스는 이슬람 제국의 새 수도가 되었다〔'메흐메트〔메메트〕 2세'는 오스만 제국의 술탄(재위 1451~1481)으로 '정복자 메흐메트Mehmed the Conqueror'로도 불린다〕. 이전부터 코니아Konya나 부르사Bursa와 같은 여러 아나톨리아 도시가 독립적 튀르크 통치자들에 의해 운영되었고, 지역의 모든 도시는 점차 이슬람화되었다. 13세기 중반부터의 몽골의 〔중동 지역〕 침입은 주요 도시의 파괴를 야기했고 때때로 인구의 강제 이동을 초래했으며, 1258년에 바그다드의 아바스 칼리파국의 몰락을 가져왔다. 결과적으로, 맘루크Mamluk 왕조가 권력을 잡고서 몽골에 맞서 싸운 카이로Kairo는 중동의 도시위계urban hierarchy에서 위상을 공고히 해 지역의 선도적 도시가 되었다.** 급속한 도시개발urban development로 21제곱킬로미터에 이르는 거대도시가 탄생했고 인구는 14세기에 27만 명으로 추산되었다. 더 일반적으로는 옛 이라크 도시 네트워크가 활력을 상실했고 이는 시리아-이집트 지역에 이득을 가져

* '레콩키스타'는 스페인어(에스파냐어), 갈리시아어, 포르투갈어로 '재정복'이라는 뜻으로, 8세기부터 15세기에 걸쳐, 이슬람교도에게 빼앗긴 이베리아반도의 실지失地를 탈환하기 위한 기독교도의 국토회복운동을 말한다.

** '카이로'는 맘루크 왕조(1250~1257) 곧 맘루크 술탄국의 수도였다. '맘루크'는 킵차크 혈통의 군사 노예, 또는 군사노예 출신 지배자를 말한다.

다주었다.

이러한 정치적 격변의 두 번째 결과, 특히 칼리파국(바그다드의 아바스 칼리파국과 카이로의 파티마 칼리파국)의 몰락은 권력의 지방분권화〔분권화〕decentralization와 때로 중위中位, middle-rank 도시들을 수도로 부상하게 해 도시들끼리 치열한 경쟁을 벌이게끔 했다. 알레포(12~13세기에 5만~8만 5000명이 거주했다)와 다마스쿠스, 아나톨리아의 부르사와 말라티아Malatya, 서쪽의 부기아Bugia〔베자이아Béjaïa〕, 틀렘센Tlemcen, 세비야Sevilla 등이 그러했는바, 이들 도시는 행정과 문화의 중심지이자 무엇보다 새 군사 통치자들의 근거지가 되었다.

마지막으로, 11~12세기에는 항구에 새 경제적 중심지와, 이보다는 정도가 덜한, 정치적 중심지가 개발된다. 이것은 기독교의 위협에 대한 경계 지역이면서도, 지중해에서의 운송과 유럽 무역의 성장을 감안할 때, 필수적인 상업적 접촉 지역이기도 했던 지중해 연안에 처음으로 영향을 끼쳤다. 따라서 알렉산드리아는 동양으로부터의 무역로를 홍해를 통하게 하는, 결국 페르시아만에 손해를 입히는, 파티마 칼리파국 정책의 지원을 받아 국제 상거래의 주요 허브가 되었다.[12] 십자군 원정 이후 한동안 기독교의 지배를 받고 있던 시리아 항구는 예루살렘 왕국의 몰락(1291) 이후에도 중요한 해상무역 중심지로 남았는바 특히 베이루트Beirut가 그러했다.* 마그레브의 경우 해안도시〔연안도시〕가 번성했고 그 가운데 일부는 부기아[13]나 튀니스Tunis 같은 정치적 수

* 현재 레바논 항구도시 베이루트는 십자군이 세운 예루살렘 왕국(1110~1291)의 주요 항구였다. 이집트 및 시리아의 맘루크 술탄 알아쉬라프 칼릴Al-Ashraf Khalil이 예루살렘 왕국을 무너뜨렸는데, 당시 시리아는 레바논 지역을 포함하고 있었다.

도가 되었으며, 다른 일부는 세우타Ceuta, 오란Oran, 14세기부터 알제Alger 같은 중요한 교역장들(엠포리아)이 되었다. 이들 모든 항구에는 이탈리아, 프로방스, 카탈루냐 상인들이 와서 사업을 했고 중요한 무역 공동체를 형성했다. 지중해에서 남쪽으로 인도와 극동으로 가는 항로의 이용 증가는 홍해에서 항구(아이다브Aydhab, 제다Jedda, 아덴Aden 등)의 발전을 촉진했다.[14] 이 모든 항구도시port city는 적어도 항구와 밀접한 관련성을 가진 성장하는 다민족, 범세계적cosmopolitan 사회와 함께 대륙 간 규모의 교환 장소이자 무역 네트워크의 허브가 되었다.

이와 같은 중동 전역의 도시 위계 및 네트워크의 변화와 더불어 또 다른 중요하고 일반적인 발전은 전문 군사 통치자가 이슬람 도시에 임명된 것이었다. 동방에서는 튀르크인, 쿠르드인, 다일라미트Daylamite인, 이어 맘루크 에미르emir가, 서방에서는 베르베르인이 도시 통치자가 되었다('에미르'는 이슬람 왕조들에서 속주의 총독이나 군사령관을 지칭하는 말이었다. 아미르amir라고도 한다). 이들은 새 군사 엘리트로 흔히 이주민이었고 때로 이슬람교로 전향한 지 얼마 지나지 않은 개종자들이었다. 이런 경향은 이 지역에서의 반복되는 전쟁 때문에, 프랑크족의 위협 및 이후 몽골의 위협에 대한 동방에서의 효과적인 군사적 저항의 필요성 때문에 촉진되었으며, 이것은 칼리파의 권위가 쇠퇴하는 맥락에서 군사화한 튀르크와 맘루크에 새로운 정치적 정당성을 부여했다. 이들 새 지도자들은 또한 자신이 시아파에 대한 수니파의 옹호자라고 주장했다.

이러한 정치권력의 군사화는 장-클로드 가르생Jean-Claude Garcin이 언급한 '기마병의 도시city of the riders' 개념을 탄생시켰다.[15] 도시들은 군인들로 가득했는데, 용병이든 점점 더 많아진 중앙아시아와 동유럽 출신의 군사노예(맘루크)든 간에 개종하고 군인으로 훈련을 받았다. 이미 언급한 대로, 맘루크는 13세기 중반에 이집트 및 시리아에서 권력을 잡았다. 맘루크들은 정치적, 군사적 통제권을 행사했을 뿐만 아니라 경제적 자원의 대부분을 확보했다. 에미르로서 그들은 모든 도시기관, 특히 공공질서와 안전에 관련된 기관들을 장악했는바 경찰·콰디는 그들에 의해 임명되었고 그들의 의중에 따라 행동했다. 콰디는 무타시브를 임명했는데 무타시브의 권한은 사회생활의 통제와 도시 공공공간에서 이슬람 율법의 집행으로 확장되었다.

새 군사 엘리트는 도시경관을 재편하고 변경했다. 도시 통치자는 요새(콸라qal'a나 카스바casbah)에 거주했으며, 요새들은 도시를 방어하는 동시에 도시 거주민들로부터 지배자를 보호하기 위해 도시 중심지 밖에 지어졌다. 예를 들어 카이로에서 살라딘Saladin〔이집트 아이유브 왕조의 시조(재위 1169~1193)〕은 주요 도시 동네에서 벗어난 언덕에 요새를 만들라고 명령했다. 도시의 중심지로부터 권력이 외곽으로 이동한 것은 성채의 총독이 도시의 총독과 구별된다는 것을 의미했다. 한편, 도시공간urban space은 특히 외부 위협이 있을 때 새 성벽의 건설로 더 강력하게 군사적으로 무장되었다. 히포드롬hippodrome과 병사 훈련장이 마련되었으며 일반적으로 도시 외곽의 성채와 가까웠다. 마지막으로, 에미르들이 자기 자신을 위해 건립한 궁전들은 도시공간의 재개발에 도움이 되었고 도시 내에 군사적 목적이나 열병의 필요성을 위한 커다란 순환 축을 생겨나게 했다.

도시 조직체urban fabric에 대한 개입은 또한 자신들의 정통성을 강화하기 위해 통치자들, 종종 외국인이고 개종한 지 얼마 되지 않은 통치자들에 의해 새로 설립되는 재단과 함께 종교재단으로까지 확대되었다. 이런 방식으로 그들은 종교를 수호하는 데서 특히 수니파 교의를 수호하는 데서 자신의 신심과 역할을 과시할 수 있었다. 무슬림 도시들은, 12세기에 에미르 누르 앗딘Nûr al-Dîn이 다마스쿠스에서 했던 것처럼, 새 모스크, 종교학교 마드라사madrasa, 신비주의 종파의 수도회 칸카khanqa〔또는 khanqah〕, 의료·간호 시설 마리스탄maristân으로 채워졌다. 엘리트의 자선 활동에는 아이유브Ayyūb 왕조〔1169~1260〕 시기의 알레포와 하프스Hafs 왕조〔1229~1574〕 시기의 튀니스처럼 증가하는 인구에 따른 물 부족을 해결(분수와 수로를 이용)하려는 수자원 공사工事 또한 포함되었다. 기념(비)적 도시주의urbanism는 설립자들을 기렸는데, 그들은 때로 자신이 세운 종교재단의 영묘靈廟, mausoleum에 묻혔고, 설립자들이 세운 건물들에는 그들의 관대함을 상기시키는 명문銘文이 새겨졌다.

엘리트 자선 사업의 특권적 도구는 자산을 양도할 수 없게 만들어 판매, 분할, 또는 더 중요한 몰수를 방지하는 기반이었던 와크프waqf였다. 이 합법적 구조는 자선 사업에 자금을 대는 데 완벽했으며, 일례로 카이로에서는 많은 종교재단의 창설자였던 여성을 포함해 민간 엘리트와 군인 엘리트가 이를 활용했다. 재단 설립자는 시골의 시장, 상점, 공중욕장, 또는 땅에서 나오는 영속적 수입을 제공해 건물의 건설과 유지·보수를 보장했다. 와크프는 11세기부터 새 재단들의 설립과 그 주변에서 성장한 구역을 통해 도시개발에 크게 이바지했다. 특히 오스만 튀르크에서는 모스크, 의료·간호 시설, 교육시설, 도서관, 그 주변 시설로 구성된 인상적 복합단지가 건설되어 재단 유지와 자금 조달에 필요한 시설을 만들고 새 동네를 탄생시켰다. 부르사를 예로 들자면 1399년에 설립된 거대한 모스크 단지는 3개 마드라사, 신비주의 종파의 수도회, 여러 채의 상인용 숙소 카라반세라이Caravanserai, 공중욕장 하맘hammam을 포함해 도시의 영적·경제적 삶의 중심지가 되었다.

여타의 새로운 인구집단은 11세기 이후 도시의 성장을 촉진했고, 도시사회urban society 구조의 진화에 공헌했다. 처음에는 특히 불안한 시기에 많은 농민의 도시로의 이주〔이동〕migration가 있었다. 11세기 후반 마그레브에서는 힐랄〔바누 힐랄〕 유목민 부족이 이주해오면서 해안타운으로 사람들이 몰려들었다. 12세기에 레반트에서는 십자군 원정과 연관된 군사 활동으로 이주가 발생했다. 11세기 말 아나톨리아에서는 튀르크 무슬림이 정착했고 비잔티움 제국의 폐허에 새로운 도시 네트워크를 만들었다. 같은 시대에 시리아와 이집트 지역의 도시들은 이슬람권 전역에서 무슬림 인구를 끌어들여, 특히 마그레브와 이베리아반도에서, 13세기 중반 몽골의 침입 이후에는 이라크에서 사람들이 이주해왔다.

그 결과는 매우 다양한 출신지를 가진 사람들의 대규모 혼합이었고, 이는 초기 이슬람 정복으로 생성되었던 오래된 사회적 분열을 완화하는 경향으로 이어졌다. 이와 같은 도시 재구성은 도시 인구의 점진적 이슬람화에 의해 강조되어, 이슬람은 대부분의 중동 도시에서 다수의 종교가 되었고 북아프리카에서는 토착 기독교가 완전히 사라졌다. 이때까지 도시의 지배적 집단은 정복의 혜택을 누린 아랍 부족 혈통들 및 개종해서 이들과 밀접하게 연계된 이들의 피보호자들(아랍인이든 아니든)로 구성되어 있었다. 이후 이와 같은 구별짓기distinction는 관련성을 잃게 되었고 사회 분화social differentiation의 다른 기준이 등장했다. 물론 민족 분화ethnic differentiation 요소가 완전히 사라지지는 않아, 이주한 지 얼마 지나지 않은 군인들은 나머지 인구들과 부분적으로만 통합되었다. 14세기 말에 체르케스Circassia〔Cherkess〕인 맘루크가 동유럽에서 가족을 데려와 폐쇄적 귀족집단을 형성한 경우가 그러했으며, 이들은 대체로 도시사회의 나머지 부분으로부터 고립되었다. 그러나 사회적 지위를 형성하는 주요 변수는 이제는 무엇보다도 통치자에 대한 정치적·사회적 근접성, 부富(토지, 또한 상업 활동), 행정이나 종교 업무에 진출하게 해주는 지식 세계에 대한 참여에서 도출되었다.

도시사회에서 두각을 나타낸 민간 엘리트인 하사khâssa의 존재는 단지 재산만이 아니라 지식에의 접근에서 비롯되었다. 이들 명사층은 심지어 군사 및 정치 엘리트에 속하는 통치자들과 경쟁하면서 도시 내부는 물론이거니와 시골에도 재산을 소유했다. 또한 하사들은 적어도 무슬림 세계와 인도양의 무역에 참여했다. 부유하기는 하지만, 이 엘리트들은 지식에 대한 접근과 그것으로부터 비롯된 직업으로 정의되었다. 가장 저명한 학자들의 전기는 지식뿐만 아니라 경건함을 강조했고, 이러한 방식을 통해 도시와 민간 엘리트의 기억을 기념하는 데 도움을 주었다.

시리아와 이집트는 11세기에 주요한 문화 중심지가 되었는데, 이라크, 마그레브, 이슬람 통치 아래 스페인 등지로부터 학자들이 유입된 것이 그 기화가 되었다. 카이로·알레포·다마스쿠스 같은 도시들은 무슬림과 아랍의 문화적, 과학적, 문학적 유산들도 수집했다. 이들 도시는 새롭고 독창적인 지식의 개발보다는 이들 유산의 보존과 전달에 필수적 역할을 했다.

이와 같은 지식에 대한 특권적 접근은 강한 사회적 연속성을 갖는 특권이었는바, 같은 가문의 연속적 세대가 문화·과학 자본의 전달을 통해 학습된 계층을 만들어냈기 때문이다. 그러나 사회적 이동(성)social mobility은 어느 정도까지는 여전히 가능했다. 11세기 말부터 처음에는 이라크와 페르시아에서, 이후에는 시리아·이집트·아나톨리아에서, 13세기부터는 좀 더 서방의 지역에서도 발전한 마드라사 제도 덕분이었다. 재단(와크프)의 자금 지원을 받는 이 종교학교들은 젊은이들에게 종교계, 법조계, 또는 행정부의 공직에 진입하도록 도와줄 기본 지식과 기술 제공을 목표로 했다. 마드라사는 수니파 창립자와 그 후손들이 교사들을 임명하고 보수를 지급하면서 그들을 통제했다는 점에서 시아파에 대항해 수니파를 옹호하는 이념적 도구이기도 했다. 모든 사회집단 출신의 학생들이 무료 교육을 받았고, 이런 식으로 마드라사는 교육받은 엘리트의 제한적 갱신을 촉진했다.

지식의 독점은 도시사회에서 '울라마ulamā'로 불린 종교 학자들의 확실한 위치를 보장했다. 이들은 도시의 정체성 구현을 의식했고, 거주민에 대한 도덕적 권위를 가지고 있었다. 이는 울라마의 사회적, 경제적 지위에서 비롯되었거니와 규율을 포함한 도시의 일상에서도 비롯되었다. 울라마는 기도를 이끄는 이맘imam, 모스크의 설교자 카티브khatīb, 콰디와 무타시브의 기능을 모두 수행했다. 그들은 또한 종교재단을 통해 도시의 자선 사업에도 참여했다. 그러나 도시사회에서 울라마의 역할은 그들이 긴밀하게 의존했던 군사 엘리트와의 유대와 크게 연관되어 있었다.

11세기와 12세기의 정치적 위기와 때로 권력 공백의 시기에, 하사 구성원들은 가끔 도시의 자치 정부를 주도하면서 중요한 정치적 역할을 담당할 수 있었다. 민간 엘리트들은 서로 연합하는 데 성공했고 자신들의 권한 내에 있는 거주민들을 조직해 일시적으로 군주를 대체했다. 일례로, 세우타에서는 알모하드Almohad 칼리파국〔1121~1269〕의 몰락 이후 도시의 상인 엘리트들이 권력을 잡았다.[16] 그러나 이것은 결코 진정한 합의제적 권력collegial power의 형성으로, 같은 시기 서유럽에서처럼 '코뮌commune'〔도시공동체〕의 형성으로, 이어지지 않았으며 시민 엘리트들이 도시를 통치했을 때 그들은 개인적 도시 지배권을 확립하는 경향이 있었다. 더욱이 대大가문 출신 엘리트들은 일반적으로 권력을 권위가 약해진 군주나 총독들과 나누고자 했다. 다마스쿠스에서는 12세기 초반에 라이스(우두머리)가 (필요한 경우) 외부 위협으로부터 도시를 방어할 수 있는 타운의 민병대를 이끄는 한편으로 자신의 이익을 늘리는 데서도 적극적이었다—그러나 라이스는 군주의 권위를 완전히 거부하지는 않았다.

다시금 정치적으로 안정되었고 강성한 왕조들(시리아의 장기Zengi 왕조, 이후 시리아와 이집트의 아이유브 왕조, 서부의 알모라비드와 알모하드 왕조)이 등장하면서 지역 엘리트의 지도력은 이내 무너졌다. 종종 북아프리카와 스페인에서 알모하드 왕조를 계승한 맘루크 정권과 술탄국에서 볼 수 있듯, 왕조 통치자들은 주민에 대한 권위를 가지고 있는 지역 명사名士들에게 대중과의 중개자 역할을 요구했다. 가까스로 통제된 명사들은 콰디, 마드라사 교수, 행정관 자리를 내준 에미르에게 자신들의 경력과 운명을 맡겼다. 따라서 지역에 따라 달랐던 세력균형balance of power이 확립되었는바 맘루크 공간에서는 에미르가 더욱 강력한 권한을 갖게 되었다.

나머지 도시 인구에 대해서는, 이들이 주민 대부분을 형성했을지라도, 훨씬 덜 알려져 있다. 이들 나머지 도시 인구에 대한 정보의 출처는 엘리트들인데, 소규모 장인이나 상인의 세계에 대한 매우 제한적이고 부분적인 견해만을 제공해준다. 소규모 장인이나 상인의 정보는 반란이 발생했을 때의 기록에 등장하지만, 이들의 사회적 지위를 규정하기가 어렵다. 그러나 이들은, 두 집단 사이의 경계가 모호하더라도 주변적이고 유동적이고 위험한 집단과 구분되어야 한다. 현재 연구되기 시작한 장인과 상인에서 파생된 구술 문헌은 종종 빈곤과 사회적 불안정의 위협을 두려워하는 그들의 활기찬 세상을 보여준다. 장인과 상인은 마드라사에서 교육받은 박식한 사람들의 문화와 구분되는 자신들만의 문화를 발전시켰다.

사회적 변화와 새로운 사회경제적 구분은 오래된 부족적·종교적 연대감을 사라지게 하거나 약해지게 했다. 새로운 연결 요소로 대두된 것은 무엇보다도 종교적 특성이었다. 종교적 정체성은 이슬람이 다수의 종교였고 도시경관과 사회조직에 점점 더 많은 영향을 발휘하는 맥락에서 더욱 강하게 주장되었다. 소수 종교(유대교와 기독교)는 특정 지역에서 집단을 이루는 경향을 보였는데 동질적이고 신앙적인 게토를 구성하는 것은 아니었다. 일례로 다마스쿠스에서는 기독교인과 유대교인이 도시의 동쪽 밥투마Bâb Tûmâ와 밥샤르퀴Bâb Sharqî 도시 관문 근처에 모여 살았다. 같은 방식으로 새로운 종교집단이 수니파 이슬람교의 주요한 4개 법학파 마드합madhab의 학교 주변에서 발전했고, 더 나아가 신비주의 운동에 관여했다. 새로 등장한 수피Sufi 형제단은 초기 종교의 의식과 도시의 후원자이자 보호자로 추앙된 성인의 숭배를 중심으로 하는 사회 활동을 조직했다.

동네 역시 새 유형의 연대에서 초점이 되었다. 도시공간을 무정부주의로 묘사한 '전통적 이슬람 도시'에 대한 오래된 생각과는 달리, 실제로 동네는 잘 정돈된 구역을 식별하는 넓은 거리로 매우 구조화되어 있었다. 이와 같은 동네의 내부공간은 작은 거리의 미로를 통해 조직되었는바, 때로는 막다른 골목이 있었고, 때로는 사적 통제 혹은 가문의 통제가 이루어졌다. 사실상 공간의 이중 조직이 존재했다. 즉 한편에는 공공장소와 공동제도(거대 모스크 자미jâmi', 마드라스, 원거리 교역에 특화된 재래시장 수크)를 수용하고 개방된 도로들로 구조화한 시 중심지city centre가 있었으며, 다른 한편에는 활동들이 엄격하게 지역적이고 일상생활 대부분이 일어나는 곳으로 고유한 애착심을 창출하는 폐쇄적이고 내향적인 동네들이 있었다.[17]

동네는, 도시 자체와 마찬가지로, 법적 지위가 없었고 행정 단위 또는 조세 단위에도 해당하지 않았다. 그러나 동네는 자신의 주민이 다른 동네 주민과 싸우거나 소란이 발생했을 경우 표면화될 수 있는 특정한 정체성을 증명하는 명칭들을 가지고 있었다. 새 구역들(특히 교외)은 최근의 이주로 인해 인구의 근원이 상대적으로 동질적일 수 있었다. 무질서한 시기에는 이러한 구역들이 성벽과 문으로 차단되었다. 비슷하게 무슬림이 서로 만나는 기도실(마스지드), 성인의 무덤, 또는 수크와 같은 도시 기반설비infrastructure는 구역 거주민의 경계를 정했다.

도시의 직업은 극히 다양했고, 상당한 수준의 분업이 이루어졌다.[18] 농산물 가공(비누 공장, 설탕 정제소)과 같은 많은 거래가 농촌 및 농업 세계와 연결되어 있었다. 유리 공장, 염색 작업장, 직물 작업장도 있었다. 소규모 상인들은 장인과 상인 두 역할을 할 수도 있었고, 판매자와 구매자를 함께 모으는 중개인(심사르simsar)으로 전문화되기도 했으며, 이들에게서 더 넓은 짐꾼과 배달원들의 세계도 발견할 수 있다.

주거 구역과 사업 구역 사이에는 뚜렷한 공간적 분리가 없었다. 예컨대 주택은 직물 작업장의 창고가 될 수 있었고, 기능적 이유나 주위에 피해를 줄 수 있다는 이유로 일부 제조 활동은 주택에서 멀리 떨어진 곳에서 이루어졌다. 따라서 무두질 산업은 도시 밖에 자리를 잡는 게 일반적이었는데, 산업이 오염을 일으키기 때문이기도 했고 수자원에 인접해야 한 때문이기도 했다. 도기와 종이 생산도 마찬가지였다. 그렇지 않으면 대다수 사업체가 상점과 시장이 위치하는 주요 도로를 따라 조직되었다. 특정 거래들은 거대한 모스크 근처에서 이루어졌는바, 서적상과 향신료 또는 고급 직물 같은 사치품 판매상의 경우가 그러했다. 그러나 종교재단에 자금을 지원하기 위해 조성된 지 얼마 지나지 않은 수크는 주변으로 경제활동을 끌어들여 새로운 경제 구역의 출현에 기여했다.

특히 중요한 것은 종종 도시 밖이나 문 가까이에 건설되는 푼두크, 와칼라wakâla, 칸khân이라고 불리는 거대한 창고였다. 시장이나 상점에서 상품이 거래되기 전에 이들 창고에서 상품에 세금이 부과되어야만 했다.[19] 이 건물들은 보관실(지하층)이 있고 외국인 상인들의 숙소(상층)로 사용되는 방들로 둘러싸여 있었으며, 폐쇄적 실내 마당이 있는 다소 균일한 면모를 띠었다. 마찬가지로, 카이사리야qaysâriyya는 중앙 통로가 있는 큰 건물들로, 상점들로 둘러싸여 있었으며 전체가 문으로 닫혀 있었다. 푼두크 중 일부는 비무슬림 상인들, 특히 유럽 기독교인들을 위해 남겨져 있었다. 푼두크가 종종 성벽 밖에 위치하는 경우(13세기 알레포의 베네치아인 〔상관商館〕 폰다코fóndaco)는 안전과 재정상의 이유에서였고, 그곳의 상인들은 나머지 인구와는 별도로 자신들의 행정관과 자체적인 규칙 아래에서, 기독교 세력과 서명한 평화조약에 의해 보장되는 특권을 가진 자치 거주지enclave를 형성했다. 거주민들은 자유롭게 예배를 할 수 있었고, 선술집〔주점〕tavern을 이용할 수 있었으며, 가끔 몇 개의 공방을 쓸 수도 있었다. 그러나 관리인, 사제, 일부 장기 체류 상인들을 제외하고는 머무르는 이들 대부분이 떠돌이였다. 어쨌든 모든 것은 기독교인 상인들과 현지 주민들 사이의 직접적 접촉을 최소화하기 위해 마련되었다.[20] 그러나 점차, 특히 15세기에 이들 상인 가운데 일부가 더 오래 머무르면서 아랍어를 배우고 현지의 상인사회와 더 긴밀한 관계를 맺었다.

대부분의 도시 경제활동이 순전히 현지 또는 지역 차원에서 펼쳐졌다면, 이슬람 세계의 특정 도시들은 광범위한 상업 교류 네트워크의 한 부분을 구성했다. 따라서 재닛 아부루고드Janet Abu-Lughod가 1250년에서 1350년 사이에 상호 연결된 여러 하위 체제로 구성된 '형태를 갖춘 세계 체제world system in formation'—동아시아와 남아시아에서 중동에 이르는, 그리고 중동에서 유럽에 이르는—에 대해 말할 수 있었다.[21] 특히 실크로드silk road는 13세기 중반부터 몽골의 평화로부터 이익을 얻었다. 몽골은 유럽 상인들이 자주 찾는 일칸IlKhan 술탄국의 수도 타브리즈Tabriz, 아나톨리아의 항구 아야스Ayas나 트레비존드와 같은 대형 카라반도시의 개발을 동시에 허용했다. 상업적 번영은 특히 이집트(카이로는 물론이고 알렉산드리아, 남쪽의 쿠스Qûs 등)와 홍해 항로(동쪽에서 오는 향신료, 도기 제품, 비단 등의 주요 도착지로서 아덴 항구의 개발에 따른)에서 나타났다. 인도양 해상무역은 향신료 무역을 전문으로 하는 카리미Karimi와 같은 부유한 무슬림 상인들이 지배했다. 이 상인들은 같은 사업에 참여한 군사 엘리트들과 긴밀한 관계를 유지했다. 같은 방식으로, 마그레브의 항구들은 금 및 주로 15세기에 노예들을 취급하는 사하라사막 횡단 카라반(대상隊商) 무역의 종착지였고, 서아프리카와 지중해 네트워크를 연결했다. 지중해의 경우는 대부분의 무역을 이탈리아, 카탈루냐, 혹은 프로방스 상인들이 처리했다. 중세 지중해에서의 분쟁, 특히 십자군 원정에도 교역은 결코 완전히 멈추지 않았고, 이들 상인은 알렉산드리아나 콘스탄티노폴리스와 같은 커다란 항구도시 경제에 필수적 역할을 했다. 또한 제노바와 베네치아는 식민사회로 발전하면서 도시들의 지배자들과 해상무역으로 긴밀하게 연결된 파마구스타Famagusta, 키오스Chios〔히오스Hios〕, 카파Caffa〔페오도시야Feodosiya〕와 같은 지중해 동부의 특정한 타운들을 통제했다.

그런데 14세기 중반 이후의 이러한 경제 통합 실패에 대한 아부루고드의 주장은, 1347년 이후의 대역병Great Plague〔페스트〕으로 인한 위기가 무역의 혼란과 도시의 인구학적 감소로 이어졌다고 하더라도, 논쟁의 여지가 있다. 몇몇 도시는 역병에 심각하고 반복적으로 타격을 받았는데, 콘스탄티노폴리스에서는 1361년과 1470년 사이에 12차례, 카이로에서는 1363년부터 1514년 사이에 55차례 역병이 창궐했고,

[도판 14.2] 맘루크 술탄의 와칼라, 카이로, 1504~1505년 건설

1430년 겨울 카이로에서는 인구의 3분의 1인 9만 명이 〔역병으로〕 사망했다.[22] 14세기 말과 15세기 시작 무렵, 티무르Timur의 정복은 군대의 약탈(예컨대 1401년에 바그다드와 다마스쿠스)과 과도한 과세를 통해 이 지역의 도시들을 파괴했다.* 하지만 이들 도시 중 일부는 시골에서 온 이주민들에 의해 빠르게 다시 채워졌다. 동시에 그것은 도시 인구의 농촌화ruralization, 엘리트의 대규모 교체, 도시경관의 중요한 변화로 이어졌고 폐허로 변한 수많은 건물과 버려진 지역이 생겨났다[23] 몇몇 도시

* '티무르'는 중앙아시아를 재배한 티무르 왕조(1369~1508)의 시조(재위 1369~1405)다. 유럽에서는 '타메를란Tamerlane'으로 더 잘 알려져 있다.

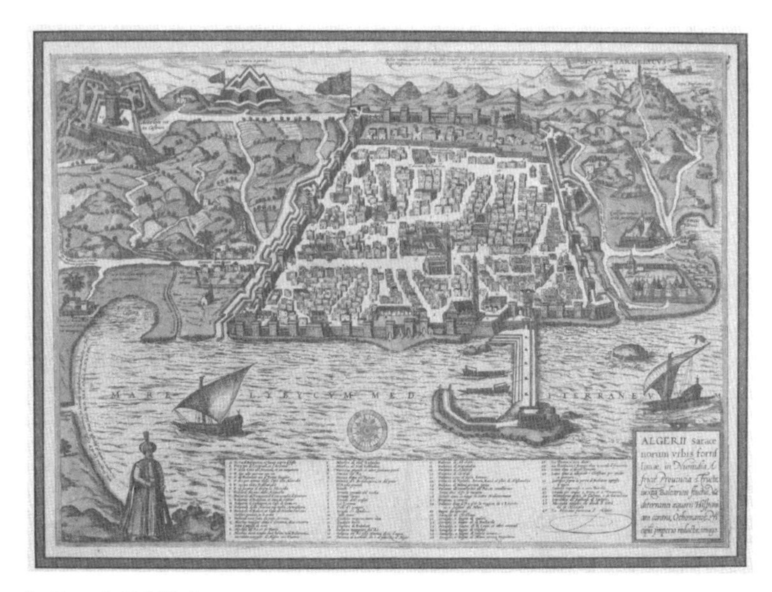

[도판 14.3] 알제 (출처: Georg Braun & Franz Hogenberg, *Civitates Orbis Terrarum* 1st edn. Cologne, 1572)

는 1517년에 20만 명 이상의 주민이 거주하던 가장 큰 규모의 이슬람 도시인 카이로처럼 수도라는 지위에서 이익을 얻었다([도판 14.2] 참조). 1453년 이후 콘스탄티노폴리스는 오스만 제국의 새로운 수도로 선택되었다. 티무르 왕조의 수도로는 사마르칸트와 헤라트Herat가 있었다. 경제 번영이 다시 시작된 15세기 시작 무렵의 새로운 무역 네트워크의 재건은 알제와 같은 항구도시에 새 활력을 가져왔고([도판 14.3] 참조), 튀니스, 베이루트, 그리고 레반트 무역이 그 어느 때보다 번창해 베네치아 상인들이 자주 찾던 알레포와 다마스쿠스 같은 내륙도시inland city, 또는 15세기 말에 제노바인들이 관심을 기울인 모로코의 페스Fès의 경우도 마찬가지였다. 이 세계 경제에서 중동의 도시들은 인도와 중국 또는 사하라 이남 지역이 형성한 동방 시장과 기독교 유럽의 필수적 중개자였다.

결론

중세 아랍의 지리학자들은 도시를 현지에, 지역에, 또는 더 넓은 곳에 영향력을 발휘하는 몇몇 기능이 집중된 곳으로 정의했다. 곧 한편으로는 학문과 유명 종교 기관의 존재, 다른 한편으로는 무역과 경제활동이었다. 그러나 도시는 또한, 아마도 무엇보다, 정복의 초기 시기뿐 아니라 11세기 이후에도 모두 권력의 소재지, 도시공간을 형성하고 모델화했던 군사적 속성을 지닌 권력의 소재지였다. 민간 엘리트들도 사회와 도시 활동을 조직하는 데서 중요한 역할을 했으나, 이들은 항상 에미르의 통제에 놓여 있었다.

흑사병으로 도시 인구가 급감한 14세기 중반의 위기는 도시의 수축과 시골로부터의 새로운 사람들의 유입에 따른 도시사회의 농촌화를 가져왔다. 15세기 이후의 경제 회복은 도시공간의 재편과 합리화로 이어졌고, 이를 통해 주거 구역과 사업 구역 사이의 구별이 뚜렷해졌고, 오염을 유발하는 직업과 다른 직업 활동 사이의 분리가 강화되었으며, 부유한 동네와 가난한 동네 사이의 사회적 분리 또한 강화되었다. 그 결과로 처음 등장한 아랍 도시는 오스만 제국의 통치 아래에서 발전했고 식민시기까지 유지되었다(15장, 32장 참조).

주

1 Andre Raymond, “Islamic City, Arab City: Orientalist Myths and Recent Views”, *British Journal of Middle Eastern Studies*, 21/1 (1994), 3–18.

2 Hugh Kennedy, “From Polis to Madina: Urban Change in Late Antique and Early Islamic Syria”, *Past & Present*, 106 (1985), 3–27.

3 Hichem Djaït, *Al-Kufa, naissance de la ville islamique* (Paris: Maisonneuve & Larose, 1986), 91–132.

4 Sylvie Denoix, “Founded Cities in the Arab World”, in Salma K. Jayyusi et al., eds., *The City in the Islamic World* (Leyden and Boston: Brill, 2008), 115–139.

5 Alan Walmsley, “Economic Developments and the Nature of Settlement in the Towns and Countryside of Syria-Palestine, ca.565–800”, *Dumbarton Oaks Papers*, 61 (2007), 344–345.

6 Antoine Borrut, “L'espace maritime syrien au cours des premiers siècles de l'Islam (VIIe–Xe siècle): le cas de la région entre Acre et Tripoli”, *Tempora. Annales d'histoire et d'archéologie de l'Université Saint-Joseph*, 10–11 (1999–2000), 1–33.

7 Maurice Lombard, “L'évolution urbaine pendant le haut Moyen Age”, *Annales ESC*, 12/1 (1957), 7–28.

8 Shelomo D. Goitein, *A Mediterranean Society. The Jewish Communities of the Arab World as Portrayed in the Documents of the Cairo Geniza* (Berkeley-Los Angeles: University of California Press, 1967–1988).

9 Pedro Chalmeta, *El zoco medieval. Contribución al estudio de la historia del mercado* (Almeria: Fundación Ibn Tufayl de Estudios Arabes, 2010).

10 Claude Cahen, “Mouvements populaires et autonomisme urbain dans l'Asie du Moyen Age”, *Arabica*, 5 (1958), 225–250; 6 (1959), 25–56, 233–65.

11 Cyril Mango and Gilbert Dagron, eds., *Constantinople and Its Hinterland* (Cambridge: Cambridge University Press, 1995).

12 Christian Decobert, Jean-Yves Empereur, and Christophe Picard, eds., *Alexandrie médiévale 4* (Alexandrie: CEAlex, 2011).

13 Dominique Valérian, *Bougie, port maghrébin (1067–1510)* (Rome: Ecole française de Rome, 2006).

14 Eric Vallet, *L'Arabie marchande. Etat et commerce sous les sultans rasûlides du Yémen* (626-858/1229-1454) (Paris: Publications de la Sorbonne, 2010).

15 Jean-Claude Garcin, "Toponymie et Topographie urbaines médiévales à Fustat et au Caire", *Journal of the Economic and Social History of the Orient*, 27/2 (1984), 113-155.

16 Halima Ferhat, *Sabta des origines au XIVe siècle* (Rabat: Al Manahil, 1993).

17 Sylvie Denoix, *Décrire le Caire-Fustât-Misr d'après ibn Duqmâq et Maqrîzî: l'histoire d'une partie de la ville du Caire d'après deux historiens égyptiens des XIVe-XVe siècles* (Cairo: IFAO, 1992).

18 Maya Shatzmiller, *Labour in the Medieval Islamic World* (Leiden, New York, and Cologne: Brill, 1994).

19 Olivia R. Constable, *Housing the Stranger in the Mediterranean World. Lodging, Trade, and Travel in Late Antiquity and the Middle Ages* (Cambridge: Cambridge University Press, 2003).

20 Dominique Valérian, "Les marchands latins dans les ports musulmans méditerranéens: une minorité confinée dans des espaces communautaires?", in Méropi Anastassiadou-Dumont, ed., *Identités confessionnelles et espace urbain en terre d'islam, Revue des Mandes Musulmans et de la Méditerranée*, 107-10 (2005), 437-458.

21 Janet L. Abu Lughod, *Before European Hegemony. The World System AD 1250-1350* (Oxford: Oxford University Press, 1989).

22 Patrick Boucheron and Julien Loiseau, "L'archipel urbain. Paysage de villes et ordre du monde", in Patrick Boucheron, ed., *Histoire du monde au XVe siècle* (Paris: Fayard, 2009), 671.

23 Julien Loiseau, *Reconstuire la Maison du sultan (1350-1450). Ruine et recomposition de l'ordre urbain au Caire* (Le Caire: IFAO, 2010).

참고문헌

Eddé, Anne-Marie, Bresc, Henri, and Guichard, Pierre, "Les autonomismes urbaines des cites islamiques: in *Origines des libertés urbaines. Actes du XVIe Congrès des Historiens Médiévistes (Rouen, 7–8 juin 1985)* (Rouen: Presses Universitaires de Rouen, 1990), 97–119.

Garcin, Jean-Claude, "Le moment islamique (VIIe–XVIIIe siècle)", in Claude Nicolet, Robert Ilbert, and Jean-Charles Depaule, eds., *Mégapoles méditerranéennes* (Paris, Aix-en-Provence, and Rome: Maisonneuve & Larose, MMSH, Ecole française de Rome, 2000), 90–103, 103–147.

Garcin, Jean-Claude, ed., *Grandes villes méditerranéennes du monde musulman médiéval* (Rome: Ecole française de Rome, 2000).

Hourani, Albert H., and Stern, Samuel M., eds., *The Islamic City* (Oxford-Philadelphia: Cassirer and University of Pennsylvania Press, 1970).

Jayyusi, Salma K., ed., The City in the Islamic World (Leiden and Boston: Brill, 2008).

Lapidus, Ira M., *Muslim Cities in the Later Middle Ages* (Cambridge, Mass.: Harvard University Press, 1967, 2nd edn. 1984).

제15장

오스만 제국의 도시: 1500~1800년

The Ottoman City: 1500-1800

에브루 보야르

Ebru Boyar

오스만 제국의 도시city는, 이슬람 세계의 중세 도시나 민족국가〔국민국가〕nation-state의 중동 도시, 또는 근대의 식민도시colonial city(14장, 32장 참조)와는 대조적으로, 두 가지 요소로 정의되었다. 제국 내에 존재한다는 것과 제국의 수도인 이스탄불에 대한 위계적 종속성이 그것이다. 그러나 이 틀 안에서, 도시들은 일반적 양상의 다양한 범위에 부합했을지라도, 지역적 차이를 나타냈고 현지의 지역 전통을 반영했다. 이는 근대 초기 동서로는 이란에서 헝가리까지, 남북으로는 예멘에서 크름반도〔크림반도〕까지 그리고 북아프리카 해안을 따라 모로코까지 이르렀던 오스만 제국의 엄청난 범위를 볼 때 결코 놀라운 일이 아니다. 셀림 1세Selim I(재위 1512~1520)의 1517년 카이로 정복은 도시 과거와의 완전한 단절을 가져오지 않았다. 예를 들어 1528년에 지어진 쉴레이만 파샤Süleyman Paşa 모스크는 오스만의 건설 계획에 기반을 두고 있지만 여러 맘루크 건축의 특성을 보여주었다.[1]

지역적 차이가 있긴 했으나, 페르낭 브로델이 "도시 괴물urban monster"[2]이라 칭했던 이스탄불의 위상은 여전히 압도적이었다. 제국의 수도capital는 다른 모든 오스만 도시의 중심 기준점이었다. 이곳이 단지 수도라서가 아니라 가장 큰 규모의 오스만 도시이자 가장 인구가 많고 정치권력의 소재지였으며 상업과 소비의 중심지였기 때문이다. 이스탄불은 많은 이에게 자기 존재의 최고 정점을 위한 도시였고, 이곳을 떠난다는 것은 "바다를 벗어나는 물고기"와 같았다.[3] 심지어 서양에서 바그다드와 부더〔부다〕Buda 같은 위대한 도시들의 정복자 쉴레이만 대제Süleyman the Magnificent로 알려진 쉴레이만 1세Süleyman I(재위 1520~1566)에게, 이스탄불은 다른 어떤 도시와도 비교가 되지 않는 도시였다〔'Süleyman the Magnificent'는 '장려한 쉴레이만' '멋진 황제 쉴레이만'으로도 쓰인다〕.[4] 1703년에 에디르네 사건Edirne Incident으로 알려진 반란으로 술탄이 추방되어 이스탄불에서 에디르네로 사실상 이주한 데 대한 대중적 반응의 일부로, 셰이휠리슬람şeyhülislam(종교기관 수장)인 페이줄라 에펜디Feyzullah Efendi는 수도를 떠나는 것에 대해 이렇게 절망했다. "에르주룸Erzurum으로 가는 것보다 죽는 게 더 나을 것 같다."[5]

이스탄불이 오스만 제국의 도시위계urban hierarchy에서 정점에 확고하게 자리를 잡고 있긴 했어도, 그 중요성을 의심할 수 없는 다른 주요 도시들이 있었다. 예를 들어 카이로, 다마스쿠스, 알레포, 바그다드가 아랍 속주들에, 부르사, 아마시아Amasya, 마니사Manisa, 퀴타히아

Kütahya, 트라브존Trabzon, 디야르바키르Diyarbakır가 아나톨리아에, 에디르네, 테살로니키Thessaloniki(셀라니크Selanik), 베오그라드Београд(Beograd)가 발칸에 있었다(1800년대 중동 [지역지도 II.2] 참조). 다른 도시들은 18세기에 주요 국제적 무역의 허브가 된 이즈미르(스미르나)처럼 특정 시기에 그 중요성이 높아졌다. 16세기에 오스만 도시들은 지리적 영역과 인구 모두에서 상당한 확장을 경험했다. 이러한 경향은 다음 세기까지 이어졌다. 이용가능한 자료가 인구 수치에 대해 정확하게 알려주지는 않지만, 이스탄불 인구는 15세기 후반에 약 10만 명이었고 1580년 무렵에는 약 70만 명으로 증가했다. 같은 시기의 인구를 보면 부르사는 7만 1000명, 에디르네는 3만 명, 앙카라Ankara는 2만 9000명이었고, 알레포는 1537년에 8만 명이었다가 1683년에 11만 5000명으로 증가했다. 17세기에 이스탄불의 인구는 십중팔구 70만 명에서 80만 명에 달했을 것이고, 따라서 이 시기 유럽이나 중동의 도시 가운데 가장 큰 규모의 도시였다.[6] 16세기에는 인구와 무역 증가로 오스만 도시들의 규모가 크게 확대되었다. 이와 같은 추세가 17세기에 계속되는 동안에, 그렇게 빠른 속도는 아니었을지라도, 도시의 성장과 번영이 점차 오스만 제국 내의 요인보다는 외부 세계와 더욱 연계되었고 이는 18세기에 더욱 뚜렷해졌다.

모든 오스만 제국의 도시는 그 권력이나 규모와 상관없이 농촌 배후지rural hinterland와 확고하게 구별되었는데, 도시-농촌의 분리가 엄격하게 뿌리를 내렸고, 농촌권rural area에서 도시로의 인구 이동을 통제하는 오스만 제국의 정책이 이를 효과적으로 강화했기 때문이다. 이러한 인구 이동은 국가가 할 수 있을 한까지 방지되었는바, 농민들이 땅을 버리는 것은 생산과 수입의 손실을 초래했고 아울러 농촌 인구의 도시로의 유입은 도시 치안을 불안정하게 하고 무질서를 가져올 것이기에, 오스만 정부는 항상 이를 막기 위해 노력했다. 많은 농촌의 토지는 부동산에서 부를 얻는 도시 엘리트들이 소유했으며, 이 체계는 18세기에 토지 소유 관행의 변화로 강화되었다.

오스만 제국의 도시들은, 자신의 농촌 배후지 인구와는 엄격하게 구분되었을지라도, 종종 내부무역internal trade 네트워크를 통해 밀접하게 상호 연결되어 있었고 오스만 국경 너머의 세계와도 연결되었다. 따라서 카이로는 예루살렘에서 생산된 비누의 가장 중요한 구매자였으며 예멘에서도 같은 수요가 있었다. 트라브존은 흑해 연안의 가장 중요한 항구도시port city로 이란으로부터 비단을 수입하는 항구였으며, 제국의 중요한 상업적 중심지인 이스탄불 및 크름반도와 무역 관계를 맺고 있었다.[7] 오스만 도시의 성장과 쇠퇴는 또한 외부와의 연결에 달려 있었는바 제국이 국제적 무역의 필수적이고 적극적인 참여자였고 지중해 무역의 주체였기 때문이다. 제국은 자체 상품을 수출하고 동-서 및 남-북 무역의 주요 환승 역할을 했거니와 주요 수입 시장이기도 했다. 오스만 도시들은 따라서 국제무역 및 내부무역의 양상 변화에 대응해 나갔다. 아나톨리아 서부 해안의 지정학적 위치와 제국의 중앙 통제로부터의 상대적 거리라는 영향으로 외국 상인의 활동이 지역에서 증가한 결과로 17세기와 18세기에 발전한 이즈미르는 도시의 성장 사례다. 도시의 쇠퇴 사례는 제다Jeddah인데, 포르투갈이 홍해에 진입한 후 일어난 향신료 항로의 변화에 악영향을 받았다. 이란과의 무역, 특히 비단 무역의 쇠퇴는 17세기의 마지막 분기에 알레포의 국제무역 중심지

지위를 약화시켰다. 알레포 시장에서 외국 상인들의 의복 수요 감소는 알레포에서 되팔기 위해 물품을 구매하던 상인들을 대상으로 한 판매가 줄어든 안테프Antep의 의복 노동자들에게 직접적 영향을 미쳤다.[8]

무역 네트워크와는 별도로, 순례pilgrimage 역시 도시들 사이의 연결 역할을 했다. 다마스쿠스의 중요성, 발전, 확장은 순례와 매우 깊은 관련이 있었다. 다마스쿠스는 루멜리Rumeli(제국의 유럽 영토), 아나톨리아, 페르시아, 이라크에서 온 순례자들이 '오스만의 고위 관리나 술탄의 가족'과 함께 여행하는 순례 경로의 중심이었고, 이 여행길은 '제국의 길Imperial Way'로 알려졌다.[9] 오스만 제국의 도시들의 상호연결성interconnectedness은 도시들이 제국 구조의 일부분이었음을 의미한다. 연대기작자 알자바르티Al-Jabarti의 말에 의하면, 카이로 주민들이 신의 자비와 아나톨리아와 시리아에서 가져온 곡물 덕분에 '굶주림에 굴복'하지 않은 1783년과 1784년의 기근 때처럼, 도시들의 상호연결성은 종종 도시민의 생존에 필수적이었다.[10] 덜 어려운 시기에도 한 도시는 다른 도시의 지원에 의존할 수 있었다. 메디나의 수입 일부는 이집트의 다양한 바키프vakıf(아랍어로 와크프waqf라 불린 종교재단)에서 나왔으며, 이런 지원이 도착하지 못했다면 메디나 주민들은 '비탄과 고난'의 어려움에 빠졌을 것이다.[11]

아래에서는 오스만 제국의 도시들의 경관을 먼저 살펴볼 것이다. 이어 도시들이 마주한 압력과 문제점 그리고 도시 거버넌스urban governance를, 마지막으로 도시와 술탄 및 제국 행정부 사이의 관계를 검토할 것이다.

형태학

15세기 후반기에 기록된 오스만 제국의 현존하는 가장 이른 초기의 연대기 가운데 하나의 작자인 아시크파샤자데Aşıkpaşazade는 비잔티움 제국으로부터 부르사 근처의 타운town 카라카베이Karacabey를 정복하고 오스만 국가를 창시한 오스만 1세Osman I(?~1324년경)의 업적을 묘사했다. 오스만은 교회를 작은 모스크인 메스지트mescit로 바꾸고, 시장을 조성하고, 재판관 카디kadı와 행정 관료 수바시subaşı를 임명하고, 법률인 카눈kanun을 공표하는 한편, 금요일 설교인 후트베hutbe를 자신의 이름으로 진행하게 했다.[12] 이러한 조치는 오스만 제국의 도시 통치에 필수적 요소들의 형태를 확립했다. 오스만의 토지등기부에 기록된 것처럼, 타운은 "금요 기도회가 열리고 상설시장이 서는 곳"이었다.[13] 따라서 오스만 제국의 도시 생활은 모스크 복합단지[복합체]mosque complex와 시장 주변에서 전개되었다. 여기에 또 다른 중요한 공공시설인 공중욕장을 추가해야 한다. 공중욕장은 오스만 타운경관에 너무도 필수적이라, 17세기 오스만 제국의 여행자로 유명한 에블리야 첼레비Evliya Çelebi의 추정에 따르면 공중욕장이 없는 것은 도시 후진성의 표시였다.[14] 시장market, 모스크, 공중욕장public bath을 핵심으로 하는 도시 양상은 오스만 제국의 처음 수도인 부르사와 에디르네에서, 그리고 1453년 정복 이후 수도로 삼은 이스탄불에서 다시 뚜렷이 나타난다. 1453년에 메흐메트[메메트] 2세(재위 1444~1446, 1451~1481)는 이스탄불을 정복한 후 "장려한magnificen 시장들, [상점가인] 바자르bazaar, 상인들을 위한 장소들, 오고 가는 상인용 [숙소인] 대규모 카라반세라이caravanserai"와[15]

"화려하고 비용이 많이 드는 욕장" 및 "시골에서 충분한 물을 도시로 가져오는"[16] 수도교水道橋, aqueduct의 건설을 명령했다. 1517년에 카이로를 정복한 오스만 엘리트들은 모스크·상점·분수 같은 구조물들을 건립했고, 이는 도시의 발전을 촉진했으며 해당 구조물 주위에서 상업 지역과 거주 지역이 성장했다.

오스만 도시의 지리적인 또 다른 특징은 군사적 건축물이었고, 그 가운데 가장 중요한 것은 오스만 제국의 많은 도시를 지배한 성castle이었다. 오스만 제국은 안전에 관련된 서로 다른 요건에 맞게 정복한 타운이나 도시에 성을 복원하거나 새로 건설했다. 오스만 중앙정부는 성, 군인들의 활동, 군사 업무의 수행에 관한 보고서를 이스탄불로 계속 보내도록 하면서 군사시설들을 철저히 통제했거나 통제하려 했다. 일반적 상황에서 군대는 국가의 직접적인 통제 아래 있었고 이에 따라 도시들의 방어는 이스탄불에서 조율되었다. 반란을 막아야 하는 시기에는, 일례로 16세기 말 아나톨리아에서 큰 영향을 끼친 〔오스만 제국의 지역 통치자들의〕 일련의 젤랄리Celali 반란 때는 도시 방어가 도시 자체에 의해 수행되었고, 특히 17세기 전반기 1602년에서 1607년 사이 아나톨리아 중부의 여러 도시는 중앙정부에 그들 자신의 비용으로 성을 보수하고 확장하거나 요새인 팔랑카palanka를 짓는 것을 허락해달라고 요청하기도 했다.[17]

오스만 도시의 또 다른 결정적 특징은 모든 오스만 제국의 도시 공간urban space을 구분하는 도시나 타운의 구역 단위를 의미하는 마할레mahalle였다. 모스크, 교회, 혹은 시너고그synagogue(유대교 회당) 주변에 형성된 마할레는 거주 구역을 형성했고 분수, 공중욕장, 초등학교, 테

[도판 15.1] 이즈미르 거리 풍경 (출처: Robert Walsh, *Constantinople and the Scenery of the Seven Churches of Asia Minor*, London & Paris, 1839?)

케tekke([금욕 생활을 수행하는 이슬람교 수피파의 일원인] 데르비시dervish의 수도장), 묘지, 그리고 영역 내 일상생활 물품을 파는 작은 상점들을 포함했다([도판 15.1] 참조). 마할레는 중앙 당국이 과세를 부과하기 위한 인구 등록의 용도로 사용하는 중요한 행정 단위였고 동시에 도시의 기초적 사회구조였다. 마할레의 인구는 출신이 같은 농촌권 사람들, 직업이 같은 사람들, 수입이 비슷한 사람들, 종교가 같은 사람들로 구성될 수 있었다. 오스만 제국은 다민족, 다종교 제국이었던 만큼 종교가 서로 다른 사람들로도 구성될 수 있었다. 혼성적 인구로 구성된 마할레는 이스탄불, 카이로, 또는 다마스쿠스와 같은 대규모 도시에만 국한되지 않아, 유대교도·기독교도·이슬람교도가 함께 살았던 앙카라와 같은 아나톨리아의 중간 규모 타운들에도 혼성 마할레가 존재했다.

도전들

오스만 제국의 도시는, 그 이전의 중세 이슬람의 도시처럼, 군사적 건물들과 함께 모스크, 시장, 공중욕장이 집중된 중심부를 기반으로 해서 그 주변에 건설되었고 마할레로 구분되었지만, 도시경관urban landscape은 중앙정부의 정책, 분쟁과 전쟁, 자연재해, 상업 양상에 영향을 받아 도시가 부침함에 따라 계속 변화했다. 많은 오스만 도시는 지진대에 있었기에 도시 일부가 혹은 심지어 도시 전체가 파괴되고 인구가 사라질 수도 있었다. 16세기 연대기작자 케말파샤자데Kemalpaşazade(필명 이븐 케말Ibn Kemal)는 1509년 이스탄불을 강타한 대지진의 영향을 설명하면서 "거대한 돌들이 먼지로 변해버렸고 고대의 건물들이 파괴되었다"라고 기록한다.[18] 모든 오스만 제국의 도시가 화재의 희생자가 될 수도 있었다. 1688년 이즈미르에서 발생한 대지진에 의한 화재는 새로 건설된 산카크부르누Sancakburnu 성을 잔해로 만들며 걷잡을 수 없이 타올랐고, 강력한 바람을 타고 도시를 잿더미로 만들었다.[19] 겔리볼루Gelibolu(갈리폴리Gallipoli)의 1564/1565년의 화재는 1000채의 집들을 삼켰고 직물시장의 상당 부분을 파괴했다. 쉴레이만 1세는 카디에게 불이 어떻게 발생했고 누가 책임이 있는지 조사하라고 명했다.[20] 잔해 밑에 파묻히거나 화재로 죽지 않은 도시 인구는 전염병으로 전멸할 수도 있었다. 전염성 질병은 특히 상업적 활동이 활발한 도시에서 빠르게 확산했고, 도시 안팎으로 끊임없이 옮겨 다니며 주요 무역 동맥에 자리한 정주지들에 광범위하게 퍼졌다. 1778년 이스탄불을 강타한 대역병Great Plague〔페스트〕으로 인구의 3분의 1이 사망했고, 당시 인구 8만 명의 중요한 상업적 중심지인 테살로니키에서는 1781년 발생한 전염병으로 하루 300명이 사망했다고 일부 사료가 전한다. 또 다른 항구도시 아크레Acre는 1785년 전염병으로 인구의 절반을 잃었다.[21] 이러한 피해는 인구를 따라서 노동력을 감소시키고, 무역을 저해하고, 세수를 줄이는 파괴적 결과를 낳았다.

오스만 제국이 국경을 확장하거나 강화하던 근대 초기에는 많은 오스만 제국의 도시, 특히 국경 지역 도시들이 침략, 약탈, 또는 파괴당했다. 아나톨리아 중부 실크로드의 중요한 타운 토카트Tokat가 아크코윤루Ak Koyunlu 왕조의 통치자 우준 하산Uzun Hasan〔재위 1452/1453~1478〕에게 너무나 가혹하게 파괴당한 것을 16세기 연대기작자 네스리Neşri는 다음과 같이 기록한다. "그 잔인한 압제자들은 티무르가 시바스Sivas에게 한 것에 비해 토카트에 5배 더 큰 피해를 주었다."[22]* 오스만

* '아크 코윤루' 왕조(1378~1501 또는 1503)는 현재 동부 튀르키예〔터키〕 일부를 통치한 왕조(또는 부족 연맹체)로, 백양을 부족의 표지로 삼은 데서 '백양 왕조白羊王朝'라고도 불린다.

제국의 도시 가운데 이란의 사파비Safavi 왕조(1501~1722)와 경계에 있던 곳들은 페르시아와 오스만 상인들의 필수적 중심지들로 16세기에 끊임없는 공격과 약탈의 대상이 되었고, 17세기와 18세기의 파괴적 전쟁은 폭력과 약탈 또는 이주 물결로 타격을 입은 오스만 제국 전역의 많은 도시에 영향을 끼쳤다.

내부 반란은, 젤랄리 반란과 마찬가지로, 농촌 인구를 도시로 향하게 했다. 약탈은 농촌 인구를 성곽도시walled city로 피신시키거나, 도시의 구역을 포기한 타운 주민들을 도시 내성의 더욱 안전한 피난처로 몰아넣었다. 1783/1784년 지방의 권력투쟁이 농민들에게 강제 징수의 엄청난 부담을 지우자, 농민들은 카이로로 도망쳤다. 동시대 연대기작자 알자바르티에 따르면, 그들은 카이로 도시의 거리에서 생계를 꾸려나가며 하락한 삶의 질과 빈곤 속에서 근근이 살아갔다.

> 농민들은 관개의 부족과 억압 때문에 마을을 버리고 아내와 아이들과 함께 도시로 흩어져, 배고픔으로 울부짖고 참외 껍질과 도로에 버려진 다른 쓰레기들을 주워 먹어 쓰레기 수거업자가 쓸 만한 것을 찾을 수 없을 정도였다. 그들의 궁핍함은 말, 당나귀, 낙타의 사체를 먹을 만큼 매우 심각했다. 죽은 당나귀가 버려지면 군중이 몰려들어 조각내고 집어간다. 어떤 이들은 고기를 그냥 날로 먹는데 굶주림이 너무 심했기 때문이다. 많은 가난한 자가 죽기 직전까지 굶주렸으며 생활비용이 계속 증가했고 물가도 계속 엄청나게 올랐다. 현금이 부족해졌고, 사업 거래는 대부분 식료품 물물교환으로 진행되었다. 그들의 대화는 전적으로 식량, 곡식, 버터 등에 국한되었다.[23]

도시로의 이주〔이동〕migration는 때로는 계속된 도시 번영의 결과였다. 수도가 제공하는 경제적 가능성에 이끌려 이주한 이들은, 18세기 이스탄불의 경우처럼, 도시 내부 질서를 위협했다. 도시의 공중욕장과 상인 숙소에 대한 수색 명령이 내려졌고 불법 거주민으로 밝혀진 사람들은 도시에서 추방되었다.[24] 이 조치가 불충분하다는 것이 입증되면 수도로의 이주를 막으라는 명령이 지방으로 하달되었다. 1747년 마할레의 이맘imam들에게 체포되어야 할 이주민들을 식별하고 그들의 이주의 이유를 파악하라고 요구하는 페르만ferman(제국 칙령)이 마라스Maraş의 관청들에 보내졌다. 이주를 부추기거나 이주민을 초청한 이들은 처벌을 받아야 했다.[25]

오스만 도시들의 도시 조직체에 영향을 끼친 인구 이동이 언제나 전쟁의 결과였던 것은 아니다. 오스만 제국은 '쉬르귄sürgün'이라는 정책으로 강제 이주를 추진함으로써 제국의 한 지역에서 골치 아프거나 잠재적으로 위험한 요소들을 제거해 다른 지역에 재배치했다〔'쉬르귄'은 튀르키예어로 '추방자' '유배자'라는 뜻이다〕. 일례로 〔오스만 제국 제8대 술탄〕 바예지드 2세Bayezid II(재위 1481~1512)는 아나톨리아의 인구를 그리스 남부로 이주시켰으며,[26] 그의 아버지인 메흐메트 2세는 아나톨리아 카라만Karaman의 반란 세력들을 이스탄불로 이주시켰는바 15세기 오스만 역사가 케말Kemal은 메흐메트에 대해 "카라만 지방 사람들 모두를 모아 이스탄불에 배치했다"라고 기록했다.[27] 이들이 반항적이어서가 아니라 필요한 때문이었을 것이다. 메흐메트 2세는 이스탄불을 "과거의 번영으로 돌려놓으려" 했고, "제국의 모든 영역에서 가능한 한 많은 주민을, 그의 민족과 기독교도만이 아니라 많은 히브리인도 수도

로 이주시키라고" 명령했다.[28] 일부 사람들에게 이 명령은 "사형선고"나 다름없었다.[29]

전쟁이나 이주와 같은 요소 외에도, 오스만 도시들의 물리적 구조는 상업적 번영의 증가나 통치자의 변덕으로도 성장하거나 변화했다. 아부 타퀴야Abu Taqiyya를 포함한 카이로의 부자 상인들이 상업적 중심지로 팽창해가며 점점 번성하는 카이로에 17개의 새로운 창고들을 짓고 있는 시기에,[30] 술탄 아흐메트 1세Ahmed I(재위 1603~1617)는 아야소피아Ayasofya와 경쟁할 주요 모스크 건립에 대한 자신의 계획을 방해한다는 이유로 이스탄불 중심부에 자리한 비지에르vezir〔vizier, 재상〕 궁들의 일부를 뜯어냈다. 이렇게 건립된 모스크가 술탄 아흐메트 모스크로서 서양에서는 블루 모스크Blue Mosque로 널리 알려져 있으며, 모스크 복합단지는 1617년에 완공되어 현재 도시의 독특한 스카이라인의 한 부분을 차지한다. 18세기에 카이로의 부유한 도시민은 도시 서부에 부유층 거주 지역을 새로 조성했으며,[31] 카이로와 이스탄불 모두에서 중산층에 속한 부유한 도시 거주민들은 공공분수대 설치를 늘렸다.

도시 운영하기

오스만 도시의 행정은, 17세기 후반 술탄sultan들이 사실상의 수도로 만들었던 이스탄불과 에디르네를 제외하고, 이스탄불에서 임명한 3명의 주요 관리들을 중심으로 이루어졌다. 최고지방관 베이bey, 재판관/행정관 카디, 치안감독관 수바시가 그들이다. 중앙에서 임명하는 다른 중요한 공무원들은 시장감독관 무테시브muhtesib〔무타시브muhtasib〕, 세금징수관 뮐테짐mültezim, 건축물감독관 미마르바시mimarbaşı 등이다. 이들 아래에는 이스탄불에서 임명된 관리들에 의해 현지에서 임명된 대리인인 여타 행정관이 있었다. 이들 관리와는 별도로, 길드와 종교기관, 마할레, 종교재단 바키프 등 도시 운영에 필수적 역할을 하는 비공식적 요소들도 있었다. 이스탄불은 이러한 구조를 총괄할 수 있었는바, 이는 중앙의 임명권 때문이며, 또한 항상 자주 이스탄불의 술탄을 대상으로 하는 항소가 카디를 통해 혹은 직접적 청원으로 제기되었기 때문이다.

오스만 정부 입장에서는 도시를 관리하는 가장 중요한 필요성은 질서의 유지였으며, 이것은 단지 도시의 일반적 치안에만 국한된 것이 아니라 각 개인이 국가와 사회 규범에 대한 의무와 복종의 틀 안에서 자신의 삶을 살아가는 질서 있는 행동을 포괄하는 개념이었다. 그러한 질서를 보장하기 위해 국가는 도시 인구에 식량을 공급하고, 도시 인구를 보호하며, 도시 인구에 공정한 가격으로 상품의 질을 보장하고 효과적 통제를 통해 안전한 시장을 제공하는 세 가지 기본 요건을 충족시켜야 했는바, 잘 작동하는 시장이 이스탄불에 순응적인 거주민을 의미했다는 점에서다.[32]

자신이 행정을 담당하는 지방의 규모와 중요성에 따라 정확한 직함인 산카크베이sancakbeyi 혹은 베이레르베이beylerbeyi라고 지칭된 베이는 최고위 지방관으로, 자신의 책임 아래에 있는 지방의 전반적 안전을 유지하고 중앙의 명령을 이행하는 것뿐만 아니라 자신의 통제 아래 있는 도시를 개발하고 개선하는 것 또한 책임졌다. 카이로와 다마스쿠스와 같은 주요 지방 중심지를 운영하도록 선택된 베이는 최고위 계층이었다.[33] 도시의 일상적 운영과 지역 인구와의 관계 유지 및 법률 행정은 행정관 및 재판관으로 기능하는 카디의 업무였다. 술탄은 종교기관의 사제 울레마ulema〔울라마ulama〕도 임명했는데, 이들은 베이가 아닌 술탄의 통제를 받았다. 오스만 제국의 법률 체계에는 기독교도, 유대교도, 그리고 다양한 수니파 종파 메제브mezheb별로 법원이 있었으며, 이 모든 것은 하나피Hanafi 카디의 전반적 감독 아래 있었다. 도시 치안을 담당하는 수바시는 질서를 공고히 하고 모든 불안 요소를 처리했다. 수바시는 지방에 주둔하는 예니체리janissary〔yeniçeri〕 부대의 일부인 보안군의 도움을 받았다.[34] 〔'예니체리'는 오스만 튀르크의 상비 보병 군단이자 황제 직속 부대로, 초기에는 비이슬람교도 특히 발칸반도 기독교도 소년들을 징집해 교육한 후 구성했다.〕

카디가 사법 수장으로서 전반적 행정을 담당하고 수바시가 치안을 담당하는 동안, 무테시브는 도시의 상업적 일상과 교역이 법에 따라 순조롭게 진행되도록 하는 책임을 맡았다. 16세기 예루살렘의 사례처럼 항상 성공한 것은 아니었으나, 국가는 도시의 상업 활동과 오스만 제국 도시의 지역무역 및 국제무역을 지원·촉진·자극하는 데 중점을 두었다. 시장들과 한han의 치안이 최우선이었고 원활한 상업을 위한 규칙은 엄격하게 집행되었다.* 무테시브는 시장을 순찰하면서 판매되는 상품의 품질을, 예컨대 빵의 품질을 검사하고, 정확한 저울과 수

* '한'은 튀르키예어로 "여인숙"을 뜻하며 도시에 건립된 카라반세라이caravanserai를 말한다. 카라반세라이는 형태적으로 도시 외부의 길 위에 세워진 상인 숙소다.

치 기준들이 사용되는지, 도난 물품이 거래되지는 않는지 등을 파악했다. 규칙을 준수하지 않다가 적발된 자는 누구든 무테시브에 의해 카디에게 넘겨졌다. 도시 시장들은([도판 15.2] 참조) 국가의 '위대한 문제' 가운데 하나로 여겨진 나르흐narh 제도에 의해 통제되었는바,[35] 나르흐는 국가가 시장가격을 통제하고, (항상 그렇거나 모두에게 그런 것은 아니지만) 대체로 공평한 수준으로 상품 가격을 설정하고, 또한 상품의 기준을 유지하는 기제였다. 지방에서는 무테시브가 카디와 함께 나르흐의 가격들을 정했고, 〔수도인〕 이스탄불에서는 대大비지에르〔대大재상〕grand vezir가 이를 정했다. 이스탄불 외곽 지방에서는 아얀ayan(유력 명망가)

[도판 15.2] 〔돔 형태의〕 지붕이 있는 바자르, 이스탄불 (출처: Robert Walsh, *Constantinople and the Scenery of the Seven Churches of Asia Minor*, London & Paris, 1839?)

과 에스라프eşraf(중요한 존경받는 명망가), 길드가 나르흐를 정하는 데 참여했다.

도시 운영의 중심에 있는 다른 두 중요한 관리 가운데 한 명은 도시와 그 배후지에서 세금을 징수하는 뮐테짐이었고, 다른 한 명은 국가 소유의 것에 한정하지 않고 개인 소유의 것까지 모든 건축물을 점검하는 미마르바시로, 올바른 건축 자재가 쓰이는지, 건물이 올바른 표준에 따라 지어지는지, 건설 노동자들이 맡은 업무를 제대로 수행하는지, 부패가 개입되는 것은 아닌지 등을 확인했다.

도시조직의 위계에서 최고위 관리들은 이스탄불에서 임명·파견되었지만, 현지인들 또한 낮은 수준에서 도시조직에 참여했다. 이스탄불에서 임명한 공무원들은 인사이동의 주기가 짧아 부르사에는 1650년에서 1700년 사이 62명의 카디가 파견되었고, 대리인인 나이브와 서기인 카티브katib는 현지인들이었으며 이들은 인사 문제에서 중요한 연속성을 대표했다.[36] 뮐테짐들은 지방의 세금 징수 체계에서 강력하게 작동할 지역적 요소를 창출해낼 현지인을 세금 징수원으로 종종 충원해 자신들을 대신해서 일하게 했다.

현지에서 임명되거나 이스탄불에서 임명된 공무원과는 별도로, 도시 행정의 또 다른 부문은 도시 인구를 구성하는 이러저러한 집단에 의해 장악되었다. 그 가운데는 도시의 상업 활동에 중요한 역할을 한 길드guild도 있었다. 길드의 수는 노동의 다양화에 따라, 또한 도시의 규모와 위치에 따라 도시마다 시기마다 달랐다. 17세기와 18세기에 다마스쿠스와 알레포에는 160~180개, 하마Hama에서는 그보다는 약간 적은 수의 길드가 있었지만, 훨씬 더 크고 부유한 도시인 카이로에서는 같은 시기에 240~250개에 달하는 길드가 있었다.[37] 자체적 위계 구조로 운영되는 길드는 도시의 경제적 안정에 기여하고, 경쟁을 통제하며, 회원을 보호하는 동시에 소비 양상의 변화에 대응했다. 길드는 회원들의 행동에 대해 집합적 책임collective responsibility이 있었다. 따라서 동일 시장에서 활동하는 상인이나 장인들은 그곳에서 발생한 강도 범죄 등에 책임을 져야 했다. 이스탄불의 오래된 직물시장의 모든 상인은 1591년 시장의 보안 금고에서 돈이 도난당했을 때 체포되어 고문을 당했다.[38] 길드는 또한 무라드 3세Murad III〔재위 1574~1595〕의 아들로 후에 메흐메트 3세Mehmed III(재위 1595~1603)가 되는 메흐메트 왕자의 할례 의식이나, 승전한 술탄들의 개선 의식 또는 통치자들의 출정 의식 같은 축제에 참여하는 등 도시의 사회생활에서 매우 눈에 띄는 역할을 했다.

언급했듯, 도시 행정의 또 다른 요소는 도시 구역인 마할레였고, 이를 통해 지역 주민들은 도시의 실제 운영에 밀접하게 관여할 수 있었다. 길드에 적용된 집합적 책임의 개념은 지역 주민들이 서로의 행동에 비슷한 책임을 지고 있는 마할레에도 적용되어 주민들은 서로의 올바른 행동을 위한 보증인이 되었다. 미해결 살인 사건이나 개인의 부도덕한 행동은 마할레 전체의 책임이 되었다. 문제들은 마할레 내에서 처리되었는데, 1565년에 이스탄불의 술탄기르카미Sultangircamii 마할레 주민들이 추방하고 싶은 덕성이 나쁜 다섯 명의 여성에 대해 그랬던 것처럼, 문제가 내부적으로 해결될 수 없는 것으로 판명되었을 때에만 마할레 차원에서 외부 당국에 호소했다. 처음에는 이맘이 이끄는 한 무리의 주민들이 '제멋대로인' 여성 중 한 명인 예니체리의 아내

발라틀리 아이니Balatlı Ayni의 집에 찾아가서 이 여성에게 그녀의 용납할 수 없는 행동에 대해 경고하고, 어쩌면 그녀를 마할레에서 몰아내려 압력을 가했을 수 있다. 그러나 이 방문이 거부당하자, 이들은 술탄에게 호소해 다섯 여성 중 네 명에게 집의 매각과 미할레로부터의 추방을 명령하게 했고, 발라틀리 아이니는 남편이 원정에서 돌아올 때까지 투옥되었다.[39] 발라틀리 아이니와는 다르게, 문제를 일으킨 대부분의 사람들은 마할레에 저항하지 않았고 마할레의 압력에 굴복하는 것을 선호했다. 이러한 '자율 통제self-policing'는 도시질서를 보장하고 도시 인구 간의 범죄 또는 제멋대로의 행동을 방지하는 중요하고 효율적인 역할을 담당했다. 효과적이고 응집력 있는 단위로 기능하고, 에스라프(원로)와 종교단체의 우두머리들인 이맘, 랍비, 또는 사제 등이 이끈 미할레는 자신들과 외부 당국 사이 연결고리 역할을 했으며, 주민들을 관리하고, 주민들로부터 기금을 모으고, 자신들의 필요를 충족했다.

도시민의 가장 기본적인 요구 충족이라는 도시 생활의 근본적 역할을 담당한 제도는 중세 이슬람 도시에서 이미 중요했던 바키프였다(14장 참조). 바키프는 일반적으로 종교재단으로 번역되지만 바키프의 수입과 건물들이 도시의 복지 조직을 형성했고, 급수·의료·교육을 제공했고, 종교적 요구를 충족시켰던 만큼 종교재단보다 훨씬 더 보편적이었으며 도시 조직체의 중심 기둥으로서 기능했다. 바키프는 또한 공중욕장, 상점, 한을 설립하고 운영함으로써 도시경제urban economy에 핵심적 역할을 담당해 일자리와 소득을 창출했고, 일반적으로 도시의 상업 활동을 자극했다. 술탄이나 왕족이나 이스탄불에서 임명된 고위 관리들만이 바키프를 설립한 것은 아니었다. 사회적 지위가 낮은 도시 주민들도 각자의 재정 수단에 따라 바키프를 설립하고 바키프 자금을 조성했다. 따라서 존재가 미미한 사람도 도시의 복지 제공에 기여할 수 있었다. 1783년에 칠링기르Çilingir(자물쇠 제조공)였던 엘하츠 휘세인Elhaç Hüseyin은 발리케시르Balikesir 시장에 대형 분수를 만들었다. 이 분수에서 나오는 물은 여섯 마할레의 작은 분수에 다시 공급되었다. 그는 추가적으로 자신의 2개 상점과 1개 제분소에서 나오는 수입으로 바키프를 만들어 이 샘들을 유지·개선했다.[40] 바키프 제도는 또한 가난한 사람들에게 음식을 제공하기도 했는바, 1545년 메흐메트 2세가 1470년에 완공한 이스탄불의 파티흐Fatih 모스크 복합단지의 수프 주방은 종교에 상관없이 매일 2500명~3000명에게 음식을 나누어주었다. 오스만 제국 전역에서 많은 바키프 수프 주방이 이를 뒤따랐다.[41]

바키프는, 복지를 제공하는 것 외에도, 도시 상업 기반설비의 많은 부분을 제공했다. 바키프의 자금은 종종 큰 시장과 한을 건설하거나, 지진·화재 등으로 손상되거나 파괴된 상업 구조물을 수리·재건하는 데 투자되었다. 건물 자체를 세우는 것 외에, 바키프는 건물부지를 빌려줄 수도 있었다. 공중욕장, 빵집, 또는 여타 상점과 같은 많은 소규모 상업용 건물은 바키프의 일부였고 따라서 도시 주민들에게 일자리를 제공했다.

도시를 운영하는 데서 현지 인구의 역할, 길드·마할레·바키프의 영향은 지방 도시에 대한 이스탄불의 지배가 결코 완전하지도 절대적이지도 않다는 점을 보장했는데, 중앙 통제의 시행을 둘러싼 국가와 도시 인구 사이의 협상 과정이 항상 있었기 때문이다. 제국 정부는 지방 도시들에 더 큰 통제를 행사하고 싶었으나 거리나 소통의 문제로 방해를 받았다. 더욱이 오스만 관리들이 자신이 취임한 지역에 권력 기반을 세우는 것을 막을 목적으로 지방정부의 관직 임기를 제한한 오스만의 정책은 효과적인 중앙 통제를 약화시켰다. 시간이 지남에 따라 중앙은 지방 도시들에 자신들의 권한을 투사하는 일이 점점 더 어려워지는 것을 느꼈고, 현지 행정가들은 점점 더 독립적이 되었다. 일례로, 18세기 후반 테페델렌리 알리 파샤Tepedelenli Ali Paşa는 이오안니나Ioannina의 행정을 장악하고 도시를 자신의 '자치' 지역의 수도로 만들었다.

도시를 통제하는 것은 중앙과 현지 당국 모두에 중요한 도전이었다. 경제적 압력은 종종 통제가 불가능한 결과를 낳았고, 예니체리의 폭력을 초래해 예니체리들은 1481년 메흐메트 2세의 사망 이후 이스탄불에 큰 혼란을 가져왔고 다시 1703년과 1730년 이스탄불에서 반란을 일으켰는바, 이러한 예니체리의 과도함은 1792년 안테프에서 많은 에스라프의 도망과 1804년 베오그라드에서 반反예니체리 대중 봉기를 불러왔다.[42] 이는 도시질서가 언제나 섬세하게 균형을 이루었음을 의미한다. 곡물 같은 특정 상품의 부족은 투기로 이어질 수 있었다. 그 한 사례가 오스만-사파비전쟁Ottoman-Safavid Wars 기간인 16세기 마지막 4분기에 급격한 가격 상승이 이스탄불의 투기꾼들을 부추겨 이들이 식량을 비축하고 도시로 들어오는 식량을 독점하려 시도했던 경우다. 시장의 변동성은 나르흐 가격을 시행하게 할 수 있었는데, 이 가격은 변화된 상황에 빨리 대응하기가 어려웠다. 이와 같은 소비 양상의 변화는 태형笞刑이나 벌금의 위협에도 무역업자들이 나르흐 가격을 무시하게 할 수 있게 해, 신흥 시장에서의 이익이나 하락하는 시장에서의 손실은 상당했다. 따라서 16세기 말 예루살렘에서 큰 인기를 누린 비누의 주主성분 올리브유에 대한 수요 증가는 무역업자들이 올리브유의 판매 가격과 판매 장소에 관한 규정을 무시하게 했다.[43] 이러한 맥락에서 바키프의 유연성은 상당한 이점이었다. 바키프는 최초의 재단 활동에 반드시 구속되지 않았고 기능을 재규정할 수 있어서 시장 동향에, 그리고 화재 또는 지진으로 인한 상업 자산 파괴와 같은 재난에 신속하게 대응할 수 있었다. 자금을 전용하고 즉시 재건축에 투자할 수 있는 바키프의 역량은 도시 교역의 지속성에 상당히 기여했다.

술탄과 도시

제국 전역의 모든 오스만 도시는 지역적 차이나 중요성에 상관없이 결국은 항상 이스탄불에 얽혀 있어서, 제국의 명령에 따라 고위 관리들이 중앙에서 파견되어 내려왔고 카디에 의한 혹은 도시민 스스로에 의한 지속적 항소와 청원이 수도의 술탄에게 올려졌다. 이 체계는 이스탄불과 술탄의 신임을 받는 이가 제국의 서로 다른 도시들에 대해 실제적이고 복종적인 위계적 지배를 유지하는, 중앙으로부터의 직접적 개입의 단계가 존재한다는 점을 의미했다. 이 단계는 시기별로, 지역별로 변동되었다. 제국의 명령은 도시의 구조에 직접적 영향을 끼칠 수 있었는바, 일례로, 술탄 메흐메트 3세는 1600년 카이로 중심부 외곽의 한 지역으로 무두질 작업장들을 옮기라고 명령했는데, 그가 그곳들의 자리에 모스크를 건립하기를 원해서였다.[44] 비슷하게, 쉴레이만 1세는 1545년 세멘디레Semendire(스메데레보Smederevo)의 카디에게 화재로 파괴된 도시의 한 지역에 건설될 집들을 요새 성곽이 피해를 보지 않도록 성벽과 직접 마주하지 않고 성벽으로부터 어느 정도 떨어진 곳에 건설하라고 지시하는 명령서를 보냈다. 그는 이어 자신의 명령이 잘 이행되었는지 확인하기 위해 시파히 올란다리 케튀다시sipahi oğlanları kethüdası(기병대 사령관)인 메흐메트를 파견했다.[45] 전쟁 시기에는 특별 부담금인 아바리즈avariz(나중에 보통세가 됨)의 부과가 지방 도시에 직접적 영향을 끼쳤다. 일례로, 1534년에 카라만 지방 거주민들은 쉴레이만 1세로부터 오스만 제국과 사파비 왕조의 전쟁을 위해 알레포에서 낙타를 구매하는 데 필요한 자금을 제공하라는 명령을 받았다.[46] 술탄들은 또한 도시들의 필요 물품 공급에도 관심을 기울였다. 1545년에 쉴레이만 1세는 루멜리Rumeli의 카디에게 이스탄불과 에디르네의 양고기 부족 문제에 관련된 명령서를 보냈다. 그는 카디들에게 가축 상인celep들이 보유한 모든 고기를 이들 도시로 보내게 하라고 지시했다. 늦어진다면 카디들은 책임을 져야 했고 관직을 잃게 될 것이었다. 실제로, 쉴레이만에 따르면, 이 부족함은 카디들이 애초에 그들의 의무를 다하지 못한 결과였다.[47]

오스만 도시체계urban system의 정점에 위치하는 이스탄불의 위상은 권력의 결과이자 동시에 위세prestige의 문제이기도 했다. 이스탄불과 17세기 후반에 에디르네를 여타의 모든 오스만 도시와 다르게 만든 것은 술탄의 존재였고, 바로 이것이 이스탄불을 수도로 또 제국의 수도로 만들었다.

술탄의 역할 중 하나는 전통적으로, 그리고 제국이 유지되는 내내 정의를 세우는 것이었다. 오스만 국가 초기에 사람들은 청원을 직접 바예지드 1세(재위 1389~1402)에게 제출할 수 있었는바, 그는 "사람들의 불만에 귀 기울이고 이른 아침에 사람들 위로 우뚝하게 솟아 있는 개방적 공간에 앉아 정의로운 결정을 사람들에게 내려주었다."[48] 이와 같은 접근성의 관행은 이후의 술탄들에게도 계속되었으며, 수많은 사람이 무라드 3세에게 했듯이, 사람들은 술탄이 도시를 돌아다닐 때나 금요일 기도를 오가는 도중에 탄원서를 〔술탄에게〕 전달할 수 있었다.[49] 사람들은 직접 불만을 표시하기 위해 지방에서 수도로 올라올 수 있었으나, 한편으로 청원은 카디를 통해 제출되거나 술탄이 해당 문제를 빠르게 고려하도록 특정 개인을 통해 제기될 수도 있었다. 청원은 부패한 관리, 부당한 처벌, 폭력(메디나 주민들이 1760년대 술탄에게 베두인족의 극심한 공격을 끝나게 해달라고 요청한 것)에 대한 불만에서부터[50] 경제적 어려움, 비종교적 행동, 부당한 노예화에 이르기까지 수많은 문제를 다룰 수 있었다. 한 청원은 자신이 레아야reaya(오스만 신민) 출신이고 결혼을 했지만 이후 에디르네의 누군가에게 팔렸다고 주장하는 짐미zimmi(비무슬림계 오스만 신민)의 사례로, 이 여성은 술탄으로부터 테메슈바르Temesvár(티미슈바르Timişvar)의 베이레르베이와 리포바Lipova의 카디에 의해 조사된다는 통보를 받았다.[51] 포도주를 악의 원천으로 보았던 앙카라 사람들이 포도주 판매소에 대해 제기한 불만과, 주정뱅이 무리가 함맘에 가는 여성들과 학교에 가는 아이들을 폭행한 것에 대한 불만과 관련해, 무라드 3세는 "포도주가 무슬림들을 장악하지 못하게 하라"라고 경건하게 언급하면서 앙카라의 모든 포도주 판매소를 폐쇄하라고 명령했다.[52] 테살로니키의 마할레 주민들도 마찬가지로 1646년에 비이슬람교도들이 마할레 모스크 근처 포도주 판매소에서 술을 마신다고 불평했는데, 이러한 이단적 행동 때문에 마할레의 무슬림 주민들은 기도하러 모스크에 가는 것에 방해를 받았다. 이 청원을 처리하며 술탄 이브라힘 1세Ibrahim I(재위 1640~1648)는 포도주 판매소의 폐쇄를 명령했다.[53] 많은 청원이 사기, 세금, 부동산 거래 같은 상업적 문제와 연관 있었다. 1571년 한 앙카라 구두 제조공의 청원은 구두 제조공의 수요를 충족시키지 않고 '외부인'에게 가죽 원료를 판매하는 가죽 길드의 관행을 카디에게 불평하는 것이었다. 카디는 이를 술탄에게 보고했고 술탄은 구두 제조공의 수요를 충족시킬 때까지 도시에서 가죽의 수출을 금지했다.[54]

술탄은 또한 이스탄불의 운영에 직접적 역할을 담당했고 그곳 도시의 상황에 대해 계속 알고 있었으며, 부분적으로는 특별 경호원을 동반하고 위장한 채로 도시를 순회하는 관행을 통해 그렇게 했다. 이러한 점검 기간에 술탄들은 군사시설을 조사하고, 상품이 올바른 가격으로 팔리고 있는지와 저울과 통화 규정이 제대로 시행되고 있는지 등 시장 활동을 점검하고, 사회적 행동이 바르게 이루어지고 있는지를 확인했다. 술탄들이 자신이 직접 목격한 일들에 항상 만족한 것은 아니었다. 무라드 4세Murad IV(재위 1623~1640)는 가혹하기로 유명한 술탄이었는지라, 담배를 피우거나 등불 없이 밤거리를 돌아다니는 것과 같은 사회적 행동 지침을 어긴 이들을 우연히 마주치면 그 자리에서 그들을 처형했다.[55]

결론

16세기에 오스만 제국의 도시들은 전반적으로 제국의 영토적 확장에 따른 무역 및 상업의 번영과 전체 인구의 증가와 더불어 급속한 성장을 경험했다. 16세기에 오스만 도시들은 제국의 내부 역학으로 번성하거나 쇠퇴했지만, 17세기와 18세기에 걸쳐 오스만 제국 국경 너머 세계로부터의 영향이 점점 더 침입해 들어오면서 이런 상황은 점차 변화했다. 유럽의 군사 압력이 커지고 원거리 해상 무역로가 부상하면서 서유럽 상인들의 지역 시장 침투가 증가했고, 오스만 도시의 산업에 대한 국제 경쟁이 치열해졌다. 그러나 일반적으로 세기의 마지막 수십 년까지 이스탄불이 주도한 오스만 도시들은 적절한 수준의 번영과 성장을 누렸다.

시간에 따른 변화에도, 근대 초기 내내 오스만 제국의 도시를 만든 것은 제국 내에서 도시가 차지한 위치였다. 오스만 도시를 작동하게 만든 것은 오스만 통치 체제의 유연성, 오스만 도시가 운영되는 현지의 조건, 도시민과 당국의 권한 협상, 마할레와 바키프의 역할 등이었다. 도시의 특성은 제국 전역에 걸쳐 꽤나 다양했는바, 자신의 지역마다 다른 문화와 종교 및 중앙으로부터의 거리에 의해 두드러졌다. 그러나 이러한 차이에도, 오스만 도시들은 결속력 있는 오스만 전체의 일부분을 형성했으며, 결국, 오스만 제국의 모든 길이 궁극적으로 이스탄불로 이어졌다.

주

1 D. Behrens-Abouseif, *Islamic Architecture in Cairo. An Introduction* (Leiden: Brill, 1992), 158.

2 F. Braudel, *Civilization and Capitalism, Fifteenth-Eighteenth Centuries*, vol.1: *The Structure of Everyday Life: The Limits of the Possible*, Siân Reynolds (trans.) (London: Phoenix Press, 2002), 52.

3 Ahmet Cevdet Paşa, *Ma'rûzât*, Y. Halaçoğlu, ed. (Istanbul: Çağri Yayinlari, 1980), 51.

4 İbrahim Peçevi, *Peçevî Tarihi*, M. Uraz, ed. (Istanbul: Neşriyat Yurdu, 1968), I, 74.

5 A. Özcan, ed., *Anonim Osmanli Tarihi (1099-1166/1688-1704)* (Ankara: Türk Tarih Kurumu Basimevi, 2000), 233.

6 Ö. L. Barkan, "Essai sur les données statistiques des registres de recensement dans l'Empire ottoman aux XVe et XVIe siècles", *Journal of the Economic and Social History of the Orient*, 1/I (1957), 27 (논문 전체 페이지는 9-36); A. Raymond, "The Population of Aleppo in the Sixteenth and Seventeenth Centuries according to Ottoman Census Documents", *International Journal of Middle East Studies*, 16/4 (1984), 458 (논문 전체 페이지는 447-460); R. Mantran, İstanbul dans la seconde moitié du XVIIe siècle (Paris: Librarie Adrien Maisonneuve, 1962), 47.

7 S. Faroqhi, *Towns and Townsmen of Ottoman Anatolia. Trade, Crafts and Food Production in an Urban Setting, 1520-1650* (Cambridge: Cambridge University Press, 1984), 105.

8 C. C. Güzelbey and H. Yetkin, eds., *Gaziantep Şer'î Mahkeme Sicillerinden Örnekler (Cilt 81-141) (Milâdî 1729-1825)* (Gaziantep: Yeni Matbaa, 1970), 77.

9 K. K. Barbir, *Ottoman Rule in Damascus, 1708-1758* (Princeton: Princeton University Press, 1980), 109.

10 J. Hathaway, ed., *Al-Jabartī's History of Egypt* (Princeton: Markus Wiener Publishers, 2009), 148.

11 Ahmed Vâs1f Efendi, *Mehâsinü'l-Âsâr ve Hakâikü'l-Ahbâr*, M. İlgürel, ed. (Ankara:

Türk Tarih Kurumu Basimevi, 1994), 225.

12 Âşik Paşazade, *Osmanoğullari'nm Tarihi*, K. Yavuz and M. Y. Saraç, eds. (Istanbul: K. Kitapliği, 2003), babs 14-15, 339-342.

13 인용은 Ö. Ergenç, "Osmanli Şehirlerindeki Yönetim Kurumlarinin Niteliği Üzerinde Bazi Düşünceler", *VIII. Türk Tarih Kongresi. Ankara: 11-15 Ekim 1976* (Ankara: Türk Tarih Kurumu Basimevi, 1981), II, 1265 (논문 전체 페이지는 1265-1274).

14 R. Dankoff, *An Ottoman Mentality. The World of Evliya Çelebi*, with an afterword by G. Hagen (Leiden and Boston: Brill, 2004), 50.

15 Tursun Bey, *Târîh-i Ebü'l-Feth*, M. Tulum, ed. (Istanbul: İstanbul Fetih Cemiyeti, 1977), 67.

16 Kritovoulos, *History of Mehmed the Conqueror*, C. T. Riggs, trans. (Westport, Conn.: Greenwood Press, 1970), 105.

17 M. Akdağ, Türk *Halkmm Dirlik ve Düzenlik Kavgasi. Celalî İsyanlari* (Ankara: Bariş, 1999), 450-451.

18 İbn Kemâl, *Tevârîh-i Âl-i Osmân. VIII. Defter*, A. Uğur, ed. (Ankara: Türk Tarih Kurumu Basimevi, 1997), 279-280.

19 E. Eldem, D. Goffman, and B. Masters, *The Ottoman City between East and West. Aleppo, Izmir and Istanbul* (Cambridge: Cambridge University Press, 1999), 115.

20 *6 Numaralt Mühimme Defteri (972/1564-1565)*. Özet- Transkripsiyon ve İndeks (Ankara: Başbakanlik Devlet Arşivleri Genel Müdürlüğü, 1995), order 105, 60.

21 D. Panzac, *Osmanli İmparatorluğu'nda Veba (1700-1850)*, Serap Yilmaz, trans. (Istanbul: Tarih Vakfi Yurt Yayinlari, 1997), 38.

22 Mehmed Neşrî, *Kitâb-1 Cihan-Nümâ. Neşrî Tarihi*, F. R. Unat and M. A. Köymen, eds. (Ankara: Türk Tarih Kurumu Basimevi, 1995), II, 799.

23 Hathaway, *Al-JabartÏ's History of Egypt*, 147-148.

24 E. Boyar and K. Fleet, *A Social History of Ottoman Istanbul* (Cambridge: Cambridge University Press, 2010), 139, 254.

25 Güzelbey and Yetkin, *Gaziantep Şer'î Mahkeme Sicillerinden*, 50.

26 Oruç, *Oruç Beğ Tarihi [Osmanli Tarihi-1288-1502]*, N. Öztürk, ed. (Istanbul: Çamlica, 2007), 219, facsimile 148b; R. D. Kreutel, ed., *Haniwaldanus*

Anonimi'ne Göre Sultan Bayezid-i Velî (1481-1512), N. Öztürk, trans. (Istanbul: Türk Dünyasi Araştirmalari Vakfi, 1997), 45; B. S. Amoretti, ed., *Šāh Ismā'il I nei «Diarii» Marin Sanudo* (Rome: Istituto per l'Oriente, 1979), 12.

27 Kemal, *Selâtîn-nâme* (1299-1490), N. Öztürk, ed. (Ankara: Türk Tarih Kurumu Basimevi, 2001), 176.

28 Kritovoulos, *History of Mehmed the Conqueror, 93. E. H. Ayverdi, Fatih Devri Sonlarinda İstanbul Mahalleleri, Şehrin İskâni ve Nüfusu* (Ankara: Doğuş Limited Şirketi Matbaasi, 1958), 70-84.

29 Doukas, *Decline and Fall of Byzantium to the Ottoman Turks*, H. J. Magoulias, ed. and trans. (Detroit: Wayne State University Press, 1975), ch.XLII, 241.

30 N. Hanna, *Making Big Money in 1600. The Life and Times of Isma'il Abu Taqiyya, Egyptian Merchant* (Syracuse, N.Y. : Syracuse University Press, 1998), 127-133.

31 A. Raymond, "Essai de geographie des quartiers de residence aristocratique au Caire XVIIIe siècle", *Journal of the Economic and Social History of the Orient*, 6/1 (1963), 58-103.

32 M. S. Kütükoğlu, ed., *Osmanlilarda Narh Müessesesi ve 1640 Tarihli Narh Defteri* (Istanbul: Enderun Kitabevi, 1983), 7.

33 H. İnalcik, *The Ottoman Empire. The Classical Age 1300-1600* (London: Phoenix Press, 2000), 104-118; A. Raymond, *Grandes villes arabes à l'époque ottomane* (Paris: Sindband, 1985), 124-125.

34 M. Akdağ, *Türkiye'nin İktisadî ve İçtimaî Tarihi, C. II 1453-1559* (Ankara: Türk Tarih Kurumu Basimevi, 1971), 67-73.

35 Ö. L. Barkan, "XV. Asrin Sonunda Bazi Büyük Şehirlerde Eşya ve Yiyecek Fiyatlarinin Tesbit ve Teftişi Hususlarini Tanzim Eden Kanunlar I", *Tarih Vesikalari*, 1/5 (1942), 326 (논문의 전체 페이지는 326-340).

36 N. Abaci, *Bursa Şehri'nde Osmanli Hukuku'nun Uygulanmasi (17. Yüzyil)* (Ankara: T. C. Kültür Bakanliği Yayinlari, 2001), 58-62.

37 A. Rafeq, "The Economic Organization of Cities in Ottoman Syria", in Peter Sluglett, ed., *The Urban Social History of the Middle East (1750-1950)* (New York: Syracuse University Press, 2008), 106 (해당 장의 전체 페이지는 104-140); A. Raymond, "The Role of the Communities (tawa'if) in the Administration of Cairo

in the Ottoman Period", in *Arab Cities in the Ottoman Period. Cairo, Syria and the Maghreb* (Aldershot: Ashgate Variorum, 2002), 237.

38 Selânikî Mustafa Efendi, *Tarih-i Selânikî*, M. İpşirli, ed. (Ankara: Türk Tarih Kurumu Basimevi, 1999), I, 231-232.

39 *5 Numarali Mühimme Defteri (973/1565-1566)* (Ankara: Başbakanlik Devlet Arşivleri Genel Müdürlüğü, 1994), order 281, *Özet ve İndeks*, 53, *Tipkibasim*, 121.

40 K. Su, *XVII ve XVIII inci Yüzyillarda Balikesir Şehir Hayati* (Istanbul: Resimli Ay Matbaasi, 1937), 31-32.

41 A. S. Ünver, *Fâtih Aşhânesi Tevzînâmesi* (Istanbul: Türk Tarih Kurumu Basimevi, 1953), 11, fn. 9.

42 Güzelbey and Yetkin, *Gaziantep Şer'î Mahkeme Sicillerinden*, 100.

43 A. Cohen, *Economic Life in Ottoman Jerusalem* (Cambridge: Cambridge University Press, 1989), 78-79.

44 A. Raymond, "Architecture and Urban Development: Cairo during the Ottoman Period, 1517-1798", *Arab Cities in the Ottoman Period. Cairo, Syria and the Maghreb* (Aldershot: Ashgate Variorum, 2002), 252.

45 H. Sahillioğlu, ed., *Topkapi Sarayi Arşivi H. 951-952 Tarihli ve E-12321 Numarali Mühimme Defteri* (Istanbul: IRCICA, 2002), order 253, 192.

46 A. Aköz, ed., *Kanunî Devrine Ait 939-941/1532-1535 Tarihli Lârende [Karaman] Şer'iye Sicili*. Özet-Dizin-Tipkibasim (Konya: Tablet Kitabevi, 2006), 19-22.

47 Sahillioğlu, *Topkapi Sarayi Arşivi H. 951-952 Tarihli ve E-12321 Numarali Mühimme Defteri*, order 488, 352-353.

48 İ. H. Uzunçarşili, *Osmanli Devletinin Merkez ve Bahriye Teşkilâti* (Ankara: Türk Tarih Kurumu Basimevi, 1948), 1.

49 S. Gerlach, *Türkiye Günlüğü 1573-1576*, T. Noyan, trans. (Istanbul: Kitap Yayinevi, 2007), II, 524, 602.

50 Çeşmî-zâde Mustafa Reşîd, *Çeşmî-zâde Tarihi*, B. Kütükoğlu, ed. (Istanbul: Edebiyat Fakültesi Basimevi, 1959), 34.

51 *6 Numarali Mühimme Defteri*, order 1441, 349.

52 H. Ongan, ed., *Ankara'mn i Numarali Şer'iye Sicili* (Ankara: Türk Tarih Kurumu

Basimevi, 1958), 5.

53 M. Tulum et al., eds., *Mühimme Defteri 90* (Istanbul: Türk Dünyasi Araştirmalari Vakfi, 1993), order 83, 66.

54 K. Su, "XVI. Asirda Ankara'ya Âid Vesikalar", *Ülkü. Halkevleri ve Halkodalari Dergisi*, 1/93 (1940), Ill, 265.

55 Naima, *Târih-i Na'îmâ*, M. İpşirli, ed. (Ankara: Türk Tarih Kurumu Basimevi, 2007), II, 756.

참고문헌

Boyar, E., and Fleet, K., *A Social History of Ottoman Istanbul* (Cambridge: Cambridge University Press, 2010).

Eldem, E., Goffman, D., and Masters, B., *The Ottoman City between East and West. Aleppo, Izmir and Istanbul* (Cambridge: Cambridge University Press, 1999).

Faroqhi, S., *Towns and Townsmen of Ottoman Anatolia. Trade, Crafts and Food Production in an Urban Setting, 1520-1650* (Cambridge: Cambridge University Press, 1984).

Raymond, A., *Grandes villes arabes à l'époque ottomane* (Paris: Sindband, 1985).

Todorov, N., *The Balkan City 1400-1900* (Seattle: University of Washington Press, 1983).

제16장

중국: 600~1300년

China: 600-1300

힐데 드 위어트
Hilde De Weerdt

개념 정의와 패러다임

기원전 제3천년기〔기원전 3000~기원전 2001〕에 정방형正方形 성벽으로 둘러싸인 대규모 정주지들이 출현하고, 기원전 제1천년기에 도시국가city-state의 도시체계urban system가 발달하고, 기원전 3세기 내내 최초의 제국 수도들이 건설되면서 도시 계획자들과 건설자들은 이후 수 세기 동안 중국의 도시 설계를 규정할 형태적·구조적 특성 목록을 작성할 수 있었다(6장 및 [지역지도 I.5] 참조). 정방형 성벽, 의례용 구조물, 시장, 거주공간에 중첩된 격자망, 중앙 또는 현지 행정관청의 물리적 중심성은 또한 비교사적 관심에서 중국 도시의 특성을 정의하는 이념형

ideal type의 요소들이다.* 이 장은 먼저 중세 중국 도시들을 정의하는 새로운 기준을 검토한 후, 이러한 재정의를 현지와 지역 경제의 상업화에서 거꾸로 추적할 것이다. 이어 경제와 인구학적 성장을 수반한 도시사회의 확장과 다양화를 정리하고 나서, 도시 생활에 대한 국가권력의 적응을 가장 가시적으로 예시해주는 지표의 하나인 도시공간의 변화로 눈을 돌릴 것이다.

아마도 중국의 도시와 세계 다른 지역(특히 유럽)의 도시 사이 비교에서 가장 자주 인용되고 가장 적절한 차이점은 도시city와 시골countryside의 분리를 이론적으로 부정하는 행정 위계 내에서 도시가 갖는 착근성embeddedness일 것이다. 중국 제국의 역사 전반에 걸쳐 도시 중심지urban centre는 항상 더 큰 관할 구역(주州 또는 현縣)의 일부로서 농촌권rural area과 도시 중심지를 공동으로 통제하고, 지방 공동체를 주도主都에 위치한 궁정을 정점으로 하는 행정구역으로 통합했다. 사회적 공간 구분의 배후에 작동하는 이와 같은 관료주의 논리가 도시-농촌urban-rural 분리의 실재와 인식을, 도시 자체의 개념 규정을 불가능하게 하는 것처럼 보인다.

그런데 도시와 시골의 차이는 제국 재정 정책의 핵심이었고 광범위한 텍스트 장르에서 표현되었다. 이러한 차이는 당唐 왕조(618~907) 말에서부터, 오대십국五代十國 시대(907~960), 송宋 왕조(960~1276)까지를 아우르는 8~12세기에 일어난 근본적인 사회경제적, 문화적 변

* '이념형Idealtypus'은 독일 사회학자 막스 베버의 사회과학적 연구방법론 개념의 하나로 본질적 가치와 보편적 기준에 근거해 설정되는 표준 개념을 말한다.

화 속에서 중국 영토의 전 범위에 걸쳐 더욱 뚜렷하게 나타났다.

11세기 중반까지 중국의 총인구는 과세 목적으로 도시 구역인 방곽坊郭 거주민과 향촌鄉村 거주민 두 유형의 가구들로 구분되었다. 세기가 끝날 무렵 일부 사람들은 부역이 농촌 가구에만 부과되어 도시가 부역 피난처가 되고 있다고 보았다. 이를 옹호하면서 〔북송〕 원로 관료 손승孫升(1038~1099)은 도시들의 독특한 기능이 국가와 시골의 복지에 필수적이라고 말한다. "이는[부역 의무의 차이는] 도시 거주민이 쉽게 지내는 동안 마을 거주민이 고통을 받고 있음을 우리가 모른다는 것을 의미하지 않는다. 좋은 시기에 우리는 도시 거주민들이 밤낮을 가리지 않고 계속 일하게 한다. 그들은 상품을 유통하고 이를 통해 마을의 모든 생산물과 특산물을 판매한다."[1] 손승은 도시가 상점들로 가득한 곳이고 교통이 항상 분주한 곳이라는 일반적 인식을 분명히 밝힌다. 송대에는 이런 인식이 수도의 시장이나 커다란 교역 중심지에만 국한되지 않았다. 덜 알려졌으나 군郡과 현縣 못지않게 그 수가 빠르게 늘어난 진鎭도 비슷하게 묘사되었다. 이 장에서 개괄할 도시화urbanization 과정은 도시가 무엇인지에 대한 변화하고 확장되는 개념으로 요약된다([지역지도 II.5] 참조).

도시 정주지urban settlement는 전통적으로 주변 시골에서 떨어져 있는 성벽〔성곽〕wall에 의해 정의되었다. 손승과 그의 동시대인들이 사용했던 "성곽 사람城郭之人"이란 용어는 여전히 집합적 의식에서 성곽으로 둘러싸인 공간enclosure에 결합된 중요성을 반영했다. 그러나 도시 가구로 분류된 가구에는 성곽이 있는 군과 현의 가구(또는 불완전한 성곽이 있거나 없는 많은 가구)[2]뿐 아니라 인구가 더 많은 도시의 외곽에 생겨난 교외suburb의 가구와 이에 더해 정부의 존재가 상업세 징수 감독을 주업무로 하는 소수의 하급 관리로 제한되는 진의 거주민도 포함되었다.

토착 분류 체계에서 도시공간urban space을 정의하는 형태적 기준이 사회경제적 기준으로 대체된 것과, 사회경제적 변화 및 농촌-도시 판매 네트워크의 역사적 경향에 대한 인식은 20세기 중국 도시사 해석에서 그 유사성을 찾아볼 수 있다. G. 윌리엄 스키너G. William Skinner는 중국 도시를 파악하는 막스 베버의 이념형에 따른 접근을 중심지들의 중첩적 위계 구조로 구성된 지역적 판매 체계의 주기적 역사로 대체했다. 스키너는 중심지 이론에 따라 도시 정주지를 기능적 기준으로 정의하는데 곧, 무엇보다도 광범위한 재화와 서비스의 제공, 소통망 및 여타 경제 중심지와의 연계 등 경제적 기능의 충족 수준을 중시하고, 주변 배후지hinterland에 서비스하는 행정·종교·문화 기능의 집중은 덜 중시한다. 스키너의 모델은 중국사의 마지막 세기들에 초점을 맞추었으나, 그의 관점은 시바 요시노부斯波義信, 마크 엘빈Mark Elvin 같은 현대 경제사학자에게 수용된다. 이들은 중국에서 '도시혁명urban revolution'이 당 왕조와 송 왕조 사이에 일어났다고 파악한다. 그리고 '도시혁명'의 특징으로 중심지의 상당한 증가(약 1500곳에서 6000곳으로 늘어났다고 추산을 한다)와 함께, 판매, 상업, 사회 규제, 행정 자체에 대한 공식적 개입이 감소하는 전반적 추세를 낳은 관료제의 축소를 제시한다.[3]

이 시기 관료제 축소의 선형성線形性, linearity과 범위는 과장되었을 수도 있다—정부가 도시 가구를 등록하고 제국 전역에 상업세를 거두기 위한 관청을 설치하는 데 관심을 기울인 것은 조정 및 학자-관료 엘리트들이 자신들의 시장 지배력을 유지하기 위해 기반설비

infrastructure를 개발했다는 것을 암시한다. 그런데 도시 중심지의 사회적·경제적·문화적 특수성에 대한 인식과 발전은, 도시 중심지의 행정적·의례적 중요성과 더불어, 어떤 경우에는, 새로운 현상이다. 이 장에서는 지방 및 중앙 정부의 정책과 관행에 의해서만이 아니라 민간 주도에 의해서도 촉진된 주요 인구학적 변화, '시장화marketization', 상업화commercialization가 가져온 중국 전체의 도시화가 얼마나 빨랐고, 극적이었으며, 고르지 못했는지를 설명한다. 여기에서 살펴볼 다양한 유형의 도시(수도capital, 해양도시maritime city, 병영도시garrison city, 지방도시provincial city)는 제국의 행정구조를 지탱했다. 그렇다고 이들 도시가 이상적인 제국도시imperial city의 복제품만은 아니었는바, 중앙·지방 정부와 여러 사회집단의 상호작용이 사회경제적 변화를 불러왔고, 도시의 특수성과 제국 전반의 통합을 가능하게 한 도시 및 도시 주변의 문화 생산을 확대했기 때문이다.[4]

당-송 전환기의 시장화와 상업화

중국 사회는 당·송 왕조 수 세기에 걸쳐 주요한 변화를 겪었다. 인구학적 차원에서 보면, 인구가 북부에서 남부로 대거 이동했다. 북중국은 역사적으로 중국 영토에서 가장 인구밀도가 높은 지역이었다. 중국의 통일 제국들인 진秦, 한漢, 수隋, 당의 수도들은 북쪽에 있었다. 제1천년기[1~1000] 내내 북부에서 남부로 이주하는 흐름이 몇 번 있었으나, 8세기 중반에 대중 소요 시기가 점화한 이주처럼 지속적 효과는 없었다.

등록 인구의 남부 거주 비율은 606년에 약 23퍼센트였는데, 742년에는 43퍼센트, 1078년에는 65퍼센트에 이르렀다.[5]

인구 분포의 이와 같은 변화는 총인구의 상당한 증가와 병행했다. 정부 수치는 1223년 송 대〔남송〕의 남부 총인구(1334만 9322가구에 가구당 5.2명으로 계산된 6941만 6474명)가 송〔북송〕이 북부와 남부를 모두 통치할 시기의 총인구(1102년 1219만 6307가구)보다 많았음을 시사한다. 이 수치는 당 대에 기록된 총인구(예컨대 742년의 897만 3634명)보다 많이 늘어난 것이었다. 여진족의 북부 점령은 인구 증가에 일부 영향만 끼쳤으며, 북부에서도 인구 증가 경향이 있었던 것으로 보인다. 이용 가능한 수치는, 그곳의 인구가 12세기 후반에서 13세기 초반 사이에 대략 700만 가구에서 1000만 가구로 증가했음을 시사한다.[6]

도시사의 맥락에서 더 중요한 것은 남송(1127~1176) 시기에 남겨진 통계에서 현과 군의 농촌 가구와 비교해 상대적으로 높은 도시 거주민의 수와 비율이다. 적은 수의 대규모(5만 가구 이상) 군과 현, 더 많은 수의 중간 규모(5000~4만 9999가구) 및 표준 규모(1000~4999가구) 군과 현의 도시 중심지 인구 비율은 전형적으로 3~14퍼센트였으며, 몇몇 군과 현의 경우는 원도심urban core 인구 비율이 30~40퍼센트에 이르기도 했다. 2만~3만 가구의 더 큰 규모의 도시들은 양쯔강과 해안을 따라 더 흔했으나, 이러한 규모의 도시는 남송 제국 전역에 퍼져 있었다.[7]

증가하는 도시화 수준은 진의 증가에서도 명백하다. 진의 수는 10세기에 처음으로 급증했지만, 이런 정주지는 북위北魏(386~534)와 당 왕조에서 경관의 두드러진 특성이었던 병영〔주둔지〕과 더 비슷했다.

군부대로 구성된 작은 정주촌은 방어를 목적으로 주요 교통 노드node와 해상 경계를 따라서, 그리고 일부 현의 주변부에 설치되었다. 10세기에 중국 전역을 통일한 송 태조〔북송 태조 조광윤〕 이후, 군사력을 중앙 집중화하려는 더 큰 노력의 일환으로 병영〔주둔지〕은 공식적으로 해체되었다. 일부는 이미 진이 되었고, 거주민들은 제조, 상업, 운송, 여타 서비스를 제공했다. 11~13세기에 새 진들이 나타났는데, 전형적으로 현이나 군으로부터 다소 떨어진 곳에 자리했다. 이 진들은 농촌의 지역사회를 비상설 시장인 초시草市, 다양한 규모의 진, 그리고 행정 관할 체계에 통합된 더 큰 규모의 도시와 연결하는 계층적으로 구조화한 판매 네트워크에서 중요한 역할을 담당하기 시작했다.* 이들 진의 지리적 분포는 고르지 않아, 예컨대〔송 대 지방 행정 구획 중 하나인〕 양절로兩浙路에서는 북부 평원 근처와 해안을 따라 군집하는 경향이 있었다. 여기서 생겨나는 상업세로 미루어볼 때, 진의 크기와 진이 생산한 부富는 주요 교통 경로와의 근접성에 따라 상당한 차이가 있었다.[8]

인구학적 변화와 도시화 과정 외에도, 중국 사회는 경제사학자들이 혁명적이라고 부를 정도로 양적 측면과 질적 측면 모두에서 커다란 경제적 변화를 경험했다. 경제 변화의 정도와 이에 대한 궁정의 태도를 예시하는 지표는 송의 국가수입에서 농업세와 상업세의 비율 변화다. 전통적으로 고대 제국이었던 진과 한 이래로, 중국의 제국 정부는 토지세와 인두세人頭稅의 형태로 농업에서 비롯되는 수입을 통해 운

* '초시'는 중국에서 주와 현 등의 도성 밖에서 섰던 시장을 말하며 당·송 시대에 농촌경제의 중심으로 발달했다. 시장이 초가 형태였거나 초료(草料, 말에게 먹이는 꼴)를 팔았던 데서 '초시'라는 이름이 붙었다.

영되었다. 11세기는 상업세와 주류세·염세鹽稅와 같은 국가 전매專賣 사업 수입이 농업세 수입과 거의 동일했다.[9] 상업세는 현지 시장, 지역 간 상거래에 부과되는 세금이었고 국경 및 항구에서 이루어지는 국제적 교역에 부과되는 관세도 포함했다. 다음 2세기 동안 상업세 수입은 남부에서 계속 증가했던 반면에, 농업세의 중요성(절대 수치가 증가했음에도)은 11세기 중반 총수입의 약 56퍼센트에서 20퍼센트로 비례적으로 감소했다.[10] 더군다나 세금은 정기적으로 현금으로 부과되었다. 1085년이 되면 약 70퍼센트의 세금이 현금으로 징수되었다.[11] 이러한 경제의 화폐화monetization는 생산물과 상품을 시장에 내놓는 데 더 많은 동기를 부여했다.

국가 재정 기반의 이와 같은 변화는 중국 경제가 상업화 과정을 거쳤음을 시사한다. 송 대에 여러 지역에서 농민들은 더는 자급자족하지 않았다. 일례로 광남廣南과 같은 남부 지역들은 쌀 경작에 특화되어 있었고 기본적 곡물들을 해운이나 강을 통해 북쪽으로 보냈다. 지역 간 쌀시장의 발전으로 진과 도시들은 특정 유형의 농산물 및 제조 물품에 대한 전문화와 명성을 얻을 수 있었다. 인구 증가가 계속된 푸젠福建의 해안 현들은[12] 쌀을 수입에 의존했으나, 사탕수수, 면화, 삼베, 과일, 생선, 도자기, 철, 목재, 종이, 책 수출을 통해 번성했다.

도시화는 중간 규모와 대규모 도시들이 중국 영토 전역에서 등장했다는 점에서 비교적 고른 현상이었다. 이들 도시의 약 31퍼센트가 북부에 자리해 있었다는 것은 중국 사회의 상업화가 주로 남부 또는 더 구체적으로는 양쯔강 하류의 현상만은 아니었다는 점을 시사한다.[13] 이들 도시는 상품의 주요 소비지였으며 현지, 지역, 지역 간 통합 체계의 중핵이었다. 대부분의 연구는 스키너의 패러다임을 수정한 버전을 600년에서 1300년 사이의 중국 경제에 적용할 수 있다고 제시한다. 스키너가 자연지리학적physiographic 기준에 따라 중국 영토를 구분한 개별적 초광역 지역의 경계가 재설정되고 다소 많은 빈틈도 생겼지만, 제국 전체의 통합 시장보다는 대부분의 상업 활동이 수도 장안長安(900년간), 카이펑開封(950~1130), 항저우杭州(12~13세기) 같은 지역 중심지나 청두成都나 취안저우泉州 같은 상업 노드와 같은 지역 중심지에 집중되었다는 분석이 대체로 받아들여지고 있다.[14]

동부 해안을 따라 있는 도시 중심지들은 또한 유럽, 아프리카, 서아시아, 인도반도〔인도 아대륙〕, 동남아시아 및 동아시아의 도시, 도시국가, 화물집산지entrepôt를 연결하는 더 광범위한 해상무역 네트워크와 연계되었다(19장 참조). 해안과 운하 노선을 따라 위치한 당나라 도시들에는 한국인, 자바인, 말레이인, 아랍인, 인도인, 유대인 등 외국 상인 공동체들이 존재했다. 송 대에 광저우廣州, 취안저우, 명주明州〔지금의 닝보寧波〕 등은 동아시아, 동남아시아, 남아시아, 서아시아 상인들의 주요 무역의 중심지가 되었고, 이들 도시에도 외국인 공동체들이 설립되어 있었다. 해상무역이 송 경제 전반에 끼친 영향은 불분명하지만, 문화 간 도시 네트워크urban network의 착근성은 해안을 따라 도시와 배후지의 개발에 가시적 역할을 했다. 취안저우에서 환적을 할 수 있는 상품을 공급한 푸젠福建성 남부 국경 지역은 점진적으로 소수의 대규모 도시와 수십 개의 제조타운manufacturing town 및 판매타운marketing town이 있는 고도로 상업화되고 통합된 지역으로 변모했다.[15] 수출품에는 향료香料, aromatics, 광물, 금속 제품, 도자기, 보석, 비단 같은 직물,

설탕·포도주·소금 같은 소모품이 포함되었고, 수입품에는 금속, 인디고indigo(암청색의 물감), 직물, 목재 같은 원재료가 포함되었다.[16]

취안저우의 사례를 볼 때, 농업과 상업의 발전은 단순한 원인과 효과로서 상호 관련이 없었으며 이는 더 발전된 농업 기술들과 새로운 씨뿌리기 방식이 생산 증가와 시장화로 이어졌음을 의미한다. 중앙 및 지방 정부, 기업가, 소규모 상인, 문인 등 현지 엘리트들은 더 좋은 기반설비와 지역 사이의 더 긴밀한 통합을 가능하게 한 조건을 만들어내는 데 기여했다. 교량이 건설되었고 도로는 원도심으로 연결되는 교통의 동맥을 따라 포장되었다. 쑤저우蘇州 현성縣城에서는 1010년대와 1190년대 사이에 교량의 수가 63개에서 288개로 증가했다.[17] 비슷한 양상으로, 원거리 교역이 지폐와 신용 제도의 발달로 어느 정도 촉진되었다. 구리 동전의 만성적 부족은 정부가 결국 지폐를 채택하게 했으며, 이는 장거리 거래에서 현금 손실의 위험을 제한하려는 이전의 민간이나 지역 차원의 시도를 모방한 정책이었다.

도시사회

상업화는 중국 사회의 모든 계층에 영향을 끼쳤다. 농촌 시장은, 평균 10일에 1번씩 정기적으로 열렸으며, 송 제국 전역에서 나타났다. 다른 시장터들은, 처음에 들판에 자리를 잡았는데, 상설 상점과 여관이 들어서는 부지가 되었고 타운으로 발전했다. 시장은 농업 잉여물의 판매를 위한 만남의 장소를 제공했을뿐더러 노동의 다각화diversification도

촉진했다. 농경 외에도, 서민들은 기름 가게, 차 농장, 종이 공장, 어류 양식 연못, 물레방아, 싸전, 그리고 도시 주민들에게 신선한 농산물을 제공하는 과수원과 채소밭에서 일하게 되었다. 개별 가구들은 특정 작물의 경작, 특정 물품의 생산, 또는 운송에 전문화되었다. 노동의 다각화는 더 큰 도시들에서 더욱 두드러졌다. 농업, 가공, 운송 분야에 고용된 노동자들을 제외하고, 전당포 점원, 짐꾼, 종자從者에서부터 배우, 악공樂工, 기수棋手〔바둑·장기 두는 사람〕에 이르기까지 온갖 종류의 점원과 하인이 그곳에서 고용되었다.

상업은, 사적 이윤의 극대화를 전제로 했고, 많은 엘리트 가구의 평가에서 여전히 의심스러운 직업으로 남아 있었다. 과거제가 10세기와 11세기에 관료가 되는 가장 권위 있는 과정이 되어서, 야심 찬 엘리트 남성이 선호한 것은 교육을 받고 과거시험을 통과해 관료제에 진입하는 경로였다. 과거제에서 성공할 확률은 결단코 높지 않았으며, 특히 인구가 밀집되어 있고 도시화한 현에서는 합격자가 계속 감소했던 만큼, 엘리트 가구들은 지위와 권력을 얻기 위한 전략을 다각화했다. 상업은 매력적인 대안이었다. 가족 예절과 가정 관리 지침서들에서는 엘리트 남성에게 하향으로의 사회적 이동(성)social mobility의 끊임없는 위협을 피하기 위한 적절한 대안으로 사업과 제조업을 제시했다. 사익의 추구라는 비판에도, 문인 가족과 공무원들은 원거리 교역과 해외 교역의 모험적 사업부터 수도나 장강〔창장강〕長江 삼각주〔양쯔강 삼각주〕Yanzi delta에서 호황을 누리는 도시들 같은 가치 있는 도시들에서 부동산 임대에 이르기까지 여러 사업에 적극적으로 참여했다.

엘리트 가구들은 원도심의 투자 전망에 끌렸거니와 공공학교나

[도판 16.1] 북송 수도 카이펑의 거리. 〈청명상하도淸明上河圖〉, 장택단張擇端(1085~1145). 교량 옆의 장면은 북송의 수도 카이펑의 삶의 혼잡과 번잡함을 포착한다. 카이펑 거리는 이러저러한 종류의 상인과 행상이 24시간 물건을 팔았고 민간 다층 건물이 급증하는 공공장소가 되었다.

사설 학원, 찻집, 음식점, 오락지구, 사원, 정원 등이 제공하는 더 나은 사회화의 기회에도 끌렸다. 수도 카이펑([도판 16.1] 참조)과 항저우의 문화생활은 일부 주민이 쓴 송·원 왕조 회고록에서 불멸의 대상이 되었고, 도시와 진에서도 유사한 공공공간이 상향적 이주와 문화 활동으로의 참여를 이끌었다. 문인들은 관청, 문화적 입지 또는 경승지 근처에 집을 사거나 빌렸다. 부재지주不在地主, absentee landlord는 시골에서 흔한 현상이 되었으며 학생이나 시험에 낙방한 사람 같은 유동적 인구의 일부가 도시에 자리를 잡고 교육, 의료, 사무, 소송 관련 직업이나 그 외 여러 서비스 직업에 정착했다. 원저우溫州나 푸저우福州(푸젠福建성)

현의 번창하는 군들은 그곳 출신들이 과거시험에서 경쟁자들을 꾸준히 능가하자 학생들을 유인했고, 따라서 교육의 중심지로서 지역 및 제국 전체에서 명성을 얻었다.

도시는 또한 행정가, 군인 가족, 성직자, 사업가들과 소규모 사업체 소유자, 장인, 오락업 종사자와 하층 노동자의 근거지였다. 행정 인력의 수는 진에서 소수, 군현 소재지에서 수십 또는 수백 명, 수도에서 수천 명에 이르기까지 다양했다. 그들은 아문衙門 근처에 살거나 도시의 기존 지역이나 신흥 지역에서 〔주거〕공간을 임차했다. 현성에는 수천에서 수만 명에 이르는 군대가 내부도시inner city의 특정 외곽이나 더 큰 규모 도시의 확장된 교외 지역에 집중된 막사barrack에서 살았다. 막사 생활은 이론적으로 더 엄격해졌지만, 수도와 현성의 군인들을 도시 생활의 사치와 오락에 빠지지 않게 하는 데 열중했던 초창기 황제들이 정한 규칙들은 군인 가구가 민간인과 뒤섞여 사는 것을 허용할 정도로 유연해졌다는 의견도 있다.

불교와 도교의 성직자들은 모든 거주민의 삶에 중심이 되는 사원temple과 수도원monastery을 차지했다. 그들은 정기적 시장과 축제를 주최했고, 의례서비스를 제공했으며, 종소리로 시간의 흐름을 알렸다. 송 대와 원 대 종교 유적지들이 기록된 지명사전을 보면 통상적으로 도시마다 여러 사원이 있었음을 알 수 있다. 사원마다 수도사 수는 수십 명 또는 수백 명으로 추산되었으며, 수도사들은 중국 도시에서 중요한 사회세력이었다.

다양한 유형의 상인들은 도시의 일상 운영에 중추 역할을 했다. 쑤저우 같은 더 큰 규모의 도시들은 지역 간 교역에 적극적으로 참여하는 행상들과 여러 곳에 사업체를 소유한 대상인들을 끌어들였다. 이들 도시의 거리에는 현지인 소유의 작업장과 다양한 크기의 상점이 늘어서 있었으며, 옮겨 다니면서 노점을 설치하거나 식료품과 작은 물건을 판매하는 매점과 행상이 자주 방문했다. 상업적 허브들은 또한 부동산 소개인, 도매상, 중개인 같은 성장하는 계층의 근거지였다. 그들은 주거공간이나 저장공간을 임대하고, 지역 및 수입 상품과 서비스의 구매와 판매에서 중개인 역할을 했다. 이러한 서비스들은 여관에서 직접 제공하기도 했고, 혹은 여관이 중재를 통해 서비스를 받게 해줄 수도 있었다. 당 대 후반의 이야기들은 남녀는 물론 상하를 막론하고 이런 역할을 상상할 수 있었음을, 일부 중개인의 성공 사례는 그들이 살아가면서 모든 사업 기회를 시도해보았음을 시사한다.

장인은 진과 도시에서 많이 볼 수 있었다. 그들은 군인들과 함께 관영 작업장에서 근무했으며, 군사 장비, 인쇄물(책, 공문서 서식, 달력, 지폐), 세곡稅穀 수송용 선박 또는 해상 방어용 선박, 직물, 의례용 도구, 장식품 등을 만들었다. 중간 규모 및 대규모의 관영 작업장들 외에도 많은 수의 소규모 작업장, 종종 가족이 운영하는 작업장들이 도로와 골목에 분포해 있었다. 비단 직조공, 철공과 금속공, 신발 제조공, 타일 제조공, 목수, 건설 자재 공급자, 부채 제조공 등 상상할 수 있는 거의 모든 일상용품의 수요를 충족시켜주는 이들이 있었다.

이용가능한 증거로 미루어볼 때, 작업장은 산업 지역에 집적된 것이 아니라 공간적으로 비교적 분산되어 있었던 것 같다. 동일 사업 분야의 작업장은 원자재에 대한 접근과 같은 실용적 이유로 종종 같은 동네에 집중되었다. 일부 구역에는 특정 거래의 중요성을 표현하는 장소의 이름이 붙었다. 송 대와 원 대 사이에 쑤저우에 있었던 '유리병 생산 골목' '비단 가게 다리' '종이 회랑 골목' '짚신 다리'가 그 전형적 사례다.[18] 장인들은 생산에만 관여하지 않았고, 자신들의 제품을 소비자들에게 직접 판매하기도 했다. 타운과 도시는 특정 물품 생산에 특화되어 있었으며 그 예로는 청동 제품이나 도자기, 인쇄물, 직물 등이 있었다. 이러한 특화 장소는 제국과 해외의 다른 곳에서 필요로 하는 상품을 공급하는 중개인과 기업가들의 목적지향적 활동의 장소였다.

도시들은 부유한 가정, 관공서, 곡물창고, 작업장, 상점 등에 소속되어 이곳들의 일상적 방문객을 돕는 짐꾼들과 하인들의 무리로 붐

볐다. 예인들과 개별 예술가들로 구성된 극단들은 수도들인 카이펑과 임안臨安([지금의] 항저우)에서 놀랄 만큼 다양한 오락 선택지들을 제공했다. 13세기 중반에 항저우에는 20개 이상의 오락지구가 있었다. 이 장소들은 관객들이 이야기, 가무극, 음악 공연, 춤, 인형극, 그림자극, 곡예를 듣고 보는 극장, 원형경기장의 특성을 가졌다. 공연은 또한 거리, 음식점과 찻집 주변, 그리고 여성과 일부 남성 예인이 손님들에게 노래, 춤, 점잖은 시중, 성적 서비스 등을 대접하는 오락장에서도 열렸다. 오락업소 종사자 상당수는 공적 행사 때 서비스를 제공하기 위해 관청에 소속된 예인이었고, 그렇지 않다면 민간업자가 관리했다. 수도들에서의 오락이 송 대 도시문화에 대한 인식에서 계속해서 많은 부분을 차지하지만(오늘날 홍콩과 항저우의 송나라 테마파크에서 볼 수 있듯), 오락지구와 공적 공연공간은 대도大都[베이징], 핑양平陽, 둥핑東平, 정딩眞定[정딩正定], 후저우湖州, 위안저우袁州, 흥원興元[한중漢中], 쑤저우, 전장鎭江, 청두, 원주原州 등 송·금金·원의 많은 도시에도 있었다. 지역 특산품과 마찬가지로, 남과 북의 도시들은 지역 색채의 공연 스타일과 장르로 명성을 얻었다.[19]

이동(성)mobility은 모든 도시사회urban society의 계층을 특징짓는다. 학자들은 더 나은 교육의 기회를 찾고 지방 도시와 수도에서 과거를 보기 위해 이동을 했다. 관료들은 3년마다 정기적으로 교체되었고, 군인 가족들도 마찬가지로 교체되었다. 성직자들은 다른 수도원과 사원으로 이동을 했다. 상인, 판목 절단이나 조각 같은 전문적 기술이 있는 장인, 오락 공연단은 일을 찾거나 위탁을 받아 이곳저곳을 돌아다녔다. 짐꾼과 하인, 때때로 여성과 어린이가 다른 여행자와 동행하기도 했다.[20]

도시에서의 생활수준은 호화로운 것처럼 인식되었으며, 일부는 송 대 도시의 생활수준이 이후 세기와 다른 곳들과 비교해 상대적으로 높다고 추정했다.[21] 그럼에도 현대의 증거는 도시 인구의 대다수인 50~60퍼센트가 빈곤하게 살았고, 좋은 시기에는 겨우 먹고 살 수 있었으며, 수확이 나쁘거나 인플레이션이 발생하거나 추위가 닥쳤을 때 또는 전쟁 중에는 그렇게 할 수 없었을 것이라고 시사한다. 거리에 거지가 수백 또는 수천 명 있는 도시에서는, 가장 필요한 시기에 식량이나 옷을 나눠줄 때 관청이나 자선단체와 연락을 취할 수 있는 거지 왕초가 걸인들을 조직했다.

유사한 조직 구조가 다른 업종의 실무자들 사이에서도 채택되었다. 당 대 도시들에서는 같은 유형의 업종이 특정 시장 구역에 집중되어 있었으나, 사업체의 물리적 집중이 행회行會〔동업공회同業公會, 공회. 서양의 '길드'〕 형성으로 이어졌는지는 여전히 논쟁의 대상이다. 11세기와 12세기에는 행회에 대한 증거가 풍부하고 모호하지 않다. 항저우에는 빗, 보석, 모자, 장화 생산자 행회가 있었고, 생선, 쌀, 게, 닭, 포도주, 채마, 골동품을 포함한 모든 종류의 거래 품목별 상인 행회가 있었다. 행회의 대표는 도매상 및 원거리 교역상에게 고정 가격을 책정했고, 행회 회원이 정부에 물품과 서비스를 공급해 비정규적 부역의 의무에서 벗어날 수 있게 해주었다. 상인들은 부당 이득 행위와 정부의 직접적 간섭에 대항하기 위해 행회의 보호에 동참할 것으로 예상이 되었고 그 보호로부터 혜택을 받았을 수도 있다. 그러나 현지 엘리트와 지방정부의 상호작용으로 번성했던 단체로서 행회는 부패 관료들과 유착했다는 혐의 또한 받았다.[22]

여타 유형의 삶의 도전에 대한 보호는 정부가 운영하는 다양한 복지 제도로부터, 개인적으로, 또는 현지 엘리트와 공무원의 합작 투자로 제공되었다. 쑤저우에는 노인과 버려진 여성과 아이들처럼 특별하게 보호해야 하는 집단의 사람들을 위한 숙소, 도움이 필요한 사람들에게 무료 약을 제공하는 약국, 여유가 없는 사람들에게 무료 관棺을 제공하는 자선단체가 있었다. 다른 도시들에도 비슷하게 의원·약국·보육원이 있었고, 이는 공공정책에 의해 위임되었거나 거주민들의 기부금으로 설립되었다. 이러한 기관들은 몇몇 경우에 그 유지가 짧았지만, 많은 증거 자료는 그곳들이 계속해서 건설되고, 재건되고, 논의되었다는 점을 시사한다.[23] 오늘날과 마찬가지로 사회복지는 수요가 항상 공급을 앞지르는 분야 중 하나였다는 점에 전혀 의심의 여지가 없다. 하수구 체계와 규칙적 간격으로 큰 물통을 배치하는 형태의 화재 예방은 공중보건과 안전에 도움이 되었다. 항저우에서는 위생노동자들이 매일 들러 사람들이 버린 쓰레기를 수거하고 쓰레기통을 비웠다고 전해진다. 수도들에는 치안기관들이 도시 전역에 분산되어 있었고, 적은 수의 공안요원이 더 적은 수의 관할 구역 치안판사를 보조했다.

중세 중국의 도시화와 도시사회의 역사는 선형線形적 경로linear path를 따르지 않았다. 인구성장population growth은 많은 지역에서 나타났으나, 같은 지역들은 물론이고 다른 곳들에서 인구 감소가 나타나기도 했다. 한때 중세 세계에서 가장 큰 규모의 도시의 하나였던 카이펑은 1130년대 이후 침체에 빠졌고 다시는 옛 명성을 되찾지 못했다. 해안의 취안저우는 이 기간 내내 외국 상인의 도착, 지역경제, 정부 특권에 따라 확장 및 축소 주기를 겪었다. 취안저우는 고도로 상업화한 도시

체계의 핵심으로 등장한 이후, 13세기 전반기에 침체를 겪었지만 몽골 통치기에 회복되고 마르코폴로Marco Polo의 여행기에 실려 외국 상인들에게 깊은 인상을 남겼다.* 푸젠성의 팅저우汀州와 같은 일부 원도심은 눈부신 성장을 이루었으나, 원도심의 높은 인구밀도는 그 배후지인 농촌과 산악지대의 인구 감소에 따른 결과였다.

도시공간의 변화

인구성장, 상업화, 노동의 다각화, 이동(성)은 도시공간의 점진적 변화와 맞물려 발생했다. 상업 활동에 대한 공간적·시간적 제약의 점진적 완화, 성벽으로 둘러싸인 분산적 구역 체계의 붕괴와 비非분리적 도시 지구urban district로의 대체, 교외 스프롤suburban sprawl〔무분별한 확장〕, 주거용 또는 상업용 다층 구조물의 건립 등이 7세기와 13세기 사이에 존재했던 지배적 왕조들의 수도 역사에서 가장 명백한 특성이었지만, 유사한 개발이 또한 중국 전역에서 도시의 성장을 특징지었다.

한나라 장안 황궁의 지배적 요소와는 대조적으로, 6세기 후반과 7세기의 재건 이후 당대의 목격자들은 같은 수도를 바둑판처럼 묘사했다. 당나라 시대에 장안은 110개의 〔관설의 도시 시장인〕 방시坊市로 세분되었는바 곧 동서 14개 도로 및 남북 11개 도로와 성벽이 있는 직사

* '취안저우'는 중세 서양에서 자이톤Zayton, Zation(또는 자이툰Zaitun, 한자어로는 자동刺桐)으로 알려졌다.

각형 모양의 동네들로 구성되었다. 중국의 초기 도시를 다룬 이 책의 6장에서 언급된 고전적 모델에서와 마찬가지로, 도시의 중심 도로들은 성벽의 한쪽 끝부터 반대쪽 성벽까지 직진 형태로 곧장 뻗어 있었다. 더 작은 차선과 골목들은 각 구역을 격자처럼 세분화했다. 구역에 대한 접근은 경비용 출입문을 통해 이루어졌으며 공공질서 유지를 쉽게 하도록 통행 금지 시간대가 있었다. 당대의 방문객들은 귀족 가족들과 고위 관리들이 북동부 지역의 유행하는 구역에 모여 살았다며 구역 체계 내부의 사회적 분리 현상을 기록으로 남겼다. 다른 한편, 평민들과 중앙아시아계 주민들은 서쪽의 더욱 작고 밀집된 동네에 살았을 가능성이 더 컸다.[24]

새 수도(장안)에서는 점점 더 증가하는 주민들이(한 왕조 시기 20만 명에서[8장 참조] 당 왕조 시기 100만 이상으로 증가했다) 이에 비례해, 규모가 커지는 도시의 더 큰 면적을 차지하고 있었다(8분의 7로 추산). 그럼에도 행정구역의 중심성과 그 권위적 위치는 도시계획 및 건축경관에서 명확하게 구현되었다. 장안의 가장 인상적인 도로는 주작대가朱雀大街로 길이 5킬로미터에 폭이 155미터였다. 이 도로는 제국도시와 황궁도시 palace city의 중앙 남문으로 곧장 이어졌으며 도시를 대략 대칭적인 동-서 두 부분으로 나누었다. 장안의 광대한 주거공간에 있는 주택의 대부분은 행정구역을 둘러싼 10미터 높이의 성벽과 이보다 더욱 높은 성문 탑으로 인해 왜소해 보였다. 도시를 재현한 오늘날의 모형은 행정구역의 성벽 너머 궁궐 구조물의 거대한 비율에 대응하는, 높이가 각각 45미터와 64미터에 달했던 소안탑小雁塔과 대안탑大雁塔 같은 종교적 랜드마크가 곳곳에 자리한 약 84제곱킬로미터의 일반적으로 평평한 도시경관urban landscape을 상상하게 해준다.

장안은 특히 국내외에서 시장으로 잘 알려져 있었다. 중국 당나라 무역상과 중앙아시아 및 서아시아의 무역상을 연결해주는 실크로드silk road 끝부분의 한 곳에 자리한 장안은 아시아 대륙 전역에서 모인 상품, 유행, 정보를 팔고 사는 데 열심인 사람들의 모임 장소였다. 두 개의 주요 시장인 동시東市와 서시西市(국제시장 성격)는 행정구역의 남쪽 주 변부를 가로지르는 주요 도로의 바로 남쪽과 주작대가의 대칭적 반대 편에 자리했다. 시장은 큰 구역 크기의 2배 정도였고, 출입문 성벽으로 비슷하게 둘러싸여 있고 교차하는 거리와 차선의 격자망을 통해 블록들로 세분되어 있었다. 거리와 골목에는 고기, 찐빵, 질 낮은 비단, 달력 등 매우 기본적인 것부터 코뿔소 뿔, 거북 딱지, 인삼 등 먼 곳에서 운송된 사치품에 이르기까지 거의 모든 것을 판매하는 다양한 크기의 상점들이 가득했다. 장안의 시장은 배달 운송 및 숙박에서부터 문헌 필사, 애도 및 오락에 이르기까지 주민과 방문객에게 여러 서비스를 제공했다. 최초의 찻집도 문을 열었는데, 차는 요전에야 더 널리 사랑받는 음료가 되었다. 공정한 거래 기준을 유지하고 거래 시간(정오부터 일몰 1시간 45분 전) 준수를 강화하기 위해 모든 거래와 활동은 시장 관리자와 그 직원들의 감독을 받았다.

우주론적 의미를 반영하고 천자天子와 그의 궁정의 우월성을 유지하도록 계획도시planned city가 설계되었으나 엄격하게 시행되지는 않았다. 거래는 항상 일부 구역 내에서 이루어졌으며 시간이 흐르면서 더 많은 거래 장소가 생겨났다. 상업 활동은 황궁 정문 바로 바깥에서 활발했고, 주요 고객은 관리들과 황제의 거물급 수행원들이었다. 다른 교통의 노드들 또한 거래의 중심지가 되었다. 여기에는 장안 거주민에게 공급하기 위해 제국 전역으로부터 식량이 도착하는 외부도시의 성벽 출입문과 주요 곡물창고가 포함되었다.[25] 애초 자신의 주택 정면이 구역의 길과 골목을 향해 있던 진취적 개인들은 주요 도로에서 사업을 시작하거나 더 넓은 경관을 보기 위해 일부 외벽을 허물었다. 상거래가 구역에서 거리로 넘쳐나면서 역대 정부들은 이와 같은 현상을 막을 수 없음을 인정하게 되었는바, 장안의 넓은 도로와 거리는 상인과 주민에 의해 잠식당해 일부를 소실했고 또 일부는 유감스럽게도 그 웅장함까지도 사라져버렸다.

10세기 후반부터 외국 사절과 해외 상인이 새 수도 카이펑에 도착했을 때 이제 그들은, 초기 당 궁정의 방문자들이 그랬던 것처럼 텅 빈 넓은 대로와 구역 건물 성벽 뒤편 일상생활의 불가시성invisibility이 아니라, 상점과 성벽 없는 동네들을 연결하는 더 좁은 거리가 도시공간의 지배적 특징이 된 개방적이고 완전히 정방형은 아닌 도시 배치에 감명을 받았을 것이다. 카이펑의 행정 관청 중심지 규모는 당나라 장안의 그것과 견주어 훨씬 축소되었다. 현대의 추정에 따르면, 황궁 구역은 규모는 더욱 작아졌고 당나라 장안 궁전 구역의 10분의 1만을 차지했다고 한다. 카이펑은 도시계획의 고전적 이상과 도시개발urban development의 현실 사이 불일치를 심화시키는 사회경제적 변화의 징후를 드러냈다. 중국 제국의 역사에서 수도 역할을 한 9개 도시 가운데 카이펑은 경제적 이유로 많은 부분에서 맨 먼저 선택되는 도시였다.

황허 평원에 자리한 카이펑은, 산으로 둘러싸여 있고 강으로만 접근이 가능했던 장안과는 달리, 군사 전략적 관점으로만 보자면 의구심이 드는 선택이었다. 황허와 대운하가 합류하는 지점의 근처에 위치하는 이곳은 남동부의 경제 호황을 송 제국에서 덜 번창한 중부와 북부로 연결하는 상업 네트워크의 중심 노드였다. 논의를 거친 이후에, 송 초대 황제〔북송 태조 조광윤趙匡胤(재위 960~976)〕는 카이펑이 궁정과 주둔 군대에 물품 공급을 보다 용이하게 해줄 수 있다는 실용적 입장을 주장한 대신들의 편을 들었다.[26]

타협은 앞서 언급한 것 이상으로 확대되었고, 또한 상업 활동에 대한 제한 완화와 상업 활동의 도시공간 전역으로의 분산을 특징으로 하는 새 도시체제urban regime의 등장으로 이어졌다. 구역들은 명칭에서 여전히 존재했으나 더는 거주민들의 왕래를 통제하는 대칭적으로 배열된 진영으로 보이지 않았고 그렇게 기능하지도 않았다. 마찬가지로, 상업 활동은 더는 공식적으로 지정되고 통제된 시장 지역이나 시간이 지나면서 장안에 개설된 소수의 추가적 장소에 국한되지 않았다. 카이펑 거리는 이러저러한 종류의 상인과 행상이 24시간 내내 각자의 물건을 팔고 민간의 다층건물이 급증하는 공공장소가 되었다. 기존의 시장들뿐만 아니라 도시 전역의 광장과 길모퉁이에서 시장이 새로 생겨나기도 했다. 육류시장이나 마馬시장과 같이 특정 상품만을 전문으로 하는 더 작은 규모의 시장이 특정 장소에서 열리면서 판매자와 고객이 그곳으로 몰렸다.

오늘날의 중국 북부에서 성장한 여진족 군대에 점령된 이후 수도의 명소를 회상한 북송의 사람들에게 카이펑은 무엇보다도 오락의 도시였다. 24시간 운영된 것 말고도, 카이펑은 최고의 음식점과 선술집〔주점〕tavern을 제공했다. 일부 다층건물인 식당과 술집이 수천여 개나 있었으며 송 제국 전역에서 온 재료로 진미를 선보였다. 오락지구에서는 사창업소와 수십 개 극장이 운영되었고 희극인, 이야기꾼, 악사, 무용수, 인형극 하는 이들을 위한 공연 장소를 제공했다. 장안에도 몇몇 구역에 오락지구가 있었고 몇 개의 불교 사찰 경내에 극장들이 있었으나, 송나라 수도의 유사한 장소 수십 곳들과는 대조적이었다고 말해진다. 당대當代 도시문학을 통해 오락업의 확장과 전파가 고객의 다양화와 병행되었음을 확인할 수 있다. 오락지구 방문객들은 여전히 수도의 행정 및 문화 엘리트들이었으나, 다른 도시 주민들과 벼락부자의 모험을 다룬 이야기들은 무역상, 중개인, 유동적 인구의 이동(성)이 새롭게 획득한 명성과 영향력을 증언해준다.[27] 그와 같은 오락은 황제와 평민 모두가 즐겼다.

송 제국 행정부는 부동산을 잃었으나 존재감을 얻었다. 정부의 관청들은 도시 전역의 행정 중심지에 분산되었다. 정부 관료들뿐만 아니라 황제와 그 수행원들 또한 연례 축제, 종교 행사, 도시 오락의 눈에 띄는 참여자들이었다. 황실의 거리 행렬procession은 언제나 신비주의적 의미를 띠었고 잠재적으로 강력한 합법적 공권력의 존재를 입증했다. 그러나 11세기 이후에 행렬에는 또 다른 중요성이 추가되었다. 행렬에 참여하는 공무원과 학자의 수가 늘어나는 것이 황제의 덕성과 신민에 대한 애정을 내보이는 것으로 여겨졌기 때문이다.

인구성장은 수 세기도 전에 지방의 성곽도시walled city로 시작된 카이펑·항저우 등과 같은 도시에서 사회적 긴장과 환경의 압박을 악화시켰다. 카이펑의 경우, 처음에는 수만 명의 관리와 더 많은 수의 군인 가족을 수용하기 위한 성곽이 새로 만들어졌다. 그러다 팽창된 내부 도시가 거대도시metropolis에서 일하고 살아가는 수십만 명의 인구를 더는 수용할 수 없게 되자, 큰 교외지구suburban district가 추가로 개발되었다. 최근의 한 추정에 따르면, 11세기 중반까지 카이펑의 총인구는 9개 교외지구에서 거주한 30만~40만 명을 포함해 140만 명에 달했던 것 같다.[28] 카이펑의 인구밀도와 지속적인 매력은 높은 부동산 가격 및 부유하고 권력이 있는 사람들에 의한 미심쩍은 부동산 전유로 이어졌다. 이러한 몰수는 반드시 해결되어야 할 문제로 비판받은 것 가운데 하나였는바 "이것은 번영의 시기에 특히 부적절하다"는 이유에서였다.[29] 항저우에서는 12세기 중반부터 13세기 중반까지 인구가 약 50만 명에서 100만 명으로 증가했는데,[30] 이 도시에서는 주민들이 자신의 주택을 건설하기 위해 자체적으로 운하와 다른 수로들을 메우기 시작하면서, 부윤府尹들이 장안에서 경험했던 것 이상으로 부동산 침해 현상이 악화되었다. 지방정부는 수로 침범이 야기하는 교통문제, 화재 발생 시 사용가능한 수자원 부족 및 유적지 훼손 등으로 이어진 지역 내 다른 도시들의 경우를 감안해 이러한 흐름과는 반대로 옛 하천을 복원하려고 했다. 그러나 이와 같은 경향을 멈추기가 어려웠고 결국 13세기 중반까지 항저우의 여러 개 하천이 메워졌다.[31]

주변부 도시들은 당·송 전환기와 그 이후 시기 도시화의 다양화와 이상적 도시 원형의 지속성 모두를 알려준다. 수백 개의 요새화한 정주지는 11세기에 사방에서 방어 및 공격 모두의 필요에 따른 군사적 계획의 일환으로 건설되었다. 송 왕조의 노력은 서하西夏 군대가 수백 개 요새화한 정주지를 건설한 황투고원黃土高原(대략 산시山西, 닝샤寧夏, 산시陝西, 간쑤甘肅, 칭하이青海성과 내몽골 일부)에 도시 방어망을 건설하는 것에 초점을 맞추었다.

고고학자들은 국경 정주지들이 중국의 중간 규모 도시의 이상적 모습을 복제했다고 주장하는바, 곧 소수의 도시 출입문들이 도시를 별개의 기능적 부분으로 나누는 주요 도로로 연결되는 형태다. 국경 정주지들은 국경에서 멀리 떨어져 있는 도시나 타운과 비슷한 규모를 보이는 경향이 있었고 일반적으로 수천 명의 군인을 수용했다. 군인과 이들의 군사적 임무가 도시 배치와 삶을 지배했음에도, 세금 기록에 따르면 그들 가운데 많은 수가 국내 및 국경 너머의 무역에 적극적으로 종사하고 있었다. 따라서 무역 활동의 여지가 큰 보다 유연해진 도시체제가 북쪽의 인위적 도시 기반 네트워크까지 도달한 것으로 보인다. 그러나 중도中都(여진 금나라 수도)와 대도(몽골 원나라 수도)에서[32] 계획도시 이상의 구현과, 산시陝西 북부와 칭하이 동부에서 발견된 모든 요새화한 정주지가 견고한 정방형 벽을 자랑했다는 사실은 완벽하게 닫힌 정방형에 결합한 이상적 도시계획의 지속적 중요성을 강력하게 강조하고 있다. 도시 주민들은 더는 고전적 이상과 일치하는 도시에 살지 않았으나, 도시계획자들의 착상에 대한 계속된 유지는 주변부의 도시들에서뿐만 아니라 지방지地方誌들과 백과전서들에서 재현되어 뚜렷한 발자국을 남길 도시의 이상적 계획안에서도 입증된다. 당대의 도시계획 안들은 현대의 독자들을 과거 도시 생활의 현실로 들어가는 관문이 아니라 오히려 그것이 표상하는 이러저러한 문화적 산물로 안내한다.[33]

결론

7세기와 14세기 사이에 중국에는 세계에서 가장 큰 규모의 도시들은 아니더라도 가장 큰 규모의 도시 중 몇 개가 있었다. 중국 사회는 중세 시대에 가장 도시화한 사회의 하나이기도 했다. 여러 도시가 수십만 명의 인구를 가지고 있었고 몇몇 도시는 인구가 100만 명이 넘었다. 중국의 남부와 북부 모두에서는 인구가 수만 명인 대규모 및 중간 규모의 도시들이 증가했는바, 새 타운들은 주로 군사적 이유로 먼저 등장했고 11세기 이후부터는 점점 더 생산·교통·소비 네트워크를 확장하는 노드로 부상했다. 도시 가구의 전체 비율은 농업 제국이 계속된 지역에서는 낮았으나(5~10퍼센트), 일부 지역에서는, 특히 양쯔강과 남동부 해안을 따라서는 30~40퍼센트에 이르렀다. 남부로의 인구 이동, 농산품과 공산품의 지역적 특화 발달, 지역 간 그리고 서로 다른 문화 간 교역, 상업 개발에 대한 중앙과 지역 정부 및 도시 거주민들의 적극적인 참여가 모두 '도시혁명'에 한몫을 했다.

도시 내에서는 초기 왕조로부터 물려받은 구역체계가 점차 붕괴하고 사업 및 오락에 대한 공간적·시간적 제한이 완화되었다. 사회복지적, 종교적, 교육적, 문화적 장소의 집중은 사업 및 오락과 함께 도시공간을 정의하는 특성이 되었다. 도시는 자치권은 없었으나 그 특수성은 정부 정책에서 인정을 받았다. 도시 생활은 또한 다양한 문헌적, 시각적 담론의 대상이었다. 인쇄된 지도나 돌에 새겨진 지도는 행정 도시administrative city의 이상을 묘사했다. 노래, 연극, 도시 회고록, 또는 다양한 비망록notebook의 증가는 특정한 도시들의 서로 다른 측면, 서로 다른 경험, 서로 다른 해석을 제시했다. 도시공간의 확장은 도시에 대한 문헌 확장으로 큰 주목을 받았지만, 사회경제사와 달리, 중세 중국 도시의 문화사와 정치사는 여전히 많은 부분이 미개척 상태로 남아 있다.[34] 아마도 이것이 유럽과 중국 중세 도시 사이 가장 큰 차이점의 하나로 보인다. 중국 사회가 가장 도시화한 중세 사회였음에도 중국의 도시들은 유럽의 도시들보다 연구가 덜 되었다. 향후 중국 역사학자들의 연구가 더 넓은 범위의 도시, 문화 생산과 도시 사이 관계, 도시고고학urban archaeology으로 눈을 돌리면 도시의 지구사 속 불균형을 해소하는 데 도움이 될 것이다.[35]

주

1 Li Tao, *Xu "Zizhi tongjian" changbian* (Beijing: Zhonghua Shuju, 2004), 394.9611-9612. 인용 출처는 Umehara Kaoru, "Sōodai no kotōsei o megutte", *Tōhō gakuhō*, 41 (1970), 378. Liang Gengyao, *Songdai shehui jingji shi lunji* (Taibei: Yunchen wenhua, 1997), 592-618; Mark Elvin, *The Pattern of the Chinese Past* (Stanford: Stanford University Press, 1973), 164-178.

2 강남江南〔장강〔창장강〕 이남〕 도시들에서 성벽 건축의 부침에 대해서는 Shiba Yoshinobu, *Songdai Jiangnan jingji shi yanjiu* (Nanjing: Jiangsu Renmin, 2001), 291-321. 화이허淮河 지역의 가난한 성들의 도시 성벽에 대한 13세기의 묘사에 대해서는 Hua Yue, *Cuiwei nanzheng lu, beizheng lu he ji* (Hefei: Huangshan Shushe, 1993), 172-173.

3 G. William Skinner and Hugh D. R. Baker, eds., *The City in Late Imperial China* (Stanford: Stanford University Press, 1977), 24-27.

4 이 노선을 따르는 명 대 도시사의 확장된 분석에 대해서는 Pei Si-yen, *Negotiating Urban Space: Urbanization and Late Ming Nanjing* (Cambridge, Mass.: Harvard University Asia Center, 2009).

5 Shiba, "Urbanization and the Development of Markets in the Lower Yangtze Valley", in John Winthrop Haeger, *Crisis and Prosperity in Sung China* (Tucson: University of Arizona Press, 1975), 16-18.

6 Wu Songdi, Nan Song renkou shi (Beijing: Renmin, 2008), 97; Liang, *Songdai shehui jingji*, 496; Liang Fangzhong, *Zhongguo lidai hukou, tiandi, tianfu tongji* (Shanghai: Shanghai Renmin, 1980), 121, 230. 가구에서 인구수로의 전환에 대해서는 Wu, Nan Song renkou, 105-114, Kubota Kazuo, *Songdai Kaifeng yanjiu* (Shanghai: Shanghai Guji, 2010), 90-97.

7 Liang, *Songdai shehui jingji*, 507-37; Elvin, *The Pattern of the Chinese Past*, 175-6; Shiba, "Urbanization and the Development of Markets", 20-23; Liu Guanglin, "Wrestling for Power: The State and Economy in Later Imperial China 1000-1770" (PhD dissertation, Harvard University, 2005), 200.

8 Chen Guocan and Xi Jianhua, *Zhejiang gudai chengzhen shi yanjiu* (Hefei: Anhui Daxue, 2000), 173-181; 송 대 초시草市 목록에 대해서는 Fu Zongwen, *Songdai*

caoshi zhen yanjiu (Fuzhou: Fujian Renmin, 1989).

9 Qi Xia, *Songdai jingji shi* (Shanghai: Shanghai Renmin, 1987), 406.

10 Qi Xia, *Songdai jingji shi*, 443-444.

11 Dieter Kuhn, *The Age of Confucian Rule: The Song Transformation of China* (Cambridge, Mass.: Harvard University Press, 2009), 248.

12 Billy So, *Prosperity, Region, and Institutions in Maritime China: The South Fukien Pattern, 946-1368* (Cambridge, Mass.: Harvard University Asia Center, 2000), 142.

13 Liu, "Wrestling for Power", 230-231.

14 Skinner, *The City in Late Imperial China*, 24; Elvin, *The Pattern of the Chinese Past*, 170-171; Shiba, *Songdai Jiangnan*, ch.3; So, *Prosperity, Region, and Institutions*, ch.6.

15 So, *Prosperity, Region, and Institutions*, 138-139.

16 Ibid. 62-67.

17 Liang, *Songdai shehui jingji*, 553.

18 Ibid. 452.

19 Ibid. 613-616; Wilt Idema and Stephen H. West, *Chinese Theater, 1100-1450: A Source Book* (Wiesbaden: Steiner, 1982).

20 송 대의 이동(성)에 대해서는 Zhang Cong, *Transformative Journeys: Travel and Culture in Song China* (Honolulu: University of Hawaii Press, 2010).

21 Liu, "Wrestling for Power", 197-204.

22 Kuhn, *The Age of Confucian Rule*, 209-10; Quan Hansheng, *Zhongguo hanghui zhidu shi* (Taibei: Shihuo, 1978); Liang Guoying, "Lue lun Songdai chengshi gongshangye hanghui de xingcheng", *Dezhou xueyuan xuebao*, 20, no.5 (2004): 37-40; Wei Tian'an and Dai Panghai, *Tang Song hanghui yanjiu* (Zhengzhou: Henan Renmin, 2007).

23 Liang, *Songdai shehui jingji*, 444-445.

24 이 부분은 일부 다음에 의존하고 있다. Hilde De Weerdt, "Les centres du pouvoir impérial: les premières capitales de la Chine", in Jean-Paul Desroches and Ilse Timperman, *Fils du ciel* (Brussels: Mercatorfonds, 2009), 98-115.

25 Ning Xin, *Tang Song ducheng shehui jiegou yanjiu: Dui chengshi jingji yu shehui de*

guanzhu (Beijing: Shangwu Yinshuguan, 2009), 211-316.

26 Kubota, *Songdai Kaifeng*, ch.1.

27 Ning, *Tang Song ducheng*, 133-150.

28 Kubota, *Songdai Kaifeng*, 109.

29 Zhao Ruyu, *Song mingchen zouyi*, Siku quanshu edn. (vols. 431-2) (Taipei: Taiwan Shangwu Yinshuguan, 1983), 100.17b. 인용 출처는 Kubota, *Songdai Kaifeng*, 81; West, "The Confiscation of Public Land in the Song Capital", *Journal of the American Oriental Society*, 104, no.2 (1984), 321-325.

30 Liang, *Songdai shehui jingji*, 510-517.

31 Ibid. 544-547.

32 Nancy Shatzman Steinhardt, *Chinese Imperial City Planning* (Honolulu: University of Hawaii Press, 1990), 148-160.

33 Steinhardt, *Chinese Imperial City Planning*, 138-147.

34 Stephen Wes), Christian de Pee, Ari Levine의 과거 논문들과 집필 중인 단행본들은 송 대 도시들의 문화사에 대한 우리의 이해를 바꾸게 해줄 것이다.

35 송 대 도시사에 관한 중국과 일본 학자들의 최근 경향에 대한 검토에 대해서는 Wu Songdi, "Tairiku Chūgoku ni okeru Sōdai toshi shi kenkyū kaiko (1949-2003)", *Ōsaka shiritsu daigaku tōyōshi ronsō*, 14 (2005), 19-50; Hirata Shigeki, "Songdai chengshi yanjiu de xianzhuang yu keti", in Xin Deyong and Nakamura Keiji, *Zhong-Ri gudai chengshi yanjiu* (Beijing: Zhongguo Shehui Kexue Chubanshe, 2004), 107-127; Yang Zhenli, "Jin ershiwu nian lai Songdai chengshi shi yanjiu huigu (1980-2005)", *Taiwan shida lishi xuebao*, 35 (2005), 221-250.

참고문헌

Benn, Charles D., *Daily Life in Traditional China: The Tang Dynasty* (Westport, Conn.: Greenwood Press, 2002).

Elvin, Mark, *The Pattern of the Chinese Past* (Stanford: Stanford University Press, 1973).

Gernet, Jacques, *Daily Life in China on the Eve of the Mongol Invasion, 1250-1276* (Palo

Alto: Stanford University Press, 1970).

Heng, Chye Kiang, *Cities of Aristocrats and Bureaucrats: The Development of Medieval Chinese Cityscapes* (Honolulu: University of Hawaii Press, 1999).

Kuhn, Dieter, *The Age of Confucian Rule: The Song Transformation of China, History of Imperial China* (Cambridge, Mass.: Belknap Press, 2009).

Liang, Gengyao, *Songdai shehui jingji shi lunji* (Taibei: Yunchen, 1997).

Shiba, Yoshinobu, *Songdai Jiangnan jingji shi yanjiu* (Nanjing: Jiangsu Renmin, 2001).

Skinner, William, ed., *The City in Late Imperial China* (Palo Alto: Stanford University Press, 1977).

So, Billy, *Prosperity, Region, and Institutions in Maritime China: The South Fukien Pattern, 946-1368* (Cambridge, Mass.: Harvard University Asia Center, 2000).

Steinhardt, Nancy Shatzman, *Chinese Imperial City Planning* (Honolulu: University of Hawaii Press, 1999).

Thilo, Thomas, *Chang'an: Metropole Ostasiens und Weltstadt Des Mittelalters 583-904* (Wiesbaden: Harrassowitz, 1997).

Xiong, Victor Cunrui, *Sui-Tang Chang'an: A Study in the Urban History of Medieval China* (Ann Arbor: Center for Chinese Studies, University of Michigan, 2000).

제17장

중국: 1300~1900년

China: 1300-1900

윌리엄 T. 로

William T. Rowe

힐데 드 위어트가 앞 장에서 언급한 것처럼, 1300년까지 중국은 세계에서 가장 큰 규모의 도시들 가운데 몇 곳을 가지고 있었고, 분명 세계에서 가장 도시화한 사회였다. 이러한 도시들은 정치적 체제를 포괄하는 '자치권autonomy'이 없었고 또한 이를 명시적으로 추구하지도 않았지만, 약간의 실용적인 공동체적 자체 관리를 누렸다. 명明(1368~1644)과 청淸(1644~1911) 제국에서 중국의 도시사는 이와 같은 발전을 특별한 방식으로 계속했다. 시골countryside의 눈부신 상업화commercialization는 도시화urbanization에 기여했는바, 진鎭의 확산과 성장으로 도시위계urban hierarchy의 하위 부분에서 그러했다. 원거리 국내무역domestic trade〔국내에 있는 외국인과 거래하는 무역. 내국무역〕에 관여하는 현지 출신 집단의 내부 디아스포라internal diaspora의 증대는 더 많은 범세계적cosmopolitan 도시 인구를 형성했고 도시문화의 혁신에 공헌했다. 그리고 훨씬 더 복잡한 도시사회urban society와 도시경제urban economy는 민간 결사체 및 준準공공 결사체 모두의 건축물 증가라는 거대한 물결을 낳았고, 도시민의 자체 관리 능력을 크게 높였으며, 궁극적으로는 도시사회와 도시경제가 국가와 무관하다는 인식에 한몫했다.

프롤로그: 명 대 초기

근대 중국의 민족주의 거대서사는 몽골 원原(1279~1368) 왕조를 중국 역사의 블랙홀이자, 특히 당·송 왕조의 도시 성취에 역행한 극적인 후퇴의 시기로 오랫동안 묘사했다. 리처드 폰 글란Richard von Glahn과 최근의 여러 연구는 이와는 다르게 14세기 대부분의 시기에 〔중국의〕 도시가 더 번영했음을 제시한다. 도시들, 특히 해안〔연안〕을 따라 나 있는 도시들은 사유재산을 유난히 옹호하고 해상무역을 장려하는 정책에 자극을 받아 발전했다. 폰 글란이 결론짓듯, "강남江南〔장강(창장강) 이남〕에서 도시와 상업 발전의 진정한 단절은 크게 비난을 받아온 몽골의 통치 아래에서가 아니라 오히려 명 대 초기에 독재적 통치로 다시 돌아간 이후에 일어났다."[1]

명 대 초기는 실제로 중국의 도시-상업 성장에 결정적 차질을 빚은 시기다. 명 왕조를 개창한 태조 주원장朱元璋〔홍무제洪武帝〕은 자신의 봉기에 반대했던 양쯔강〔장강(창장강)〕 하류 지역의 상거래 가문mercantile lineage들에 큰 반감을 품고, 최대한 신속하게 그 세력을 체계적으로 파괴해 그 구성원들을 장인이나 천한 노동 제공자로 전락시켰다. 1371년, 그는 적어도 단기적으로, 이전에 번창했던 많은 연안항coastal port을 유지하게 해준 연안무역 및 동남아시아와의 무역을 심각하게 제한하는 해금海禁을 제도화했다.* 현물과 노동 서비스에 대한 전반적인 과세 관행은 상업에 효과적인 반유인反誘因, disincentive을 제공했다.

초기 명 대 사회는 세밀하게 규제되었다. 인구는 세습 직업군으로 나뉘었는데, 처음에는 그 부류(의사, 학자 등)가 많았으나 곧 빠르게 3개로 줄어들었는바, 군적軍籍 · 장적匠籍 · 민적民籍이 그것들이다. 이들 각각은 별도의 중앙정부 기관의 통제 아래 있었고, 서로 구분되는 세금 납부와 부역 의무가 있었으며 가능한 한 주거가 분리되었다. 정부에 의한 대규모의 인구 재배치는 있었을지라도 개인 여행은 대부분 금지되었다. 평민들은 이갑里甲 체계에서 소규모 세금 부과 및 상호 책임 단위에 배정되었고, 일반적 상황에서는 이 단위를 떠날 수 없었다.** 전문 상인들은 예외였는데, 제국 전역을 돌며 물품을 옮겨야 할 필요성을 인정받은 것이었지만 세밀한 감시를 받았다. 그들은 집을 떠나서는 반半관영 여관에 머물면서 등록을 해야 했으며 그 기록은 매월 지방 공무원에게 제출되어 검사를 받았다. 요약하면, 직접적 이동(성)mobility 및

* '해금'은 명 대 초기 주원장이 민간의 해상교역을 금지하고 공인된 조공선을 제외한 해외무역을 제한한 정책이다.

** '이갑'은 중국 명나라 때 주원장이 시행한 부역법賦役法과 그에 따른 촌락의 자치적 행정 조직이다. 110호戶를 1리里로 하고 그중 부유한 10호를 이장 호里長戶로, 나머지 100호를 갑수 호甲首戶라 하여 10갑甲으로 나눈 데서 '이갑'이라 했다. 이장과 갑수가 조세 징수, 호적 관리, 치안 유지 등을 맡아보았다.

지리적 이동성이 명 대 초기 몇몇 황제의 통치기에 상당히 성공적으로 방지되었고, 이는 시장 주도의 상업 개발과 도시화 또한 마찬가지였다.[2]

명 대 초기의 가장 중요한 도시 혁신은 난징과 베이징이라는 두 제국 수도의 건설이었다. 명 태조의 도시 난징의 성장에는 자발성이 전혀 없었다. 그는 1356년에 도시를 처음 점령한 지 20년 만에, 원 대에 아마도 인구 10만여 명의 미미한 현성 도시를 인구 100만 명 이상의 황실 수도로 탈바꿈시켰다. 태조의 지휘하에 건설업자들이 새 궁전 구역, 하늘과 땅에 제사를 지내는 대사전大祀殿, 황실 조상들의 사원, 오늘날에도 남아 있는 "도시 성곽으로 둘러싸인 가장 큰 규모의 공간, 게다가 중국에서 가장 높고, 길고, 넓고, 단단하며, 가장 인상적인 도시 성곽"을 건설했다. 도시는 격자형의 행정적 구역으로 구분되었고 거주지는 직업별로 할당되었다. 원나라가 붕괴하던 당시에 태조의 권력 경쟁자 가운데 한 명을 지지했던 기존 인구는 말라리아가 창궐하던 남서부로 추방되었고, 새로운 인구가 그 자리를 채우기 위해 차출되었다.

명 대 초기 난징은 1만 5000명의 중앙정부 공무원과 사무원, 약 8500명의 유급有給 학생, 많게는 20만 명의 군인 등 국가가 고용한 이들의 힘에 지배당했다. 급증하는 도시 인구를 부양할 식량은 주로 시장에 의해서가 아니라 명령이라는 방법을 통해 제공되었다. 제국 전체에서 가장 생산적인 농업 지역의 하나인 양쯔강 하류 주변 현은 조세 수탈의 대상이 되어, 심지어 가장 부유한 가구도 영구적 세금 체납 상태에 빠졌고, 이는 수 세기 이후까지도 여전히 문제가 되었다. 명 대 마지막 세기에 난징은 지역 간 교역의 주요 허브 및 강변 유람지 친화이秦淮가 있는 문화 및 오락 중심지로 다시 자리를 잡게 될 것이다.*

그러나 이런 모습은 호색적이고 반反상업적이었던 명 태조의 통치 아래에서는 명백하지 않았는바, 그에게 새 수도는 고대 제국의 모델인 단일 기능의 병영도시〔주둔지도시〕garrison city와 행정도시administrative city여야만 했다.[3]

주원장은 1398년에 사망했고 그의 손자〔건문제建文帝〕가 황제 자리를 이었다. 그러나 거의 즉시 주원장의 네 번째 아들이 조카로부터 왕위를 빼앗기 위해 움직이기 시작해 1402년에 자신을 영락제永樂帝로 선포했다. 그는 그다음으로 실질적 통치권의 소재지를 자신의 황위 찬탈로 인해 생긴 적들로 가득한 난징에서 현대의 베이징이 될 북부의 도시로 옮기는 계획에 착수했다. 이 도시는 원 대에는 대도大都라는 이름의 수도로서 기능했고, 명 태조 시기에는 영락제가 왕자 시절에 하사받은 봉토로 연燕으로 지칭되었다. 20년에 걸친 열정적인 건설 끝에 영락제는 1421년에 그곳으로 천도함으로써, 난징은 구역의 절반이 비게 되었고 인구가 급감했지만 공식적으로 제2의 수도인 '남부' 수도로 남게 되었다.[4]

이러한 배경을 통해 베이징은 난징보다 훨씬 더 규칙적인 정방형正方形의 고전적 모델에 의해 공간을 배치할 수 있게 되어, 중앙의 황도皇道를 따라 진북眞北–진남眞南 방향에 천단天壇과 선농단先農壇이, 북쪽–중앙 구역에 궁전이 자리하며 엄격한 좌우 양측성bilaterality을 유지할 수 있었다. 모든 세부사항은 우주론적 세상의 중심축axis mundi에 맞

* '친화이' 곧 '진회'는 난징을 지나 양쯔강으로 흐르는 운하다. 진秦나라 때에 만들어졌으며 양쪽 기슭은 유람지로 유명하다.

추어졌다.[5] 그럼에도 처음부터 베이징은 태조의 난징보다 유기적 환경의 산물이었다. 차출은 수도capital의 인구가 성장하는 데 역할을 했지만, 자발적 도시화가 최소한 그만큼 중요했던 것처럼 보이며, 베이징에는 도시가 수도로 지정된 이후에도 〔원 대〕 난징의 경우보다 도시의 기존 엘리트 및 평민이 훨씬 더 많은 비율로 남아 있었다. 태조의 난징은 다종족적multi-ethnic 도시였으나(인구의 5분의 1이 이슬람교도였다), 베이징은 수천 개의 몽골 텐트〔몽골의 이동식 천막집 게르ger〕를 철거하고 이를 중국풍의 안뜰courtyard이 딸린 타운하우스〔도시저택〕townhouse들로 대체했어도 진정으로 다민족적multi-national 양상을 보였다. 그리고 대운하가 새 수도의 황족, 관리, 군인을 부양하기 위해 양쯔강 하류의 쌀을 공급하는 데서 중요한 역할을 했음에도, 베이징은 명나라 첫 수도보다 중국 북부의 더 넓은 지역 경제와 다소 더 많이 연계되어 있었다. 거대도시의 사치품, 석탄, 건축 자재에 대한 수요는 베이징을 성장 엔진으로 만들었다. 그러나 명 왕조 개창자의 명령적 경제 입법이 계속해서 시행되었음을 고려할 때, 진정한 상업 '혁명revolution'의 출현은 적어도 한 세기 정도 뒤에 나타났다.

두 번째 상업혁명

중국의 근대 도시 역사는 —그리고 내가 주장하는바 중국의 초기 근대성early modernity은— 내가 "두 번째 상업혁명second commercial revolution"이라고 부르는 것에서 진정으로 출발하는바, 16세기 중반부터 시작하며 한 중국 역사학자에 의해 '명 만력제萬曆帝(재위 1573~1619)부터 청 건륭제乾隆帝(재위 1736~1795)까지'라고 정확하게 명명한 시기를 중심으로 한다. 이 두 번째 상업혁명은 송 대에 발생한 첫 번째 상업혁명과는 질적으로 달랐다. 첫 번째 상업혁명이 다양한 범위의 상품을 다루는 원거리 지역 간 민간 상거래를 개척했음에도 근본적으로는 도시 중심지urban centre 간의 사치품 운송에 집중되어 있었던 반면, 두 번째 상업혁명은 부피당 가치가 낮은 주요 산물의 방대한 양적 거래를 포함했다는 점이 가장 큰 차이점이다. 따라서 두 번째 상업혁명은 도시 인구만 아니라 농촌rural 인구와도 깊이 연관되었다. 제국의 많은 지역에서 평균적인 농가가 지역 외 시장을 위해 생산하기 시작했고, 기본적인 소비를 지역 외 생산품에 의존하기 시작했다. 지역적 상품 전문화가 나타난 것이다. 그리고 훨씬 더 많은 일시 체류자가 단순히 상인으로서가 아니라 크게 확장된 운송 분야에 노동력을 제공하는 짐꾼, 수레꾼, 동물 몰이꾼, 선부船夫로서 제국 전역을 일상적으로 돌아다니기 시작했다.

왜 이 시기일까? 부분적으로는 단지 명 대 초기의 명령경제command economy가 부과되기 이전부터 진행된 추세가 자연적으로 발전하고 지리적으로 확장된 것에 불가한 것으로 보이는데, 이는 명 왕조가 직업적 이동(성) 및 지리적 이동(성)을 제한할 수 없게 된 데서 연유하는 것이다. 그러나 명 대 후기의 정부 정책 역시 원거리 상업 발전에 적극적으로 한몫을 했다. 예컨대 북서부 및 북부 국경의 비非중국인들[곧 비非한족]의 위협이 점점 더 커지자 궁정은 민간 상인들에게 대량의 곡물과 전쟁 물자를 중국 중부에서 국경으로 옮기도록 위탁함으로써 물류 문제를 해결하려 노력했고, 이들 상인에게는 지역 간 소금 유통망에서 수익성이 높은 전매專賣 사업권으로 보상해주었다.

원거리 상업 발전에 대한 또 다른 자극은 신세계New World로부터 은이 대량으로 유입한 데서 비롯했다. 16세기부터 중국의 명은 비단, 도기 제품, 여타 제조품(나중에는 차)을 유럽과 북아메리카로 수출하고 그 대가로 멕시코와 페루에서 나오는 은의 3분의 1 이상을 빨아들이는 거대한 흡입 장소였다. 은의 대량 유입이 제국의 은 본위 화폐경제monetary economy에 끼친 윤활 효과는 측정하기 어려울 정도였다.[6] 명 대 후기부터 점차 청 대 중기까지 제국 정부가 '일조편법一條鞭法, Single Whip Law'이란 재정〔세역稅役〕 개혁으로 토지세와 인두세를 현물 대신 은으로만 징수하자, 농촌 가구들은 자급용 작물 재배에서 상품작물〔환금작물〕 재배로 전환하는 긍정적 동기를 더 많이 얻게 되었고, 이는 빠르게 팽창하는 국내 지역 간 교역에 박차를 가하는 역할을 했다.

지역 간 교역의 주요 품목은 목화〔면화〕cotton였다. 필립 황Philip Huang이 간명하게 서술한 것처럼, "1350년 중국의 그 누구도 면직물을 입지 않았으나, 1850년에 이르면 거의 모든 농민이 〔면직물을〕 입었다."[7] 기존의 제국 식량창고였던 장강 삼각주는 농민 가구들이 쌀에서 목화 재배로 전환하면서 쌀 잉여 생산 지역에서 쌀 부족 지역으로 빠르게 바뀌었다. 1775년 무렵 지방 관리는 그 지역 농장 인구의 약 4분의 1만이 곡물을 재배했다고 추정했다. 목화 가공업은 심지어 더욱 빠르게 성장해서 청 대에는 중국 북부와 양쯔강 중부의 새로운 재배 지역에서 원면을 추가로 구해야 할 정도였다. 목화 재배에는 더 많은 비료가 필요했고, 결국 만주의 콩 껍질 비료와 지역 간 연안교역을 촉발했다. 아울러 인구밀도가 높은 양쯔강 하류 지역의 비非식량 생산자들을 부양하기 위한 새로운 수요는 장시江西, 후난湖南, 그리고 결국 쓰촨四川 같은 강 상류 지역들을 지역 외 판매용 쌀 전문 생산지로 변모시켰다.

19세기까지 양쯔강 중류의 화물집산지entrepôt인 한커우漢口에서는 쌀, 소금, 콩, 특산 식료품, 차, 한약재, 원면과 견직물, 가공 직물, 목재, 동물 가죽, 석탄, 구리 및 여타 금속, 종이, 그 밖의 셀 수 없이 많은 물품의 환적이 이루어졌고, 이를 통해 엄청난 지역적 다양성을 가진 체류자들을 수용하게 되었다. 지역 간 교역의 인상적 규모를 말해주는 한 가지 암시는 1730년대의 연간 10억~15억 파운드로 추산되는 한커우에서 양쯔강 하류까지의 쌀 거래다.[8] 1800년 무렵에는 쌀의 약 10퍼센트, 생면의 4분의 1, 면직물의 절반 이상, 생사의 90퍼센트 이상, 차와 소금 생산의 거의 전부가 생산자 가구에서 소비되지 않고 시장에서 판매되었다.[9] 심지어, 명 대에 일반적으로 금지되었던, 민간의 해상무역도 1683년 강희제康熙帝의 마지막 '해금' 해제 이후로는 결정적으로 장려되었고, 19세기 '서양의 충격Western impact' 훨씬 이전에 상하이 등 선호되는 연안항이 눈에 띄게 성장하기 시작했다.[10]

근대 초기 중국의 도시화

드 위어트가 16장에서 언급한 것처럼, 1977년에 G. 윌리엄 스키너는 중국의 제국 후기 도시체계urban system에 대한 우리의 이해를 혁신해, 중국에는 단일한 통합적 도시위계가 없었고 제국의 10대 '자연지리학적 초거대지역physiographic macroregions'에 포함된 서로 구분되는 위계가 있었음을 제시했다. 근대 초기 내내 상업화와 일상적 인구 이동이 심화함에 따라, 이와 같은 현상이 대부분의 초거대지역macro regional 규모의 평준화에 반영되었다. 지역의 상품시장과 도시위계가 더욱 효과적으로 통합되면서 더 작은 규모와 중간 규모의 도시들은 지역의 거대도시metropolis들보다 더 빠르게 성장했다.[11] [지역지도 II.5]는 주요 도시 중심지들의 위치를 소개한다.

도시 엘리트들이 주로 시골에서 징수한 세금과 토지 임대료로 수입을 얻던 명 대 초기의 명령경제가 농업의 상업화 및 도시와 배후지hinterland 간의 시장화한 교류로 대체되면서, 제국의 가장 큰 도시들은 수 세기 전과 거의 같은 크기로 유지되는 경향이 있었지만, 거대도시와 배후지 사이 시장 교환을 관리하는 역할을 하게 된 군 소재지 같은 중개자적인 도시장소urban place와 비非행정적인 진은 그 수가 늘어났고, 규모가 커졌으며, 번영했다. 푸젠성, 후난성, 쓰촨성 등 급속한 상업화가 진행된 지역만이 아니라 화베이華北 평원 같은 상업화가 덜 진행된 지역에서도 정기시장이 증가했다. 영구적인 진이 제국 전역에 걸쳐 새로 세워졌는데, 모든 농촌 가구가 실질적인 진으로부터 반나절 거리에 있는 사실상의 '도시지역urban region'이 된 장강 삼각주보다 더 극적인 곳은 없었다. 진은 점진적으로 특화 상품 동네neighbourhood들과 함께 더욱 복합적인 거리 계획을 발전시켰고, 인구는 수만 명으로 늘어났다. 곧 제국 후기 도시화는 서유럽에서의 그것과 거의 반비례했으며, 가장 극적인 활동은 도시위계의 하위 수준에서 발생했다.

이것은 부분적으로 서유럽과 청 제국의 근대 초기 인구성장의 서로 다른 특성을 반영했다. 유라시아 대륙의 양쪽 끝 모두 신세계에서 도입된 작물로 새로운 성장이 가속되었다—중국 인구는 십중팔구 청 대에 3배 증가했을 것이다. 그러나 유럽에서는 성장의 많은 부분이 주요 도시들에서 관찰되는 반면(인구 과밀의 시골로부터 이주가 이루어진 결과였다), 중국에서 가장 크게 성장한 곳은 주변부 시골 지역, 특히 정주를 위해 새로 개간된 고지대와 습지대였다. 이와 같은 지역의 농업은 대부분이 처음부터 상업적이어서 새로운 소시진小市鎭의 형성이 필요한 보완책이었다.[12]

서양의 영향과 '도시-농촌 간 차이'

서양 상인들은 청 대 초기와 중기에 걸쳐 점점 더 많은 수의 중국 해안도시[연안도시]coastal city를 방문하기 시작했는데, 1760년대 이후는 법적으로 광저우廣州(광둥廣東)에 국한되었다. 이 상황은 1842년 난징조약南京條約 체결로 상황이 바뀌었는바, 이 조약은 영국과 중국 간 제1차 '아편전쟁阿片戰爭, Opium War'을 종식하며, 해안을 따라 더욱 북쪽의 여러 도시를 서양인의 무역 및 거주를 위해 개항하게 했다. 후속 조약들은 점진적으로 중국 북부와 양쯔강 내륙에 추가 개항을 가져왔다. 이를 통해 '개항장[조약항]treaty port'과 외국인 '조계租界, concession'가 탄생했다. 많은 항구의 실험을 거쳐 상하이는 중국과 서양 간 무역의 단일한 가장 중요한 화물집산지이자 제국 내 서양 영향력의 해안 교두보로 대두되었다. 도시의 성장 규모는 엄청나서, 1910년 상하이의 인구는 약 130만 명이었고 1990년대에는 약 1500만 명으로 증가했다.

중국의 도시사 내에서는 개항장 특히 상하이의 독특성과 상하이가 중국의 '근대화modernization'에서 수행한 변혁적 역할에 대한 과장된 주장들이 오랫동안 제기되었다. 이와 같은 주장은 더 최근의 학문 활동에서 훨씬 더 그 근거를 갖추고 있다. 사회학자 페이샤오퉁費孝通은 개항 이전에 상하이는 "단지 작은 어촌이었고 전통적 경제에서 그다지 중요하지 않았다"라고 1953년에 단언했다.[13] 우리는 이제, 반대로, 상하이가 명 대 이래로 국내 지역 간 목화 교역의 중심지였고, 동남아시아와 일본의 주요 교역 파트너였으며, 1736년 이후로는 주요 해상 세관〔해관海關〕의 소재지였다는 것을 알고 있다. 서양에 개항하기 직전, 상하이는 이미 약 20만 명의 인구에, 십중팔구 런던과 같거나 런던보다 더 많은 해운량을 관리했을 것이다.

사회적으로나 문화적으로나 개항장이 궁극적으로 새로운 혼성hybrid 인구를 수용하고 서양과 일본의 문화 모델을 제공했다는 데는 의심의 여지가 없다. 그러나 이 역시 지나친 일반화의 대상이 된다. 1895년 시모노세키조약下關條約으로 청일전쟁이 끝나고 처음으로 개항장에 외국인의 제조 공장 설립이 합법화되기 이전, 상하이를 제외하고 외국인 인구가 100명을 훨씬 넘는 곳은 없었다. 또 다른 예로, 이런 중요한 상업도시commercial city들의 인구는 제국의 전全 지역에서 온 매우 다양한 중국인 인구로 이미 고도로 혼성화한 상태였고 이는 서양에 개방된 시대에도 그대로 유지되었다. 더욱이 상하이의 극단적 경우조차도 토착주의nativist 작가들이 제시하는 것만큼의 외부적 속성을 지니지는 않았다. 그것〔'상하이의 극단적 사례'〕은 오히려, 언제나 대외지향적outward-looking이었고 다른 글로벌 문화들과 고도로 상호작용했던 토착

사회—'다른 중국other China'—의 특정 부문이 최신의 방식으로 구체화된 것뿐이었다.[14]

도시사회

근대 초기 중국 도시들에는 누가 거주했을까? 그 답은 도시 **유형**에 따라 크게 다를 것이다. 상업적 위계는 군 소재지, 현청 도시, 제국 수도의 행정위계에 매우 불완전하게 중첩해서 특정 중심지의 인구와 사회구조는 도시마다 체계적으로 다양했다. 예컨대, 카이펑은 상업적으로 중요한 지역화한 현청 도시였고, 상하이는 국내무역 및 해상무역 기능이 매우 중요한 군 소재지였으며, 난징은 행정 및 상업 기능의 중요성이 비교적 동등한 도시였다. 관료, 하위 관료, 군인은 상하이 유형보다 카이펑 유형의 도시에 더 많았고 사회적으로도 더 중요했다. 더욱이 제국 후기에는 거의 모든 주요 도시가 항구였는데, 운송 노동자의 엄청난 집중과 함께 항구의 기능은 충칭重慶(쓰촨성)과 같은 강의 환적 지점이나 샤먼廈門(푸젠성)과 같은 해상무역 중심지에서 다른 도시들보다 훨씬 두드러졌다. 여러 특화 제조업도시도 있었다. 도자기 공장 도시 징더전景德鎭(장시성), 제철타운 포산佛山(광둥성), 석염石鹽 광산도시 쯔궁自貢(쓰촨성)이 그 사례다. 20세기 첫 10년 동안에는 주요 철도 노선을 따라 스자좡石家莊(허베이河北성) 등 산업도시들이 만들어졌다.

근대 초기 중국 도시들은 놀라울 만큼 다민족적이어서, 이러저러한 지역 문화와 언어를 가진 얼마간 '외국인foreign' 같은 중국인들의 여러 공동체가 존재했다. 충칭, 한커우, 주장九江, 난징, 쑤저우, 포산 같은 중요한 상업 중심지에서는 이와 같은 향토 공동체〔동향 공동체〕가 10여 개에서 많으면 수십 개까지 있었을 수 있다. 법에 따라 제국 후기의 모든 신민은 고향 호적户籍에 등록되었는바, 청 대에 적어도 체류와 관련해서는 호적이 문제가 되지 않았다. 실제로 많은 행상은 호적이 등록된 고향에서 멀리 떨어진 도시에서 태어나 평생을 살았다. 이러한 체류자들의 정체성은 먼 고향과 일하고 거주하는 곳 사이에서 적절한 균형을 이루는 경향이 있다. 더군다나 디아스포라 의식은, 예컨대 상업도시를 순회공연 하면서 어디를 가든지 친숙한 그 지역 주제를 친숙한 그 지역 방언으로 공연을 하는 가무 극단에 의해 강화되어, 강력할 수 있다. 이와 같은 상업적 디아스포라commercial diaspora는 셀 수도 없이 많았으며, 그중 가장 중대한 세력은 후이저우徽州 상인(소금 및 쌀 거래), 산시山西 상인(환업무 등 금융업) 등이었고, 이후 광둥과 닝보寧波(저장浙江성)의 차 상인과 장시, 후난, 그 외 많은 지역의 상인들이 있었다.[15]* 이처럼 디아스포라적인 행상들이 함께 공존하며 정기적으로 교류하는 거점 도시들은 진정으로 범세계적 도시 중심지였다.

오랜 기간 부유한 문인들이 집중되었던 광저우 및 양저우와 같은 일부 고도의 상업도시에서는 신사紳士, gentry/상인merchant의 지위 구별이 여전히 중요했으며, 토착 문인이 부족했던 한커우와 같은 도시들에서는

* '후이저우 상인' 곧 휘상徽商은 명·청 시대 안후이성 휘주부에 적을 둔 상인/상인집단을 말한다. 신안상인新安商人, 속칭 휘방徽帮이라고도 한다. '산시 상인' 그리고/또는 산시상방은 중국 산시성에 적을 둔 상인/상인집단을 말한다. 청 대에 환업무(송금)를 담당하는 일종의 금융기관인 표호票號를 세웠다. 진상晋商이라고도 한다('진'은 산시山西의 간칭簡稱이다. 춘추전국시대에 진나라가 산시성에 있었다.)

상인들이 근원적으로 도시 엘리트였다.[16] 그러나 상인들 사이에서도 고전 교육을 습득하고, 신사 지위를 획득(결혼이나 자녀를 통해서만)하는 장기적 추세가 있었다. 19세기 후반까지 많은 상업 중심지에서 신사와 상인 계층이 결합한 '신상紳商' 계급(아마도 '사업가businessmen'로 가장 잘 인식되는)이 등장했다.

도시의 평민—상점 주인, 소상인, 장인—은 대부분 대규모 도시의 핵심 인구였다. 장인은 인상적으로 많을 수 있으며, 일례로 1750년경 난징에는 3만 개 이상의 비단 직조기織造機가 가동 중이었다. 수공예품 거래는 광범위하게 나타났다—쑤저우 한 곳에서만 70건이 넘었다. 모든 주요 도시에 널리 판매되는 일련의 지역 자체 특산품이 있었다. 경제 전문화와 틈새시장 개척의 활발한 과정은 장인 기업의 지속적인 세분화로 이어졌고, 일례로 쑤저우의 제지업자들은 결국 8개의 개별적인 전문 영역으로 분화되었다.[17]

근대 초기 중국의 집약적 상업화는 거대한 도시의 원原프롤레타리아proto-proletariat를 만들어냈다. 이 집단은 일자리를 찾기 위해 '민시民市, people market'에 모여든 창고 노동자, 부두 하역 노동자, 도시 내 짐꾼 같은 영속적인 지역 거주민과 선부船夫, 마부馬夫, 장거리 짐꾼 같은 유동인구 모두로 구성되었다. 현지 운송 노동자와 도시 간 운송 노동자 모두 작업반장(포두包頭)에 의해 —통상 일반 농촌 지역에서 모집되어— 방幇으로 조직되었다.*

* '방幇'은 '결사' '집단'이란 뜻과 함께 '향우회鄕友會'란 뜻이 있으며, 타성他省에 거주하는 동향인同鄕人의 단체를 '방'이라 칭했다.

주요 상업도시들 또한 실체적이며 확연하게 성장해가는 하층민의 근거지였다. 걸인들은 도시 생활의 오래된 특성이었다. 근대 초기에 걸인들은 보통 다른 노동자들처럼 조직되어 있었고 자신들만의 고유한 배타적 영역을 확보했으며, 정기적으로 기본금을 제공하는 상점과 가구를 제외한 곳들을 대상으로 원시적 갈취 행위를 벌였다. 홍수와 기근으로 발생한 농촌 난민들은 주기적으로 걸인 인구를 증가시켰고, 〔이전부터〕 영속해온 동류同類들과 불편한 관계에 있었다. 걸인과 난민에는 남녀가 모두 있었고, 가족의 상황에서 살고 있을 수도 있었던 반면, 또 다른 하류층 곧 도시의 증가하는 미혼 남성 인구인 '광곤光棍, bare sticks'이 더 문젯거리였다.* 가족적 기풍이 지배적인 사회에서 이와 같은 남성들의 존재는 일견prima facie 위협적이었다. 이들은 기본적으로 사회 전반의 —인구성장에 대한 '예방적 억제preventive check'로 여성 유아 살해가 일상적 관행이었던 사회의— 성비性比, sex ratio 불균형에서 파생되긴 했으나 특히 도시로 모이는 경향이 있었다.[18] 많은 도시에서 이들의 수는 19세기의 3분기에 극적으로 증가했다. 만성적 실업 상태에 있었던 이들 '비곤痞棍, toughs'은 무뢰武牢하고 다른 도시 거주민들을 위협하기 좋아해 널리 우려되었다.**

도시 동네urban neighbourhood는 상업 기능과 주거 기능을 결합하는 경향이 있어서 일터로 가는 여정은 최소화되었다. 베이징은 커다란 안뜰이 있는 사합원四合院('쓰허위안')과 이를 마주하는 비좁고 허름한 골

* '광곤(중국어 발음 '광군')'은 '노총각' '홀아비'의 뜻과 함께 '무뢰한' '악당' '부랑자' 등의 뜻이 있다.

** '비곤(피군)'은 '부랑자' '깡패' '무뢰한' '건달' 등의 뜻이 있다.

목길인 호동胡同〔'후퉁'〕으로 널리 알려졌다. 개항장 상하이는 이주 인구 대부분이 새로운 형태의 셋집인 석고문石庫門〔'스쿠먼'〕에서 살았다. 좀 더 전형적인 상업도시들에는 상거래 공간인 시방市房〔'스팡'〕이 아래층에 있고 가족들 공간이 위층에 있는 형태가 표준이었다. 동네들은 종종 단일의 민족집단 또는 단일의 직업집단에 의해 장악되었으나, 도시 경계에 있는 농촌 난민들과 '붕민棚民, shed people'의 판자촌을 제외하고는 보통 계층적으로 혼합되어 있었다.* 동네의 유대는 강력할 수 있었다. 실제로 루한차오盧漢超는 청 대 후기 상하이의 '도시 마을urban village' 효과를 설득력 있게 묘사했다.[19]

증가하는 범죄나 대인 폭력 문제 외에도, 중국의 근대 초기 도시들은 갈등 및 집합행동collective action과 관련해 사례가 다양하게 많다. 난징, 쑤저우, 항저우 등 명 대 후기 양쯔강 하류 도시들에서는 새로운 조세를 부과해 재정위기를 완화해보려는 위태위태한 명나라 정권의 어설픈 시도에서 근본적으로 비롯하는 저항과 폭력 양상이 극도로 복잡하게 나타났다. 이러한 행동들은 도시화한 하층 신사, 상점 주인, 장인, 심지어 군대까지도 특권층인 '귀족적patrician' 도시민, 농촌 엘리트, 국가 대리인에 대항하는 불안정한 동맹을 맺게 했다. 가장 폭력적인 사례는 1582년 항저우에서 있었는바 수천 명의 군중이 타운의 성곽과 성문을 무너뜨리고 시장에 불을 질렀다.[20]

명 대 후기의 활동은 도시의식urban consciousness의 굳건한 표현처럼 보이는 것과 중국의 마르크스주의 학자들이 '봉건적feudal' 정치경제 체

* '붕민(평민)'은 산비탈 등에 움집/움막 또는 천막집을 짓고 사는 사람을 말한다.

제라고 부르는 것 사이의 대비적인 서로 다른 요소들을 통합하는 방식에서 두드러졌다. 그렇다고 하더라도 이것은 청 대로 계속 이어지지는 않았는데, 청 대에는 도시의 무질서가 거의 항상 도시 내부 특정 사회집단의 이익을 표현했고, 그리고 〔이것은〕 국가에 반대하는 만큼이나 종종 다른 도시사회적 요소에 대해서도 그러했다. 1742년과 1817년 베이징의 화폐 주조공, 1730년 쑤저우의 옷 광택공, 1736년 징더전의 도기공, 청 대 전全 시기에 걸쳐 철공·목재공·직조공 등 장인들의 파업은 흔했다. 상인들은 새로운 상업 세금 부과에 항의하기 위해 여러 차례 철시撤市를 전개했다. 18세기 후반, 상업 항구에서는 최소 12건의 선부船夫 폭동이 발생했다.

그러나 도시민들이 주요 식량을 구매하는 데서 시장에 점점 더 의존한 이 시대에, 십중팔구 도시 집합행동의 가장 보편적인 유형은 쌀 폭동이었을 것이다. 동시대의 서유럽에서와 마찬가지로, 식량 폭동은 '도덕경제moral economy'에 기반을 두었고 일상화한 형태였다. 관례적인 목표물은 정부의 곡물창고와 쌀 상인들의 창고였다. 그 행동은 강압적이고 파괴적이었지만 특별히 폭력적이지는 않았다. 지역 관리들은 폭동 가담자들에게 종종 동정적이고 관대했다. 쌀 폭동은 많은 도시에, 특히 쌀시장이 가장 발달한 중국 중부 전역에서 일어났다. 폭동은 강남 같은 곡물을 수입하는 지역의 도시에서도 발생했지만, 지역 간 수출업자들이 제시하는 높은 가격이 지역의 소비자 가격을 부당하게 상승시켰다고 여겨진 후난湖南성 같은 쌀 수출 지역의 도시에서 가장 흔했다. 쌀 폭동은 1740년대처럼 비정상적으로 급속한 인구성장과 상업화가 진행되던 시기에, 그리고 20세기 초반처럼 국가 붕괴 시기에 일

시적으로 집중되었다.[21]

치안이 잘 유지된 제국의 수도인 베이징北京 이외의 도시들에서, 만성적 폭력의 위협에 대비하도록 배치된 이들은 매우 얇은 층의 현지 경찰인 보갑保甲과 지방 행정 관청에 배속된 소수의 황실 군인이었다. 근대 초기 중국 도시들은 경찰력이 현저히 부족했고, 평상시 지역의 법과 질서는 주로 자원한 민병대와 도시민이 자체적으로 고용한 경비대에 맡겨졌다.

도시문화

일부 초기 학자들의 주장에도 불구하고,[22] 근대 초기 중국의 도시문화는 시골문화와 극적으로 달랐고 도시민은 그 차이를 매우 잘 인식했고 자랑스럽게 생각했다. 명·청 도시들은 사교성sociability과 문화적 표현의 장소로 가득했고, 거리 자체를 포함하는 그 장소들의 많은 곳이 개방적이었다. 산책하며 대화하는 지역 주민들은 물론이거니와 매점과 행상, 길거리 가수, 인형극 부리는 사람, 약장수 쇼, 무술 시범도 거리에서 공간을 차지하려 경쟁했다. 상하이의 근린近隣 주거 지역에서는 끓인 물과 여타 생필품을 제공하는 '노호조老虎灶'가 잡담을 주고받을 수 있는 모임 장소였다.* 묘회廟會는 타운과 농촌 모두에서 흔했으나,

* '노호조(라오후자오)'라는 명칭은 영어 'roof'(루프)와 중국어 '老虎'(라오후) 발음이 비슷한 데서 유래했다는 설, 가게가 호랑이 모양이었다는 데서 유래했다는 설, 끓인 물을 나르는 사람이 호랑이처럼 사나운 데서 유래했다는 설, 아궁이 내부를 살필 수 있게 뚫어놓은 2개 구멍

행회가 참여하고 다른 지역의 이국적 상품을 광범위하게 제공한 대규모 도시에서 훨씬 더 화려하고 변화했다.*[23]

그러나 사교성의 가장 특징적인 장소는 다관茶館〔찻집〕이었다. 다관은, 일찍이 당唐 대에 적어도 수도에 존재했지만, 더욱 상업화되고 도시화가 진행된 제국 후기에 크게 확산되었다. 런던의 커피하우스coffeehouse 혹은 선술집public house처럼, 이 장소들은 눈에 띄는 근대 초기의 도시 제도였다. 청 대 주요 도시들에는 다관이 수백 개에 이르러 거의 모든 거리에 있었다. 다관은 광범위한 의사소통과 사회적 관계의 중심지였다. 다관은 시 낭송 클럽, 원原노동조합proto-labour union, '비밀결사secret society'의 지부 같은 반半공식적 사회조직들의 본부 역할을 했다. 또한 상인, 지주, 의사, 필사인筆寫人〔또는 대서인代書人〕의 사업 사무실로도, 이발이나 귀지 제거와 같은 서비스의 제공 장소로도 활용되었다. 다관은 강다講茶, tea debates로 알려진 분쟁 해결의 정교한 의식을 주최했는바, 양측에 수십 명의 참가자가 있었고, 증인이 순서대로 호출되었으며, 때로는 다관 주인이 판결을 내렸다—종종 말싸움으로 끝나지 않았다.**

다관은 오락의 장소였다. 청두의 다관 종업원들은 "후두두" 같은 독특한 소리를 내며 〔아주〕 긴 주둥이 주전자〔장취호長嘴壺〕로 우아한 공연을 보여주기도 했다. 다관은 새 싸움 같은 여러 경기로 도박을 벌이

(또는 아궁이 불길)이 호랑이 눈을 닮았다는 데서 유래했다는 설 등이 있다.

* '묘회'는 사원 내부나 사원 인근에서 제례 물품 등을 사고팔던 임시 시장을 말한다.

** '강다'는 과거 중국에서 싸움이나 논쟁의 당사자 쌍방이 문제를 해결하거나 화해하기 위해 다관에서 차를 마시면서 서로 이야기를 나누던 것을 말한다.

는 장소이면서, 북을 치는 전문 노래꾼과 이야기꾼이 공연하는 무대이기도 했으며 일부 도시에서는 이것이 특화되어 '서장書場, storyhouse'이 나타나기도 했다.* 다관은 종종 공중욕장이나 가무 공연장으로 확대되기도 했다.[24]

청 대 도시들은 중국 가무극의 가장 큰 잉태지였다. 양저우 같은 주요 상업적 중심지에서는 부유한 상인들이 자신의 고유한 극단을 후원하기 위해 서로 경쟁했으며, 이들 극단은 〔행회〕 회관〔후이관〕會館에서 대규모이고 이질적인 관객들을 대상으로 공연했다. 사원temple의 안뜰에서는 모시는 신들의 축일에 야외 공연이 열렸다. 18세기에 귀족들의 후원으로 양쯔강 하류의 오페라 전통들이 통합되어 수도에서 나타났는바, 이것이 오늘날 우리에게 알려진 '경극京劇, Beijing opera'〔또는 경희京戲〕이다. 광저우廣州에서는 1891년에 상인들이 4개의 대형 가무극장을 세우기도 했으며, 이는 샌프란시스코의 차이나타운에 광둥인들이 30여 년 전에 지은 극장을 모델로 했다.[25]

근대 초기 중국 도시들은 성매매의 중심지기도 했다. 특히 해항海港과 하항河港들에는 절박한 길거리 호객 매춘부부터 가장 세련된 고급 창부〔기녀〕까지 세밀한 등급의 여러 창부가 있었다. 고급 창부들은 널리 알려진 일본의 게이샤藝者, geisha처럼 단순히 성적 매력만 아니라 음악과 문학에도 뛰어났다. 제국에서 가장 유명한 오락 구역은 서서히 그 중심이 이동해, 명 대 후기 난징의 친화이허秦淮河 강둑에서 청 대 중기 양저우의 화방畫舫 수로로, 19세기 후반에는 번창해가는 상하

* '서장'은 과거 중국에서 사람들을 모아놓고 만담·야담·재담 등을 들려주는 곳을 말한다.

이로 이어졌다.* 기녀문화의 중심지들은 각지로부터 남성 여행객들을 끌어들였는데, 이들은 현지 유명 인사들과 함께 화려한 구애 의식에도 참여했으며, 일부 학자들의 의견에 따르면, 기방에서 즐겼던 것과 똑같은 교양 있는 즐거움을 자신의 부인들도 제공해주길 원하는 남성들 사이에 애첩을 두는 중혼重婚 풍조가 신유행이 되는 데 한몫했다고 한다. 이 오락 구역 주변에서 대단히 심오하며 양가적인 속성의 통속문학이 생겨났다.[26]

그러나 아마도 근대 초기 중국 도시들의 가장 두드러진 문화적 특징은, 더 이전 시대 중국 도시들의 그것과는 달리, 인쇄물의 편재성이었을 것이다. 기능적 문해력〔문식성〕functional literacy이 이 시기에 급격히 증진되었는데, 이러한 증진은 매우 방대한 도시적 현상으로 남성뿐 아니라 '소시민小市民, petty urbanites'과 여성 등의 사회적 계급으로도 확산되었다. 이를 보여주는 한 가지 지표는 18세기에 안경을 판매하는 상점이 급속하게 늘었다는 사실이다. 새로 등장한 상업적 출판 산업은 신흥 중간층 독자에게 제공되는 폭넓은 새로운 장르와 염가판들을 취급했다. 이 새로운 인쇄문화는 전문 필사인, 이야기꾼, 대중적 강사 등의 중개인을 통해 구전문화와 결합해 풍요로워졌다. 이 과정에서 문학사회의 변두리에 있는 다양한 새로운 화이트칼라 직업인 편자編者, 교정자, 단평자短評者 등이 등장했다. 전에 없었던 이와 같은 인쇄문화에

* '화방'은 용이나 봉황 따위의 모양으로 꾸미고 서화를 그려 장식한 가옥형家屋形 배를 말한다. 객방客舫, 주방酒舫, 기방妓舫 등으로 쓰였다고 한다. 명승지, 문화, 풍습, 종교, 오락 등 18세기 당시 양저우의 도시문화를 총체적으로 기록했다는 평가를 받는 《양주화방록揚州畵舫錄》(이두李斗, ?~1817)이라는 제목의 저작이 있기도 하다.

는 인기 있는 유명 전기물傳奇物, 색정물色情物, 무협물뿐만 아니라 과거科擧용 자습서, 혼인과 장례 절차 안내서, 소책자, 계약 양식 설명서, 상업 및 관광 경로 안내서, 미술수집가 안내서, 자가치료서, 성 교범, 종교 종파 경전, 일별 금전출납부 같은 저렴한 실용서도 포함되었다. 이러한 분야의 상업화와 민주화democratization는 모두 함께 제국 후기의 문화, 사회, 이에 더해 정치 발전에 기념비적 영향을 끼쳤다.

도시민의 문해력 향상과 관련된 것은 상업광고의 향상 및 새롭고 매우 유행에 민감한 소비자문화의 향상이었다. 상표와 상품명이 확산되었고, 상점의 간판들은 당 대 이래로 문자를 추가했으며, 상점의 문에는 환영의 짧은 글귀인 주련柱聯을 써 붙였다. '일용유서日用類書'는 각 도시에서 이용가능한 다른 지역의 특산물을 설명·홍보했다.* 19세기 후반에 언론매체의 출현은 광고자들의 영역을 크게 확장했다. 여성 의류, 헤어스타일, 화장품의 유행은 '현기증이 날 정도로 빠르게' 양쯔강 하류 도시들에서 서로를 이끌었고, 쑤저우와 양저우처럼 유행 중심지의 독특한 스타일은 더 넓은 지역 시장에서 서로 경쟁했다.[27]

근대 초기 중국 도시들의 결사체 만들기

증가하는 인구 압박과 확장하는 경제적 기회 구조의 결합은 근대 초

* '일용유서'는 중국에서 명 대 이후 본격적으로 등장한 서적류로, 대중의 일상생활에 필요한 여러 분야의 정보를 한데 모아놓은 일종의 실용서다. 그 주체가 민간과 관련된 것이라 특히 민간문학/통속문학 연구에 유용하게 쓰인다.

기 중국 도시들을 매우 경쟁적인 환경으로 만들었다. 한 가지 반응은 ―그리고 내가 제안하는바 전全 시대의 상징적인 사회적 경향은― 광범위한 기능적 영역에 걸쳐 결사체 건설이라는 창의적이고 확장된 과정을 통해 연대를 추구하는 것이었다. 가장 중심적인 것은 물론 친족 집단 또는 혈연이었다. 진 또는 시골에서는 혈연 조직들이 일상적으로 중심을 차지했으나, 친족 관계는 도시 생활의 많은 측면에서도 중요했다. 친족집단은 근대 초기에 조직 혁신이라는 매우 창의적인 과정을 경험했고, 이는 거의 확실히 도시 생활의 여러 영역에서 확장적 결사체 건설의 모델을 제공했다.

대규모 사업이 그 한 가지 사례다. 전형적인 소매점은 소규모의 가족 운영으로 남아 있었지만, 한커우 예카이타이葉開泰 약방과 같은 거대한 가족기업은 각 혈통 구성원들이 관리하는 지점망 구축을 통해 크게 확장되었다. 1863년 전통적인 직물상인 맹孟씨 가족은 베이징의 주요 상업 교차로에 거대한 포목 전문 상점인 루이푸샹瑞蚨祥 주포점綢布店을 열었고, 이내 톈진天津, 하얼빈哈爾濱, 쑤저우, 항저우 같은 도시에 50개 이상의 지점을 추가로 열었다. 전례 없이 큰 규모의 수공예 작업장인 작방作房이 광범한 상품 생산에 등장했는바, 이곳에서는 원료를 공급하고 생산품마다 비용을 지급하는 한 명의 사업가 아래 개별 장인들이 소속되었다. 쑤저우의 예를 들면 450개 이상의 천 염색 가게가 있었고, 1곳당 평균 24명의 노동자가 있었다.[28] 강력한 상업 신용 시장이나 확립된 회사 법령이 없는 상황에서 창의적 방법이 사업의 밑천을 축적했다. 석염 광산 타운인 쯔궁에서는 고도로 명문화한 서면 계약 체제를 기반으로 한 기업가entrepreneur들이 혈연적 친족인 당堂을 통해서 민간자본을 동원해 대규모 및 유연성이 특징인 협력적 관계를 창출하고, 중앙집중식 경영 부서를 설립해 다양한 사업을 운영했으며, 연동 투자를 통해 공급망, 생산 단계 및 판매 네트워크의 탁월한 수직적 통합을 달성했다.[29]

지역 연고나 친족 관계에서 이익이 없는 남성들은 그들 자체적으로 협회를 만들었으며, 이러한 형제결의兄弟結義나 결사들은 때때로 '비밀결사secret society'로 지칭되었다. 타이완臺灣이나 대륙 남동부 해안으로의 이주에 참여한 독신의 남성들은 조직적 혈연집단에 대항해 자신들의 이익을 지키려 천지회天地會, Heaven and Earth Society 또는 삼합회三合會, Triads라고 알려진 느슨한 지부 연합을 결성해 소금과 아편 밀수업자로 스스로 틈새시장을 개척했고, 결국에는 광저우와 여타 동남부의 지하세계를 지배했다.* 삼합회의 분파 가로회哥老會, Society of Elder Brothers도 유사한 방식으로 청두와 양쯔강 상류 도시들에서 부정한 사업장들을 운영했다.** 양쯔강과 대운하를 따라 공물을 나르는 선부들은 이 수로를 따라 주요 항구마다 여관을 거느린 상부상조 노동결사들을 조직했다. 점진적으로 민간 불교와 중첩되면서 청방青幇으로 변모한 그들은 20세기 상하이의 범죄와 경찰력을 모두 통제했다.[30] ***

* '천지회'는 중국 청 대 후기에 반청복명反淸復明을 기치로 조직한 비밀결사다. 광둥성을 중심으로 하는 화난華南 지방에서 세력이 강했으며, 19세기 초반에는 쑨원의 혁명 운동에 협력하기도 했다. 이후 도박, 강도(협박), 매춘 따위를 업으로 하는 범죄단체로 변했다. '천지회'와 '삼합회'를 동일 단체로 보기도 한다.

** '가로회'는 중국 청나라 건륭乾隆(1736~1795) 시기의 반체제 비밀결사다. 반청복명을 기치로 쓰촨성·후베이성 등에서 결성되어 청을 무너뜨리고 한족의 세력을 되찾으려 했으며 1911년 신해혁명 때에도 활약했다.

*** '청방'은 중국 청 대와 중화민국 시기 동부 양쯔강 유역에서 세력을 떨친 비밀결사다. 강남

다른 도시적 사회조직들은 좀 더 정통적인 종교적 관행에 초점이 맞추어졌다. 규모에 상관없이 타운이나 도시에는 많건 적건 동네 사원들이 있었다. 위탁 관리 위원회가 지역 시장과 부동산에 투자된 자산으로 운영·관리된 사찰들은 매년 축제일에 행진을 벌였고, 이 기간에 사찰들의 주신은 제단 위의 자리 대신 가마 의자에 앉아 교구 주변을 도는 순巡 행렬을 이끌었다. 보통 이들 축제일은 서로 맞물려 동시에 일어나서 호기심 많은 도시 거주민들은 연례 일정에 따라 많은 축제에 참석할 수 있었다. 일반적으로 더 큰 사원도 있었는데 전형적으로 '도시 수호신'을 모시는 사원이었고, 교구가 자치체municipality 전체였으며 감독관은 더 큰 이웃 사원의 관리 위원들에서 돌아가면서 선출되었다. 조직적 위계는 매년 대형 사원이 '향불을 피우면서' 작은 사원들의 신들을 재봉헌해주도록 요청받으며 강화되었다. 전염병이나 전쟁과 같은 지역 우환이 생기면 모든 도시 사원의 감독관들은 서로 협력해 악귀를 내쫓는 주문(자오醮)을 외는 행진을 대규모로 조직할 수 있었는바, 도시를 악마들과 굶주린 귀신들에게서 지키는 의례였다.[31] 다른 형태의 종교단체로는 도시민이 도시 주변 언덕의 유명 사원을 방문하기 위해 결성한 순례단체인 향회香會가 있었다. 순례객을 위해, 종종 여성 순례객을 위해 이와 같은 행사는 경건함과 여흥을 결합했고, 찻집과 기념품 상점들이 순례 길을 따라 생기기 시작했다.[32]

근대 초기 도시들에서 행상들은 자리를 잡은 도시에서 동향 회관

의 쌀을 베이징으로 나르는 운송인의 자위自衛조직에서 비롯했다. 아편을 지방 군벌들로부터 받아 상하이 빈민 지역에 공급하고, 도박·매춘 같은 범죄에도 관여했다.

〔후이관〕을 건립했다. 이들 중 첫 번째는 제국의 수도 베이징에서 과거 시험 응시자들에 의해 설립되었지만, 명 대 후기와 청 대에 상업적 디아스포라의 확산과 함께 상인들에 의해 회관이 설립되는 사례가 많아졌다. 그래서 회관은 당 대 후기부터 중국 주요 도시의 친숙한 특징으로 오래된 제도였던 상인행회 및 장인행회와 중첩되기도 했다. 청 대 상업적 화물집산지 도시들에는 변함없이 많은 행회가, 어떤 곳은 100여 개가 넘는 행회가 있었다. 상하이·한커우·충칭과 같은 도시들에서는 더 작은 조직들이 종종 거대한 보호 조직 아래로 통합되었는데, 수많은 일반 행회가 대규모 동향 회관(예컨대 '광둥인 행회')으로 연결되었고 그 반대의 사례도 있었다. 시간이 지나면서 더욱 계층화한 행회들 또한 등장했는바, 중개인행회(도매상이나 소매점 주인에 대응하는)와 직인행회(숙련 장인에 대응하는)가 그것이다. 행회는 경제적 기능(거래 진입 규제, 표준 및 가격 설정, 특정 상품의 현지 시장 형성)과 더욱 광범위한 사회적, 문화적, 종교적 기능을 모두 수행했다. 행회는 회원 납부금으로 자금을 조달했고, 일부는 시장, 교각, 상가, 여타 도시 임대 부동산에 대한 광범위한 재정적 이해관계를 가지고 있었다.[33]

행회가 대부분의 근대 초기 도시에서 가장 강력한 사회경제적 조직이었다면, 잠재적으로 가장 중요한 정치적 조직은 자선단체들이었다. 중국에서 도시 자선의 근대적 시작은 16세기와 17세기 초반 양쯔강 하류 도시들에서 등장한 생각이 비슷한 '자선인資善人, philanthropist'부터다〔'자선資善'은 '착한 성품을 기른다'는 뜻이다〕. 특히 때때로 판매되는 새와 작은 동물을 사들여 방생하게 하는 기증자의 불교적 신심 고양을 위한 '방생회放生會'가 조직되었고, 때때로 더 넓은 범위의 상징적 선행을 위해 '동선회同善會'가 조직되었다. 청 대에 특히 옹정제雍正帝 통치 기간(1723~1735)인 18세기 두 번째 사분기에 국가가 민간에서 실행해온 일의 주도권을 회복했는데, 국가는 현지 엘리트들을 동원해 모든 군 소재지에 육영당育嬰堂과 구빈원인 보제당普濟堂을 세웠으며 민간 기부금과 공공기금인 '공비公費'를 혼합해 자금을 융통했다. 그러나 여기에서도 필요성의 규모에 비해 제도의 규모는 그 의도가 실용적이기보다 모범적임을 시사한다.

이러한 상황은 19세기에 걸쳐 변화했는바, 19세기는 제국 행정의 새로운 약점과 더 크고 더 복잡한 도시에서 사회적 서비스를 제공해야 하는 명확한 필요성에 따라 자선단체들이 대거 등장한 시기였다. 초기에는 폐지 수집 단체, 정숙한 미망인을 위한 숙소, 신원 미확인자 장례를 돕는 단체, 구명정 운영 업체, 무료 죽 제공 식당 등 다양한 전문 제도들이 있었다. 그러나 1830년대와 1840년대까지 많은 도시에서, 그리고 세기 중반의 전란으로 인해 또 다른 많은 도시에서, 이와 같은 다양한 기능은 새로운 종류의 자선 제도인 '선당善堂'으로 통합되었다. 한커우의 경우, 1890년대에 최소 35개의 동네 단위 기반의 선당이 운영되고 있었고, 그 전성기에 선당은 넓은 의미로 여러 기능을 수행했고 유급有給 전문가들에 의해 관리되었으며, 동네 사업체와 도시와 농촌의 부동산 기부를 통해 자금을 융통했다.[34]

청 대 후기 도시들의 공론장

제국 후기의 도시들에서 자발적인 결사체들의 수와 유형이 확산이 된 것과 정부조직의 그것과 유사한 사회적 서비스 기능의 범위가 더욱 넓어진 것을 고찰한 일부 역사학자들은 이를 중국의 독특한 '공론장public sphere'의 부상으로 파악한다(공론장의 비교 논의는 23장을 참조). 이 개념의 도약은 엘리트 행동주의elite activism의 새로운 무대를 설명하는 데서 관官과 사私가 아닌 공公이라는 단어가 중국의 근대 초기 담론에서 점점 더 많이 사용되었다는 점에 주목함으로써 고무되었다.[35] 중국의 현실을 묘사하는 데서 공론장이라는 위르겐 하버마스Jürgen Habermas의 용어를 호출하는 것에 반대하는 학문적 반론들이 있으나, 제국의 마지막 반세기 동안 표면상 비정부기구가 도시 공공서비스를 빠르게 장악했음은 부정할 수가 **없다**. 이런 활동은 점점 더 기능적이고 포괄적으로 되었고 자치제 전체에 걸쳐 나타났다. 초기의 한 사례는 18세기 후반에 지역 문인 집합체가 다운타운downtown의 주요 사원 인근에 사실상의 타운홀town hall을 설치한 제철도시 포산이다. 이들 명사名士는 지방정부의 묵인 아래 행동을 했으나, 국가의 이름으로 행동을 한 것은 아니었고 국가의 재정 지원 또한 없었다. 명사들이 참여한 '공사公事, public affairs'의 범위에는 학교 운영과 시립 곡물창고 운영 등이 있었다. 이러한 활동에 드는 자금은 명사들이 도시의 부두에 부과한 수수료와 수익성 있는 도선渡船 운항에서 나왔다. 산둥山東성 개항장인 옌타이煙臺에는 공적 기부에 기반을 두고 하나로 통합된 선당이 1898년에 건립되었다.[36]

현지에 위기가 발생했을 때, 도시의 행회나 동향 회관들은 적어도 잠깐은 분명한 정부 기능을 가정하고 훌륭한 주도권을 쥔 채 집합적으로 행동을 할 수 있었다. 충칭(쓰촨성)에서는 태평천국太平天國의 난〔1851~1864〕 주도 세력의 공격으로 현지 관료들이 도주하는 일이 벌어지자 8개 성외省外 상단 행회의 임시 동맹이 도시를 포괄적으로 통제했다. 20년 뒤 같은 상단 행회의 연합이 프랑스 선교사들의 처형 이후 벌어진 프랑스 함대의 포격 당시에 도시를 수호했다. 청의 마지막 10년은 도시 전역을 대상으로 하는 관료제 외부적 '공공'경영의 공식적 제도화로 특징지어졌으며, 상회商會, chamber of commerce 대표들과 시의 주요 행회에 의해 1905년에 조직된 상하이 시의회가 그 정점이었다. 이것은 의심의 여지가 없는 '도시 자치urban antonomy'였다.

결론

이 장에서 탐구한 시기가 끝이 날 때 중국 청 왕조는 이례적으로 발전된 상업경제commercial economy와 세련된 도시 정치·문화를 향유했다. 그럼에도 청 대 사회는 여전히 본질적으로 농경사회였다. G. 윌리엄 스키너는 이 장의 논의가 끝나는 시점인 1893년에 중국에 인구 4000명 이상의 도시가 877개 있었고 전체 도시화율이 제국 인구의 5~7퍼센트라고 추정했다.[37] 앤드루 리스Andrew Lees와 린 홀런 리스Lynn Hollen Lees에 따르면, 〔중국의〕 이 수치는 1800년 인구의 14.5퍼센트가 5000명 이상의 타운과 도시에 거주했고 1910년에는 이 수치가 43.8퍼센트까지 현저하게 급증했던 유럽의 경우보다 훨씬 낮은 비율이었다. 이러한 괴리는 중국의 소규모 도시의 인구를 (스키너가 1893년의 인구를 2350만 명 이상으로 추정한 것을) 반영하는 것이 아니라, 중국의 경이적인 근대 초기 인구성장이 시골, 농업용으로 새로 개발된 내륙의 주변부, 소시진보다 도시에서 덜 발생했다는 사실을 반영한다. 실제로 당 대와 송 대의 도시화율은 1893년의 경우보다 아마 더 높았을 것이다.

제임스 맥클레인James McClain이 강조하듯(18장 참조), 명 대와 청 대 중국의 도시 형태와 기능은 도쿠가와 일본의 그것과 확연히 달랐다. 두 제국 모두 매우 큰 수도(중국의 베이징과 난징, 일본의 에도와 교토)가 있었고, 두 제국 모두 더 작은 행정구역(관료적인 중국의 군 소재지와 봉건적인 일본의 〔성시城市인〕 조카마치城下町)의 조직망으로 뒤덮여 있었다. 그러나 이러한 유사성을 넘어 중국의 더 높은 수준의 농업의 상업화는 일본의 그것과는 매우 다른 방식의 도시체계를 창출했다. 과도하게 성장한 조카마치 오사카大阪는 광범위한 명령경제 내에서 쌀과 면화의 일본 전국 시장을 완전하게 장악했던 반면, 중국에는 시장 거래가 기능적 종주성宗主性, primacy을 놓고 행정기관과 경쟁하는 수많은 지역적 거대도시와, 행정적 기능을 전혀 수행하지 않는 일부 매우 큰 규모의 상업도시 및 산업도시들이 있었다.

중국이나 일본보다 더욱 정치적으로 분권화되었던 유럽에는 기본적으로 동아시아 사회에 공통적이었던 행정도시 조직망이 부족했다 (교회 위계 내에 있는 주교구 대성당 타운들이 이 역할을 일부 담당했다). 국민국가〔민족국가〕national state가 부상하고 바스 판 바벌Bas van Bavel과 그의 동료들이 명명한 '수도 효과the capital city effect(21장 참조)가 등장하기 전까지, 유럽의 정치권력은 중국의 경우보다 도시체계를 결정하는 데서 영향을 덜 끼쳤다. 오히려 서유럽에서는 —중국과 유사하고 일본과 다르게— 무역, 특히 해상무역이 도시개발urban development의 주요 동인이었다. 근대 초기 유럽에서 가장 큰 규모의 도시들은 해외무역과 관련된 도시들이었다(베네치아, 암스테르담, 런던 등). 중국의 경우는 이와 달랐다—중국에서는 19세기 후반에 들어서야 상하이가 비약적 성장을 보였다.

그럼에도 근대 초기의 서유럽, 일본, 중국의 도시 사이에는 많은 공통적 특성이 있었다. 문화적으로, 도시와 시골의 차이에 대한 인식이 세 지역 모두에서 증가했다. 서유럽, 일본, 중국 세 사회 모두에서 문해력의 상승과 '인쇄혁명print revolution'이 소설과 다양한 종류의 실용서를 탄생시켰으며, 커피하우스와 찻집〔다관〕과 같은 사교성의 장소가 번성했고, 극장이 융성했다. 지리적 이동(성)은 가속화되었고(일본보다 유럽과 중국에서), 도시에서의 체류와 일시적 활동은 더 일상화되었고, 사회조직은 더욱 복잡하고 정교해졌으며, 도시민 결사체들은 자기 보호 활동 범위를 크게 확장했다. 이 정도로 근대 초기 도시화는, 지구적 현상은 아닐지라도, 확실히 유라시아Eurasia의 현상이었다.

주

1 Richard von Glahn, "Towns and Temples: Urban Growth and Decline in the Yangzi Delta, 1100-1400", in Paul Jakov Smith and R. von Glahn, eds., *The Song-Yuan-Ming Transition in Chinese History* (Cambridge, Mass.: Harvard University Asia Center, 2003), 211.

2 Liu Min, "Shilun Ming-Qing shiqi huji zhidu de bianhua", *Zhongguo gudai shi luncong*, 3 (September 1981), 218-236; Edward L. Farmer, *Zhu Yuanzhang and Early Ming Social Legislation: The Reordering of Chinese Society Following the Era of Mongol Rule* (Leiden: Brill, 1995).

3 F. W. Mote, "The Transformation of Nanking, 1350-1400", in G. William Skinner, ed., *The City in Late Imperial China* (Stanford: Stanford University Press, 1977), 101-154. 인용 페이지는 134.

4 Susan Naquin, *Peking: Temples and City Life, 1400-1900* (Berkeley: University of California Press, 2000).

5 Jeffrey F. Meyer, *The Dragons of Tiananmen: Beijing as a Sacred City* (Columbia: University of South Carolina Press, 1991).

6 Richard von Glahn, *Fountain of Fortune: Money and Monetary Policy in China, 1000-1700* (Berkeley: University of California Press, 1996), ch.4.

7 Philip C. C. Huang, *The Peasant Family and Rural Development in the Yangzi Delta, 1350-1988* (Stanford: Stanford University Press, 1990), 44.

8 William T. Rowe, *Hankow: Commerce and Society in a Chinese City, 1796-1889* (Stanford: Stanford University Press, 1984); Han-Seng Ch'uan and Richard Kraus, *Mid-Ch'ing Rice Markets and Trade: An Essay in Price History* (Cambridge, Mass.: Harvard University Center for Chinese Studies, 1975), 77,

9 Wu Chengming, "Lun Qingdai qianqi woguo guonei shichang", *Lishi yanjiu*, 1983.1, 99.

10 Linda Cooke Johnson, *Shanghai: From Market Town to Treaty Port, 1074-1858* (Stanford: Stanford University Press, 1995).

11 Skinner, "Cities and the Hierarchy of Local Systems", in Skinner, ed, *The City in Late Imperial China*, 275-352.

12 James Z. Lee and Wang Feng, *One Quarter of Humanity: Malthusian Mythology and Chinese Realities* (Cambridge, Mass.: Harvard University Press, 1999); Liu Shiji, *Ming Qing shidai Jiangnan shizhen yanjiu* (Beijing: Zhongguo Shehui Kexue Chubanshe, 1987).

13 Hsiao-Tung Fei, *China's Gentry: Essays in Rural-Urban Relations* (Chicago: University of Chicago Press, 1953).

14 Marie-Claire Bergère, "'The Other China': Shanghai from 1919 to 1949", in Christopher Howe, ed., *Shanghai: Revolution and Development in an Asian Metropolis* (Cambridge: Cambridge University Press, 1981), 1-34.

15 Fujii Hiroshi, "Shin'an shōnin no kenkyū", *Tōyō gakuhō*, 36.1-4 (1953); Terada Takenobu, *Sansei shōnin no kenkyū* (Kyoto, 1972); Nishizato Yoshiyuki, "Shinmatsu no Nimbo shōnin ni tsuite", *Tōyōshi kenkyū*, 26.1-2 (1967).

16 Steven B. Miles, *The Sea of Learning: Mobility and Identity in Nineteenth-Century Guangzhou* (Cambridge, Mass.: Harvard University Asia Series, 2006).

17 Peng Zeyi, *Zhongguo jindai shougongye ziliao*, four volumes (Beijing: Sanlian Shudian, 1957).

18 Matthew H. Sommer, *Sex, Law, and Society in Late Imperial China* (Stanford: Stanford University Press, 2000).

19 Hanchao Lu, "Away from Nanjing Road: Small Stores and Neighborhood Life in Modern Shanghai", *Journal of Asian Studies*, 54.1 (1995), 92-123.

20 Richard von Glahn, "Municipal Reform and Urban Social Conflict in Late Ming China", *Journal of Asian Studies*, 50.2 (1991).

21 R. Bin Wong, "Food Riots in the Qing Dynasty", *Journal of Asian Studies*, 41.4 (August 1982), 767-788.

22 Mote, "Transformation of Nanking", 103.

23 Di Wang, *Street Culture in Chengdu: Public Space, Urban Commoners, and Local Politics, 1870-1930* (Stanford: Stanford University Press, 2003).

24 Suzuki Tōmō, "Shinmatsu Kō-Seku no chakan ni tsuite", *Rekishi ni okeru minshū to bunka* (Tokyo: Kokusho Kankōkai, 1982), 529-540; Di Wang, *The Teahouse: Small Business, Everyday Culture, and Public Politics in Chengdu, 1900-1950* (Stanford: Stanford University Press, 2008); Fei Li, "The Traditional Style of

Storyhouses in Yangzhou", in Lucie Olivová and Vibeke Børdahl, eds., *Lifestyle and Entertainment in Yangzhou* (Copenhagen: NIAS Press, 2009), 271-285.

25 Colin Mackerras, *The Rise of the Peking Opera, 1770-1870: Social Aspects of the Theatre in Manchu China* (Oxford: Clarendon Press, 1972); May-ho Chia, "A Preliminary Study of Theaters Built by Cantonese Merchants in the Late Qing", *Frontiers of History in China*, 5.2 (June 2010).

26 Patrick Hanan, trans., *Courtesans and Opium: Romantic Illusions of the Fool of Yangzhou* (New York: Columbia University Press, 2009).

27 Antonia Finnane, "The Fashionable City? Glimpses of Clothing Culture in Qing Yangzhou", in Olivová and Børdahl, *Lifestyle and Entertainment*, 62-74.

28 Liu Yongcheng, "Shilun Qingdai Suzhou shougongye hanghui", *Lishi yanjiu*, 11 (1959), 21-46.

29 Madeleine Zelin, *The Merchants of Zigong: Industrial Entrepreneurship in Early Modern China* (New York: Columbia University Press, 2005).

30 David Ownby, *Brotherhoods and Secret Societies in Late Imperial China* (Stanford: Stanford University Press, 1996); Cai Shaoqing "On the Origin of the Gelaohui", *Modern China*, 10.4 (October 1984); David Kelley, "Temples and Tribute Fleets: The Luo Sect and Boatmen's Associations in the Eighteenth Century", *Modern China*, 8.2 (July 1982).

31 Wang Shih-Ch'ing, "Religious Organization in the History of a Chinese Town", in Arthur P. Wolf, ed., *Religion and Ritual in Chinese Society* (Stanford: Stanford University Press, 1974); Mingming Wang, "Place, Administration, and Territorial Cults in Late Imperial China", *Late Imperial China*, 16.1 (June 1995).

32 Susan Naquin and Chün-fang Yü, eds., *Pilgrims and Sacred Sites in China* (Berkeley: University of California Press, 1992).

33 Rowe, *Hankow: Commerce and Society*; Bryna Goodman, *Native Place, City, and Nation: Regional Networks and Identities in Shanghai, 1853-1937* (Berkeley: University of California Press, 1995); Richard Belsky, *Localities at the Center: Native Place, Space, and Power in Late Imperial Beijing* (Cambridge, Mass.: Harvard University Asia Center, 2005).

34 Furna Susuma, *Chūgoku zenkai zendō shi kenkyū* (Kyoto: Dōhōsha Shuppan,

1997); Liang Qizi, *Shishan yu jiaohua: Ming Qing de zishan zuzhi* (Taipei: Lianjing Chubanshiye Gongsuo, 1997); Joanna Handlin Smith, *The Art of Doing Good: Charity in Late Ming China* (Berkeley: University of California Press, 2009); William T. Rowe, *Hankow: Conflict and Community in a Chinese City, 1796-1895* (Stanford: Stanford University Press, 1989).

35 Mary Backus Rankin, *Elite Activism and Political Transformation in China: Zhejiang Province, 1865-1911* (Stanford: Stanford University Press, 1986); Rowe, "The Public Sphere in Modern China", *Modern China*, 16.3 (July 1990).

36 Mary Backus Rankin, "Managed by the People: Officials, Gentry, and the Foshan Charitable Granary, 1795-1845", *Late Imperial China*, 15.2 (December 1994), 1-52; Inspectorate General of Customs, "Chefoo", in *Decennial Reports*, 1882-1891, 60.

37 Skinner, "Regional Urbanization in Nineteenth-Century China", in Skinner, ed., *The City in Late Imperial China*, 225-226.

참고문헌

Goodman, Bryna, *Native Place, City, and Nation: Regional Networks and Identities in Shanghai, 1853-1937* (Berkeley: University of California Press, 1995).

Johnson, Linda Cooke, ed., *Cities of Jiangnan in Late Imperial China* (Albany: State University of New York Press, 1993).

Meyer-Fong, Tobie, *Building Culture in Early Qing Yangzhou* (Stanford: Stanford University Press, 2003).

Naquin, Susan, *Peking: Temples and City Life, 1400-1900* (Berkeley: University of California Press, 2000).

Olivová, Lucie, and Børdahl, Vibeke, eds., *Lifestyle and Entertainment in Yangzhou* (Copenhagen: NIAS Press, 2009).

Rankin, Mary Backus, *Elite Activism and Political Transformation in China: Zhejiang Province, 1865-1911* (Stanford: Stanford University Press, 1986).

Rowe, William T., *Hankow: Commerce and Society in a Chinese City, 1796-1889*

(Stanford: Stanford University Press, 1984).

Rowe, William T., *Hankow: Conflict and Community in a Chinese City, 1796-1895* (Stanford: Stanford University Press, 1989).

Skinner, G. William, ed., *The City in Late Imperial China* (Stanford: Stanford University Press, 1977).

Wang, Di, *Street Culture in Chengdu: Public Space, Urban Commoners, and Local Politics, 1870-1930* (Stanford: Stanford University Press, 2003).

제18장

일본의 전근대 도시주의

Japan's Pre-modern Urbanism

제임스 맥클레인
James McClain

1590년 여름, 군벌軍閥 도쿠가와 이에야스德川家康는 사무라이侍 부대의 선봉을 일본의 제1의 곡창지대인 광대한 간토關東평야로 진격시켰다. 그곳에서 이에야스는 에도江戶만 가장 안쪽에 자리한 작은 어촌 부지에 요새 거주지〔거성居城〕를 세웠다. 10여 년 뒤인 1603년에 일본을 7세기 중반부터 통치해온 천황가에서 이에야스를 쇼군將軍으로 임명했고, 쇼군(과 그의 후계자들)은 국가 통치에 대한 책임을 다하고, 법과 질서를 유지하며 사무라이 계층을 감독하는 구체적인 임무들을 위임받았다. 이에야스는 가문의 미래가 보장되자 결국 자신을 따르는 무사들—수만 명—을 자신의 거성 주변에 정착시켰다. 상인들과 장인들이 무사 거주지의 필요를 충족시키기 위해 이 공동체로 이주해 들어왔고 에도라는 작은 마을은 인구 100만 명이 훨씬 넘는 거대도시metropolis로 성장해 1700년에 세계에서 가장 큰 규모의 도시가 되었고, 이곳이 현대의 도쿄東京가 되었다.

에도가 주요 연담連擔도시〔집합도시〕conurbation로 등장한 것은 단일의 사건이 아니었다. 17세기로 전환되는 몇십 년 동안 일본 전역에서 강력한 지방 영주 다이묘大名들이 그들만의 거성을 건설하고 있었다. 이 무사들의 지도자들은 어느 때나 대략 220~250명 정도로, 국가 전체 토지의 4분의 3가량을 차지했으며, 도쿠가와의 군사적 패권에 충성을 맹세했고, 막부幕府가 정한 광범위한 정책 지침에 따라 자신들의 영지를 관리하는 것에 동의했다. 머지않아, 에도와 같은 다이묘 본부는 사무라이 동네, 상인 동네, 장인 동네로 구성된 활기찬 공동체의 중핵이 되었다. 이러한 동네neighbourhood들의 성장은 세계에서 가장 큰 도시혁명urban revolution의 하나를 촉발했다. 1580년과 1610년 사이의 짧은 기간에, 오늘날 〔일본에서〕 가장 큰 규모의 도시들의 거의 절반이 조카마치城下町로 존재하게 되었다—북쪽으로는 센다이仙臺에서 일본 중부의 가나자와金澤와 나고야名古屋, 남쪽과 서쪽으로는 히로시마廣島와 구마모토熊本까지([지역지도 II.5] 참조).*

조카마치의 규모는 그 수만큼이나 인상적이었다. 약 140개가 최소 5000명의 인구를 자랑했고, 거대한 가나자와와 나고야는 인구가 10만 명을 넘어섰다(에도, 황실도시imperial city 교토, 상업도시commercral city

* '조카마치'는, '성 밑의 도시'란 뜻으로, 일본 센고쿠 시대(전국 시대. 15세기 중반~16세기 후반) 이후 다이묘의 거점인 거성 아래에 형성된 도시다. 무사들이 다이묘의 성곽을 호위했으며 행정도시 및 상업도시의 중심지로 기능했다.

오사카도 마찬가지였다). 조카마치 건설이 본격화한 1700년까지는, 네덜란드와 잉글랜드-웨일스만이 일본만큼 도시 밀도가 높았다. 일본에서 이 시기는 놀라운 도시성장urban growth의 세기였고, 새 도시성urbanity은 과거로부터 깊이 교훈을 끌어내어 일본이 장차 근대로 잘 이어지도록 지속적 유산으로 기능했다.

과거 일본 도시의 물리적 윤곽

일본의 17세기 도시화urbanization의 놀라운 규모에도 불구하고, 근대 초기 일본의 모든 도시경험urban experience이 새로운 것은 아니었다. 도시city 그 자체도, 물론, 마찬가지였다. 7세기 중반, 일본 중부의 강력한 일족인 이른바 태양의 후손 가문이 경쟁자들을 제압하고 일본 열도 전역에 대한 지배권을 주장하는 다이카 개신大化改新을 선포했다. 그 후 몇십 년 동안, 그 혈통의 지도자들은 대대로 스스로를 천황天皇, Heavenly으로 지칭했고, 신화적 역사를 결부시켜 자신의 가족들의 근원을 신격화했으며, 중앙 및 지방 관료제를 형성해 황실의 권위를 영토 전역으로 확장했다. 아울러, 신설 관청의 관리들을 귀족으로 임명했고, 법규와 조세 규정을 제정했으며, 새 정부의 본부 역할을 할 수도를 건설했다. 초기에 아스카明日香 계곡과 나라奈良에서 시도한 도시 건설이 너무 제한적이었음이 밝혀지자, 천황(간무桓武천황)은 794년에 화려하고 영속적인 공동체를 건설해 이름을 헤이안쿄平安京 즉 평온과 평화의 수도로 정했다. 이 도시는 이후 교토京都로 알려지게 되었다.

교토는 그 착상부터 천황의 권리를 물리적으로 드러내기 위해 설계되었다. 중국 모델을 따라, 계획자들은 북-남 거리가 교차하는 웅장한 동-서 대로를 격자 형태로 배치하고, 도시 북쪽에 넉넉한 크기에 균형 잡힌 경내 구역을 따로 예비해 관청 혼합단지와 황실 거주지를 수용했다(상서로운 남쪽에서 쏟아져 들어오는 따뜻한 햇볕을 즐기기에 더 좋았다). 그 궁전 부지 주변으로 천황은 자신에게 봉사하는 귀족들에게 거주지를 할당했고, 산책과 오락을 즐길 수 있는 경치 좋은 정원을 조성했다. 도시의 남쪽 구역에, 그는 중심축의 폭이 300피트[약 90미터]이고 궁전 혼합단지[혼합체]palace compound까지 2.5마일[약 4킬로미터] 길이로 이어진 스자쿠오지(주작대로朱雀大路)로 통하는 인상적인 라쇼몬羅城門을 세웠고, 우뚝 솟은 두 개의 수호 사원 건설의 비용 부담에 동의했고, 시장 건립을 허용했다. 9세기의 한 서정시는 초기 황실도시 교토의 웅장함을 담고 있다. "초록빛으로 반짝인다. 짙은 초록색으로 빛난다. 가없이 펼쳐져서 시선이 따라잡지 못할 정도다. 보석처럼 반짝인다, 아! 얼마나 반짝이는가. 아래에서 바라보라. 스자쿠오지의 버드나무 아래에서."[1] 이어지는 몇 세기에, 교토는 황실이 빛나는 순간을 즐기고 빈곤의 절망을 겪는 것처럼 기복을 경험하게 될 것이다. 그러나 시간의 변화가 어떠하건 교토는 일본의 도시 역사에 지속적인 유산을 남겼다—이로써 정치 엘리트들은 자신들의 권력과 권위를 표현하는 도시를 설계하려고 노력할 수 있었다.

교토는 또한 일본의 경제 소비와 생산의 선도적 중심지가 되었다. 중세 전全 시기인 12세기 후반부터 16세기 대부분까지, 교토의 인구는 십중팔구 10만에서 15만 명 사이에서 변동했을 것이다. 전형적으로, 이들 중 약 1만 명은 확대된 황실 가족과 사회적으로 저명한 귀족 가구의 구성원들이었다. 약 3만 명(경우에 따라 그 수의 두 배)이 처음에 귀족이 행사한 민사행정의 특권을 점차 잠식해가는 와중에도 법과 질서를 유지하는 임무를 맡은 것은 무사(와 그들의 가족 및 소속 하인)들이었다. 또 다른 1만 명 정도는 사제와 비구니들이었다. 이 다층적 도시 엘리트들은 신선한 채소와 과일을 얻는 데서는 도시 내 정원을 가꾸는 농민들에게, 일상생활에 필수적인 제품—의류, 신발, 침구, 접시, 빗, 바늘, 빗자루, 등잔 기름, 사케, 간장 등—을 생산·분배하는 데서는 장인과 상인들에게 의존했다. 다소 다른 수준의 생산 영역으로, 고도로 숙련된 장인들은 긍지를 가지고 도시 특권층을 위한 여러 종류의 사치품을 만들었는바, 왕관, 비단 예복, 칠부채, 불교 제단 도구, 서예용 및 수묵화용 풍부한 질감의 종이, 다도茶道 도구 등이다.

중세에 특히 14세기 이후, 점점 더 많은 타운town이 일본의 지도판에 점점이 나타났다. 교토 주위에는 끈 목걸이 형태의 위성 공동체들—사카이堺市, 오야마자키大山崎, 히라노고平野鄕를 빠르게 언급할 수 있다—이 형성되었고, 이들 도시는 중국과 한국에서 건너온 상품(의약품, 그림, 종교 경전, 향, 향수 등)뿐만 아니라 직물, 불교 상징물, 목재 같은 부가적 상품과 서비스를 수도 주민들에게 제공했다. 더 멀리 떨어진 지역 타운들은 종종 특정 상품(가공 해산물, 마른 과일 및 채소, 소금, 칠기 등)에 특화되어 있었고, 이들 상품은 이후 신흥의 전국 규모 상품 거래에서 중요한 노드node의 역할을 하는 판매 중심지와 항구(특히 동해 쪽 오바마小浜, 내해內海가 내려다보이는 오노미치尾道, 규슈九州 해안의 하카타博多 등)를 통해 유통되었다. 상업 정주지 사이에는 종교 공동체(교토 근처의 텐노지天王寺와 일본 중북부 산악 지역의 젠코지善光寺가 대표적 예다)들이 배치되어 있었으며, 이들 공동체는 중요한 지역 신사와 사원 앞에서 성장해 활동적인 나들이 순례자들에게 음식, 숙박, 기타 서비스를 제공했다. 모두 합쳐, 16세기 초반에는 40개 이상의 공동체가 최소 1만 명의 인구를 가졌고 가장 큰 곳(텐노지와 하카타)은 인구가 그 세 배였다.

중세 후기에, 수많은 타운과 그곳의 평민 인구는 도시의 자체 관리라는 또 다른 유산을 만들어냈다. 교토 자체는 15세기 후반에 폭력으로 상처를 입었다. 특히 1460년대와 1470년대에 무사 수만 명이 도시 거리에서 서로 싸웠다. 어떤 이는 "불에 타버린 우리의 땅 곳곳에서 모든 인간의 흔적이 사라져버렸다. 구역마다 새들만이 생명의 소리를 낸다"라고 기록했다.[2] 이에 대응해, 일반 거주민들은 거리의 반대편을 따라 서로 마주 보는 공동의 동네 조직체인 마치町로 스스로 모여들기 시작했다. 그 결과, 사회적이고 지형적인 의미에서 이중적 특성의 상인과 장인 거주 동네인 마치슈町衆(1530년대에 약 200개 정도)가 범죄 예방, 시민 불화(배우자에 대한 부정不貞, 상업상의 의견 충돌 등) 해결, 소방 의무, 하수와 쓰레기 처리, 질병이 발생할 때나 예기치 않은 위기가 구성원 가구에 발생할 때의 상호 부조를, 이에 더해 15세기 후반과 16세기 초반에 걸쳐 국가권력의 구조가 위축되었을 때에는 자위까지도 맡게 되었다.

교토만이 유일무이한 사례는 아니었다. 16세기로 접어들면서 일본 전역에서 자치 기관이 등장했다—수도권의 우지宇治와 야마다山田, 이세신궁伊勢神宮 인근의 오미나토大湊, 내해 연안의 효고兵庫, 규슈의 하카타 등. 이들 모든 타운에서, 주도적 시민들(대금업자, 양조업자, 쌀과 여타 상품을 시골countryside로부터 일본의 도시 중심지urban centre로 운반하는 운송업자 등)은 현지의 문제를 감독하는 원로회를 자체적으로 구성했다. 사료상으로는 사카이에 대해 가장 많은 것을 알 수 있다. 사카이는 교토에서 멀지 않은 오사카만 해안에 위치했으며 15세기 후반에 제철 및 섬유 생산의 선도적 중심지이자 중국 및 아시아 본토와의 교역에서 중요한 화물집산지entrepôt로 부상했다. 1530년대에 4만 명 정도의 거주민 거의 모두가 상업 활동으로 생계를 꾸렸다(그리고 그 상당수가 이 나라에서 가장 부유한 개인에 속했다). 게다가 당대 유럽의 관찰자들은 때때로 이 해양도시maritime city를 유럽의 자치적 도시 정치체와 유사한 것으로 묘사했다. 예수회Jesuit 여행자들이 첫 번째로 그러한 인상을 소개한 한 부류였다. 포르투갈 예수회 소속 가스파르 빌렐라Gaspar Vilela는 1561년 8월 17일 자 편지에서 "사카이는 대규모 도시이고 유력有力한 상인들이 많이 있다. 이곳은 베네치아처럼 집정관에 의해 통치되고 있다"라고 적었다.[3]

불행히도 빌렐라는 상인 집정관merchant consul이라는 용어가 의미하는 것이 무엇인지 명시하지 않았다. 그럼에도 1480년대로 거슬러 올라가는 일본 도시에 관한 일본 최초의 신뢰할 수 있는 기록에는 공개적으로 공표된 법적 통지가 포함되어 있으며, 이는 해당 도시가 통치위원회를 가지고 있었음을 암시한다.[4] 빌렐라가 일본에 발을 들이기 전인 1530년대에 사카이는 약 10개의 마치町로 나뉘어 있었는바, 각각 유력한 동네 상인들의 과두제로 운영되었다. 그 상위에서는 부유한 타운 사람들의 대표 협의회인 에고슈會合衆(글자 그대로 '함께 만나는 집단')가 세금 징수, 법·질서 수호, 시장 조정, 지역 논쟁 중재, 공공업무 진행 및 유지, 지역 종교 축제 후원 등 범凡공동체 문제들에 스스로 천명한 책임을 지기 시작했다.

당연히도, 현대의 역사학자들은 중세 후기 일본과 유럽에서 도시의 독자성이 동시적으로 출현했다고 추정되는 것의 역사적 의미에 흥미를 갖게 되었다.[5] 그런데 비교사적 질문 연구법이 학문적 담론에서 이용되면서 일본 학자들은 엄청난 양의 곤혹스러운 문제에 직면했다. 첫째, 그들은 혼란스러울 정도로 〔일본의 사례를〕 이러저러한 유럽의 사례와 비교를 해야 했다. 유럽의 사례는 빌렐라가 환기한 유명 사례인 베네치아의 도시국가city-state와 같은 명백한 주권적 자치체에서부터 루체른Luzern과 베스트팔렌 지방 타운 도르트문트·민덴Minden·뮌스터 같은 '헌장chartered' 정주지, 〔프랑스의〕 새 군주 앙리 4세〔재위 1589~1610〕가 대외적 통제를 선언하기 이전에 내전으로 왕권이 약화된 16세기 후반 마르세유 같은 자치제에 이르기까지 광범위했다. 둘째, 일본 학계는 역사를 분석하려는 복잡한 시도들에서 새 분석적 용어를 고안해낼 필요가 있었다. 논쟁이 전개되면서 오늘날 전형적으로 '자유(로운)free'와 '자유권freedom'으로 표현되는 자유自有, 지유는 도시국가에 적용되는 한편, 일본어에서도 성가실 정도로 모호한 용어 자치自治, 지치는 헌장부터 '자치self-governing'와 '자체 관리self-managed'에 이르기까지 다수의 도시경험을 다루는 데 사용된다. 마지막으로, 유럽을 다른 전통을 측정해야 하는 표준, 심지어 보편적 양상인 '규범'으로 받아들여야 한다는 관념이 학문적 논쟁에서 점점 더 비중을 차지하고 있다.[6]

결국, 모호한 전문용어 사용의 실패, 각양각색 유럽 사례들의 양립 불가능함, 유럽 경험의 압박적 부담이 일본의 공동체와 서구의 공동체를 같은 역사적 궤도에 위치하는 것을 어렵게 했다. 마침내, 일본의 타운 위원회는 전통적 거버넌스governance 구조에 이의를 제기하지 않는다는 일반적 합의가 등장했다. 일본 도시민burgher들은 계속해 막부에 세금은 내거나 강력한 지역 영주에게 추가 부담금을 납부했는바, 이는 기본적으로 자신들의 도시 내부 문제를 자체적으로 관리하게 해준 데 대한 대가였다. 결과적으로, 일본 상인들은 외부 권위로부터의 완전한 독립을 확인받는 헌장을 얻거나 도시국가를 건설하는 임무를 결코 스스로 설정하지 않았다. 따라서 일본의 경우는 '자치권autonomy'이나 '자유도시free city'보다는 '자체 관리self-management' '자치self-governance'로 말하는 게 가장 적절할 것이다. 그럼에도, 일본 역사 자체의 맥락에서 발생해 외부 비교라는 구속에서 자유로운, 중세 후기의 일본 평민들에 의한 현지 자치의 출현은 우리가 다음에 볼 것처럼 일본 도시들의 후속 발전을 위한 또 다른 중요한 유산을 확립했다.

근대 초기의 에도: 물리성physicality

도쿠가와 이에야스는 과거 일본의 윤곽에 정통했다. 이에야스가 처음 에도 지역으로 이동해왔을 때, 그는 외부 공격을 방어할 수 있는 거점인 군사 요새를 건설했다. 천황이 그를 1603년에 쇼군으로 임명한 후, 이에야스는 일본의 새 행정 관청을 추가로 수용할 수 있고 일본의 일상적 통치자라는 사실상의 자신의 지위에 경외감을 부여할 수 있는 도시를 설계하는 일에 착수했다. 교토가 일본 정치 문화의 합법적 정점을 차지하겠다는 천황의 의기양양한 주장을 구체화한 것처럼, 이에야스는 에도를 통해 물리적으로 권력에 대한 자신의 야심을 표상하고 자신이 실질적으로 통치하기를 의도했다.

에도성城은, 넓고 웅장한 설계로, 새 공동체의 지리적·심리적 핵심 역할을 했다. 놀라운 공학적 솜씨로, 16세기 말에서 17세기 초로 이어지는 수십 년 동안, 이에야스의 건설 팀(때로 수만 명의 징집 노동자로 구성되었다)은 언덕을 평평하게 만들어 그 흙으로 에도 만 인근 저지대를 메우고, 90마일〔약 155킬로미터〕 가까이 떨어진 이즈伊豆반도에서 거대한 화강암 바위를 채석해 바지선으로 건설 현장으로 운반해와 난공불락의 성벽을 세우고, 강의 방향을 바꿔 동심원 형태의 보호용 해자 체계를 구축했다. 내부적으로 이에야스 휘하의 설계자들은 성을 여러 개의 개별적 성채로 구성했으며, 각각은 자체적인 해자, 벽, 문에 의해 보호되었다. 이 성역들은 관료 사무실 공간뿐 아니라 가능한 모든 공성전攻城戰에 필요한 보급품 보관소 공간을 제공했다. 중앙 성채인 혼마루本丸는 성 복합단지〔복합체〕castle complex의 안전한 심장부에 위치하며, 쇼군과 그 확대가족의 거주지로서 기능했다.

축성되었을 때〔1457〕, 에도성은 주변을 지배했다. 그 거대한 석벽들은 높이가 50피트〔15미터〕 이상 치솟아 있었고 길이가 11마일〔18킬로미터〕 가까이 뻗어 있었다. 5층짜리 거대한 천수각天守閣이 성 복합단지 내에 있었다. 수 마일 떨어진 곳에서 볼 수 있는 그 거대한 외형은 정권의 힘과 위엄의 상징으로 서 있었다. 다인茶人이자 조원가造園家 고보리 엔슈小堀遠州〔고보리 마사카즈小堀政一, 1579~1647〕가 배치한 것으로 알려진 성내 부지, 우아한 다리, 조경 정원은 경내로 들어올 수 있는 특권층의 눈을 즐겁게 했다.

이에야스와 그의 뒤를 이은 아들들은 성 주변의 무사 동네에 특별한 설계를 부과했다. 우선, 쇼군들은 성의 서쪽과 북쪽에 자신의 직계 가신들에게 주거지를 제공했다. 부채형의 쐐기 모양 땅에 수천 명의 신뢰할 수 있는 가신을 배치함으로써 자연적 취약점인 무사시武蔵 평원 방향에서의 공격 가능성에 방어벽이 마련된 셈이었다. 1630년대에 이르자 도쿠가와 막부는 지역 다이묘에게 '산킨코타이(참근교대參勤交代)'를 적용했다. 200명이 넘는 지역 영주들은 각각 격년으로 에도에 머물러야만 했고, 이에 더해 자신들의 본처와 상속인들을 볼모로 도시에 상주하게 남겨두어야 했다. 이를 위해 쇼군은 상당한 위세〔위신〕prestige의 소재지인 에도성 정문 바로 동쪽의 땅을 가장 충성스러운 다이묘들인, 막부의 관료직을 맡은 이른바 '동맹 영주들'에게 할당했다. 마지막으로, 막부는 남은 다이묘들인 덜 신뢰하는 '외부 영주들'에게는 성채에서 좀 더 멀리 떨어진 부지를 제공했다. 그래도 이곳은 여전히 성의 남쪽으로 이어진 산허리의 양지바른 경사지에 자리했다.[7] 역사학자들은 이를 계획적으로 고안한 '나선형spiral' 양상으로 개념화하는바, 지역 영주들의 위세와 권위를 인정하는 한편 도시를 보호하는 형태로 사무라이를 배치하려 의도적으로 설계되었다는 것이다.[8]

예견된 바대로, 막부는 무사계층이 에도 내 각자의 영지에서 생활할 수 있는 기반설비infrastructure를 제공하는 데 막대한 돈을 투여했다. 예컨대 기술자들은 강을 우회시키고 교외 이노카시라井の頭 연못에서 끌어온 물로 나선형의 무사 지역에 식수를 제공했다. 이후 1650년대에 도시 인구가 증가함에 따라, 막부는 도시 밖으로 30마일〔약 48킬로

미터] 넘게 떨어진 수원에서 물을 운반해오기 위해 운하, 수문, 지하 도관의 복합적 일체를 건설했다.[9]

대大에도: 상인들의 에도

에도를 건설하고 도시의 물리적 윤곽을 형성하려는 쇼군의 초기 노력은 특권을 누리는 도시 무사계층으로 표면화되었지만, 18세기 초반까지는 사무라이 수만큼의 평민이 —실제로 셀 수도 없을 만큼 많은 수가— 에도에서 살았다. 막부가 무사 가신들을 에도에 머물도록 한 초기의 결정과 지역 영주들의 거주지를 에도에 마련하도록 한 요구로 약 50만 명의 핵심 인구가 창출되었다. 이들 사무라이에게는 음식, 건축 자재, 의복—태양 아래 모든 것이 필요했다. 일본 전역에 있는 조카마치의 무사들도 마찬가지였다. 국가 전역의 도시 사무라이가 발생시킨 엄청난 소비 수요는 중세에 상상할 수 있는 그 어떤 것보다도 몇 배나 많은, 전례가 없는 규모로 상품의 생산과 유통을 자극해 상업혁명commercial revolution을 촉발했다. 17세기 내내 도처에서 사람들이 농경 마을을 버리고 새 도시 중심지들로 특히 에도로 이주했으며, 1720년대까지 쇼군의 수도에서는 적어도 80만 명의 평민들—상인, 장인, 일용직 노동자, 유흥관계자, 매춘부, 사제—이 거주했을 것으로 보인다.

17세기 동안 상인과 장인이 대거 유입되면서 사무라이가 지배하던 조카마치는 평민들이 말하는 오에도 즉 '대에도大江戶, Great Edo'로 전환되었고, 이로써 초기의 도시계획이 엉망이 되었다. 눈에 띄게, 이들 새로 유입된 상인과 장인은 거대도시의 물리적 윤곽을 완전히 새로운 방향으로 추동했다. 점점 더, 이주민 인구가 도시의 도로와 수로를 따라 있는 공지空地와 다이묘 영지 아래 계곡에 있는 공지에 정착하면서 무사와 정부 관원의 '야마테山手'〔높은 도시〕와 평민의 '시다마치下町'〔낮은 도시〕라는 개념을 낳았다. 1657년의 메이레키明曆 대화재 이후, 수천의 상인과 장인 가구가 '이에야스의 도시'의 동쪽 경계를 규정했던 스미다隅田강을 건너 새로운 그리고 덜 위험한 생활공간을 찾으면서 농경지가 도시 스프롤urban sprawl 부지로 바뀌었다.* 다른 평민 가족들은 부와 자본을 축적하면서 서쪽으로 진출해 이치가야市ヶ谷, 요쓰야四ツ谷, 아카사카赤坂, 아자부麻布(모두 오늘날 도쿄의 중심에 있다) 같은 예전 교외권suburban area을 차지했다. 이러한 자발적이고 마구잡이 방식의 이동은 에도에 새로운 지리적 윤곽을 부여했고 과거의 질서정연한 사무라이 중심의 나선형 공간과 부조화를 낳았다.[10]

게다가 도시민들은 쇼군이 애초에 공용으로 사용했던 공간을 전유專有했다. 막부는 에도의 주요 운하와 수로를 가로지르는 다리를 건설하는 데 자금을 지원했고, 통로를 분명히 하고 개방할 것을 명령해 비좁은 상업 구역에서 빈번하게 일어나는 화재로부터 사람들의 대피로를 확보했다. 또한 막부의 관리들은 화재에 대한 두려움으로 시 중심지city centre의 특정 지역을 화재 방어 지점으로 지정했고, 화재의 진행을 지연시키려는 목적에서 의도적으로 비워 두는 구역을 지정했다. 하지

* '메이레키 대화재'는 1657년 음력 1월 18~20일에 발생한 대화재로 에도성의 천수각 등 여러 건축물과 시가지의 대부분이 소실되고, 적게는 3만 명에서 많게는 10만 명의 사망자를 낳은 에도 시대의 가장 큰 화재였다. '메이레키'는 당시의 연호年號다.

만 상인들의 시각에서는 이곳들이 귀중한 상업적 공간이었고, 따라서 그곳을 침범하려는 유혹을 참을 수가 없었다. 1657년 재난 이후, 관리들은 상업 에도의 신흥 심장부인 니혼바시日本橋와 인접한 주요 수로를 따라 약 200야드(약 180미터)에 이르는 삼각형의 땅인 에도바시江戸橋에 큰 화재 방어 공간을 만들었다. 막부의 최선의 의도와 상관없이 오히려 상인들이 이곳에 재빨리 들어와 상점들을 열었고, 도매상들은 창고와 보관 시설을 설치했으며, 유흥업자들은 만담 공연장을 열었다.[11] 비워 두었던 공간의 전유는 —1703년 또 다른 대화재 이후 건설된 전장全長 200미터의 료고쿠兩國대교와 같은— 에도의 주요 다리에 대한 접근에서도 볼 수 있으며, 이 다리 구역은 진취적인 상인들에

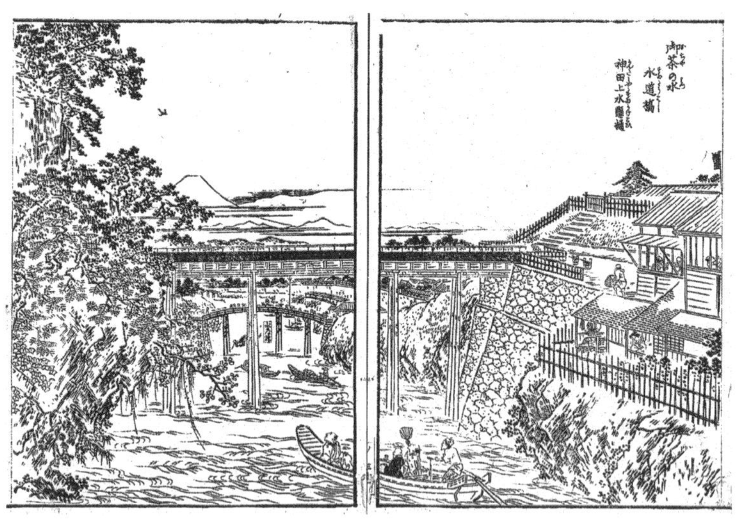

[도판 18.1] '오차노미즈'. 에도성 주변의 옛 해자는 상업용 수로이자 관광지가 되었다. (출처: 齋藤長秋, 《江戸名所図会》, vol.1)

의해 에도에서 가장 인기 있는 유흥 중심지로 변모했다.

평민들은 이에야스의 타운을 다른 방식을 통해서도 상인들의 도시로 탈바꿈시켰다. 에도성 바로 북쪽 오차노미즈御茶ノ水에 대한 가장 이른 초기의 참고문헌은 1620년대 토목기술자들이 어떻게 작은 산을 평평하게 하고, 강의 방향을 바꾸고, 수십 미터 깊이의 수로를 설치해 막부 본부에 새 외부 해자를 제공하는지를 설명한다. 그러나 시간이 지남에 따라 지역과 에도에 평화가 뿌리를 내리고 에도가 일본의 상거래의 심장부로 부상하면서 수로의 군사적 중요성은 기억 속으로 사라졌다. 〔저술가〕 사이토 게신齋藤長秋이 19세기 초반에 출판한 유명한 안내서 모음집은 오차노미즈를 통과하는 해자를 온갖 종류의 화물이 실린 평저선平底船들이 삿대질로 나아가는 상인들의 교역로처럼 묘사하고 있다([도판 18.1] 참조).[12] 자발적으로, 상거래의 부와 주도권은 공무적 에도 시경관cityscape의 계획된 지형을 침식하고 그것을 평민의 도시인 위대한 도시Great City, 오에도로 재구성했다.

에도: 거대도시를 통치하기

이에야스와 그 후계자들—특히 그의 손자 도쿠가와 이에미쓰德川家光(1604~1651, 쇼군 1623~1651)—은 에도를 일본의 행정 중추부로 확립해나가면서 도시민을 통치하는 방법 또한 고안했다. 최종 형태에서, 도시 거버넌스urban governance는 수도의 두 갈래 분기된 특성을 반영했다. 궁극적으로, 이에미쓰의 통치기에 에도는 국가 통치의 중심점뿐만 아니라 신흥의 전국적 상업 생산 체계에서 번창하는 중핵이 되었고, 도시는 원래의 마스터플랜과 상인 자본 및 부에 의해 생성된 더욱 비정형적이고 유기적인 충동의 결합에 대응하며 진화했다. 이로써, 에도는 사무라이를 위한 '야마테山手'와 상인과 장인 평민을 위한 '시다마치下町'로 명확하게 구분된 주거지구가 있는 구역화한 도시가 되었다. 에도의 통치기구는 위에서부터의 권위와 아래로부터의 자체 관리의 균형을 맞추면서 전통과 혁신을 결합한 이러한 이원성dualism에 주의를 기울였다.

몇 가지 초기 실험 이후, 이에미쓰는 에도의 무사들을 감독할 책임을 국가의 행정구조 내에서 고위직에 배치한 관료에게 위임하는 행정 체계를 만들었다. 더 정확하게는, 막부의 최고 정책 결정 위원회를 구성한 원로 가신들인 로쥬老中가 에도 내에서 다이묘 영지가 차지하는 지역을 감독했고, 쇼군의 직계 가신들이 거주하는 동네들은 두 번째로 중요한 집행 위원회인 와카도시요리若年寄의 관할 아래 두었다. 이들 막부 관료들은 1615년에 지역 영주들의 행동 지침을 수립한 부케쇼핫토(무가제법도武家諸法度)와, 1632년에 쇼군의 직계 가신들에게 적용된 '쇼시핫토(제사법도諸士法度)' 같은 법령 규정을 작성·보급했다. 이 둘은 모든 무사의 추방, 복장, 주거 양식을 규제하는 요약 규범과, 여기에 더해 유흥에 관련된 것도 포함했으며 주기적으로 개정·보완되었다. 이들 법령의 집행은 '오방구미大番組' 같은 여러 층위의 하급 무사 임명자에게 맡겨졌고, 이들은 성 근처 무사 거주 구역들을 순찰하며 로쥬와 와카도시요리에게 보고했다.

비슷한 방식으로, 쇼군은 법령을 입안하고 도시 내 상인 구역과 장인 구역에 대한 지배권을 명확히 하기 위해 계획적인 행정구조를 수립했다. 일례로, 1655년에 막부 관료들은 《에도마치주사다메가키江戸町中定書》라는 규정집을 발행했고, 1742년에는 모든 평민과 관련된 법, 처벌, 사법 절차에 대한 포괄적 개요인 《구지가타오사다메가키公事方御定書》가 뒤를 이었다. 많은 요약 규정은 무사와 상인 및 장인 사이를 세밀히 구별했는바, 무사들에게는 무기를 소지하고 성씨를 가질 수 있는 특권이 부여되었으나 상인들에게는 아라부야 진베油屋甚平(진베이 기름 상점)처럼 상점 이름만이 허용되었다. 또 사무라이는 화려한 비단옷을 입을 수 있게 했고 평민들은 면과 거친 삼베와 모시로 제한했으며, 무사의 영지에서는 축제일에 특별한 음식 소비를 허용했다. 이처럼 증가하는 법령의 시행은 다양한 무사 공직자들, 특히 도시 치안판사들(마치부교町奉行. 1631년부터 2명이었다)에게 위임되었고, 이들은 평민 지역의 일상 활동을 감독하고, 폭력적 범죄자들을 처벌하고, 중요한 민사소송과 청원에 대해 판결했다.[13]

그러나 더 높은 국가 당국의 통제 아래 권력이 점점 더 중앙집중화되었음에도, 에도의 상인들과 장인들에게는 자신들의 동네를 자체 관리할 수 있는 범위가 상당히 허용되었다. 근대 초기 내내, 사무라이 행정의 겉치레는 줄어들게 되었고 막부는 많은 중요한 기능을 상인과 장인이 자체적으로 해결하도록 위임했다. 이를 위해 에도의 평민 동네들에 정교한 지원청이 생겨났다. 18세기 초반까지 에도의 4분의 3 정도의 평민들은 1500개 이상의 서로 구분되는 주거 구역에서 거주했다. 막부는 개별 동네 내의 토지소유주(또는 그들의 대리인)에게 이웃의 복지를 돌보고 전체 주민이 모든 법령을 준수하도록 확실히 하는 이른바 다섯 가족 집단인 고닌구미五人組를 조직하라고 지시했다. 막부의 로쥬는 대략 5~7개 이웃으로 구성된 집단별로 주요 상인을 1명씩 해당 집단의 대표인 나누시名主로 임명했다. 이 평민들은 모두 260여 명에 이르렀고 세 명의 원로 도시 관리인 마치도시요리町年寄에게 보고했다. 세습적으로 봉사하면서, 이들 세 명의 저명한 마치도시요리는 사무라이 계층의 마치부교들과 동네 원로들을 지원하면서 나누시 및 고닝구미와 협력해 이들이 책임을 다하게끔 함으로써 국가와 동네 사이의 접합점에 위치했다.

상인 대표와 단체들의 집합체는 여러 중요한 특권을 행사했다. 임무 중에서도, 마치도시요리들은 세금을 할당·징수하고, 마치부교들을 대신해 범죄 수사를 감독하고 비폭력적 싸움과 분쟁을 판결했다. 나누시들은, 아마도 상인 가구와 장인 가구에 가장 즉각적인 영향을 끼칠 수 있는 수준에서 활동했는바, 재산 및 인구조사 기록을 유지하고, 뛰어난 시민성을 보인 사람을 공개적으로 인정하고, 소방대를 감독하고, 사소한 지역 분쟁을 해결하고, 축제를 관리하고, 지역 거리와 다리를 정비하고, 질병이나 재정적 어려움을 겪는 지역 가정에 구호를 주선하고, 버려진 아이들과 병에 걸린 여행자들을 돌보는 일들을 담당했다. 나누시들은, 이에 더해, 해 질 무렵부터 새벽까지 각 주거 구역을 차단하는 문을 잘 수리하고, 동네 거리의 야간 순찰을 조직하고, 잡범들을 감금하면서 치안 유지에도 손을 보탰다.

쇼군의 관료제가 명백히 드러나고 문서화된 법규가 분명히 영향을 미쳤음에도, 쇼군의 권위는 많은 측면에서 무사들의 거주지enclave를 둘러싼 벽을 뚫기가 어려웠다. 다이묘 혼합 구역은 높은 벽과 정교한 문으로 도시의 나머지 지역과 차단되었다. 이렇게 개인화한 공간에서

각 다이묘 영주는 상당한 독립적인 권위를 행사했다—그는 자기 뜻대로 가신들의 소득을 결정하고, 그의 아내·후처·아이들의 일을 관리할 수 있었고, 심지어 그의 영지 내의 범죄적 행위를 규정하고, 잘못한 사람들을 처벌할 수도 있었다. 마찬가지로, 쇼군의 직속 가신들에게 제공된 주거 구역은 사무라이들이 가족 구성원과 하인들의 삶을 개인적으로 감독할 수 있는 특별한 영역으로 들어가는 입구를 구분하는 관문으로 도시의 나머지 지역과 분리되었다. 사무라이 중심의 에도에 경찰을 주둔시키기 위해 17세기에 막부의 지시로 세워진 경비소들은 그와 같은 동네의 자치에 대한 물리적 증거였다. 약 900명의 막부 경찰이 단지 소수의 경비소에 배치되었다. 그 압도적 다수는 '야마테'에서 법과 질서, 평화와 안정을 유지하는 데서 개인 다이묘와 직속 신하들의 조합으로부터 재정과 인력을 충원받았다.

궁극적으로, 에도를 통치하는 것은 결코 쉬운 일이 아니었다. 확실히, 도쿠가와 막부는 권력의 책임을 부인하지 않았다—그들은, 지배층의 핵심부를 대신해 권한을 행사하는 것이 목적인 행정구조에 권력을 끼워 넣는 것처럼, 에도의 모든 거주민에게 중요한 민사 및 형사 규약 법령들을 공표했다. 그러나 도쿠가와 막부가 일본 역사상 그 이전의 어떠한 통치기구들보다도 사람들의 삶에 더 깊이 침투해 점진적으로 자신의 특권을 축적할 수 있었다고 해도, 막부는 또한 무사들과 평민들이 일상생활의 많은 측면을 관리할 수 있는 공간은 남겨두었다. 그와 같은 현장의 자율성—자신의 동네 내에서 독립적으로 행동할 수 있는 허가—은 과거에 대한 동의로, 어떤 면에서는 중세의 자치 유산을 실행하는 것이자 근대 일본의 중요한 유산이기도 했다.

에도의 문화 생산

에도는 근대 초기에 문화 생산의 선도적 중심지로 떠올랐다. 에도의 문화는, 도시 자체의 누빈 것 같은 지리적·경제적·행정적 조직체와 마찬가지로, 도시에 거주한 다양한 지위와 계층으로 구성된 분담의 모자이크였다. 사무라이는, 그들로서는, 자신들을 위대한 엘리트의 두 가지 전통의 계승자로 자리매김했다. 한편으로, 그들은 과거의 전쟁 동안 사무라이의 행동 방식을 형성한 무사도를 유지하려 노력했다. 따라서 1600년 이후로 일본에 위대한 도쿠가와 평화Great Pax Tokugawa가 정착해, 전장의 공적들이 희미한 기억 속으로 물러났음에도, 에도의 무사들은 다카다노바바高田馬場(현대 신주쿠新宿의 동네) 같은 지역에 설치된 연습장에서 말을 타는 연습을 했고, 화창한 오후에 모여 목검과 뭉툭한 화살로 모의전투를 훈련했다. 더욱 부유한 이들은 도시 변두리에 있는 사냥터로 여행을 가서 그물을 쳐 새들을 잡고 화기와 활을 사용해 사슴과 멧돼지를 잡았다.

그러나 에도 무사들의 남자다움manliness은 무술에 대한 숙련도와 〔사냥 같은〕 유혈스포츠에 대한 열정 이상의 무엇인가를 의미했다. 무문武文—문학과 군사적 업적의 음양 조화—은 당대의 표어가 되었다. 따라서 사무라이는 유교 경전들을 연구해 유능한 행정가가 되는 방법을 배웠고, 그들 이전 귀족 세대들처럼 〔칼이 아닌〕 붓과 종이를 써서 천황의 수도 교토 자체만큼이나 오래전부터 이어져온 고전 시詩의 한 장르인 와카和歌 시를 지었다. 근대 초기의 무사 엘리트들은 산수화—선禪 및 중세 생활과 관련된 전통적 예술 형식—에 전념했고, 천황과 무사도를 숭배하는 노能 가무 극장을 후원했다. 예술과 국가는, 적어도, 엘리트 지배계급의 표상으로 암호화되어 있어 떼려야 뗄 수 없는 관계였고, 에도의 사무라이들은 공경하는 과거와 조화를 이루려 애쓰는 동시에 문화적 추구에 참여하며 자신을 당대 사회에서 논란의 여지가 없는 모범으로 주조했다.[14]

에도의 상인들과 장인들은 새로운 문화적 추구를 만들어갔다. 하이카이俳諧 시는 오늘날 하이쿠俳句의 시초로서 일반인들에게 널리 퍼졌다.* 예를 들어 1670년까지 출판사들은 133개의 하이카이 선집을 인쇄했으며, 17세기 말 한 문인은 "하이카이는 우리 사회에서 너무 인기가 많아 막내 견습생〔도제徒弟〕과 부엌의 하녀들도 한 번쯤 써보려 시도한다"는 기록을 남겼다.[15] 빠르게 쓰인 짧은 시들은 도시 평민들의 가치와 경험에 대한 새로운 이해를 열어주는 방법으로 희극적 농담조와 개인적 직관의 도발적 섬광을 결합하는 것이었다. 같은 시기에 수십 년 동안 평민 중심의 희곡과 산문 문학도 번창했다. 에도는 수십 개 가부키歌舞伎 극장의 본산으로 일 년 내내 새 작품을 상연했다. 아마도 가장 유명한 소설가이자 오직 글쓰기로만 생계를 유지할 수 있었던 이는 이하라 사이카쿠井原西鶴(1642~1693)였을 것으로, 그는 상인의 아들이었고 도시 생활에 관한 수십 편의 소설을 썼다.

새로운 시, 산문, 연극은 평민의 삶을 가치 있게 했고 사무라이 사회를 문화적으로 비판했다. 일례로, 사이카쿠는 그의 상인 독자들의

* '하이카이'는 일본의 전통적인 정형시인 와카와 렌가連歌를 이어받아 발전한 시의 한 형식으로, 단시短詩의 형태이며 웃음과 해학의 골계적 요소가 포함되어 있다. '하이쿠'는 5·7·5의 3구 17자로 된 일본 특유의 단시를 말한다.

가슴에 와닿는 주제—사랑을 나누고 돈을 버는 것—에 대해 가장 웅변적이었다. 그는 인내와 재생의 아름다움을 알리는 고전 시의 세 가지 상징인 '소나무, 대나무, 매화나무'를 언급하는 것으로 이야기를 시작하면서, 이렇게 말한다. "더는 아무것도 중요하지 않다. 지금 진정으로 중요한 것은 금, 은, 구리 동전으로 가득 찬 자루들이다."[16] 이와 관련된 것으로, 18세기 초에 객석을 가득 메운 관객들 앞에서 공연된 가부키 스케로쿠助六는 거만하고 약자를 괴롭히는 사무라이로부터 이웃을 보호한 상인 청년들을 칭송하고 과거 중세에 모든 이의 이익을 위한 통치를 하지 않은 쇼군들을 비난했다. 마쓰오 바쇼松尾金作(1644~1694)는 가장 유명한 하이카이 시인으로 〔주로 자연을 노래한〕 와카와 대조적으로 일상의 일들을 찬미했고(일례로 한 여행의 경험을 그는 이렇게 쓴다. "이와 진드기에게 물려가며/ 침상에서 잠을 청했네/ 말들은 계속 오줌을 누네/ 내 베개 가까이에"), 또한 사무라이들이 도시 평민들의 원기와 활력에 의해서 점점 더 압도당해 쇠퇴하는 모습을 예견했다.

여름풀이 무성한데
이것들만 남았네
고대 무사들의
꿈들과 야망들만.[17]

시각예술은 사무라이와 평민들의 변화하는 운명을 가장 명확하게 묘사했다. 〈강호도병풍江戸圖屛風〉은 엘리트 무사 문화에 경의를 표현했다. 병풍은 가로 약 36피트〔약 11미터〕에 세로 6피트〔약 1.8미터〕로 상인 활동을 담은 화폭과 초기 연극 제작을 담은 화폭 등 도시 생활의 광범위한 파노라마를 보여준다. 그러나 미상未詳의 병풍 작가는 전체 배치를 '야마테'의 관심을 끌기 위해 설정했다. 세련된 출입문, 멋있는 내부 거주지, 화려한 풍경의 정원이 있는 다이묘 영지는 보는 사람의 눈을 단숨에 사로잡는다. 중앙—우뚝 솟은 에도성의 천수각이 자리한다—은 광대하고 위풍당당하게 시경관을 지배하고 있다. 막부 장군을 위한 선물을 들고 있는 조선통신사 행렬이 성의 안쪽으로 들어가는 모습이 보여, 도쿠가와 막부의 정치적 정당성이 일본 해안 너머까지 확대했음을 시각적으로 암시하고 있다.[18]

목판화가들은, 뚜렷이 대조적으로, 자신들의 주요 고객이었던 상인과 장인의 세계에 불멸성을 부여했다. 우키요에浮世繪 목판화는 다양한 하위 장르를 포함하지만, 우타가와 히로시게歌川廣重〔안도 히로시게安藤廣重, 1797~1858〕 등 높이 평가받는 여러 예술가는 의도적으로 에도의 공식적 은유를 자애로운 정부와 높은 문화의 물리적 표현으로 나타내는 것 대신에, 평범한 사람들이 좋은 삶을 즐길 수 있는 평민들의 도시인 오에도의 새로운 이미지를 개척했다.[19] 특히 유명한 에도의 재구성은 히로시게가 그의 길고 생산적인 경력 끝 무렵에 시작한 서사적 〈명소강호백경名所江戸百景〉〔1856~1858, 연작〕이다.[20] 이 판화들 대부분은 상업적 성공의 결실을 즐기고 축제 및 여타 여가활동에 참여하고 있는 평민들을 묘사하고 있는데, 이는 '시다마치'의 번영하는 상인 거주지에 초점을 맞추는 것이다. 이들 판화는 일반적으로 막부와 사무라이 엘리트들을 배경에서 건조환경built environment에 배치한다. 〈야마시타초의 히비야와 소토-사쿠라다山下町日比谷外さくら田〉를 예로 들면 일반

인들이 신년에 다이묘 영지와 에도성 위로 우아하게 연을 날리는 모습을 표현했다.[21] 오차노미즈의 해자와 같이 영주의 집과 무사 정부의 중심지는 도시 평민의 배경으로 전유되면서 과거의 유물이 되었다.

다른 도시들

에도는 역사학자의 눈을 사로잡고 200개가 넘는 조카마치의 은하계에서 나타나는 경향을 조명하는 빛나는 별이다. 물론 이 조카마치들은 자신들만의 독특한 지역적 개성을 갖는다. 아이즈와카마쓰會津若松〔혼슈 후쿠시마현에 있는 도시〕와 같은 일부 도시는 육지에 둘러싸이고 산악지대의 북부 기후대에 자리해 주민들이 긴 겨울을 찬미하고 짧은 여름을 소중히 여기는 법을 배웠다. 가고시마鹿兒島와 같은 도시들은 이웃 민족 곧 외부로 시선을 돌리는, 무더운, 해양 공동체였다. 도시 지형 또한 다양해서, 일부 조카마치는 거의 바다와 접해 있었으며(도쿠시마德島 등), 상당수는 강 유역 삼각주들 사이 고지대에 끼어 있었고(히로시마 등), 다른 곳들은 바다에서 몇 마일 떨어진 고지대에 콕 박혀 있었다(센다이 등).[22] 이러한 모든 차이에도 불구하고, 에도의 전형적인 경관은 일련의 역사적 진화 이야기들에서 볼 수 있는 것처럼 일본의 조카마치들에서도 볼 수 있었다. 일본 전역에서, 각 다이묘는 자신의 요새 거주지로 가장 방어하기 좋은 지점을 선택했고 성벽과 해자로 그곳을 에워쌌다. 그곳에서 다이묘는 사무라이를 소집했고, 상인과 장인의 이주와 유입을 장려했으며, 성 근처에 위치하면서 지리적으로 평민 동네와 분리되는 무사 거주 구역을 만들었다. 다이묘는 사무라이에게 특권을 부여하는 한편 모든 사람의 요구를 충족시키는 공공서비스 차원의 기반설비를 구축했으며, 영주를 명확한 정치적 권위자로 확립하는 한편 무사 가구와 평민들에게 의무를 위임해 그들이 일상 활동을 구체화할 수 있게 했고, 각 지위집단의 심리적 요구를 충족시키는 문화 활동을 용인(하고 더 나아가 장려하기도)했다.

일본의 도시 피라미드 정점에서 에도에 합류한 것은 국가적으로 중요한, 인구밀도가 높은 두 도시인 교토와 오사카였다. 근대 초기 내내 교토는 천황과 그를 수행하는 귀족들의 거주지 역할을 계속했다. 그러나 도쿠가와 막부의 쇼군은 고대 제국의 수도를 새로운 정치적 주류로 끌어들이기 위해 신중한 조처를 취했다. 이에 1615년에 막부 정부는 '긴추헤이쿠게쇼핫토禁中幷公家諸法度'를 제정해 의심의 여지가 없이 자신의 우월함을 확고히 한바, 이 법령은 17개 조항으로 천황과 그의 궁정의 일상을 규제하고 그것을 순전히 의례儀禮 활동으로 제한했다("천황은 예술에 관여하며 그 첫째가 학문이다"가 그 첫 번째 조항이다).[23] 천황의 궁전이 무사 영주들에 종속된다는 오해를 사지 않게끔, 10년 뒤 도쿠가와 막부의 쇼군들은 자신들의 사무라이를 새로 건설된 니조성二条城에 대규모로 이동·배치했는바, 성은 교토의 중앙에 있었고 무사 권위의 상징이었다.

그러나 교토는, 막부의 모든 조처와 상관없이, 평민들의 도시였다. 근대 초기 내내 교토는 전통예술과 사치품의 생산과 소비에서 선도적 중심지 지위를 유지했으며, 17세기 말에는 약 1만 명이 비단 직물의 제조와 판매에 종사했다. 이에 더해 1689년의 직업등록부에는

'환전상' 54명의 이름이 열거되어 있었는데, 이들은 선先대출을 제공하고, 신용장을 발급하며, 전국적 유통 체계의 성장을 촉진하는 이런저런 은행 서비스를 제공했다. 눈에 띄는 점은 여러 소매점이 교토에서 처음 문을 열었다는 것으로, 여기엔 장래의 다이마루大丸(1673년 설립) 백화점 및 타카시마야高島屋 백화점(1829년 설립)이 되는 소매점도 있었다. 또한 모든 귀족적 과시에도, 교토는 많은 평민문화 추구의 근원지였다. 가부키는, 잘 알려진 바대로, 보통 일본의 가장 유명한 신사神社 중 하나와 관련된 붉은 무녀로 묘사되는 오쿠니阿國가 교토의 가모가와鴨川강 강둑 구역에서 처음 선보인 음탕하고 위험한 촌극에서 발전했다. 유사하게, 쉽게 읽을 수 있는 음절문자 가나仮名, かな로 쓰인 수필, 여행안내서, 무사소설, 종교 책자 등으로 느슨하게 정의되는 장르인 가나조시仮名草子는 1600년대에 교토에서 유래해 최초로 일본 전역에서 널리 읽히고 판매된 서적이 되었고, 이는 17세기 말에 상업출판이 폭발적으로 증가할 것을 예견하는 것이기도 했다.

교토 바로 남쪽에 있는 오사카는 도시를 자의식적으로 상인들의 도시로서 홍보했다. 이 주장에 이의를 제기하는 사람은 거의 없을 것으로, 오사카가 중부 일본의 가장 중요한 쌀 시장 및 도매시장(당대 말로 '국가의 부엌')이었고, 17세기 시작 무렵에 인구 38만 명 중 90퍼센트 이상이 상인과 장인이었다는 점에서다. 그들 역시, 여가 시時에는 새 평민 오락에 참여했다. 사이카쿠는 뭐니 뭐니 해도 부유한 오사카 상인의 아들이었고, 가부키 극작가와 극劇적 주제를 공유하는 인형극장이 다른 곳들과 달리 〔오사카에서〕 번창을 했다. 그러나 교토의 경우처럼 막부가 오사카를 직접 통치했다. 오사카는 1620년대에 주성主城을 축성했고—거의 175에이커〔약 710제곱미터〕에 이르는 크기로 건축 탐닉의 시대에 가장 웅장한 쇼군 프로젝트였다—, 여기에 주둔한 사무라이 관리들은 법령을 공표하고, 에도를 위해 만들어진 것과 유사한 행정구조를 통해 오사카를 통치했다. 그러나 오사카의 평민들도, 에도와 교토와 조카마치들과 마찬가지로, 자신의 대표들이 감독하는 동네 결합체로 조직되어 일상 업무들을 처리했다.

근대 일본을 위한 유산

19세기 중반에 제국주의적 서양 열강이 아시아로 돌진해왔다. 도시 중심지와 항구도시port city를 통한 약탈적이고 폭력적인 서양 열강의 침입은, 한 가지 공통된 분석에 따르면, 결국 일본과 여러 전통사회가 자신들의 과거를 버리고 새롭고 수입된 외국의 근대성modernity을 받아들이게끔 강요했다. 그러나 그 방정식은 결코 그렇게 단순하지 않았다. 1850년대까지 일본은 유구하고, 풍부하며, 다양한 도시 역사가 있었고, 이는 일본의 과거와 미래를 연결하는 가교 구실을 했다. 간단히 말해, 19세기 중반에 일본 역사를 관통하면서 건널 수 없을 정도의 균열은 없었다. 오히려, 세기에 걸친 일본의 도시경험은 평범한 일본인들이 새 시기의 도전에 직면했을 때 얻을 수 있는 유산의 원천이 되었다.

물론, 일본의 과거가 미래를 미리 결정한 것은 아니다. 폴 웨일리Paul Waley가 주장하듯(29장 참조), 근대화modernization, 산업화industrialization, 서양화Westernization(자국을 식민 제국으로 만들려는 일본 자체의 시도가 추가

될 수 있다)가 19세기 끝 무렵 몇십 년과 20세기 시작 무렵에 엄청난 변화를 몰고 왔다. 메이지 시대가 진정한 변혁적 경험이었다는 점에는 의심의 여지가 없다. 하지만, 확실히, 새것이 옛것을 완전히 없애지 못했다. 근대 일본의 선조들이 전승한 유산에는 여러 패러다임과 경쟁적 유산들을 포함했다. 일본의 전근대 도시들은 정치적 권위의 중심, 제조업과 자본 축적의 맥동하는 핵, 문화적 창의성의 출발점이었다. 도시 중심지 내에서, 정치 엘리트들은 일반 남성과 여성들이 그 자신들의 삶에 가장 큰 영향을 끼치는 일상적 일들을 조용히 관리하는 동안에도 영주권lordship의 요구를 주장했다. 일본의 전통적 도시들은 상인의 부富의 명령dictate과 욕망에 부응해 아래에서 자연스럽게 성장할 수 있는 것처럼 위에서 계획될 수 있었다. 전통적 도시들은 '정권을 지지하는' 문화 공연의 장소였으며, 평민을 영예롭게 하고 체제 전복적으로 그들을 사회 엘리트들과 동등한 심리적 기반 위에 배치한 예술적 혁신의 온상이었다.

과거의 다양한 유산으로 미루어볼 때, 근대의 일부 일본인은 도시 환경에 계획을 부과하려 했던 한편 일부 일본인은 개인 의지의 보이지 않는 손을 신뢰했고, 일부는 권위주의를 옹호하고 강력한 관료제를 만들고자 했던 한편 일부는 과거의 시민 참여를 반영한 민주적 형태의 통치에 신념을 두었고, 일부는 황실과 무사의 이상을 둘러싼 오래된 가치에 경의를 표하는 정교한 의식을 계속했던 한편 일부는 대중문화를 통해 현재의 불평등에 불만을 표출한 것은 별반 이상한 일이 아니다. 이러한 모든 측면에서, 일본의 근대성은 전통적인 것과 새로운 것을 혼합하고, 토착적인 것과 수입된 것을 혼합했다.

주

1 Ivan Morris, *The World of the Shining Prince: Court Life in Ancient Japan* (New York: Kodansha America, 1994), 23.

2 인용은 Mary Elizabeth Berry, *The Culture of Civil War in Kyoto* (Berkeley: University of California Press, 1994), 29.

3 Luís Fróis에 대한 참고문헌을 포함한 것으로 "Gaspar Vilela: Between Kyūshū and the Kinai", *Bulletin of Portuguese/Japanese Studies*, 15 (2007), 23. SJ, *Historia de Japan*, ed. Josef Wicki JS (Lisbon: Biblioteca Nacional de Lisboa, 1976-1985, 5 vols.), vol.1, 234.

4 Kikō Daishuku, "Shoken nichiroku", in Tōkyō Daigaku Shiryō Hensanjo, ed., *Dai Nihon kokiroku*, vol.4 (Tokyo, Tōkyō Daigaku Shiryō Hensanjo, 1964), 66.

5 Wakita Osamu, *Kinsei hōken shakai no keizai kōzō* (Tokyo: Ochanomizu Shobō, 1963), 284-312; Wakita, "The Social and Economic Consequences of Unification", in John W Hall et al., gen. eds., *The Cambridge History of Japan*, vol.4: Hall, ed., *Early Modern Japan* (Cambridge: Cambridge University Press, 1991), 110-121; and Wakita, with James L. McClain, "The Commercial and Urban Policies of Oda Nobunaga and Toyotomi Hideyoshi", in John Whitney Hall et al., eds., *Japan before Tokugawa* (Princeton: Princeton University Press, 1981), 231-237.

6 Cf. Wakita Haruko, with Susan Hanly, in Hall et al., eds., *Japan before Tokugawa*, 295-326, and Sasaki Gin'ya, "Nihon chūsei toshi no jiyū-jichi kenkyū o megutte", *Shakai keizai shigaku*, 38 (October 1972), 96-111.

7 이러한 분할을 증언하는 에도의 여러 지도는 캘리포니아 버클리대학교 동아시아 도서관 사이트에서 참고하라. www.davidrumsey.com/japan/view.html

8 Naitō Akira, "Edo no machi kōzō", in Nishiyama Matsunosuke and Yoshiwara Ken'ichirō, eds., *Eda jidai zushi* (Tokyo: Chikuma Shobō, 1975), 같은 저자의 *Edo, the City That Became Tokyo: An Illustrated History*, trans. and ed. H. Mack Horton (Tokyo: Kodansha International, 2003), 34-35.

9 Hatano Jun, "Edo's Water Supply", in James L. McClain et al., eds., *Eda and Paris: Urban Life and the State in the Early Modern Era* (Ithaca: Cornell University

Press, 1994), 234-250.

10 Jinnai Hidenobu, *Tokyo: A Spatial Anthropology*, trans. Kimiko Nishimura (Berkeley: University of California Press, 1995), 61-64. 도시 지도의 진화에서 에도의 변화하는 (물리적) 윤곽을 추적할 수 있다. 예를 들어 McClain et al., eds., *Edo and Paris*, 20, 26, 44.

11 James L. McClain, "Edobashi: Power, Space, and Popular Culture in Edo", in McClain et al., eds., *Edo and Paris*, 105-131. 료고쿠 사례에 대해서는 Jinnai, *Tokyo*, 87-91.

12 공학적 설계engineering project의 잉크 펜 스케치 비교를 통해 오차노미즈의 군사적 중요성 상실과 상업 및 오락 장소로의 재규정을 알 수 있다. Naitō, *Edo, the City That Became Tokyo*, 54-5. 회화를 포함하는 것으로 Saito Gesshin, Edo meisho zue, 와세다대학교 도서관 소장의 하세가와 세탄의 삽화, 보스턴미술관 소장의 히로시게 작품은 다음 사이트를 보라. http://archive.wul.waseda.ac.jp/kosho/ruo4/ruo4_00409 (image 53) www.mfa.org/collections/object/ochanomizu-from-theseries-famous-places-in-edo-edo-meisho-237605.

13 요리키與力(부교 등의 휘하에서 도신 등을 지휘하던 하급 관리) 약 50명, 도신同心(에도시대에 경찰 업무를 맡던 하급 관리) 약 200명이 상인동네와 장인동네를 담당했다. Katō Takashi, "Governing Edo", in McClain et al., eds., *Edo and Paris*, 51.

14 엘리트주의와 문화적 생산 사이 이러한 연계는 국가 자체가 예술작품이 될 수 있고 예술은 국가적 작업이 될 수 있다는 친숙한 개념과 유사하며, 이런 생각은 야코프 부르크하르트까지 거슬러 올라간다. Jacob Burckhardt, *The Civilization of the Renaissance in Italy* (New York: Harper and Row, 1958).

15 Ihara Saikaku, *Some Final Words of Advice*, trans. Peter Nosco (Rutland, Vt.: Charles E. Tuttle, 1980), 128.

16 Ihara Saikaku, "Nihon eitaigura", in Asō Isoji and Fuji Akio, eds., *Taiyaku Saikaku zenshū*, vol.12 (Tokyo: Meiji Shoin, 1975), 1-2.

17 Matsuo Bashō, *The Narrow Road to the Deep North and Other Travel Sketches*, trans Nobuyuki Yuasa (Baltimore: Penguin Books, 1966), 118-123.

18 〈강호도병풍〉은 일본 국립역사민속박물관 소장이다. 다음 사이트를 참고하라. www.rekihaku.ac.jp/gallery/edozu/index.html 풍경의 연대와 관련해 상당한 논란

이 있으나, 일반적으로 1630년대 또는 1640년대 에도를 묘사한다는 데 동의한다. Suwa Haruo, "Edozu byōbu no gaisetsu", in Suwa and Naitō Akira, eds., *Edozu byōbu* (Tokyo: Mainichi Shinbunsha, 1972), n.p., Suitō Makoto, "'Edozu byōbu' seisaku no shūhen-sono sakusha·seisaku nendai·seisaku no ito no mosaku", *Kokuritsu Rekishi Minzoku Hakubutsukan kenkyū hōkoku*, 18 (1991), 27-43.

19 많은 박물관에서 소장품을 온라인으로 이용할 수 있지만, 위에서 언급한 보스턴 미술관 소장품은 특히나 포괄적이다.

20 브루클린미술관은 〈명소에도백경〉의 전 시리즈를 소장하고 있다. 다음의 미술관 사이트를 참고하라. www.brooklynmuseum.org/opencollection/research/edo. 주요 소장품으로는 〈야마시타초의 히비야와 소토-사쿠라다〉(3경景), 〈스루가초する賀てふ〉(8경), 〈니혼바시다리와 에도바시다리日本橋江戸ばし〉(43경), 〈스이도다리와 스루가다이水道橋駿河台〉(48경), 〈번성하는 도시, 타나바타 축제市中繁榮七夕祭〉(73경).

21 William Coaldrake, "Metaphors of the Metropolis: Architectural and Artistic Representations of the Identity of Edo", in Nicolas Fiévé and Paul Waley, eds., *Japanese Capitals in Historical Perspective: Place, Power and Memory in Kyoto, Edo and Tokyo* (London: Routledge Curzon, 2003), 143-146.

22 조카마치에 관한 고전적 분석에 대해서는 Harada Tomohiko, *Nihon no hōken toshi kenkyū* (Tokyo: Tōkyō Daigaku Shuppankai, 1973), Toyoda Takashi et al., eds., *Kōza: Nihon no hōken toshi* (Tokyo: Bun'ichi Sōgō Shuppan, 1983), and Yamori Kazuhiko, *Toshizu no rekishi* (Tokyo: Kōdansha, 1970); 보다 최근의 견해에 대해서는 Yamamura Aki, "Capitals and Towns in Early Modern Times", in Kinda Akihiro, ed., *A Landscape History of Japan* (Kyoto: Kyoto University Press, 2010), 89-112.

23 규범 전체가 분석된 것으로는 Lee A. Butler, *Emperor and Aristocracy in Japan, 1467-1680* (Cambridge, Mass.: Harvard East Asian Monographs, 2002), 113-114.

참고문헌

Berry, Mary Elizabeth, *The Culture of Civil War in Kyoto* (Berkeley: University of California Press, 1994).

Fiévé, Nicolas, and Waley, Paul, eds., *Japanese Capitals in Historical Perspective: Place, Power and Memory in Kyoto, Edo and Tokyo* (London: Routledge Curzon, 2003).

Gay, Suzanne, *The Moneylenders of Late Medieval Kyoto* (Honolulu: University of Hawaii Press, 2001).

Jinnai Hidenobu, *Tokyo: A Spatial Anthropology*, trans. Kimiko Nishimura (Berkeley: University of California Press, 1995).

McClain, James L., Merriman, John M., and Ugawa, Kaoru, eds., *Edo and Paris: Urban Life and the State in the Early Modern Era* (Ithaca: Cornell University Press, 1994).

McClain, James L., Wakita, Osamu, eds., *Osaka: The Merchants' Capital of Early Modern Japan* (Ithaca: Cornell University Press, 1999).

Naitō, Akira, *Edo, the City That Became Tokyo: An illustrated History*. Trans adapted, and introduced by H. Mack Horton with illustrations by Hozumi Kazuo (Tokyo: Kodansha International, 2003).

Nishiyama, Matsunosuke, *Edo Culture: Daily Life and Diversions in Urban Japan, 1600–1868* (Honolulu: University of Hawaii Press, 1997).

Rozman, Gilbert, *Urban Networks in Ch'ing China and Tokugawa Japan* (Princeton: Princeton University Press, 1974).

Sorensen, André, *The Making of Urban Japan: Cities and Planning from Edo to the Twenty-first Century* (London: Routledge, 2004).

제19장

동남아시아의 항구도시들: 1400~1800년

Port Cities of South East Asia: 1400-1800

레오나르 블뤼세

Leonard Blussé

야코프 판 뢰르Jacob van Leur는 1930년대 초반에 쓴 자신의 선구적인 《초기 아시아 무역에 관한 몇 가지 고찰Eenige beschouwingen betreffende den ouden Aziatischen handel》(1934)에서 근대 초기의 많은 유명한 아시아 항구 타운port town들이 사라졌다는 사실을 철학적으로 다룬다. "수에즈Suez에서 고베神戶에 이르기까지 오늘날 중요한 아시아 항구들의 연결망은 단지 몇 개의 옛 이름만을 보존하는데, 이마저도 그 기억은 인상일 뿐으로 유형적이거나 평가할 수 있을 만한 유물은 아니다. [네덜란드 황금시대Golden Age의] 제일란트Zeeland와 베스트프리슬란트West Friesland의 [버려져] 죽어버린 타운dead town에서는 국제 해운 및 세계 무역의 과거를 상상하기 어렵다. (…) 아친Achin, 말라카Malacca, 팔렘방Palembang, 반탐Bantam, 투바Tuba, 페구Pegu, 캄베이Cambay, 호르무즈Hormuz 등 동양의 해운업과 고대 명성의 초라한 유적에서도 마찬가지다."[1]

1400년과 1800년 사이에, 이제는 거의 잊힌 아시아 항구도시 port city 중 다수가 '고古세계화archaic globalization'의 발전과 원原세계화 proto-globalization로의 전환에 이바지했다. 실제로 이들 항구도시가 세계화 과정에서 수행한 도구적 역할을 과대평가하는 것은 상당히 어려울 수 있다. 자신의 기념비적 연구인 《물질문명과 자본주의Civilisation Matérielle, Économie et Capitalisme, XVe-XVIIIe siècle》〔전 3권, 1권 1967, 2~3권 1979〕에서 페르낭 브로델Fernand Braudel은 근대 유럽 경제를 형성한 주요 원동력이라고 생각한 일련의 유럽 항구도시들—베네치아, 안트베르펜, 제노바, 암스테르담, 런던 같은—을 선별했다.[2] 《유럽 패권 이전 Before European Hegemony》(1989)에서, 재닛 L. 아부루고드Janet L. Abu-Lughod는 이보다 훨씬 이전 시기인 1250년에서 1350년 사이에 유럽에서 중국까지 뻗어나간 대륙 간 무역 경제가 몬순 아시아Monsoon Asia에서 등장했다고 설득력 있게 주장했다.[3] 아시아의 전근대 해양 세계에서 항구도시들이 그 규모에 상관없이 해양 몬순 즉 계절풍을 활용한 연안 무역이나 원거리 무역에 맞춰 중추적 역할을 했음은 더 말할 필요도 없다. 유럽과 중국의 열대상품과 향신료 수요가 가파르게 증가한 결과, 동남아시아 섬에서는 15세기와 17세기 사이에 해상무역이 눈부시게 발전했고, 앤서니 리드Anthony Reid는 이를 '상업의 시대The Age of Commerce'라고 적절히 명명했다.[4]

몬순의 리듬

항해의 시대에는 북동쪽과 남서쪽에서 6개월 정도로 번갈아 불어오는 몬순의 탁월풍卓越風, prevailing wind 체계가 중국해, 인도양, 아라비아해의 항구도시들 사이를 오가는 배들의 항해 리듬과 조직을 결정지었다. 다양한 상인 공동체가 이 확장된 무역 네트워크에 관여했다. 몬순 아시아의 항구도시 대부분은 해안 교통과 섬 간 교통에서 노드node 지점으로 기능했지만, 아시아 내 항해 경로를 따라 전략적 위치에 있는 더 큰 항구의 일부는 홍해, 아라비아해, 벵골만, 자바해, 남중국해의 개별적 바다 경관을 연결하는 원거리 선박의 화물집산지entrepôt 역할을 했다. 해양에 기반을 둔 무역은, K. N. 차우두리K. N. Chaudhuri가 지적하듯, 3개 자연 영역에서 이루어졌다. 홍해와 페르시아만에서 구자라트Gujarat와 말라바르Malabar까지 이르는 영역, 연례 항해가 이어지는 인도의 해안에서 인도네시아군도에 이르는 영역, 그곳에서부터 열대 섬 지대와 중국 및 일본의 항구를 연결하는 남중국해 영역이 그것이다.[5]

7세기 이래로, 상품·사람·사상의 이러한 해상 진로는 중국 동남부의 취안저우(마르코 폴로Marco Polo의 자이톤Zation[또는 자이툰Zaitun, 자동刺桐]) 및 광저우(광둥성), 말라카해협에 접한 스리비자야Sri Vijaya, 인도 아대륙의 캘리컷Calicut과 캄베이, 페르시아만과 홍해 어귀의 호르무즈 및 아덴 같은 노드도시nodal city들의 도시적 견인력에 의해 결합되었다([지역지도 II.2] [지역지도 II.4] [지역지도 II.5] 참조). 의미심장하게도, 후자의 중동 항구들은 해안 교통 및 육로로 지중해 무역권과 연결되었다. 중앙아시아의 사막지대를 통한 훨씬 더 오래된 육상 카라반 무역

caravan trade이 그러했듯, 해상 실크로드maritime silk route〔road〕는 유럽 지중해, 중동, 인도 아대륙, 극동의 중국 경제를 연결했다.

서기 제1천년기〔1~1000〕에, 힌두교와 불교는 인도 아대륙에서 동남아시아 본토 해안과 인도네시아군도의 섬들로 무역선의 항적航跡에서 퍼져나가 그곳 사람들의 생활방식에 지대한 영향을 끼쳤다. 경전을 수집하고 가르침을 받기 위해 인도로 배를 타고 여행한 중국 승려들의 고대 여행기들은 인도양과 남중국해 사이의 항로를 지배한 수마트라Sumatra의 스리비자야 왕국이 그곳에 수도원을 건설한 수천 명의 불교 승려들에게 숙소를 제공했다고 기록했다.[6] 캄보디아의 앙코르와트Angkor Wat, 자바Java 중부의 보로부두르Borobudur 사리탑과 프람바난Prambanan 사원 복합단지〔복합체〕temple complex의 기념(비)적 종교 구조물들은 여전히 인도 종교의 해외 확장을 입증해준다.

제2천년기〔1001~2000〕 시작 무렵에, 이슬람교는 아라비아, 페르시아만, 구자라트 출신 상인 모험가들에 의해 동쪽으로 전래되었다. 동남아시아의 섬 세계에서 이 새로운 종교는 해항海港, sea port을 통해 유입되었고, 발리Bali를 제외한 모든 곳에서 지배적 신앙이 되어 거의 완전히 불교와 힌두교를 대체했다. 동남아시아의 본토만이 계속해서 불교를 유지했다.

앙드레 윙크André Wink는 인도-이슬람 세계 형성에 관한 획기적인 연구에서 해상 실크로드가 등장한 이후 인도양 무역의 더욱 커다란 발전을 개괄했다.[7] 7~11세기에는 중동이 경제적 패권을 차지했으나 11~13세기에는 유럽과 중국이 우위에 있었다. 14~16세기에 이슬람은 인도양과 그 주변에서 지위를 굳건히 했고, 새로운 아시아 세계 경제가 인도와 함께, 인도를 중심으로 해서 중동과 중국을 역동적인 축들로 삼아 부상했다. 16~17세기에는 이슬람 왕조들의 새로운 제국이 건설되었고, 아시아 내 해양국가maritime country 사이 무역의 증가와 희망봉Cape of Good Hope을 돌아 항해해온 유럽(국가)과 아시아 사이 대륙 간 무역의 급증이 결합하면서 최초의 유럽 무역 강국이 등장했다. 18세기에는 거대한 영토의 이슬람 제국들이 해체되기 시작했으며, 더 작은 이슬람 후계 국가들과 신생의 유럽 식민 제국들이 이를 대체했다.

이와 같은 발전은 동남아시아 섬 세계에 어느 정도 반영되어 있다. 수마트라에 있는 스리비자야 고대 왕국은 11세기 자바에 마자파힛Majapahit 힌두 왕국이 등장하면서 관심에서 멀어졌다. 다시 해안에 새 무슬림 항구 정치체가 출현함에 따라 마자파힛 왕국은 약해졌고 마침내 16세기 말에 신흥의 이슬람 왕국인 마타람Mataram에 자리를 내주었다. 17세기로 이어진 자바 북부 해안 항구 정치체들의 쇠퇴는 마타람이나 서양의 개입 혹은 이 둘 모두의 토지 확보 정책이 가져온 결과로, 이는 여전히 열띤 논쟁의 주제다.[8] 어떤 경우든, 근대 초기에 대륙 간 무역에 기반을 둔 동인도회사East India Company들을 통해 유럽의 해양제국seaborne empire들이 이 지역에 발을 들여놓기 시작했다. 18세기 중반까지 바타비아Batavia에 자리한 네덜란드동인도회사Dutch East India Company 본부는 자바의 북쪽 해안 대부분을 장악했고, 분열 정책과 지배를 통해 마타람의 남은 영역을 욕야카르타Yogyakarta 술탄국과 수라카르타Surakarta 술탄국으로 분할했다.

항구 정주지의 유형

인도양의 다양한 해상 하위 체계에서 지역 무역의 점진적 공생은 항구도시 간 위계를 만들어냈는데, 이는 배후지hinterland의 제품이나 해외에서 수입된 외국 상품의 판로 역할을 하는 지류항구feeder port에서부터 상품을 하역하고, 보관하고, 더 멀리에 있는 목적지로 운송하는 대륙 간 무역을 위한 식민지 화물집산지에까지 이르렀다. 일반적으로 말해, 이들 항구는 지역 정권을 대표하는 거점, 모스크, 교회 또는 사원, 상품을 평가하는 세관, 환전상과 행상이 거래하는 시장 등 동일한 기본 기능을 공유했다.

온갖 크기와 유형의 항구들이 있었다. 로즈 머피Rhoads Murphy를 인용하면서, 인두 방가Indu Banga는 이렇게 표현했다. "대부분의 항구에는 부실한 부두만 있고, 좋은 항구에는 정박한 배가 거의 없다." 그는 항구가 육지와 바다 사이에서 재화와 사람이 옮겨지는 관문이라면, 좋은 항구—깊은 수심에서 보호되는 지형의—일지라도 배후지가 부족한 경우는 반드시 항구로서 기능을 잘하는 것은 아니라고 지적했다.[9] 종종 항구들은 계절풍으로 일 년 중 몇 달만 접근할 수 있는, 해안가에 자리하는 정박지roadstead나 교역 해변에 지나지 않았다. 어떤 곳에서는 그 지역 정권들이 보호 정박지를 제공하는 강 하구 안쪽에 위치하는 항구도시에서 해외 무역을 얼마간 통제했다. 이러한 항구도시의 대부분은 환경적 이유로 상승과 하락의 거의 주기적인 흐름을 보인 것으로 관찰되었다. 수자원의 불안정성, 토양 침식, 잦은 열대성 폭풍과 결합된 삼각주 형성의 지속적 과정은 대규모 홍수나 강 하구의 침식을 가져왔고, 자주 항구도시를 바다로부터 차단했다. 결과적으로, 인도양의 대규모 도시들은 실질적이지 못하고 연속성continuity이 부족했는바, 이와 같은 현상을 윙크는 '불안정한 도시주의labile urbanism'라고 표현했다.[10] 어떠한 배후지도 갖지 못한 일부 항구도시는 단지 몬순 경로에 있는 도시의 위치 덕에 존재했다. 환적지換積地, trans-shipment point로서 이들 항구도시는 기본적으로 원거리 무역의 화물집산지 역할을 했다.

환경적 요인 말고도 현지의 정치가 동남아시아 섬 항구도시들의 흥망과 밀접하게 얽혀 있었다. 외국 상인들의 공동체는 자신들의 안전이 제대로 보장되지 않았다거나 현지의 통치자들로부터 공정한 거래를 받지 못하고 있다고 여겨지면 더 나은 전망을 제공하는 이웃 항구로 대거 이동하곤 했었다. 말레이반도의 서해안과 동해안 모두에서 그러한 경쟁의 사례가 많았다. 말라카해협에서 아체Aceh 왕국과 조호르Johor 왕국은 유리한 조건을 제공함으로써 외국 상인을 끌어들이려는 영속적 경쟁을 벌였다. 송클라Sonkhla와 빠따니Pattani는 말레이반도의 동쪽 해안에서 경쟁했다. 사실, 항구도시가 내륙 당국의 너무 많은 개입 없이 방문 상인들이 무역에 종사할 수 있는 안전한 피난처로 기능하기 위해서는 일정 수준의 정치적 자치권을 유지해야 했다. 중국과 일본의 자급자족적autarkic 세계에서만 광둥과 나가사키長崎와 같은 엄격하게 규제되는 관문항구gateway port가 등장할 수 있었다.

동남아시아의 항구도시 정주지

인도양 지도를 보면, 동남아시아의 섬 세계가 아시아 내 항로를 가로질러 놓여 있음을 알 수 있다. 항해의 시대에, 인도양과 그 동쪽의 바다들 사이를 항해하는 선박에는 두 개의 회랑回廊, corridor이 편리했다. 곧, 말레이반도와 수마트라 사이 말라카해협과 수마트라와 자바 사이 순다Sunda해협이었다. 이들 주요 항로에서는 양방향(출발지와 도착지) 해운이 같은 해에 몬순의 방향이 바뀌어 출발지를 향해 불 때까지 기다려야만 해서 도시 화물집산지에서 화물이 하역되고, 육지에 보관되고, 다시 선적되었다. 이들 교역장(엠포리움emporium)(복수형 엠포리아emporia)이 서남아시아, 남아시아 및 동아시아 사이의 아시아 해운을 지배했으며, 당연히 말레이 세계 전체의 연안무역(한 나라 안의)cabotage 역시 지배했다(디트마어 로터문트Dietmar Rothermund는 '교역장'을 "다양한 상품을 지속해서 이용할 수 있고, 예측가능한 공급 및 수요 조건에서 다수의 구매자와 판매자가 과도한 구속 없이 만날 수 있는 시장"으로 정의한다).[11] 말라카해협에서는 15세기 초반 수마트라의 스리비자야가 말레이반도의 항구공국port principality 믈라카Melaka로 대체되었고, 100년 후에 포르투갈인들이 이 타운을 점령했다. 순다해협 근처에서는 서부 자바에서 일련의 화물집산지가 생겨났다. 힌두교 파자자란Pajajaran 왕국의 주요 항구 순다 켈라파Sunda Kelapa는 16세기에 이슬람 항구공국 반텐Banten으로 대체되었고, 17세기에는 네덜란드의 바타비아(자카르타의 네덜란드 식민지 당시 이름)로 대체되었다.

15세기에 믈라카 술탄국이 최고의 지배권을 행사하다 1511년에 포르투갈의 말라카로 대체되었다면, 이후 17세기에는 자바에 있는 네덜란드동인도회사VOC, Vereenigde Oost-Indische Compagnie의 새 본부인 바타비아(1619)로 그 중심이 변화했다. 말라카해협이 전통적으로 인도양과 남중국해 사이 해운의 주요 통로였고, 순다해협은 희망봉을 통해 유럽을 오가는 VOC 선박에 유리한 입지였다. 포르투갈 말라카와 네덜란드령 바타비아는 둘 다 향신료제도Spice Islands(말루쿠Maluku제도), 자바 북부 해안의 쌀 생산지 파시시르Pasisir, 열대우림 지역 수마트라섬과 보르네오Borneo섬 깊숙이 들어간 강 하구의 여러 말레이 항구공국에 위치하는 지류항구들의 광범위한 망에 마치 거미처럼 위치해 있었다. 1567년에 새로 건설된 스페인〔에스파냐〕의 마닐라Manila는 태평양 횡단 갈레온무역galleon trade의 종착지이자, 남동부 해안 지방 푸젠성에서 인도네시아군도 동쪽 주변의 향신료제도까지 뻗어 있는 중국의 동쪽 대양 회랑의 노드 역할을 했다.*

말레이 항구 정치체

제1천년기 말 동남아시아에서는 인도차이나반도와 인도네시아군도로 대표되는 두 유형의 정치적 체제가 등장했다. 충적평야에 기반을 둔 내륙 농업사회(자바의 마자파힛이나 마타람 등)와 강·바다를 통한 무역에

* '갈레온(또는 갤리언)무역'은 15~17세기에 사용되던 스페인(에스파냐)의 대형 범선인 갈레온에 의한 중개무역을 말한다.

초점을 맞춘 해안의 항구공국(말레이반도의 믈라카)이었다. 때때로 도시는 이러한 기능들을 결합해, 농업 위주 사회의 항구이자 내륙의 수도 역할을 했다. 그 대표적 사례가 시암Siam 왕국의 수도로서 차오프라야Chao Phraya강 하구에 위치하는 아유타야Ayutthaya였다. 17세기에 아유타야는 시암만 주변의 항구도시 간 위계에서 정점에 있었던 한편, 동시에 쌀과 사슴가죽을 수출하는 지역 왕국 시암의 행정 및 의례 중심지 역할을 했고, 시암의 많은 강은 금렵禁獵 구역과 열대우림의 배후지로 멀리 이어져 있었다. 그 이상적인 위치 덕에 시암 왕은 아유타야의 무역 활동을 광대한 지역을 지배하는 자신의 이익에 종속시킬 수 있었다.

이 분석에서는 말레이 항구공국의 '이념형ideal type'이 주된 관심사다. 위치 측면에서 위계적 관계로 연결된 이 항구들은 특별한 기능을 수행하고 있었다. 항구들은 인도양과 남중국해를 연결하는 장거리 몬순 무역 항로를 따라 전략적으로 위치한 도시의 화물집산지거나, 강 체계를 활용하는 지역의 연안무역 및 섬 간 해운을 제공하는 항구타운이었다. 이 지역 모든 규모의 전통적 항구는 처음에는 말레이 항구공국의 형태로 발전했으며, 9~12세기에 말라카해협을 통제한 초기 힌두교-불교 국가 스리비자야부터 15세기 시작 무렵에 통치자가 이슬람으로 개종한 유명한 믈라카 항구공국까지 다양했다. 말레이 항구 공국의 진화는 해상무역의 부침과 관련된 국가 형성 과정의 관점에서 도시 중심지urban centre의 흥망성쇠를 묘사하는 케네스 R. 홀Kenneth R. Hall에 의해 자세히 분석되었다.[12] 필연적으로, 이러한 범세계적 항구도시의 이슬람화는 그 구조와 형태에 철저한 영향을 끼쳤다. 모스크mosque의 위치는 지역 통치자의 궁전인 이스타나istana 또는 크라톤kraton만큼이나 중요해졌고, 정박료, 화물 검량소 사용료, 수출입세 부과와 같은 제도화한 항구 활동이 외국으로부터 도입되어 중동에서 인도네시아군도까지 이르는 전체 해상 지역에 고르게 퍼져나갔다.

믈라카 항구 공국

전하기로, 믈라카는 1391년과 1392년에 마자파힛 왕국의 자바인 군대가 공격해와 고국을 떠날 수밖에 없었던 팔렘방 출신의 왕자 파라메스와라Parameswara에 의해 1402년에 설립되었다고 한다. 파라메스와라는 1413년 무렵에 이슬람으로 개종한 것으로 추측된다. 이슬람 항구 술탄국port sultanate으로서 믈라카는 통치자의 어진 행정 아래 평화를 유지했고 교역하는 몬순 아시아 전역에서 온 수십 개국의 상인들이 방문했으며, 궁극적으로 말레이 항구공국으로 부상했다. 잘 조직된 민간 및 군인 관료제와 해상법 운당운당 믈라카Undang undang Melaka 때문에 하나의 모델로 여겨진 믈라카 술탄국은 인도네시아군도의 여러 항구공국에 널리 존중받고 모방되었다.[13] 포르투갈에 의해 정복된 직후인 1511년에 믈라카를 방문한 토메 피레스Tomé Pires는 이 범세계적cosmopolitan 타운에서 84개 이상의 다른 언어가 사용되고 있었고, 유명한 행정기관들은 몬순 아시아 해상무역의 수요에 특별하게 맞춰져 있었다고 추정했다.[14]* 포르투갈령 말라카는 전임자와 같이 모든 중요한

* '토메 피레스'는 리스본 출신의 포르투갈 약제사로 1512~1515년에 말라카에서 생활했으며,

향신료 무역의 중심이 되었다. "말라카의 군주가 누구든지 간에 그의 손이 베네치아의 숨통을 쥐고 있었다."[15]

믈라카의 주요 기능은 동서양의 상품을 일시적으로 보관하고, 환적할 수 있는 안전한 교역장을 제공함으로써 해상무역을 촉진하는 것이었다. 이 교역장의 통치자는 여러 민족 출신의 체류 무역업자들에게 안전한 정박지와 보호를 제공하겠다고 공언했다. 이 말레이 도시 항구 정착지는 유럽이나 중국의 많은 자매도시sister city와 달리 성벽으로 보호되지 않았지만, 대부분의 외국인 방문객들이 보기에는 술탄과 그의 궁정 신하들이 거주하는 왕실 혼합단지〔혼합체〕royal compound로 구성된 행정 중심지 주변에 위치하는 분산된 마을 집합체였다. 이슬람 사회는 신자들의 복지를 위해 이러저러한 방법을 모색했지만, 병원, 보육원, 빈곤층 주택과 같은—나중에 유럽의 식민지 항구타운에서 매우 두드러지게 나타난—전형적인 도시사회의 제도들은 부재했다.

대부분의 외국인 무역업자들은 다음 계절풍이 그들을 귀국하게 해줄 때까지 기다리는 동안 무역을 수행하려 항구 정주지port settlement들에 몇 달밖에는 머무르지 않는 계절적 체류자들이었다. 열대우림으로 둘러싸인 믈라카는 약 2만 명의 시민들과 수만 명의 체류 상인들을 먹여 살릴 수 있는 농업 생산 배후지가 부족했다.[16] 결과적으로, 믈라카는 자바·시암·페구·벵갈Bengal에서 들여오는 거대한 규모의 쌀에 의존했다. 이 점에서 믈라카는 지역 배후지 대신 해상 배후지를 가지고 있었다.

이후 본문에 등장하는 《동방제국기》의 저자이기도 하다.

후원자-고객 관계에 기초한 현지의 지배자들 사이 개인적 동맹은 사방으로 최대 200마일(약 320킬로미터)까지 뻗어가는 해상무역에서 중요한 역할을 했다. 이 상호 교환 경제는 타운 주민들과 화물집산지 주변 지역에 거주하는 해안 주민들에게 기초적 상품을 제공했다. 봉신封臣으로서 케다Kedah나 셀랑고르Selangor 같은 인근 항구공국들은 믈라카가 계속 지도적 위치에 있게끔 지지했고, 전쟁 기간에는 바다 사람들이란 뜻의 오랑라우트orang laut(동남아시아 바다 유목민 민족의 총칭)에게 항상 의존할 수 있었다—오랑라우트는 공식적으로 해군에 편입되어 술탄이 임명한 제독 혹은 라크사마나laksamana 휘하에서 복무했다. 당시에도 지금처럼 해적 행위는 말라카해협 지역에서 지속적인 혼란을 의미했다.[17]

포르투갈의 도래

바스쿠 다가마Vasco da Gama가 1498년에 '기독교인과 향신료를 찾아' 캘리컷의 정박지에 닻을 내렸을 때, 그와 그의 일행은 인도양의 무역 세계가 어떻게 운영되는지 알아내는 데 그리 오랜 시간이 걸리지 않았다. 10년 이내에, 에스타도 다 인디아Estado da India(포르투갈령 인도) 건설자 아폰수 드 알부케르크Afonso de Albuquerque(1453~1515)는 인도양에서 가장 전략적으로 위치하는 항구도시들을 정복하기 시작했다. 또 다른 10년 이내에, 알부케르크와 그의 후계자들은 페르시아만 입구의 호르무즈, 인도 북동부 해안의 다만Daman · 디우Diu · 고아Goa, 동남부 해안의 코친Cochin, 실론Ceylon섬의 콜롬보Colombo 등을 장악해 아시아에서 포르투갈 해양제국의 토대를 마련했다. 알부케르크는 이들 항구를 통과하는 모든 아시아 교역자에게 관세를 납부하고 안전한 통행권을 획득하게끔 하는 통행증서 체계인 카르타스cartaz 제도를 설치하는 데 성공했다. 1511년에 알부케르크는 믈라카를 정복해 통치자를 추방하고 이 항구를 에스타도 다 인디아의 인도양 무역 네트워크 내 '업무 중심지business centre'로 바꾸었다. 에스타도 다 인디아는 항구를 강력하게 요새화해 말라카해협을 통과하는 모든 해상 교통을 통제할 수 있었다('에스타도 다 인디아' 혹은 인디아국가State of India는 포르투갈 왕실이 아시아의 포르투갈 제국 기업에 하사한 명칭으로, 단일 국가가 아니라 동아프리카에서 일본까지 확장된 요새, 함대 및 지역사회의 집합체였다). 말라카에서 포르투갈인은 동쪽의 향신료제도로 진출했고 그곳의 생산현장에서 탐나는 정향丁香, clove과 육두구肉荳蔻, nutmeg 거래의 한 몫을 얻어내는 데 성공했다. 중국의 광둥에는 1521년에 도달했지만, 루시타니아Lusitania인들이 약삭빠른 외교술로 마카오Macao와 일본의 나가사키에 거점을 마련하기까지는 50년이 더 걸렸다.* 이 두 극동의 항구들은 아시아 다른 지역에서는 볼 수 없는 유형의 특징이 있었다. 주장강珠江 입구에 튀어나온 외딴 반도 마카오에서는 포르투갈인들이 매년 정해진 간격으로 광둥성의 성도省都 광저우(광둥)와 교역할 수 있었다. 일본에서는 현지 다이묘의 초청을 받은 예수회가 마카오로부터의 모든 포르투갈과의 무역

* '루시타니아'는 이베리아반도 중서부의 옛 이름이고, '루시타니아인들'은 포르투갈인들을 지칭한다.

을 나가사키만灣에 집결시켰으나, 16세기 말 마지막 10년 기간에 일본이 전국시대를 끝내고 통일된 이후에 이 신생 해항은 도쿠가와 막부라는 신흥 일본 체제에 편입되었다. 가톨릭 사제들과 결국 마카오에서 온 포르투갈 상인들도 1639년에 퇴거를 당했고, VOC 상인들만이 도쿠가와 막부의 일본에서 무역할 수 있도록 허용된 유일한 서양인들로 남았다.

믈라카 술탄국이 함락된 이후, 아체·조호르·반탐 같은 그 이웃 이슬람 항구공국들은 믈라카 술탄국의 합법적 후계자로 인정을 받고 군도의 계층적 서열에서 종주성宗主性, primacy을 획득하기 위해 끊임없이 경쟁했다. 아체의 카리스마적 통치자 이스칸다르 무다Iskandar Muda〔재위 1607~1636〕가 수마트라와 말레이반도에서 일련의 정복을 통해 북北수마트라의 확고한 지도자가 된 후, 그는 이슬람의 이름으로 기독교 포르투갈령 말라카를 상대로 여러 원정대를 이끌었으나(1620년대), 그 시도는 모두 격퇴당했다. 자바 서해안에서는 후추 생산지인 반텐의 항구공국이 1580년대와 1590년대에 급부상했다. 이 항구는 베트남·캄보디아·시암 해안과, 말레이반도와 수마트라의 동부 해안을 에워싸고 남중국에서 자바까지 펼쳐진 지역에서, 푸젠의 정크junk〔중국의 전통 범선〕 해운의 '서쪽 대양western ocean' 회랑의 종착역이기도 했다.

포르투갈이 개입한 전통적 무역 네트워크에 대한 뛰어난 동시대인의 설명이 남아 있다. 토메 피레스는 《동방제국기Suma Oriental》에서 다음과 같이 언급했다.

말라카에 견주면, 모든 물건·토지·지역이 아무것도 아니다. 말라카는 몬순의 끝에 있는 항구여서 수많은 정크선과 배가 들어오고, 모두 세금을 내며, 세금을 내지 않는 자들은 세금과 거의 동일한 가치가 있는 선물을 제공한다. 이에 기반을 두고 왕은 출항하는 정크선에 자신의 투자몫을 포함하게 했고, 이것이 말라카 왕들이 많은 돈을 버는 방법이다. 따라서 말라카 왕들이 실제로 매우 부자라는 것은 의심의 여지가 없다.[18]

피레스는 계속해서 술탄이 모든 민사 및 형사 업무에서 벤다하라Bendahara라는 사법관 대표와 바다에 있는 모든 함대의 제독인 라크사마나 같은 관료의 도움을 받았음을 보여준다. 투멩공Tumenggon은 도시 행정관 대표로, 해안을 따라 거주하며 여러 무역에 종사하는 민족을 관장하는 네 명의 샤반다르syahbandar 혹은 항구 관리자들에게 의존했다. 한 명은 구자라트 상인들을, 다른 한 명은 그 밖의 모든 서양 상인을, 또 한 명은 군도 출신 말레이 무역상들을, 마지막 한 명은 중국과 류큐 제도(이들 대다수 무역상이 중국인이었다)를 담당했다.[19] 이것은 믈라카 해안에서 몬순에 의해 밀려온 이질적 인구가 자신들의 수장首長 아래 서로 구분되는 거주 지역에서 살아가는 민족 단위로 분할되고, 자신들의 고유한 법령으로 통치되고 있었다는 증거로, 사실 치외법권治外法權, extraterritoriality이란 개념이 등장하기 전의 일종의 치외법권 지역이었다.

말라카—1641년에 1년 반 동안의 포위전〔공성전〕 끝에 네덜란드에 항복한—를 1세기 반 동안 통치하는 동안, 포르투갈인들은 성벽 내에 식민도시colonial city를 보호하는 강력한 요새를 건설했고 그 구성에 여러 전형적인 유럽의 제도적 특성을 도입했다. 다른 모든 루시타니아인의 거주지들과 마찬가지로, 교회와 그 제도들은 타운의 중앙에 자리했다. 자비의 성체(또는 자애당)란 의미의 카사 드 미제리코르지아casa de misericórdia는 중요한 사회경제적 서비스들 곧 고아들을 돌보고 식민사회의 상속 유산을 관리하고 상인들을 위한 대출을 제공했다. 그러나 에스타도 다 인디아의 수도인 고아와 마찬가지로, 토착 상인들은 관세와 이런저런 세금을 납부함으로써 수익의 대부분을 꾸준히 제공했다. 두 도시(말라카와 고아)의 무역은 주로 강제에 기반을 두고 있었는데, 포르투갈 행정부가 토착민 무역업자들에게 이 항구를 방문해 통행료를 내라고 강제했기 때문이다. 포르투갈 식민사회에는 두 유형의 거주민 곧 미혼의 솔다도soldado들과 가정을 꾸린 카사도casado들이 도시사회의 중추를 구성했다. 아마도 포르투갈령 식민지 항구도시들에서 당대 최고의 관찰자는 고아 주교의 비서였던 얀 휘겐 판 린쇼텐Jan Huyghen van Linschoten(네덜란드 상인이자 무역상. 1563~1611)일 것으로, 그는 16세기 말 고아의 퇴폐적인 시민의 사회생활 모습을 자신의 여행기에서 생동감은 있지만 그다지 돋보이지는 않게 표현했다.[20]

말레이 항구 정치체들의 살아남기

전형적인 말레이 정치체 네게리negeri는, 독창적인 믈라카 술탄국의 행정을 모방했으나 그 규모는 훨씬 작았는바, 강 하구를 자신들의 권력 기반으로 전유한 현지의 통치자와 그의 추종자들로 구성되어 있었다. (통치자인) 라자raja는 정부에 상당한 발언권을 가진 오랑카야orang kaya(부자富者)의 상거래 엘리트들을 자기 주변으로 모았다.[21] 바바라 안다야Barbara Andaya의 잠비Jambi, 제임스 워런James Warren의 술루Sulu, 무리단 위드조조Muridan Widjojo의 티도레Tidore 연구처럼, 인류학적 경향의 저자들에 의해 가장 많이 연구되는 이런 유형의 정주지들이 갖는 성격은 종종 어느 정도 약탈적이었다. 이들 도시의 통치자들은 토착 노예들의 거래와 습격에 관여했고, 갱단 두목과 다르지 않은 방식으로 강을 드나드는 교통을 독점했다.[22] 근대 이전까지, 동남아시아의 섬 세계는 사람이 거의 거주하지 않아 결과적으로 영속적인 인력 부족을 겪었다. 이는 항구도시들과 그 배후지에도 영향을 끼쳤다. 후원자-고객 관계에 기반을 둔 위계적으로 조직된 이들 사회의 토착민 통치자들은 종종 해운 활동을 유지하는 데 필요한 노동력을 확보하려 해외의 노예 습격에 관여했다. 결과적으로, 동남아시아 항구공국들은 납치하거나 매입한 군도 여러 지역에서 온 많은 노예 인구에 의해 유지되었다.[23] 원거리 무역의 주요 경로에서 멀리 떨어진 대부분의 영역에서, 이와 같은 ―개별적 생산 방식과 조직 방식으로 특징되는― 항구도시들은 지역 서열에서 단속적斷續的으로 상승과 쇠퇴를 거듭하며 19세기까지 반半자치적 공국으로 있다가 결국은 서양 제국주의 팽창 세력에 장악되었다. 일부 항구공국에서 오랑카야의 지위는 유럽 항구도시의 지배적 상인 엘리트들의 그것과 비슷했던 것 같다. 일례로, 파타니Patani 왕국에서는 여러 여왕이 연속해 통치했으며, 여왕은 현지의 엘리트들이 남성 통치자의 전제 권력을 제한하려 활용하는 일종의 장치로 여겨졌다. 반텐과 마카사르Makassar 같은 다른 항구에서는 현지의 통치자들이 항구도시의 지배력을 점차 강화해 앤서니 리드가 '절대주의 통치자absolutist rulers'라 부를 정도로 변했다.[24] 정치 상황이 어땠든 간에, 시장은 외국인 무역업자들이 놀랄 정도로 여성들이 지배하고 있었다. 토머스 스탬퍼드 래플스 경Sir Thomas Stamford Raffles〔영국의 식민지 행정관. 1781~1826〕은 이에 대해 상당히 솔직한 평을 했다. "남편이 금전 업무를 전적으로 아내에게 맡기는 것은 일반적인 일이다. 여성들은 혼자서도 시장에 주의를 기울이고, 사고파는 모든 사업을 수행한다. 자바 남자는 돈 문제에서는 모두 바보들이라고 일컫는 속담이 있다."[25]

그 개별적 특성 때문에, 동남아시아 항구공국은 페르낭 브로델이 주목한 근대 초기 유럽의 항구에서 나타나는 사회적 변화의 특권적 원천을 결코 반영하지 못했다. 사실 시민의식 같은 것은 없었고, 일시 체류하는 상인들은 모두 전제적 권력의 압력을 경험하고 그것에 대처해야만 했다.

유럽의 영향

전통적인 교역장들의 교역 네트워크와 항구도시 자체의 구조는 희망봉 주변을 수송하는 해운 경로가 발견됨으로써 새로운 도전에 직면해야 했고, 이후 아시아에 포르투갈, 네덜란드, 영국 해양제국이 연속적으로 출현했다. 덴마크 역사학자 닐스 스텐스고르Niels Steensgaard가 보여준 것처럼, 1600년 무렵에는 아시아와 유럽 사이 교역의 해양 경로가 전통적인 해상 실크로드에서 벗어났다. 대서양의 무역풍에 이끌린 유럽의 횡범선〔가로돛 범선〕square-rigger들은 희망봉을 통해 인도제도Indies를 오가며 페르시아만과 홍해에서 지중해까지의 대륙횡단 카라반 노선을

거의 완전히 대체했고, 한때 서아시아에서 유명한 화물집산지들에 커다란 타격을 입혔다.[26]

유럽에서 새로 이주해온 사람들은 전략적 위치를 선택해 포르투갈의 말라카, 스페인의 마닐라(1567), 네덜란드의 바타비아(1619)와 같은 요새화한 식민지 항구 정주지를 자체적으로 건설했다. 쉽게 방어할 수 있는 섬이나 아시아인 선조들의 유해 위에 세워진 이 거점들은 동남아시아 유럽 해양제국의 본부 역할을 하면서 계약이나 무력으로 이들 지역의 지류항구와 새 위계 관계를 형성했다.

서서히 유럽의 식민지 항구도시는 전통적인 말레이 항구공국의 여러 측면과 서양식 개념의 도시 형태, 건축 및 도시 행정을 결합한 새 유형의 혼합적 항구 정주지를 조성했다. 아시아 내에서 오가는 무역상들을 위한 항구는 그 배치 측면에서 그다지 변하지 않았다. 이 아시아 무역상들은 여전히 자기 민족의 샤반다르에 의해 대변되었고 식민지 행정부들은 이들을 각각의 고유한 구역에 수용하려 애썼다. 그러나 차이를 만든 것은, 식민 통치하에, 유럽 재산법이 도입되어 유럽 정주민과 아시아 정주민 둘 다에 공증 증서의 형태로 적용되고 나서, 그들이 자신들의 재산을 위해 더 큰 안전이 보장된 활동에 참여할 수 있었다는 점이었다. 아시아의 유럽 교두보로서 포르투갈령 말라카, 네덜란드령 바타비아, 스페인령 마닐라 같은 도시들은 세계화의 초기 무대에서 노드 역할을 했다. 유럽 본국에서 식민지이주민colonist들이 제대로 공급되지 않자 중국 정주민들은 곧 마닐라와 바타비아 모두에서 중산층을 형성했다. 바타비아를 건설한 얀 피터르스존 쿤Jan Pieterszoon Coen〔1587~1629〕은 다음과 같이 기록했다. "중국인보다 우리를 더 잘 섬기는 사람은 없다." 중국인 불법 이주민의 억제불가능한 규모의 유입은 특히 스페인인들이 중국 정주민들을 상대로 여섯 번 넘게 집단학살을 저질렀던 마닐라에서 빈번한 인종 충돌을 야기했다. 네덜란드령 바타비아 또한 1740년에 대량학살을 겪으며 타운의 여러 민족 간 갈등 관계를 분명히 드러냈다.[27]

동양의 여왕: 근대 초기 식민 항구도시의 이념형으로서의 바타비아

자바에 있는 네덜란드동인도회사VOC의 본부인 바타비아의 초기 역사는 포르투갈령 말라카의 역사와 많은 면에서 비슷했다. 15세기 당시 순다 켈라파라고 불린 이 항구도시는 파자자란 힌두 왕국에서 나오는 후추의 주요 판로였다. 1527년에 치르본Cirebon의 술탄은 파타힐라Fatahilah 왕자의 지휘하에 원정군을 보내 순다 켈라파를 정복했다. 새 통치자는 승리를 기념하며 타운의 이름을 자야카르타Jayakarta로 바꾸었고, 몇십 년 뒤 타운은 주변 반텐 술탄국의 영지가 되었다. 17세기 첫 10년 동안 말라카를 정복하려는 몇 번의 시도가 실패한 이후, VOC의 행정관들은 순다해협을 통과하는 주요 통로 근처인 자바에 본부를 설립해야 한다고 결정했다. VOC와 영국동인도회사EIC, English East India Company 둘 다 거대한 공장들을 보유하고 있었던 반텐의 엄격한 통치는 네덜란드인들이 군도에 무역 네트워크를 더 발전시키기 위해 바라던 운영의 자유와 안전을 제공하지 못했다. 1619년 네덜란드령 동인도 총독 쿤은 자야카르타의 지역 통치자를 내쫓고 그의 궁전을 허물었으며 그 폐허 위에 바타비아 식민타운colonial town을 세웠다. 이 신도시—기본적으로 바다 옆의 강력한 요새로 후방에 신중하게 계획된 성곽도시walled-city—는 VOC 무역 네트워크의 집결지rendez-vous 또는 허브가 되었고, 이후 근대 초기의 가장 눈에 띄는 동남아시아 항구도시로 발전했다.

바타비아는 바다와 산맥 사이의 만 기슭에 자리하고 있었다. 기하학적 양상으로 배치되고 2250×1500미터의 수직 모양을 한 이 타운은 24개 방어벽이 있는 산호석 성벽으로 보호되었고 깊은 해자에 둘러싸였다. 이곳의 상업적 속성은 도시의 창고와 부두에 할당된 특별한 규모의 공간으로 강조되었다. VOC는 매년 평균 25척의 아시아 노선 선박을 운항했고, 한 번에 40척의 선박이 아시아 무역로를 운항하기도 했다. 네덜란드 상인 엘리트들은 독특하게 정박지가 내려다보이는 위풍당당한 성에 거주했고, 타운 자체는 VOC 회사 직원, 네덜란드 자유뷔르거[자유도시민]free-burgher, 군사 보조 업무를 담당하는 민족('마르디커Mardijker'라고 불린, 아시아계의 자유로운 기독교도 뷔르거), 생존에 필요한 산업에 종사하는 민족(중국인)을 포함하는 방식으로 설계되었다. 이것은 스페인인들이 자신들과 도시 성벽 밖 차이나타운China town인 파리안Parián에 따로 거주한 중국 정주민들 사이의 엄격한 분리를 유지했던 마닐라와는 극명하게 대비된다. 바타비아에서는 네덜란드인, 아시아인 기독교인, 중국인이 인도네시아군도와 인도 아대륙에서 온 많은 가내 노예들에 의해 봉사를 받는 성벽 내에서intra muros 살아갔다. 설립 10년 뒤에 바타비아에는 이미 8000명의 거주민이 있었고, 이 중 1375명은 유럽인 자유뷔르거였으며 1912명은 동인도 회사 고용인이었다.[28] 거의 모든 회사 고용인이 미혼으로 동양에 왔던 만큼 그들은 아시아 혈통의 현지인 신부들을 찾아야만 했다. 그 결과, 거의 모든 유럽계 시민 후손들이 혼혈이었다.[29] 18세기 전반기에 바타비아와 그 교외에 거주하는 아시아인과 유럽인 주민은 총 10만여 명(성벽 내 거주민은 약 1만 5000명)으로 추산되었다. 타운 인구의 거의 절반은 가내 노예였다.

상당히 놀랍게도, 18세기 중반까지 포르투갈어는 계속해서 타운의 공통어lingua franca였다. 다시 한번, 아시아와 유럽 여성들은 이 무역도시trading city에서 중요한 역할을 했다. 동인도회사 관계자들은 사적 거래에 참여하는 것이 금지되었을지라도, 그들의 아내들은 종종 모든 종류의 모험적 사업에 관여했다.

도시 인근 직할지인 오멜란던Ommelanden에 VOC는 소小구획지들을 할당했고 '호전적 민족들martial nations'은 그들의 캄퐁kampong〔소小부락〕을 형성해 집결했다. 이들은 부기Bugi인, 마두라Madura인, 암본Ambon인이었으며, 소집되면 VOC가 군도의 여러 곳에서 수행한 군사 활동에 군사력을 제공하고 그 대가를 받았다. 도시가 만들어진 이후 50년 뒤에 이웃의 술탄국 반텐과의 관계가 안정되고 타운 주변의 치안이 확보되었을 때, 상인 엘리트들은 타운 밖으로 이주해 나갔고 시골에 자신들의 우아한 저택들을 건설했다. 중국과 네덜란드의 사업가들은 배후지의 열대우림을 베어내고 사탕수수 농장 부지를 확보하느라 서로 경쟁했다. 포르투갈 말라카의 경우와 마찬가지로, 초기 단계에서 바타비아는 식품·목재 등의 필수품을 자체적으로 제공할 수 없었고 자바 북부 파시시르 해안을 따라 위치한 지류항구에서 출하되는 물품을 공급받아야 했다. 세기가 바뀔 무렵 바타비아는 자체 배후지를 만들었다. 중국인과 자바인 채소 재배자와 소작농들이 도시에, 그리고 정박지에 머무는 선단船團에 식품을 공급했다. 설탕 농장 및 커피 대농장plantation은 인근 평야와 곶에 수출을 목적으로 세워졌다.

항만 설비들은 어떠했는가? 바타비아를 기항하는 선박들은 먼저 미로와 같은 군도들을—천 개의 섬이란 의미의 풀라우 스리부Pulau Seribu 지역—을 통과해야만 잘 보호된 정박지에 이를 수 있었고, 이곳에는 동인도회사 선박, 토착민 배, 중국 정크선들이 바타비아성城에서 1마일〔1.6킬로미터〕 정도 떨어진 곳에 정박했는데, 여기서 가까운 곳인 칠리웅Ciliwung강 하구 근처에 성곽도시가 있었다. 풀라우 온러스트Pulau Onrust 같은 일부 섬의 부두와 조선소는 유럽에서 6개월 넘게 항해한 후 도착하거나 태풍이 많은 중국해에서 돌아오는 VOC 선박을 수리하는 데 필요한 모든 재료와 전문적 지식을 갖추고 있었다. 두 개의 긴 방파제가 해안에서 바다로 뻗어 나와 칠리웅강의 진흙탕 물로 가득한 운하로 이어졌다. 더 작은 인도네시아 선박들은 이 운하를 따라 드나들며 내항內航 곧 어시장인 파사르 이칸Pasar Ikan에 정박했다.

바타비아에서 VOC 당국은 본국 뷔르거 사회의 잘 발달한 모든 시정 제도—타운홀town hall, 병원, 법정, 교회, 교정 제도 및 구호금 관리소 등—를 복제했다. 구호소인 보델카머boedelkamer가 설립되었는바, 이 제도는 포르투갈의 카사 드 미제리코르지아와 다르지 않고 식민사회의 요구에 특별히 맞춰져 있었다. 보육원, 양로원, 병원, 빈민 매장지 같은 현지의 사회제도들은 네덜란드의 사례에 기반을 두었지만, 이 제도들은 직접적 도움을 줄 수 있는 친척의 부재로 인한 열대지방의 높은 사망률로 동양에서 훨씬 더 긴급한 사회적 요구에 부응했다. 인도네시아국가기록원Arsip Nasional Republik Indonesia에 남아 있는 8000권 이상의 공증인 서류는 바타비아의 다민족 시민들 사이 법적 거래를 기록하는 데서 공증인이 수행한 중요한 역할을 증언하고 있다.

흥미롭게도, 네덜란드의 도시 건물들과 제도들은 중국식 병원, 문중 회관, 중국의 관리 거주지인 아문衙門을 닮은 중국인 선장 자택, 선장과 중국인 장교들이 매주 모이던 사무실인 공당公堂 같은 전형적인 중국의 도시 제도들과 일치했다. 도시 성벽 바로 밖에는 중국인 시민들이 묻힐 수 있는 중국인 사당과 큰 묘지가 있었다.[30] 중국인 여성들이 제국 정부에 의해 해외로 나가는 것이 엄격히 금지되었던 터라, 바타비아에 거주한 중국인 남성들은 현지에서 현지인 배우자를 찾아야 했다. 그들은 아름다움과 식습관 모두에서 발리 출신 여성들을 선호했다. 이슬람 여성들의 경우와는 다르게, 발리 여성들의 힌두교 신조에서는 중국 메뉴의 주식인 돼지고기에 반대하지 않았다. 중국인 남편과 토착민 아내의 혼혈 혼인을 통해 이른바 〔중국과 말레이의 혼합 문화 및 인종인〕 페라나칸peranakan 집단이 등장했고, 페라나칸은 바타비아 중국계 인구 대다수를 대표하게 되었다. 바타비아 중국인 공관公館 문서고의 1780년대 중국계 인구학적 기록 자료를 보면, 신랑과 신부의 나이는 각각 28세와 14세로 두 배 정도 차이가 났다. 이는 남성들이 가족을 부양할 수 있는 일정한 부를 획득하기 이전까지는 결혼하지 않았음을 암시하기도 한다.[31]

결국, 바타비아는 네덜란드령 총독과 인도제도이사회Raad van Indië가 아시아 전역의 물가 동향과 정치 문제에 대해 잘 알 수 있게 해주는 매우 정교한 정보 네트워크를 활용함으로써 아시아 역내 교역의 확장된 네트워크에서 중심지 역할을 했다.* 과거에는 인도양의 내해가 단 한 번의 몬순으로도 연결이 되는 단순한 궤적을 가진 일련의 네트워크로 구성되었으나, 이제 처음으로 VOC의 모든 운송 움직임을 하나의 동기화한 무역 네트워크에 통합하는 긴밀한 연동 체계가 만들어졌다. 바타비아의 무역지향적 성격, 강력한 방어, 민족적 혼합, 시민 제도들의 깔끔한 복제로, 이 타운의 일부 방문객들은 이곳이 '열대지방의 홀란트Holland'를 표상한다고 생각했다. 다른 이들은 그 모습을 훑어보고 이 식민타운의 중국적 구성 요소에 경탄해 중국인 공동체를 대안적 유형의 삶과 사회조직을 대표하는 것으로 이상화했다.[32] 동남아시아 사회들의 전통에 따라 VOC 고용인의 (대부분 〔혼혈인종인〕 메스티소mestizo) 아내들은 사회구조를 함께 유지하고 돈, 부동산, 무역 협력적 관계의 상속을 위한 통로를 제공하는 데서 매우 중요한 역할을 했다. 이것은 다양한 방법으로 나타났다. 두 명 혹은 세 명의 남편과 사별한 부유한 바타비아 과부들은 많은 관심을 받았다. 거의 모든 VOC 고용인이 결혼하지 않은 상태로 동양에 왔고, 회사의 위계 구조에서 후원이 매우 중요했던 만큼 부유한 과부와 결혼하거나 회사 고위직의 어린 딸과 결혼하는 것이 성공의 지름길로 받아들여졌다.[33] 장 젤먼 테일러Jean Gelman Taylor는 다음과 같이 지적한다. "인도제도 씨족의 중심에는 여성들이 있었는바 현지에서 태어나고 자란 사람들로, 이들은 남성들을 시

* '인도제도이사회'는 네덜란드령 동인도 총독의 자문기구로 네덜란드령 동인도에 거주하는 영향력 있는 네덜란드 시민 5~6명으로 구성되었다.

아버지, 사위, 배우자의 형제들로서 후원자와 보호자의 관계로 끌어들였다. (…) 중요한 가족관계는 아버지와 아들 사이 관계가 아니라 한 남자와 그의 처가 사이 관계였다."[34]

바타비아는 네덜란드 및 중국의 식민화colonization로 특징되는 복합적이며 다양한 사회이긴 했으나, 도시는 이 지역의 토착적 항구공국의 많은 특징을 계속해서 유지했다. 바타비아성의 총독과 인도제도이사회는, 마치 오랑카야의 지원을 받는 토착 통치자처럼, 대외 관계에서 전통적인 의례와 의식 질서를 계속해서 존중했다. 바타비아를 방문하는 모든 토착민 상인은 군도의 다른 곳과 마찬가지로 무역 문제를 초기에 샤반다르나 항구 관리자들에 의해 처리했다고 가늠해볼 수 있었는데, 이들은 무역 문제에서 번역가를 제공하거니와 이웃 항구공국들에 보낼 외교 서한 초안을 작성하기 위해 말레이족 선장과 긴밀히 협력했을 것이었다.

바타비아는 해상 패권국의 수도로서 자바해 일대 영지들과 집중적으로 외교적 왕래가 있었고, 해외에서 정기적으로 방문하는 사절들을 접견했다. 이들은 거창한 의식에 따라 환영받았고, 바타비아성으로 호위를 받으며 이동해 그들 통치자의 서한을 자국의 관리 자격으로 바타비아 총독과 인도제도이사회 의원들에게 전달할 것이었다.

바타비아와 그 이전 포르투갈의 말라카에는 커다란 차이가 있었다. 에스타도 다 인디아의 카사도스는 개인 무역과 관련해 상당한 자유가 있었으나 VOC 시설에서는 그 반대였다. 이것은 일반적으로 역사학자들에 의해 18세기 영국의 강력한 경쟁에 직면해 장대했던 네덜란드 무역회사가 패배한 이유로 판단되었다. 대규모 민간사업은 VOC

의 안녕을 위협하는 것으로 여겨져 금지되었다. 바타비아 뷔르거의 자유무역 문제는 도시 설립 때부터 계속해서 제기되었다. 쿤 총독이 에스타도 다 인디아의 포르투갈인처럼 자유롭게 사업할 수 있는 자유뷔르거 사회의 활동 공간을 만들어야 한다고 회사 이사들에게 간청했을 때, 그는 자신의 견해를 설명하도록 실제로 파트리아Patria〔조국〕로 소환되었다. 그는 설득하는 데 실패했다. 쿤이 죽은 지 19년 후인 1648년에 바타비아의 자유뷔르거들은 네덜란드 총독에게 청원서를 제출해 자신들의 도시 정부에는 자유로운 네덜란드 사회가 누리는 모든 자유가 부족하다고 불평했다. 그들은 정치적으로 무력한 타운의 중국계 시민들이 실제로 자신들이 누린 것보다 더욱 많은 혜택을 누렸다고 주장했다.[35] 약 2만 5000명이 근무하는 이 회사〔네덜란드동인도회사〕는, 자매회사〔네덜란드서인도회사〕와 마찬가지로 아시아와 유럽 간 노선뿐 아니라 아시아 자체의 도시 기관들에서도 빈틈이 없이 독점권을 유지했다. 궁극적으로 이것은 아시아에서 상업의 중심지로서 바타비아의 지위를 약화했고, 18세기 시작 무렵에 바타비아는 적자를 보게 되었다.

저지대 국가들〔네덜란드〕의 회사 이사회 시각에서는 바타비아가 기생적 소비도시consumption city로 변모했고, 회사 조직의 자금과 인력을 낭비하는 배수구였다. 1730년대에 바타비아에는 전염병이 돌았고 매년 인구의 6분의 1이 사망했다. 그러나 십중팔구 가장 결정적인 바타비아 현지 경제의 후퇴는 1740년〔10월〕에 타운 밖에서 중국인 부랑자들에 의한 무익한 반란이 일어난 이후 동료 타운 사람들〔비非중국인〕의 보복으로 마을 안에 있던 〔화교촌의〕 중국인들이 무시무시하게 학살된 사건일 것이다.* 결과적으로, 중국계 자유시민이 점차 지배하게 된 바타비아의 도시경제urban economy는 이후 중국인 이민이 재개되고 나서도 완전히 회복되지 않은 타격을 받았다. 환경적 요인도 항구타운이 쇠퇴하는 원인이 되었고, 이에 타운 행정부는 관청과 여러 관계자 거주지들을 바다 옆 성에서 멀리 떨어진 내륙으로 옮기게 했다. 조금 더 높은 지대에 재건된 도시는 사실상 네덜란드령 인도제도의 근대 수도로 변모해 아시아의 다른 여러 도시와 같은 모습을 보여주었다(43장 참조).

결론

근대 초기의 유럽 식민지 항구도시들이 동남아시아 무역의 분배에 큰 영향을 끼쳤다고는 해도, 전통적인 말레이 항구공국들은 끝내 정치적 독립을 포기해야 했던 19세기 고도의 제국주의 시대까지 놀랍게도 잘 살아남았다. 네덜란드동인도회사의 본부로서 바타비아의 종말은 더욱 갑작스러웠다. 18세기까지 이 항구도시의 화물집산지로서 유통 기능은 본질적으로 인도와 중국 간 영국의 국가 차원 무역으로 인해 관심에서 멀어져갔다. 제4차 영국-네덜란드 전쟁Fourth Anglo-Dutch War(1780~1784)과 나폴레옹전쟁Napoleonic Wars[1797~1815]은 네덜란드동인도회사의 몰락과 파산을 불러왔고 회사의 교역장 역할에 조종을 울렸다. 영국동인도회사와 이 회사의 인도 항구 정주지들은 영국의 무역상들

* 서양사에서는 '1740년 바타비아 (화교) 대학살사건1740 Batavia massacre'으로 알려져 있다. 중국사에서는 '홍계참안紅溪慘案'이라 부르는 사건으로, 이 명칭은 학살이 일어난 난 곳 중 하나가 바타비아성 서쪽에 있는 중국인들이 "홍계"라 부른 강인 데서 유래한다.

과 번창해가는 중국 무역 사이의 연결이 가져다준 이익으로 구제를 받았지만, 네덜란드동인도회사는 자신만의 독점권을 보호하다 수치스러운 최후를 맞았다. 아이러니하게도, 벵골의 캘커타Calcutta〔지금의 콜카타Kolkata〕에 있는 영국동인도회사 행정본부는 유사한 건강〔보건〕 위험, 말라리아 및 이런저런 전염병에 직면했으나 바타비아와는 달리 생존하고 번성한바, 바타비아와 반대로 캘커타 상업타운commercial town이 시민들에게 개별적 사업과 학문 활동에 참여가 가능한 많은 기회를 제공했기 때문이다.

이에 더해, 생태학적 요인의 악화는 고아와 바타비아 같은 근대 초기 식민지 항구도시들을 말라리아와 여러 치명적 전염병의 번식지로 만들었고 더는 거주하기에 적합하지 않게 만들었다. 이들 항구도시는 내륙 더 안쪽으로 이동할 수밖에 없었고 이로 인해 원래의 특성을 잃고 말았다. 국가 무역의 부상, 현장의 핵심 주체 동인도회사의 몰락, 말라리아가 만연하는 해안에서 고지대로 식민지 행정 중심지의 이전은 형태가 다른 새로운 유형의 식민도시 설립으로 이어졌다(31장, 40장 참조). 이후 19세기로 접어들면서 인공 항구와 부두〔선착장〕dock를 갖춘 새로운 형태의 식민지 항구도시가 등장했고, 이곳에서 식민 정부는 해상무역과 여객 수송의 조직을 촉진했으나 그 외에는 가능한 한 거의 개입을 하지 않았다. 1819년의 싱가포르 건설이 그 사례다.

주

1 "Some Observations Concerning Early Asian Trade" (*Eenige beschouwingen betreffende den ouden Aziatischen handel*, Middelburg, Academisch proefschrift, 1934), in J. C. van Leur, *Indonesian Trade and Society, Essays in Asian Social and Economic History* (The Hague: W. van Hoeve, 1967), 5-6.

2 Fernand Braudel, *Civilization and Capitalism 15th-18th Century* (Berkeley: University of California Press, 1992), vol.3, 89-279.

3 Janet L. Abu Lughod, *Before European Hegemony: The World System A.D. 1250-1350* (Oxford: Oxford University Press, 1989).

4 Anthony Reid, *Southeast Asia in the Age of Commerce 1450-1680* (New Haven: Yale University Press, 1988-93), 2 vols.

5 K. N. Chaudhuri, *Trade and Civilisation in the Indian Ocean: An Economic History from the Rise of Islam to 1750* (Cambridge: Cambridge University Press, 1985), 102.

6 Paul Wheatley, *The Golden Khersonese, Studies in the Geography of the Malay Peninsula before A.D. 1500* (Westport: Greenwood Press, 1973), 40-44.

7 André Wink, *Al Hind: The Making of the Indo-Islamic World* (Leiden: Brill, 1990-2004), 3 vols.

8 Reid, *Southeast Asia in the Age of Commerce*, vol. II, 281-289.

9 Indu Banga, *Ports and Their Hinterlands in India 1700-1950* (New Delhi: Manohar 1992), 10.

10 André Wink, "From the Mediterranean to the Indian Ocean: Medieval History in Geographic Perspective", *Comparative Studies in History and Society*, 44 (2002), 416-420.

11 Dietmar Rothermund, "Asian Emporia and European Bridgeheads", in R. Ptak and D. Rothermund, eds., *Emporia, Commodities and Entrepreneurs in Asian Maritime Trade, ca. 1400-1750* (Stuttgart: Steiner Verlag, 1991), 3.

12 Kenneth R. Hall, *Maritime Trade and State Development in Early Southeast Asia* (Honolulu: University of Hawaii Press, 1985).

13 Liaw Yock Fang, *Undang-Undang Melaka: The Laws of Melaka* (The Hague:

Martin us Nijhoff, 1976).

14 Tomé Pires, *Suma Oriental* (Complete Treatise on the Orient), 2 vols. (London: Works Issued by the Hakluyt Society, second series, LXXX, XXC, 1944).

15 Ibid. 287.

16 Anthony Reid는 말라카 거주 인구를 10만 명으로 믿을 수 없을 정도로 매우 많게 추정하는 표를 만들었지만, 다른 학자들은 2만 명 정도로 추산한다.

17 Luis Filipe Thomaz, "Melaka et ses communautés marchandes au tournant du 16e siècle", in Denys Lombard and Jean Aubin, eds., *Marchands et hommes d'affaires asiatiques dans l'Océan Indien et la Mer de Chine, 13e–20e siècles* (Paris: Editions d'Ecole des Hautes Etudes en Sciences Sociales, 1988), 39.

18 Pires, *Suma Oriental*, vol.2, 251.

19 Ibid. 265.

20 H. Kern, ed., *Itinerario, Voyage ofte schipvaert van [Jan Huygen van Linschoten] naer Oost ofte Portugaels Indien 1579–1592* (Itinerary, The Voyage of Jan Huygen van Linschoten to East or Portuguese India 1579–1592). Linschoten Vereeniging LVII, LVIII, LX (The Hague: Martinus Nijhoff, 1955–1957), 3 vols.

21 Anthony Reid에 따르면 17세기에 아시·반텐·마카사르와 같은 항구의 뛰어난 통치자들은 자신들의 영역에 대한 서양의 침입에 대항해 '절대주의적' 경향을 점점 더 많이 보여주었다.

22 Barbara Watson Andaya, *To Live as Brothers: Southeast Sumatra in the Seventeenth and Eighteenth Centuries (Honolulu: University of Hawaii Press, 1993); James Warren, The Sulu Zone, 1768–1898* (Singapore: NUS, 2007); Muridan Satrio Widjojo, *Cross-Cultural Alliance Making and Local Resistance in Maluku during the Revolt of Prince Nuku, c.1780–1810* (Leiden: Brill, 2009).

23 Reid, *Southeast Asia in the Age of Commerce*, vol.1, 133.

24 Ibid., vol.2, 211–214.

25 Ibid., vol.1, 162–165; Thomas Stamford Raffles, *The History of Java* (London: John Murray, 1817), vol.1, 353.

26 Niels Steensgaard, *Carracks, Caravans, and Companies: The Structural Crisis in the European-Asian Trade in the Early Seventeenth Century* (Copenhagen: SIAS, 1973), 155–169.

27 Leonard Blussé, *Strange Company: Chinese Settlers, Mestizo Women and the Dutch in VOC Batavia* (Dordrecht: Foris, 1986), 73-96.

28 Hendrik E. Niemeijer, *Batavia. Ben koloniale samenleving in de 17*[de] *eeuw* (Amsterdam: Uitgeverij Balans, 2005), 39.

29 Jean Gelman Taylor, *The Social World of Batavia, European and Eurasian in Dutch Asia* (Madison: University of Wisconsin Press, 1983), 33-51; Niemeijer, *Batavia*, 32-49; Blussé, *Strange Company*, 156-171.

30 Blussé, *Strange Company*, 78-79.

31 Leonard Blussé, Chen Menghong, *The Archives of the Kong Kaan of Batavia* (Leiden: Brill, 2003), 19.

32 H. Kroeskamp, "De Chinezen te Batavia als exempel voor de Christenen van West-Europa", *Indonesie*, 3 (1953), 346-371.

33 Leonard Blussé, Bitter Bonds, *A Colonial Divorce Drama of the Seventeenth Century* (Princeton: Markus Wiener Publishers, 2002).

34 Jean Gelman Taylor, *The Social World of Batavia, European and Eurasian in Dutch Asia* (Madison: University of Wisconsin Press, 1983), 71.

35 Blussé, *Strange Company*, 83.

참고문헌

Banga, Indu, *Ports and Their Hinterlands in India 1700-1950* (New Delhi: Manohar 1992).

Blussé, Leonard, Strange *Company: Chinese Settlers, Mestizo Women and the Dutch in VOC Batavia* (Dordrecht: Foris, 1986).

Blussé, Leonard, *Visible Cities: Canton, Nagasaki and Batavia and the Coming of the Americans* (Cambridge, Mass.: Harvard University Press, 2009).

Brouwer, Cees, *Al-Mukha Profile of a Yemeni Seaport* (Amsterdam: D'Fluyte Rarob, 1997-2010), 3 vols.

Chaudhuri, K. N., *Trade and Civilisation in the Indian Ocean, An Economic History from the Rise of Islam to 1750* (Cambridge: Cambridge University Press, 1985).

Gupta, Ashin Das, *Indian Merchants and the Decline of Surat c.1700–1750* (Wiesbaden : Franz Steiner Verlag, 1979).

Hall, Kenneth R., *Maritime Trade and State Development in Early Southeast Asia* (Honolulu : University of Hawaii Press, 1985).

Haneda, Masashi, *Asian Port Cities 1600–1800. Local and Foreign Cultural Interactions* (Singapore : NUS Press, 2009).

Niemeijer, Hendrik E., *Batavia. Een koloniale samenleving in de 17de eeuw* (Amsterdam : Uitgeverij Balans, 2005).

Reid, Anthony, *Southeast Asia in the Age of Commerce 1450–1680* (New Haven : Yale University Press, 1988–93), 2 vols.

Wink, André, *Al Hind: The Making of the Inda-Islamic World* (Leiden : Brill, 1990–2004), 3 vols.

제20장

라틴아메리카

Latin America

펠리페 페르난데스-아르메스토

Felipe Fernández-Armesto

신대륙을 보기 전부터도 탐험가들은 그곳을 상상의 도시로 가득 채웠다. 중세 후기의 지도에서 대서양을 얼룩지게 한 추측성 섬들 가운데는 '일곱 도시의 섬Isle of Seven Cities'[환상의 섬인 안틸리아Antillia, Antilia]이 있었다—이 섬들은 이슬람교도들이 히스파니아Hispania를 침공했을 때 바다 너머에 주교 관구를 세웠다고 추정되는 일곱 명의 도망자 주교들의 전설을 기려 포르투갈에서 지칭한 것이었다. 크리스토퍼 콜럼버스Christopher Columbus[1451~1506]의 첫 번째 보고서 초판에는 첨탑과 포탑砲塔의 스카이라인으로 가득 찬 히스파니올라Hispaniola 지도가 실려 있었다. 도시의 세계가 대서양 건너편에 있을 것이라는 기대는 너무 강력해서 현실이 그것을 떨쳐버리기 힘들었다. 라플라타강Rio de la Plata에서 스페인인들은 내륙에 있다는 도시들에 대한 망상적인 소문을 들었다. 1540년, '시볼라Cíbola'와 '퀴비라Quivirá'라는 도시에 대한 소문은 프란시스코 바스케스 데 코로나도Francisco Vázquez de Coronado(스페인인 정복자이자 탐험가. 1510~1554)로 하여금 멕시코(당시의 누에바 에스파냐Nueva España)에서 북쪽으로 원정을 떠나도록 고무했으나, 그는 캔자스Kansas에서 실망스럽게 모여 있는 풀 덮인 오두막집만 발견했을 뿐이다.

신세계New World가 많은 도시를 드러낼 것이라는 기대는 과장이었지만 완전한 환상이지는 않았다. 아메리카 대륙의 일부 지역에는 수천 명의 인구가 밀집된 장소라는 의미에서 자체적으로 정의된 토착도시indigenous city가 실제로 있었다.[1] 스페인 왕국(에스파냐 왕국)은 거의 모든 토착적 도시 세계를 장악하고 (자신들보다 뒤늦게 도착한) 포르투갈, 네덜란드, 프랑스, 영국 경쟁자에게 도시화되지 않은 지역만을 남겨두었다. 이 사건은 제국을 틀 지웠다. 인구밀도가 가장 높은 지역을 합병함으로써 스페인인들은 근대 초기 세계에서 육지와 바다에 걸친 유일한 대제국을 건설했고, 다른 유럽인들은 해안에 발판을 확보했을 뿐이고, 아시아와 아프리카의 전통적 제국들은 육지에 머물렀다. 포르투갈의 아메리카 식민지는 미나스제라이스Minas Gerais(지금의 브라질 주) 지역의 금이 내륙도시inland city 건설을 가능하게 했던 17세기 후반까지 해안만 가지고 있었다. 노예들은 1711년에 도시 자치 규약을 획득한 상파울루São Paulo에서 내륙을 습격했으나, 그곳은 바다에서 불과 40마일(약 64킬로미터)밖에 떨어져 있지 않았다. 이 도시는 식민시기 내내 작은 규모를 유지했고 인근 산투스Santos 항구에 의존했다.

이번 장의 초점은 따라서 스페인어권 아메리카Spanish America(포르투갈어권도 일부 참조)에 있다([지역지도 II.6] 참조). 먼저 토착적인 도시 전통—과 식민지이주민colonist들이 가져온 것—이 무엇인지 검토한 후, 식민도시의 물리적·사회적 구조를 그들이 경험한 주요 경제적·정치적·문화적 변화와 함께 살펴볼 것이다. 여기에는 그들이 겪은 주요 경제적·정치적·문화적 변화가 포함된다. 끝부분에서는 독립과 지구적 산업화의 영향 사이 시기의 혁신에 대해 다룬다.

토착적 전통

기념(비)적 건축물은 공식적으로 조직된 인구의 집중이 안데스 지역과 메소아메리카에서 오랜 역사를 지니고 있음을 말해주는 증거다. 안데스 지역에서 도시 생활은 페루의 건조한 해안지대와 저지대 계곡의 기원전 제3천년기〔기원전 3000～기원전 2001〕 유적에서 발견할 수 있다. 메소아메리카 가장 이른 초기의 설득력 있는 증거가 베라크루스Veracruz와 타바스코Tabasco의 습한 저지대에서 그 조금 이후에 시작된다. 이때부터 도시 생활은 정주민들이 산과 고원의 생태적 다양성을 이용할 수 있는 곳으로 퍼져나갔다.

불안정하고 주기적으로 폐허가 되거나 버려지기는 했어도, 초기 도시들은 진정한 전통을 개시했다. 멕시코 중부에서 스페인인들은 향수 어린 시선으로—아마도 일부 중세 유럽인들이 로마의 폐허를 바라보는 것과 비슷하게— 거대도시metropolis 테오티우아칸Teotihuacán의 몰락을 바라봤을 도시건설자들을 발견했다. 테오티우아칸은 건설부지의 규모로 판단하면 아마도 제1천년기 중반에 인구를 10만 명 넘게 수용했던 것 같지만, 그로부터 300년 정도 후에 버려졌다. 페루에서는 1만 피트〔약 3050미터〕 이상의 고도에서 기록된 가장 이른 초기의 도시 차빈데우안타르Chavín de Huántar가 기원전 1200년 무렵부터 약 700년 동안 유지되었고, 이후 고지대에 들어설 야심에 찬 도시들의 모델로 남았다. 해안가의 찬찬Chan Chan은 15세기 후반에 고지대의 침략자들에 의해 파괴되기 전에 아마도 4, 5세기 동안 3만 명의 인구를 수용했을 것이며, 확장된 규모로 더 이른 초기의 생존 방식과 건축을 계속해 유지했다. 그곳의 정복자인 잉카는 제1천년기 후반기에 해발 1만 2000피트 이상의 고지대에서 비슷한 인구를 지탱했던 티아우아나코Tiahauanaco의 폐허를 감탄스럽게 바라보았을 것이다.

당시 타바스코와 베라크루스에서는 도시 생활이 중단되었으나, 남쪽의 인근 저시내에서는 최초의 마야 도시 선설자들(새로운 발견은 기원전 4세기로 거슬러 올라간다)이 일부 기술과 미학을 지속하거나 되살렸다. 서기 2세기부터 마야의 건축가들은 생태적 제약의 결과로 버려진 최초의 거대도시인 엘미라도르El Mirador의 폐허에서 교훈을 얻은 것으로 보인다. 비가 자주 오는 우수마신타Usumacinta계곡, 과테말라Guatemala의 페텐Petén 지역, 벨리즈Belize, 온두라스Honduras 북부에서는 주민 2만~5만 명의 도시국가city-state 수백 개가 500년 동안이나 서로 전쟁을 벌이다가 상대적으로 갑작스러운 변화로 이를 멈추었고, 9세기와 10세기에는 엘리트들이 권좌에서 물러났고 밭이 황폐해졌으며 기념(비)적 건축 활동이 끝났다.[2] 그러나 유카탄Yucatán과 과테말라 고지대의 새 도시나 새로 정비된 도시들은 전통의 많은 부분을 보존했다.

스페인 사람들은 유카탄에서 처음으로 도시 생활의 집중을 경험했다. 베르날 디아스델카스티요Bernal Díaz del Castillo는 자신이 첫 번째 도시탐험가로서 1517년에 해안에 상륙했다고 주장했다. 스페인 사람들은 탐험할 도시를 '엘 그란 카이로El Gran Cairo'[커다란 카이로]라고 불렀는데 아마도 우아하게 채색된 피라미드를 넌지시 지칭했던 것 같다.[3] 그곳은 십중팔구 에드나Edná와 툴룸Tulúm이라는 이 지역의 두 주요 교역타운trading town 중 하나였을 것으로, 그 지역에서는 멕시코 중부의 아스테카가 지배하는 해안에서 지금의 파나마로 향하는 연안의 교역경로에서 화물을 실은 카누가 해변을 찾아다니며 물물교환을 했었다. 더 이른 초기 시대의 전형적인 자유분방한 광장이 아닌 거친 격자형 거리를 따라 배열된 그곳들은 얼마 전에야 되살아난 상태였다. 왜냐하면, 이 지역의 도시들은 힘든 역사를 겪었는바, 도시들이 비가 거의 내리지 않는 고원에서 지하수원에 의존하고 있었고 단단하나 비생산적인 관목으로 뒤덮여 있었기 때문이다. 툴룸의 내륙인 코바Cobá는 몇 세기 동안 버려져 있었다. 경쟁적 왕조 간 전쟁으로 두 개의 가장 위대한 도시들인 치첸이트사Chichén Itzá는 13세기에, 마야판Mayapán은 14세기에 버려졌다.

과테말라 고지대에 1520년대에 도착한 스페인 침략자들은 인상적인 석조도시와 마주쳤다. 1526년 텅 비어버린 도시에 머물렀던 디아스델카스티요에 따르면, 침략으로 인구가 분산된 익심체Iximché는 칵치켈Caqchiquel족의 궁정 중심지courtly centre였고, "훌륭한 공공건물과 집들"이 "모든 인근 지방을 통치한 족장들의 그것들만큼이나 호화로웠다."[4] 쿠마르카흐Cumarkaj는 경쟁하던 키체Quiché족의 주도主都로서 동등하게 대규모의 도시였다. 하지만 페드로 데 알바라도Pedro de Alvarado가 이 지역을 정복하려는 파괴 작전의 일환으로 1526년에 도시를 모두 소개疏開하고 불태웠다. 이곳의 배치—누각이나 의전실이 딸리고 가파른 계단으로 올라가는 신전이 있으며, 그 주변으로 서로 오갈 수 있는 구기장ball court과 엘리트 거주지들이 있는—는 유카탄 해안의 동시대 교역 정주지보다는 그리스 '고전' 시기의 버려진 도시들과 더 유사했다.

같은 유형의 계획이 폭넓게 말해 메소아메리카 전역의 도시들을 특징지었다. 가장 크고 웅장한 건물들의 집합체assemblage는 멕시코계곡에 있었다. 멕시코시티의 부지가 된 테노치티틀란은 300개가 넘는 공동체가 관여하는 복합적인 조공 교환 구조의 정점을 표상했다. 테노치티틀란은 대규모 거대도시로, 자급자족은 불가능했고, 논쟁의 여지가 있는 수치이긴 하나 십중팔구 최소 8만 명 정도의 인구가 있었고, 호수 한가운데에서 호수 바닥을 힘들게 준설해 농지로 만든 곳이었다. 이 해발 7000피트〔약 2130킬로미터〕가 넘는 고도에서는, 엘리트 연회용 카카오, 의례용 고무와 향, 장식용 옥과 금, 신성한 가장假裝용 케찰quetzal 깃털, 그리고 —무엇보다— 일상복용 및 누비갑옷용 면화 같은 주민들의 삶의 방식에 필수적인 많은 제품을 현지에서 구할 수가 없었다. 이에 원거리 교역과 약탈이 필수적이었다. 선先히스패닉pre-hispanic〔스페인인 도착 이전〕 시기 아스테카의 공문서 중 거의 확실하게 남아 있는 원본이나 그 사본寫本의 조공품 목록은 전쟁으로 확립된 지위의 위계에 따라 멀리서 도시로 생산품을 공급하는 생산물 교환이 멕시코계곡의 생태계와 어떻게 맞물렸는지 보여준다.[5] 수정을 통해 이 체계는 스페인의 정복에서 살아남았고 또 스페인인들이 대규모 도시들을 유지할 수 있게끔 해주었다.

오래된 원주민 중심지들은 유럽인들이 바로 알아볼 수 있을 정도로 시민적civic이었다. 이들 중심지는 경제적 기능을 했지만, 압도적으로, 그 실재와 속성은 우두머리의 궁정이 존재한 데 빚지고 있었다. 마야 도시들에서는 지배 왕조가 너무 강력했던 터라 남아 있는 명문銘文에는 다른 사람이 거의 언급되지 않았다. 높은 빗장식roof-comb은, 때로 왕의 가면으로 꾸몄는바, 신전의 꼭대기를 덮고 있었으며 방문객들에게 도시의 존재를 분명히 알리는 —교역은 유도하고, 아마도, 공격은 저지하는— 것이었다.* 미스텍Mixtec족 세계는 현재 멕시코 남서부 지역의 대부분을 차지했고 정주지가 상대적으로 작고 불규칙하게 퍼져 있었으며, 유일하게 남아 있는 미스텍족 문서는 왕과 왕비의 계보다. 궁전palace은, 일반적으로 고리 모양 상징의 엔타블러처entablature로 의미화되었으며, 종종 가장 인상 깊었던 건물이었고, 아니면 신전temple에 의해서만 능가되었다.** 대다수 도시는 다양한 방식으로 정체성을 표현했다. 많은 도시가 다른 도시에서 순례객을 끌어들이는 성소들을 보유했다. 모든 도시가 십중팔구 "신성한 일단의" 기념물이나 영웅 또는 신들의 유적을 갖고 있었을 것이다.[6]

도시 모델은 메소아메리카로부터 확산되었다. 금강앵무macaw 깃털이 가공되는 치와와Chihuahua 지역의 교역소인 카사 그란데Casa Grande

* '빗장식'은 마야의 석조건축 지붕 위에 정면과 평행하게 수직으로 세운 빗 모양의 장식을 말한다.

** '엔타블러처'는 서양 고전 건축에서 기둥에 의해 지지되는 지붕의 아래쪽 수평 부분을 통틀어 이르는 말이다.

는 주요 전초기지였다.[7] 스페인인들이 1520년대부터 지금의 미국 동남부 지역으로 진입했을 때, 그들은 돌무더기 언덕 주위에 집단을 형성하고 있는 상당한 규모의 농업 정주지를 발견했다.[8] 문화권은 13세기 무렵에 가장 큰 규모에서 줄어들어, 지금의 〔미국 미주리주〕 세인트루이스St. Louis 근처 카호키아Cahokia는 당시 인구가 1만 5000명 정도였을 것이다. 아마도 면역력이 없던 사람들에게 스페인인들이 가져온 병원체가 치명적이었기에 지속적인 도시 생활은 1540년대부터 급격히 축소된 것으로 보인다. 북아메리카 남서부에는, 한편, 스페인 관찰자들이 푸에블로pueblo라고 부른 독특한 도시 전통이 대지 위에 흩어져 있었다. 1540~1542년에 일어난 첫 번째 주요 침략을 주도한 바스케스 데 코로나도는 다음과 같이 언급했다. 200~1200채 사이의 집들이 아도베adobe 벽돌로 최고 4층까지 지어졌고,* 목재 구조 틀과 벽은 0.5야드〔약 45센티미터〕 두께였으며, '재, 탄가루, 흙'으로 이긴 모르타르가 발려 있었다.[9] 스페인인들이 강우량이 적고 농업이 관개에 의존했던 이 지역에 훨씬 더 야심적인 정주지settlement를 건설하기까지는 1세기 반 이상의 시간이 필요했다.

도시는 또한 안데스 지역에 많았는바 국가들이 상대적으로 작고 시 중심적이었던 곳으로 특히 지금의 콜롬비아인 무이스카Muisca 문화권에, 그리고 16세기 초반에 전성기를 맞았고 당시 에콰도르 북부에서 칠레의 비오비오Bío-bío강 부근까지 뻗어 있었던 거대한 잉카 제

* '아도베'는 라틴아메리카 안데스 문명에서 건축재로 사용한 벽돌로 진흙과 일부 재료를 섞어서 이긴 다음 햇볕에 말린 것이다.

국에 많았다.* 안데스 지역에서 도시들은, 메소아메리카의 경우와 마찬가지로, 궁정·종교·경제 기능을 결합해 왕조들과 신전들을 수용하고 생태 제국주의ecological imperialism라고 불릴 수도 있는 거대한 교역장들emporia〔엠포리아, 단수형 엠포리움emporium〕의 역할을 했다. 이 도시들은 잉카 세계의 광대한 위도 범위에 포함되거나, 급격한 경사면을 따라 또는 계곡을 가로질러 좌우로 기후와 일조 및 강우 확률이 놀랄 만큼 달랐던, 서로 다른 고도의 많은 환경 지역에 걸쳐 노동과 생산물을 이동시켰다.[10]

선先히스패닉 시기 남아메리카의 나머지 지역에서는 도시city 규모의 정주지에 관한 강력한 증거가 없다. 그러나 1540년 최초로 아마존강을 탐험한 〔프란시스코 데 오레야나Francisco de Orellana의〕 스페인 탐험대는 강둑을 따라 간격을 두고 기둥을 세운 목조 주택과 신전의 거대한 집합체를 보고했다. 관찰자들은 자신들이 오마과Omagua라고 부른 곳의 거주민이 최대 5만 명이라고 알렸다. 역사학자들은 관례적으로 이 주장을 세금과 생소한 환경에 정신 나간 여행자들의 헛소리라고 일축하지만, 이 지역에 바레아varea 토사에서 농경을 하고 수로 양식을 하는 조밀한 거주지가 있었을 수 있다. 북아메리카 동남부에서처럼 유럽의 질병이 도시 생활을 말살해버렸을 가능성이 있다.[11]

* '무이스카'는 치브차Chibcha족을 말한다. 안데스산맥 고원의 보고타 지역에 거주했던 멸족된 남아메리카 인디언의 한 부족으로, 아메리카 대륙의 발견 이전에 잉카·마야 문명에 견줄 문화를 형성하고 있었다고 알려져 있다.

식민도시의 구조

도시가 없는 곳에서 스페인과 포르투갈 정주민들은 현실과 완전히 동떨어질 정도의 과도한 상상력에 영감을 받아 도시 건설을 결심했다. 최초의 스페인 정주지는 크리스토퍼 콜럼버스의 포고에 의한 나비다드La Navidad로, 1492년 크리스마스 날 히스파니올라Hispaniola섬 동쪽 끝에서 좌초된 산타마리아Santa María호에서 뜯어낸 목재로 거칠게 방책을 두른 것이었다〔'나비다드'는 스페인어로 '크리스마스'라는 뜻이다〕. 판화가는 나비다드를 잘 다듬은 돌과 위풍당당한 탑으로, 기중기가 솟아 있는 지붕 부분을 들어 올리는 모습으로 묘사했다. 콜럼버스가 1493년에 그곳으로 되돌아왔을 때 수비대는 학살되고 없었다. 이듬해, 그가 이사벨라La Isabela라고 불렀던 도시를 세우려는 노력은 〔도시 건설이〕 소택지沼澤地와 비위생적 부지에서는 성공할 수 없다는 것을 증명해주었다〔이사벨라는 콜럼버스가 1493년 두 번째 항해 때 설립한 정착지로 그 명칭은 카스티야의 여왕 이사벨라 1세의 이름에서 나왔다〕. 하우하Jauja는 스페인인들이 페루에서 처음 만든 토대로 존속하기에 너무 불모지였고 공격에 취약했다. 과욕의 토대, 급속한 환멸, 포기의 연속이 수없이 반복되었는데, 〔히스파니올라섬의〕 화산 아래에서 형성되었던 최초의 수도 산티아고데로스카바예로스Santiago de los Caballeros의 연속적 유형의 도시가 과테말라에서처럼 웅대하게 이어진 사례도 있긴 했다. 1743년에 최후로 파괴된 〔과테말라의〕 이 도시는 생생한 안티과Antigua 유적을 남겼다.[12]

도시 건설은 거의 반사적인 행동이었다. 만약 두 영국인이 야생적 개척지에서 만난다면 사교 모임을 만들겠지만, 스페인인들은 비슷한 상황에서 도시를 세웠다. 스페인령 아메리카에서는, 두 개의 도시 전통 곧 토착민의 것과 침략자의 것이 맞닥뜨렸는바 도시적 가치들은 스페인의 문명화 개념에서 지배적이었다. 중세 후기부터 스페인의 귀족들은 거의 전적으로 타운town 거주민이었다. 포르투갈을 포함하는 기독교 왕국들의 레콩키스타reconquista〔재정복〕의 역사는 주로 국경 정주지에 보장된 〔자치〕 헌장으로 폭넓게 말해질 수 있다. 스페인 도시들이 이탈리아에서 발견되는 고대와의 강한 연속성continuity—또는 그에 상응하는 자치에 대한 충동—을 전형적으로 표출하지는 않았으나(12장 참조), 이들 도시는 코무네로스comuneros반란—1520년대의 타운 정부에서 왕족과 귀족의 침해에 대응한 실패한 광범위한 저항 운동—과 16~17세기에 걸친 도시 관할권을 둘러싼 길고도 고통스러운 소송의 역사에서 뚜렷하게 드러나는 강력한 정체성과 시민적 자부심을 구축하는 경향이 있었다.* 에르난 코르테스Hernán Cortés〔1485~1547〕가 현재 멕시코에 상륙해서 처음으로 한 일은 베라크루스를 건설한 것이었다. 그의 동기는 복합적이었는바 시장市長의 권위가 그의 다른 해적 사업에 합법성을 부여했기 때문이다.[13] 그러나 시장직은 도시적 사유 습관의 오래된 역사에서 비롯된 것이기도 했다.

모두 현실화한다면 구체화하기까지 종종 몇 세대 혹은 몇 세기가 필요할 타운계획들은 레콩키스타의 전통을 반영했다. 페르난도 2세

* '코무네로스반란'은 1520~1521년 스페인에서 카를로스 1세Carlos I의 재정 정책에 반발해 일어난 코무니다드comunidad(도시공동체)의 반란이다. 1519년 신성로마 제국 황제 카를 5세로 즉위한 카를로스 1세가 카스티야 의회에 과도한 재정을 부과하자 도시공동체들이 반란을 일으켰고, 1521년에 국왕군에 의해 진압되었다. '코무네로스'는 코무니다드 시민을 일컫는다.

Fernando II와 이사벨 1세Isabel I가 1490~1492년에 그라나다Granada 공성전을 감독하던 곳인 산타페Santa Fe와 같은 토대에서처럼, 고전기 도시classical city보다는 군 주둔지military camp가 모델이었던 것으로 보이는데, 이곳은 직각 형태로 정렬된 주거지와 군사훈련용 중앙광장이 있고, 예배와 정부를 위한 공간이 이를 둘러싸고 있었다.* 초기의 타운계획은 콩키스타도르conquistador〔정복자〕 혹은 —있던 사람 중에 그나마 가장 덜 무식했다는 점을 인정받은— 사제에 의해 즉흥적으로 만들어졌다. 이들은 〔타운계획 분야의〕 전문가들이 아니었다. 격자형 패턴은, 1570년대부터 왕실이 이를 지지하는 칙령들을 반복해 발표한 것을 통해, 교육받지 않은 사람에게도 당연하게 받아들여졌던 듯하다.[14] 거의 읽을 수 없었던 〔콩키스타도르〕 프란시스코 피사로Francisco Pizarro〔1541년 몰〕도 리마를 137개의 대칭형으로 배열된 격자로 직접 설계했다.[15] 〔페루의〕 쿠스코Cuzco는 정복 이전의 도로계획을 유지한 예외적인 경우였으나 식민지풍 격자의 이미지가 너무 강력해 《세계의 도시들Civitates Orbis Terrarum》〔게오르크 브라운Georg Braun, 프란츠 호겐베르크Frans Hogenberg 편집, 1572~1617〕의 판화가들은 공통적 패턴으로 이 도시를 잘못 묘사했다. 1549년 사우바도르데바이아Salvador de Bahia의 통치자 투메 드 소자Tomé de Sousa와 함께 브라질로 건너온 많은 장인은 주변 지형에 제한받아 도시를 삼각형이지만 격자 모양의 배치로 개발했다([도형 20.1] 참조).[16]

설계는 전형적으로 유럽의 규범을 따랐지만, 스페인인의 정주지

* 아라곤 왕 페르난도 2세와 카스티야 여왕 이사벨 1세는 결혼으로 공동 국왕이 되었고 1492년 무슬림의 마지막 보루 그라나다를 정복해 스페인을 통일했다.

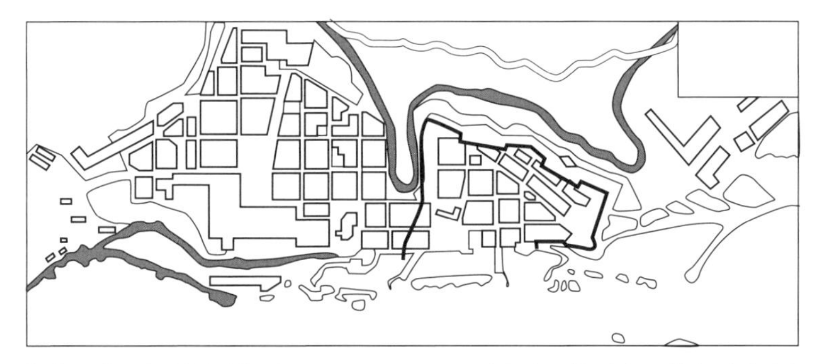

[도형 20.1] 주앙 테세라 알베르나스João Teixeira Albernaz의 수채 도면을 바탕으로 한 (브라질) 사우바도르, 1616년경

들 그리고 어느 정도는 포르투갈인의 정주지들도 일반적으로 토착민의 동의가 있어야만 설립될 수 있었다. 이는 정복에서 알려지지 않은 이야기다. 매번 폭력적인 사건이 발생했음에도, '이방인〔낯선 사람〕 효과stranger effect' 덕에 원주민과 신입자 사이에 수백 개의 평화롭게 협상이 된 관계가 발전했다—일부 문화권에는 낯선 사람들을 중재자, 성직자, 엘리트 결혼 상대, 심지어 왕으로까지 기꺼이 환영했다.[17] 리마를 건설하기 위해 피사로는 지역의 추장들과 토지 및 노동력 문제를 협상했다. 장기간의 파괴적 공성전으로 정복한 테노치티틀란에서도, 코르테스는 패배한 아스테카의 최고 지도자 콰우테목Cuauhtémoc을 왕위에 앉혀서는, 그에게 경례를 하고 그의 머리를 쓰다듬음으로써—스페인인들이 관례적으로 타인을 안심시키는 동작으로— 정치 현상現狀, status quo에 대한 존중을 표했다. 스페인인들은 권력을 확고히 잡게 되자 대개는 합의를 거부했다. 코르테스는 콰우테목과 마야 영토로 함께 원정을 떠났을 때 그를 처형했다. 리마의 〔참사회〕 카빌도cabildo는 현지

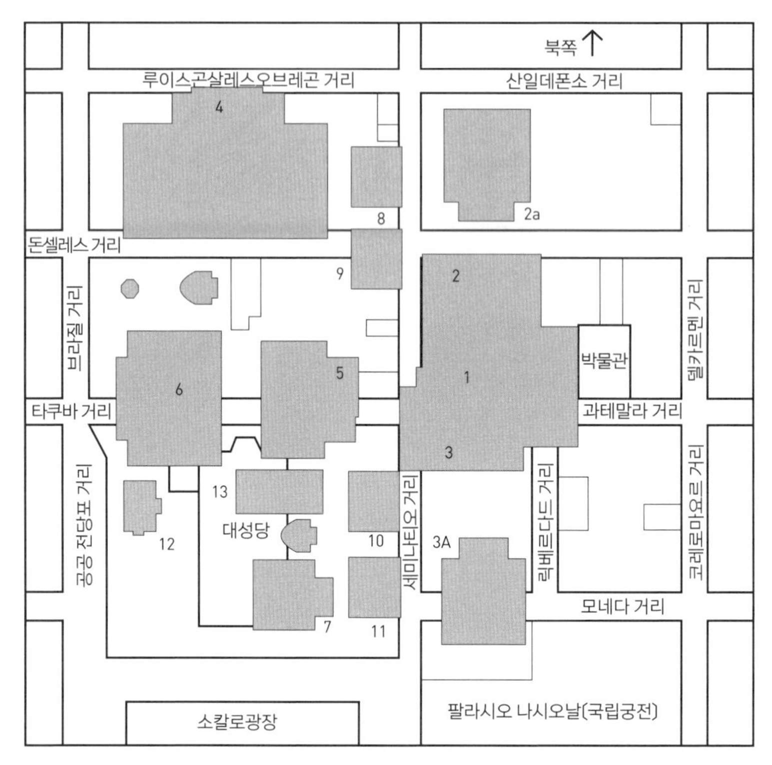

[도형 20.2] 멕시코시티 중부. 식민시대 이전 주요 건물의 위치가 표시된 식민지 시가도市街圖. 아래에서 재작성. Ignacio Marquina & Eduardo Matos Moctezuma, in *Arqueología mexicana* (October, 1995)

1. 템플로마요르Templo mayor('대大신전.' 테노치티틀란의 중심 신전): 우이칠로포치틀리Huitzilopochtli와 트랄록Tlaloc에 봉헌된 이중 신전 2. 쿠아우칼리Quaucalli(독수리의 집) 2a. 테스카틀리포카Tezcatlipoca 기도실(쿠아우칼리 전사들의 기도실) 3. 표범의 집 3a. 테스카틀리포카신전 4. 칼메카틀Calmecatl(사제학교) 5. 케찰코와틀Quetzalcoatl신전 6. 트라츠틀리Tlachtli(구기장) 7. 태양의 집 8. 코아테오칼리Coateocalli(뱀의 집) 9. 치추아코아틀Chichuacoatl신전 10. 치코메코아틀Chicomecoatl신전 11. 소치케찰Xochiquetzal신전 12. 토즈팔라틀Tozpalatl(샘) 13. 촘판티Tzompanti(촘판틀리Tzompantli)(해골의 기단基壇)

의 협약을 공식적으로 인정하지 않았다.

구조물들을 허물고 처음부터 재구성함으로써 스페인인들은 과거와의 단절을 강조할 수 있었고([도형 20.2] 참조), ―원주민들에게― 새로운 미학이었던 대담하게 직립한 부서지기 쉬운 아치를 지진으로 땅이 격렬히 진동하는 환경에 붙박을 수 있었다. 세 가지 조건이 이와 같은 야망을 자극했다. 압도적 역경에 맞선 데서 비롯하는 정복의 명백히 천우신조적인 속성, 새로운 출발을 고무한 환경의 새로움, 노동력의 가용성可用性, availability이 그것이다.

1544년, 멕시코를 정복한 지 겨우 한 세대 뒤에 한 안내서에서 그 효과가 묘사되어 있다.[18] "도시에 접근하는 것이 얼마나 감각과 정신을 흥분시키는가!"라고 가상의 방문자가 흥분에 차 외친다. "저택들은 (…) 가장 부유하고 귀족적인 도시들에 마땅히 어울린다." 소음과 교통 혼잡이 총독 궁전의 화려하게 장식된 발코니 아래의 거리를 시장처럼 보이게 했다. 방문자는 계속해 기록한다. "어느 쪽에도" 주主 광장과 같은 곳은 없다―그가 부르기로는 "포룸forum". 입을 다물지 못한 채로 그는 천연두 병원인 '미네르바, 아폴로와 뮤즈의 집Domicile of Minerva, Apollo and the Muses'과 스페인인과 원주민 혼혈 남학교 및 여학교를 각각 지나쳐 갔다. 이국적 요소들이 모습을 드러낸다―토착민과 시장의 토속 식료품이다. "듣도 보도 못한 이름들이다!"라고 방문자는 흥분에 차 외친다. "난생 처음 보는 과일들이다." 기록자는 불완전함을 유덕하게 만들기까지 한다. "아우구스티누스회 수도원은 완성되면 세계 8대 불가사의로 꼽힐 수 있을 것이다."

1590년대까지 멕시코시티에는 대학, 투우장, 극장, 병원, 도서관,

인쇄기, 거대도시 주교관구, 그리고 유럽의 주요 도시 중심지urban centre에 필적할 만한 많은 인구가 있었다. 도로들은 세기말에 포장되었다. 1604년 비공식적 계관시인 베르나르도 데발부에나Bernardo de Balbuena는 다음과 같이 선언했다.

> 멕시코, 온 서양 세계에서
> 제국, 규모와 장소에서 최고가는
> 장소, 축복받은 위대한 사람들이 모이는

아리아스 데 빌라로보스Arias de Villalobos는 문법가, 시인, 사제, 연극 기획자였고 1610~1620년대에 학교를 운영했는데 〔멕시코시티가〕 "마드리드 말고는 가장 큰 규모의 궁정도시다"라고 언급했다.[19]

리마Lima도 비슷한 편의시설들과 찬양자들을 얻고 있었다. 안토니오 데레온 피넬로Antonio de León Pinelo〔1589~1660〕가 그 첫 번째였다. 그는 뛰어난 법관이자 문인으로 1620년대부터 인생의 마지막 40년 대부분을 유럽의 비웃는 사람들의 무관심이나 경멸에 맞서 신세계의 영광을 입증하는 데 바쳤다. 피넬로는 계획한 리마의 역사서 집필을 완성하지 못했으나, 도시의 위대함에 대한 그의 감각은 1656년에 출판한 그의 기념비적 작품에서 신이 아메리카에 에덴을 위치시켰다고 주장한 것에서 표현되었다. 1687년에, 대지진이 인구를 약 4만 명으로 절반이나 줄이기 직전에 리마에서 태어난 크레올créole〔프랑스어 단어이나 영어식으로 크리올로 발음하기도 한다〕 로드리고 데발데스Rodrigo de Valdés는 이 도시를 "아메리카의 로마the Rome of Americas"라고 불렀다. 그의 동료이자 동시대 인물인 후안 멜렌데스Juan Meléndez는 리마를 "최서단最西端 세계 도시들의 여왕"이라고 찬양했다.[20]

아마도 찬양가들이 너무 많이 항의했을 것이다. 그러나 아메리카를 타불라 라사tabula rasa〔백지白紙상태〕로 간주하는 생각은 교인들의 사도적 청결함이라는 꿈과 시민들의 고래古來의 미덕에 영감을 주었다. 두 충동 모두 유럽에서는 실현불가능한 도시 이상에 활력을 불러일으켰다. 몽상가utopian들은 〔고대 로마의 건축가〕 비트루비우스Vitruvius의 비책을 적용해 넓은 일직선의 거리, 직각의 교차로, 널찍한 광장, 위계적으로 정돈된 공간, 완벽한 기하학적 구조의 도시를 세울 수 있었다. 벽들은 없었는데 해상 방어만은 예외였다. 토머스 모어Thomas More〔1477~1535〕는 멕시코가 발견되기 직전에 신세계에 유토피아를 위치시켰고, 멕시코는 당시 유행한 미적 가치관에 따라 당대의 가장 완벽한 도시가 되었다. 멕시코는 북아메리카의 식민지 대부분을 포함해 여러 식민지의 토대를 만드는 데서 모델로 남아 있었다.[21]

세 가지 특성이 멕시코시티에서의 예술적이고 과학적인 삶이 식민시기 내내 활기에 넘칠 수 있도록 보장해주었다. 총독들의 궁정, 예술적 후원을 제공한 많은 수도회, 콩키스타도르와 토착 왕조들의 후손들로 경쟁심 강한 타운 거주 귀족들이 그것이다. 파멸적 반란이 독립으로 이어지고 멕시코의 상대적 침체 시대가 시작되기 직전에 〔프로이센의 지리학자〕 알렉산더 폰 훔볼트Alexander von Humboldt〔1769~1859〕는 멕시코시티를 "〔서반구, 동반구〕 어느 반구에서건 간에 유럽인들이 건설한 가장 훌륭한 도시의 하나"라고 칭송했다.[22] 그때까지 멕시코시티는, 훔볼트의 계산으로, 13만 7000명이 거주하고 있었다.

거대도시의 열망이라고 부를 수 있는 무언가가 정부와 지식층의 지역적 제도들, 특히 거주 구역에 왕립심문원〔레알 아우디엔샤Real Audiencia〕(마지막 수단의 재판소, 스페인에 항소하는 것은 제외)과 주교좌 성당 또는 지방 지부장의 종교 교단 건물이 있는 도시들 사이에서 널리 퍼졌다. 모든 시민은 자신들의 규모나 경제적 성공과 비례하지 않는 허세를 부리는 경향이 있었고, 〔자치〕 헌장을 위해 그리고 이웃 정주지에 대한 권한의 인정을 위해 왕권을 압박했다. 식민도시colonial city들은 서로 기능과 기원 면에서 크게 달랐지만 —포교구, 병영〔주둔지〕garrison, 행정 중심지, 현지 또는 지역 시장, 채광지, 해상무역 거점, 토착민 중심지, 성소 등—, 그 개발은 일반적으로 초기 식민지 엘리트들의 계몽된 후계자들에게 매력적으로 보인 원래의 계획을 따랐다.

도시 격자망의 질서 있는 출현에도, 도시의 사회적 구조는 엉켜 있었고 양상도 없었다—설립된 지 몇 년 안에 10만 명 이상을 수용할 정도로 놀랄 만큼 성장한 사카테카스Zacatecas와 포토시Potosí 광산타운mining town보다 더 복잡한 도시는 없었다.[23] 17세기 후반 멕시코에서 가장 유행을 따른 예술가인 크리스토발 데비얄판도Cristóbal de Villalpando의 그림은 무분별한 성장에 수반되는 사회적 문제에 대해 솔직했다. 그의 화폭에는 동화되지 않은 아메리카 원주민, 거지, 나환자 하층민 무리 등이 등장한다. 도시에는 민족과 계급으로 구분되는 구역들이 있었다. 사우바도르Salvador의 '인디오indio' 주민 대부분은 만을 따라 자리한 렌콘카보Rencôncavo에서 일하고 거주했다. 1630년에 리마는 타운의 서로 다른 영역에 병원이 8개 있어서, 각각 원주민, 스페인인, 나병 환자, 성직자, 해군 관계자, 고아, 여성, 앓고 난 사람 등 특정 고객에게뿐만 아니라 특정 영역에 서비스를 제공했다. 18세기 중반 산티아고데과테말라Santiago de Guatemala에는 스페인인, 메스티소, '라디노ladino'의 서로 구분되는 구역이 있었다—라디노들은 언어학적으로 히스패닉화한 원주민으로, 원주민타운native town을 포함한 많은 지역의 타운들에 장인들을 공급했다. 멕시코시티 외곽의 원주민타운 소치밀코Xochimilco의 1563년 조례에는 목공, 석공, 벌목공, 금속공, 어부, 깃털 공예사, 샌들 제조공 등이 명시되어 있었다—이는 전통 경제와 식민 경제가 상호 침투했다는 충분한 증거다.[24]

원주민과 식민지이주민들이 공유한 도시에서도 누에바 에스파냐Nueva España〔스페인 통치 기간의 멕시코에 대한 명칭으로 '새로운 스페인'이란 뜻이다〕의 최초의 총독이 옹호했던 '인디오'와 스페인이라는 2개의 구분되는 공화정체república를 유지하는 정책은 영구적 각인을 남겼다. 많은 도시가 '인디오'를 배제하거나 배제하려 했고 각양의 성공을 거두었다. 사실상 민족별로 정해진 구역은 정체성이 형성되는 공간이었으며, 때로는 경쟁이나 갈등이 벌어졌다. 데비얄판도의 그림은 인종적 다양성의 분산적discrete 영역을 기념한다. 전경前景에는 우아한 마차들과 세련된 매너, 부의 과시, 지위, 유럽인의 취향을 가진 엘리트들이 등장한다. 물장수들이 모이는 분수대 주변에는 원주민 행상들의 짚으로 지붕을 인 노점들이 가지런히 펼쳐져 있고, 원주민 여성들이 —많은 수가 유럽풍의 복장을 한— 유행하는 양산을 펼쳐 들고 앉아 있다.

흑인들은 스페인이 지배하는 땅에서 그들만의 구역을 형성할 만큼 충분하게 많지 않았고, 심지어 해방된 때에도 다른 인구 사이에서 분산되어 사는 경향이 있었다. 18세기 멕시코시티의 알라메다Alameda

〔가로수길〕를 그린 한 그림은 짐짓 온통 문명인 체하며 산책하는 부르주아bourgeois 가족의 모습을 묘사한다. 그림에서 백인 부모는 그들의 어린 흑인 아들과 자랑스럽게 동행하고 있다. 그림에 딸린 문구는 이런 피부색의 변화가 종종 격세유전에 따른 무해한 결과라고 무관심하게 설명한다. 흑인들은 광산타운과 포르투갈이 설립한 도시에서 분산적 구역을 차지하고 있었고, 대규모로 산업 노동력과 가사 노동력을 공급했다. 그들은 또한 전형적으로 방어가능한 요새의 형태로 그들만의 '적갈색maroon' 타운을 설립했다. 때때로 이러한 것들은 상당한 규모를 이룰 수 있었다. 브라질 북부의 팔마레스Palmares는 17세기 후반 포르투갈 군대에 의해 파괴되기 전에 십중팔구 1만 명 넘게 거주했을 것이다.[25]

환경적 영향은 도시를 형성하는 데 도움이 되었다. 데비알판도 그림에서 멕시코시티의 주 광장 뒤편에 화산이 모습을 드러내는바, 이는 신의 자비에 따른 도시의 화려함을 상기시킨다. 건축가들은 지진에 따른 불안정성을 고려한 설계에 능숙해졌다. 안티과에서 그들의 독창성은 거대한, 낮고 폭이 넓은 지지대로 보호받는 산타클라라Santa Clara 수녀원의 18세기 아케이드 회랑에서 찾아볼 수 있다. 물 공급은 스페인 기술자들을 시험대에 올렸다. "공공선과 사람들의 건강〔보건〕을 위해" 1552년 리마시 참사회는 고원의 눈 녹은 물이 "깨끗하지 않게 도착해 질병을 퍼뜨리기" 때문에 "사람들이 깨끗한 물을 얻을 수 있는 샘(들)을 건설하는 것이 필요하다"라고 보고했다.[26] 수도교水道橋, aqueduct는 —스페인 제국이 종종 자신들의 전임자이자 모델로 보았던 로마 제국에서와 마찬가지로— 스페인 통치의 가상적 유화성과 효율성을 상징했다.

1600년까지 멕시코시티에는 2개의 수도교가 있었다. 1560년대에, 리마에서는 의사들이 리막Rímac강이 병균을 가지고 있다고 의심했을 때 수도교를 건설하기 시작했다. 몇몇 환경문제는 다루기 힘든 것으로 증명되었다.[27] 멕시코시티에서, 특히, 호수에 접한 지역이 도시를 범람시켰고 서서히 침수시켰다. 호수의 물을 빼려는 거듭된 노력은 실패했다.

경제적, 정치적 변화

마찬가지로 힘든 것은 정주를 유도하고 노동력을 공급하는 문제였는바, 특히 식민도시들이 출현하고 어려움을 겪고 성장함에 따라 토착민 인구가 이제껏 기록된 것 중 가장 갑작스럽고 심각한 지속적인 붕괴를 경험했기 때문이다. 90퍼센트가 두 세대 이전에 이를 경험했고, 그 회복은 매우 불균형했으며 18세기까지는 일반적이지 않았다. 도시화urbanization는 인구학적 붕괴라는 맥락에서 역설적으로 보인다. (식민시기 도시들에 대한 신뢰할 수 있는 통계들은 드물지만 [표 20.1]에 일부 인구조사에 기반을 둔 수치들이 제시되어 있다.) 스페인 당국은 대규모 도시집단을 보존하려는 시도로 고갈된 인구를 재배치하는 이른바 '콩그레가시온congregación'(결집)이라는 조처를 주기적으로 시도했다. 그러나 원주민들은 이러한 계획들에 저항하는 경향이 있었다.

부분적인 결과로, 스페인 행정가들은 노동력은 원주민들에게 의존하고 식량은 옥수수에 의존하는 데서 벗어날 수 있기를 항상 갈망

[표 20.1] 라틴아메리카의 도시 중심지 인구 (인구조사보고서와 공식 추산, 16~18세기)

도시	연도	인구
부에노스아이레스	1522	1,203
	1744	10,056
	1773	24,363
아바나	1608	약 10,000
	1741	약 18,000
	1791	51,037
리마	1599	14,262
	1614	25,434
	1700	37,234
	1755	52,627
멕시코시티	1599	약 50,000
	1742	약 98,000
	1772	112,462
파나마시티	1610	4,831
페르남부코Pernambuco	1570	약 6,000*
	1585(경)	약 12,000*
포토시	1572	약 120,000
	1610	약 160,000
	1700	약 70,000
	1780	약 22,000
키토	1582	5,448
	1650	15,750
	1670(경)	약 40,000
산티아고데칠레Santiago de Chile	1613	10,617
	1758	약 21,000
	1800	약 30,000
사우바도르데바이아	1570	6,600*
	1585	약 12,000
산토도밍고	1520(경)	약 3,000
	1606	약 5,000
사카테카스	1608	4.510

*백인 인구

출처: Aviva Chomsky, Barry Carr, Pamela María Smorkaloff, *The Cuba Reader: History, Culture, Politics* (Durham: Duke University Press, 2003), 37; Jorge Hardoy, Carmen Aranovich, "The Scale and Function of Spanish American Cities around 1600: An Essay on Methodology", in *Urbanization in the Americas from Its Beginnings to the Present* (Chicago: Aldine Publishing Company, 1978), 72–79; H. B. Johnson, "Portuguese settlement, 1500–1580", in Leslie Bethell, ed., *Colonial Brazil* (Cambridge: Cambridge University Press, 1987); Cynthia Milton, *The Many Meanings of Poverty: Colonialism, Social Compacts, and Assistance in Eighteenth-Century Ecuador* (Stanford: Stanford University Press, 2007), 27; Richard M. Morse, "Urban Development," in Bethell, ed., *Colonial Spanish America*, 178, 183, 189, 192.

했다. 1531년에 설립된 스페인 인구 정주지 푸에블라데로스앙헬레스 Puebla de los Ángeles와 그에 이웃한 더 오래된 토착도시 촐룰라Cholula 사이 관계는 문제를 예시한다. 왕권은 자급자족하는 스페인 농민들을 위해 푸에블라를 세웠다. 프란체스코Francisco회는 처음 수십 명의 '매우 가난하고 자격을 갖춘' 정주민들을 선택했다. 왕실과 성직자들은 정주민들이 부역 없이 살아가기를 희망했다. 왕실은 부역 부과라는 왕의 권리가 양도되는 데 불만을 표출했고, 많은 수도사는 부역이 토착민들을 착취하고 스페인인들을 약화하고 타락시킨다고 가정하며 도덕적 쇠퇴 효과를 개탄했다. 그러나 여기에서도, 다른 곳들과 마찬가지로, 토착민의 도움이 없이는 스페인 도시의 꿈이 환상일 수밖에 없음이 판명되었다. 당국은 푸에블라를 짓도록 토착민들을 데려왔다. 1년 후 비로 인해 아도베 벽돌 건물들이 파괴되자 10년 넘게 '임시' 소집이 매년 재개되었다. 스페인인들을 위해 일한 인디언들은 공납이 면제되었다. 추장들은 정주민들에게 인력을 공급한다는 개별 계약을 맺었다. 모든 곳에서, 정주를 촉진하는 데 현지의 계획이 제국의 정책보다 더 잘 작동하는 경향성이 있었다. 리마는 엔코멘데로encomendero,* 스페인 여성, 흑인, 장인을 포함하는 거주민 위원회 덕분에 16세기 중반 내전의 혼란에서 벗어나 범세계적cosmopolitan 도시로 부상했다.[28]

유럽 침략자들이 가져온 주요한 영향은 경제에 관한 것이었다. 어

* '엔코멘데로'는 스페인어로 '위임, 위탁을 받은 사람'이라는 의미로, 식민시대에 스페인이 남아메리카 식민지에 두었던 감독관이다. 토착민의 보호 및 기독교 전파를 조건으로, 스페인 국왕이 이들에게 토착민에게 세금과 노역 등을 부과하는 권한을 주었다. 이러한 제도를 '엔코미엔다'라 한다.

떤 면에서, 선先히스패닉 시기의 경제 현황은 인상적이었다. 16세기의 전반적인 공물 목록은, 같은 상품을 같은 방식으로 기록하고 종종 같은 표기법으로 정복 이전 옛 공적 문서들의 형태로 기록되어, 농촌 생산의 방해받지 않은 양상을 드러냈다. 그러나 점진적으로 새로운 생산이 침입해왔다. 멕시코계곡의 전적으로 토착도시인 틀락스칼라Tlaxcala의 생산물은 16세기 중반에 돼지, 모과, 복숭아 등으로 다양해졌다. 미스텍족 타운 산타카탈리나텍스판Santa Catalina Texpán은 견직물, 마구馬具, 양 등에 특화되었다—이것들은 모두 스페인인들이 도착하기 이전에 신세계에서 알려지지 않았던 것들이다. 목축업과 유목은 토착 엘리트들을 흡수해 경제적 초점을 도시와 그에 직접 접해 있는 배후지hinterland에서 인구가 부족한 외딴 시골countryside로 옮겨가게 했다. 그런데 때때로 새로운 활동들이 도시 경계선에서 겹쳐졌다. 리마의 카빌도는 양들을 도시 밖으로 몰아내라고 명령했다. 밀, 올리브유, 포도 등이 들판과 시장들을 채웠다. 코치닐Cochineal은 글로벌 시장에서 염색 재료로 새로운 중요성을 부여받았고, 이로써 코치닐을 거래하는 상인 부호들이 전통적인 귀족들을 밀어내고 있다는 불평이 일어났다.[29] 스페인의 존재는 신세계 도시들을 토착민의 통치 아래에서 가능했던 것보다 더 원거리 범위의 무역으로 연결했다. 아바나, 베라크루스, 카르타헤나Cartagena, 아카풀코Acapulco, 칼라오Callao 같은 주요 항구는 대서양 횡단 및 1560년대부터 태평양 횡단 노선과 연계되어 발전했고, 이후 글로벌 네트워크가 성장했다. 스페인인들이 금괴를 유럽으로 수출한 것에 더해, 1571년 이후 마닐라는 중국의 비단, 도자기, 청동 및 옥과 교환하기 위해 아카풀코에서 대규모로 선적된 스페인 달러와 은의 도착항이 되었다(19장 참조). 스페인 식민지 항구에는 16세기 이전에는 상상할 수 없던 대규모 군사시설 및 해양시설, 지배적인 상인 귀족, 수변 문화waterfront culture가 존재했다.

경제적 혁신은 권력의 분배에 영향을 끼쳤는바, 일례로 푸에블라는 안정적인 노동력 공급과 증가하는 이민 및 스페인으로부터의 경제적 지원으로 상업 중심지로서 촐룰라를 앞질렀다. 16세기 후반부터 대규모 원거리 무역을 위해 인디언 상인들은 노새와 수레를 토착민보다 더 효율적인 스페인인들에게 양보해야 했다. 푸에블라는 이웃의 인디언 타운Indian town들에 대한 공식적 관할권을 행사하지 않았지만, 스페인인들은 1530년대부터 교외 땅을 취득하면서 토착민 시골과 그 자원에 대한 상당한 통제권을 장악했다. 광범위하고 특징적인 불만들이 제기되면서, 소치밀코 참사회는 이미 1560년대부터 현지 엘리트들이 '자신들을 해방하고 독립하려고 시도하는' 배후지의 전통적 하위 타운subject town에 대한 관할권 상실에 불평을 제기하기 시작했다. 토착민 귀족들은 인구학적 붕괴로 인한 공물의 손실, 신생 사업체 또는 침입 경쟁자들로 인한 사업 손실의 복합적 압력에 시달렸다.[30]

그러나 토착 제도들은 놀라운 집념으로 정복에도 계속 살아남았다. 민족적으로 혼합된 타운에서, 토착민 거주 구역은 다양한 수준의 자치를 했으며, 종종 17세기 또는 18세기까지, 어떤 경우에는 스페인 통치 기간 내내 그러했다. 예를 들어 촐룰라, 텍스코코Texcoco, 토토메우아칸Totomehuacan, 틀락스칼라, 멕시코의 인디언들이 모인 푸에블라에서는 자치적 토착민 공동체가 자신들의 동네에 있었다. 틀락스칼라의 사례는 스페인의 힘이 어떻게 토착 제도들을 점차 잠식해갔는지를 예시해준다. 전통적으로, 각기 고유한 통치 체제를 가진 도시의 4개 구역이 돌아가며 도시의 최고 권한을 담당했다. 스페인인들이 도착했을 때 그들은 내부 분쟁이 일어날 때마다 중재자로서 분명한 선택지가 되었는데, 개입 때마다 —특히 1535년에 스페인 중재자가 카빌도의 지도부에 2년의 임기를 부과했을 때— 혁신이 침해되고 약간의 전통적 자율성이 희생되었다. 더욱이 일부 지역에서 토착민 귀족들은, 스페인 정복에 긴밀한 협력자로 인정되지 않는 한, 스페인에서 귀족들과 결부되었던 세금 면제를 누리기 위해 분투했다. 일례로 소치밀코가 관할권을 상실했다고 불평하는 동안에도, 참사회는 도시의 '신사, 기사, 자유 귀족 토착민 400명'의 재정 지원을 간청했다. 전반적으로, 스페인의 공식적인 노력에도 불구하고 무자비하고 비인격적인 경제적·인구학적 변화의 결과로 현지의 제도들이 감소했다.[31]

정부 그리고 도시문화의 크레올화

인디언타운 밖에서 정부는 유럽 모델을 따랐는바, 세습 관할권을 가진 봉건적 엘리트가 생겨나는 것을 피하기 위한 왕권의 의식적인 노력으로 종종 수정이 이루어지기도 했다. 브라질에서는 왕이 자문관, 치안판사, 변호사, 왕실 대표, 조사관으로 구성된 시 참사회Oficios da Câmara를 만들었다. 매년 선거가 있었으나, 지도층 대부분은 현지 사탕수수 재배업자들과 귀족 출신이었다.[32] 스페인인들이 거주하는 타운을 통치하는 카빌도는 마드리드로부터 더 엄격하게 통제되었고, 왕실의 지명자들이 임명되었다.

토착적 도시 전통이 살아남지 못한 포르투갈 영토에서는, 내륙 일부가 금, 나중에는 다이아몬드를 위해 이용되기 시작한 17세기 후반부터 경제적 변화가 지역 간의 부와 권력 분배에 영향을 끼쳤다. 직물 수요는 아마존강과 미나스제라이스 지역의 타운에 최초의 공장 설립을 낳았다. 새로운 경제적 기회와는 거리가 멀었던 북쪽에서는, 1655년 공식적으로 도시city가 된 아마존강 하구의 벨렘Belém이 스페인의 침탈에 대한 예방책으로 아마존에 새 도시와 요새를 건설하려는 시도에도 분투해서 살아남았다. 한편으로, 미나스제라이스에서는 조각가 알레이자징유Aleijadinho〔1814년 몰〕의 작품들로 장식된 화려한 도시들이 오루프레투Ouro Preto와 콩고냐스Congonhas에 등장했다. 리우데자네이루Rio de Janeiro는 배후지 생산에 적합한 항구로 번영했고 가장 큰 규모의 도시로서 사우바도르를 대체해 18세기 중반에 인구가 약 2만 5000명에 이르렀다. 식민 정부의 주요 기관들은 1763년에 리우데자네이루로 이전했고, 이 무렵부터 커피 생산이 시작되었다. 인구는 다음 두 세대에 걸쳐 네 배가 늘었다. 나폴레옹의 포르투갈 침략 기간에 리우는 망명 중인 왕가의 궁정 중심지가 되어 패권을 확실히 하면서 리마나 더 나아가 멕시코시티의 우월성에 견줄 만한 웅장함으로 장식되었다.[33]

왕족의 존재에 대한 만족감은 브라질 해안 전역에 퍼져 있었으며, 그곳의 도시 엘리트들이 왜 '모국mother country'에 상대적으로 동조했는지를 설명하는 데 도움이 된다. 대부분의 스페인 식민지들과 브라질의 내륙타운interior town들은 자치와 이에 더해 독립에 대한 열망을 키웠다. 이곳들은 보통 경쟁적인 권위의 중심에서 멀리 떨어져 있었다. 느린 의사소통은 군주국의 지역들을 오랫동안 서로 연락하지 못하게 했고 시민 엘리트들을 고립시켰다. 17세기에는 점진적으로, 18세기에는 급격하게 도시들이 크레올의 정체성과 탈권위주의, 더 나아가 때로는 분리주의 정치의 요람이 되었다.

피에스타fiesta〔축제〕들은 엘리트 주민들이 그들의 도시에 대해 어떻게 느끼는지를 제도화한 것이었다. 리마는 성모마리아Virgin가 교회의 공식 숭배의 대상이 되자마자 무원죄 잉태immaculate conception〔원죄없는 잉태, 무염시태無染始胎〕에 대한 신앙심의 장소가 되었다. 1656년과 1657년에 도시 당국은 불꽃놀이를 하고, 머리가 일곱 개 달린 뱀, 야만인wild men, 꽃 장식물, 왕 표상물, 작동하는 포가 장착된 소형 배로 장식한 세속적인 수레들의 시가행진으로 미사와 종교 행렬을 보완했다. 흑인 악단은 음악 반주를 제공했다. 대학은 자신들의 초대형 문장紋章을 띄웠고, 그 뒤를 나양한 복상을 한 1500명의 수행원을 배치한 수레들이 따랐다. 재단사 길드와 철공 길드들은 인공 호수에 성을 세웠고 네 척의 모형 갤리선이 성을 공격했다. 흑인 조합은 투우 관람의 비용을 지출했다. 모든 도시가 축제와 함께 왕실 칙령과 현지의 자체적인 변형된 포고령에서 명시된 설립 기념일을 축하했다. 일례로, 산티아고데과테말라에서는 콩키스타도르들의 토착민 동맹자 후손들이 시가행진을 펼쳤다. 행진에는 도시 문장, 천상의 수호자에 대한 표상물, 해당 도시의 역사적 사건의 재연 등이 포함되어 도덕적이고 영웅적인 서사를 구성하고 축하했다.

18세기 중반까지 시민 의례의 정교함과 그에 따른 비용의 증가는 종종 〔이탈리아 역사학자·경제학자〕 안토넬로 게르비Antonello Gerbi가 "신세계 논쟁la disputa del Nuovo Mondo"이라 지칭한 것에 의식적인 원인 제공을 했다—이 논쟁은 지리학자들인 〔네덜란드의〕 코넬리우스 드 파우Cornelius de Pauw〔1739~1799〕와 〔프랑스의〕 조르주루이 르클레르 뷔퐁 백작Georges-Louis Leclerc, Comte de Buffon〔1707~1788〕이 시작한 것으로, 이들이 아메리카 대륙이 본질적으로 유럽보다 열등하다고 비난하자 점점 더 강경하고 적극적인 크레올 지식인들이 과장된 반론을 제기했다.[34] 따라서 농촌권rural area은 천년왕국millenarian 반란군을 공급했으며, 반면 도시는 독립을 이끈 엘리트 정치 운동에 자양분을 제공했다는 것은 놀라운 일이 아니다. 어떤 면에서, 18세기 스페인령 아메리카와 포르투갈령 아메리카는 〔프랑스의 중세사학자〕 페르디낭 로트Ferdinand Lot〔1866~1952〕가 착상한 것처럼 로마 제국 후기의 비공식적 '도시 연방federations of cities'과 같았는바(3장 참조), 로마 제국에서 도시 지도자들은 효과적인 자치권을 행사했고 단호하게 내부지향적 관점에서 결정을 내렸다. 그들은 간섭이 이루어진 거리distance에 반비례해 간섭에 분개하는 경향이 있었다. 미나스제라이스에서 8개 도시의 대표 도시로 공식적으로 지정된 오루프레투는 18세기 후반에 독립운동을 확대했고, 상파울루는 리우의 지휘에 대해 반발하고 경멸하는 역사가 있었다. 뉴그라나다New Granada 왕국의 독립 선언 편람은 도시의 특수주의particularism를 대표하며, 각 도시는 군주제로부터의 탈피뿐 아니라 (때로는 이보다 더) 다른 도시들로부터의 독립을 선언하고 있다.

키토Quito가 처음으로 1809년 8월 10일에 리마 총독의 권위를 부인했고, 며칠 후 카르타헤나가 뒤를 이었는데 카르타헤나 카빌도는 마드리드가 아니라 보고타Bogotá 당국에 대한 복종을 거부했다. 카르타헤나의 카빌도는 1810년 6월 14일에 도시의 지사를 해임했고, 한 달 뒤 칼리Cali — 오늘날 자칭 '독립의 선구자 도시ciudad precursora' — 의 창설자들은 총독을 거부했으나, 소코로Socorro는 "인간의 신성하고 양도할 수 없는 권리를 위해" 왕의 이름으로 총독을 비난했다. 비슷한 사건들이 팜플로나Pamplona, 키브도Quibdó, 네이바Neiva, 노비타Nóvita, 마리키타Mariquita, 카사나레Casanare, 기론Girón, 포파얀Popayán, 시타라Citará와 그 외 여러 도시에서 일어났고 이들 도시는 모두 상호 독립을 요구했다. 이듬해 11월에 이르러 카르타헤나와 산타페에서 반란군은 '이 사람들의 자유롭고 자발적인 동의가 없는' 스페인의 통치를 명시적으로 부정했다. 이때에도, 상호 시기하는 언동은 긴장을 유지하고 경쟁적 도시들 사이의 단절을 유발했는데, 그들의 언어는 대서양 양쪽에 하나의 '스페인 민족Spanish nation'이라는 허구를 보존했다. 산타페와 툰하Tunja는 스스로 소규모 공화국의 수도임을 선언했다. 1812년에 산타페데안티오키아Santa Fe de Antioquia의 도시 귀족들은 '안티오키아 국가' 설립과 고유한 주권의 '재개resumption'를 선언했다.[35]

독립: 허구의 도시의 출현

19세기 초중반에, 도시들은 세계 다른 곳에서 가속화되는 경제적·인구학적 변화에, 사이를 두고, 영향을 받기 시작했다. 리마와 카야오Callao를 사례로 들자면, 농업의 강화로 구아노guano(바닷새의 배설물이 바위 위에 쌓여 굳어진 덩어리. 비료로 쓰인다)에 대한 세계 수요가 증가했고 금 무역은 미나스제라이스 타운을 활성화했다. 세기 후반기에 아마조니아Amazonia〔아마존강 유역의 총칭〕에서 고무 수요는 이전에 강 상류의 요새이자 포교구였던 마나우스Manaus를 1884년부터 힘들게 건설된 유명 오페라하우스 등 부르주아 생활의 모든 편의시설을 갖춘 신흥타운boomtown으로 변하게 했다. 그러나 일반적으로 독립이 새 시대를 연 것은 아니었다. 19세기 후반의 지구적 산업화global industrialization—1차 생산물의 대규모 수출 증가와 함께—와 대량 이주가 시작되고서야 새 시대가 열려 공장, 교외, 빈민가, 공원, 테라스 카페, 야간 거리 생활이 도입되었다.[36]

그동안, 플라자 마요르plaza mayor(포르투갈어는 라르구largo)〔대大광장, 중앙광장〕와 알라메다는 사람들을 사회화하고 공동체를 형성하게 하는 핵심적 공공공간으로 남아 있었다. 공론장public sphere의 성장은 19세기 초중반에 계속되었고, 언론이 증가했다. 신문, 소책자phamplet, 시리즈의 분책分冊, part-work은 상상력 풍부한 작가가 자신의 작품을 훈련하고 발표할 지면을 찾을 수 있는 배경을 제공했다. 토론회와 공공장소들에서는 높은 문맹률에도 청중이 증가했다.[37]

최초의 위대한 라틴아메리카의 상상력 풍부한 산문 작가들은 자신들이 살았던 도시의 삶을 연대기로 기록했다. 〔쿠바의〕 시릴로 빌라베르데Cirilo Villaverde의 소설 《세실리아 발데즈Cecilia Valdés》(1839)는 아바나에서 인종교차적 혈통에 저항하는 근친상간과 살인을 묘사한 한편,[38] 춤, 피에스타, 학교 현장, 범죄, 스포츠 행사, 결투 등에 대한 향수를 불러일으키는 이전 세계의 모습은 〔콜롬비아의〕 호세 마리아 코르도베스 모우레José María Cordovez Moure의 《산타페와 보고타의 추억Reminiscencias de Santafé y Bogotá》(1840년대 이후 〔전 8권〕)에 기록되었다. 페루에서 나르시소 아레스테기 주주나가Narciso Aréstegui Zuzunaga의 소설《호란 신부님: 쿠스코의 삶의 장면El padre Horán: escenas de la vida del Cuzco》(1848)은, 화자의 기억이 지방 도시에서 몇 년 전 미친 사제가 한 소녀를 강간하고 살해했을 때의 실제 에피소드를 왜곡되게 되살리는 작품이다. 여기서 도시 배경에 관한 묘사는 인종과 부의 구분을 고발한다. 아르헨티나에서는 도밍고 파우스티노 사르미엔토Domingo Faustino Sarmiento의《파쿤도Facundo》(1845)가 출판되었다. '문명과 야만'이 부제인 이 작품은 라틴아메리카의 소설 전통에서 종종 결정적 지위를 부여받는 작품이다. 이 딜레마는 대서양 세계 변방의 국경 거주민들에게는 생생했으며, 도시는 도시성urbanity과 문명화한 삶을 위한 투쟁의 장이었다.

전체적으로, 19세기 중반의 도시 소설가들은 식민시대의 문헌들에서는 거의 식별할 수 없는 새롭고 독립적인 공간으로 구성된 도시를 드러냈다. 가모장家母長, matriarch들은 내성적이고 열성적으로 보호받는 부르주아 가정을 지배했고, 부르주아 가정에서 남성 생계 부양자male breadwinner들은 공론장의 목적지들 사이를 떠도는 유랑자였다. 연인들은 도덕적으로 감시되는 공간 밖의 틈새와 중매결혼을 추구했다.[39] 세기 후반기에 들어 속도pace가 빨라지면서 화가와 소설가가 공유하는 코스툼브리스모costumbrismo〔풍속 묘사, 풍속주의〕로 알려진 〔문예〕 운동이 농촌의 가치를 고양했다—아르헨티나 또는 베네수엘라 또는 브라질 카우보이의 독립의식, 과라니Guaraní족〔남아메리카 파라과이와 브라질 남부에 거주한 인디오〕 농민들의 로맨스, 산악의 국가적 상징주의symbolism와 자연의 여러 웅장한 위엄, 생생한 숭고함 등. 일례로, 콜롬비아의 낭

만주의자 루이스 세군도 데 실베스트레Luis Segundo de Silvestre는 1880년대 소설에서 농촌 민속의 자연의 덕natural virtue에 대한 진정으로 문명화한 도시인들의 동정을 찬양하면서 실제로 자신의 반反영웅들 중 한 명을 '우르바노Urbano'라고 명명했다.*

브라질의 책들도 비슷한 주제를 분명히 피력한다. 알루이지우 아제베두Aluísio Azevedo의 소설 속 등장인물들은 도시를 갈망하지만, 적어도, 옛 모습이 그대로 남아 있는 낭만적 목가적 농촌에서 더 행복하다. 아제베두의 《여인숙Casa de pensão》(1884)은 리우데자네이루 여인숙에서 벌어진, 자신들이 살던 농촌 환경에서 내쳐진 도제徒弟들 간의 실제 살인사건을 소설화했다. 그의 《빈민굴O cortiço》(1890)은 라틴아메리카 소설로는 아마도 처음으로 빈민가slum를 표현한 작품일 것이다. 호아킨 마리아 마차도 데아시스Joaquín María Machado de Assis의 초기 작품은 신흥 도시 부르주아 계급의 비참함을 개탄한다. 그의 《정신과 의사O alienista》(1882)는 지방 타운의 정신병원에서 벌어지는 일을 소재로 한 소설로 멀쩡한 사람이 차츰차츰 정신적으로 불안한 사람에게 몰두해 가는 내용이다.

코스툼브리스모는, 간단히 말해, 지구적 산업화의 영향이 목전에 닥쳤거나 이미 시작되었다는 신호로, 이 책의 26장에서 서술하는 새로운 시경관cityscape을 구축하고, 사르미엔토와 그의 제자들이 식민시대 및 식민시대 이전의 과거로부터 물려받은 도시적 가치를 전복했다.

* '자연의 덕'은 하느님으로부터의 덕이 아닌 인간이 타고난 네 가지 덕성 곧 견인堅忍, fortitude, 정의justice, 분별prudence, 절제temperance를 말한다. 'urabano'는 스페인어로 '도시의' 라는 뜻이다.

결론

라틴아메리카의 도시사는 유령타운ghost town〔한때는 번창했으나 주민들이 떠나 텅 빈 도시〕, 폐허, 실패한 상상들 사이에서 선택된 길을 따른다. 그러나 그렇게 오랜 기간에, 그렇게 광범위한 지역에 걸쳐 적대적 환경과 파괴적 요동 —토착 문명의 붕괴, 그에 따른 변형과 혁명— 속에서 연속성을 유지했다는 점은 놀라운 일로 보인다. 식민시대 이전의 수많은 멸종과 위기를 극복한 토착적 도시 전통은 도시가 정복된 훨씬 이후에도 선별적으로 살아남았다. 그러나 스페인인들과 포르투갈인들이 정주민 공동체, 포교구, 광산타운 또는 금광타운bonanza-town과 같은 새 형태를 기존의 궁정 중심지, 시장, 병영〔주둔지〕, 항구에 추가해 도시들의 수가 대폭 늘어나면서 도시 유형의 범위가 확장되었고, 도시들은 글로벌 교환 네트워크에 통합되었다. 식민시대 이전과 마찬가지로, 도시들은 권력의 중추와 정치적 변화의 인큐베이터로 남겨졌다. 독립은 도시 생활에 거의 차이를 주지 않았지만, 도시가 허구의 배경이 되고 —결국, 처음으로— 엘리트들의 비난 대상이 되면서 인식이 바뀌었다.

주

1 William Fash and L. López Luján, eds., *The Art of Urbanism* (Cambridge, Mass.: Harvard University Press, 2009).

2 David Webster, *The Maya Collapse* (London: Thames and Hudson, 2002); Vernon Scarborough, *Flow of Power: Ancient Water Systems and Landscapes* (Santa Fe: American Research Press, 2003), 50, 110.

3 Bernal Diaz del Castillo, *Historia verdadera de la conquista de la Nueva Espana* (Mexico City: Robredo, 1939), i, 55.

4 Linda Schele and Peter Mathews, *The Code of Kings* (New York: Simon & Schuster, 1999), 298.

5 Michael Smith, *The Aztecs* (Oxford: Blackwell, 2003); Edward Calnek, "The Internal Structure of Tenochtitlan", in *The Valley of Mexico* (Albuquerque: University of New Mexico Press, 1976); Frances Berdan and Patricia Anawalt, *The Codex Mendoza*, 4 vols., (Berkeley, etc.: University of California Press, 1992).

6 Verenice Heredia Espinoza, *Cities on Hills: Classic Society in Mexico's Mixteca Alta* (Oxford: Archaeopress, 2007); Julia Guernsey and F. Kent Reilly, eds., *Sacred Bundles: Ritual Acts of Wrapping and Binding in Mesoamerica* (Barnardsville: Boundary End, 2006).

7 Glenna Nielsen-Grimm and Paul Stavast, eds., *Touching the Past: Religion, Ritual and Trade* (Provo: Brigham Young University, 2008).

8 David Thomas and Matthew Sanger, eds., *Trend, Tradition, and Turmoil: What Happened to the Southeastern Archaic* (New York: American Museum of Natural History, 2010).

9 George Parker Winship, *The Journey of Coronado, 1540-1542* (New York: Barnes, 1904), 95-99.

10 Craig Morris and Donald Thompson. *Huánuco Pampa: An Inca City and Its Hinterland* (London: Thames and Hudson, 1985); Craig Morris, "State Settlements in Tawantinsuyu: A Strategy of Compulsory Urbanism", in M. P. Leone, ed., *Contemporary Archaeology* (Carbondale: Southern Illinois University Press, 1972); Felipe Fernández-Armesto, *1492* (San Francisco: Harper, 2010),

202-209.

11 Felipe Fernández-Armesto, *Civilizations (New York: Free Press, 2000); Colin McEwan et al., eds., Unknown Amazon: Culture and Nature in Ancient Brazil* (London: British Museum, 2001).

12 Kathleen Deagan and Jose Marfa Cruxent, *Columbus's Outpost among the Taínos* (New Haven: Yale University Press, 2002); Bernabé Cobo, *Historia de la Fundación de Lima* (Lima: Imprenta Liberal, 1882), 8; Enrique Torres Saldamando, Pablo Patrón, and Nicanor Boloña, eds, *Libro Primero de Cabildos de Lima, primera parte* (Paris: Paul Dupont, 1888), 1-4, 12; Augusto Acuña, *Los terremotos de Antigua* (Guatemala: Nacional, 1973); José Luis Villatoro, *Fundación y traslados de la capital de Guatemala* (Guatemala: Pineda Ibarra, 1983).

13 John Elliott, "The Mental World of Hernan Cortés", *Transactions of the Royal Historical Society*, 5th series, 17 (1967), 41-58.

14 Valerie Fraser, *The Architecture of Conquest: Building in the Viceroyalty of Peru*, 1535-1635 (Cambridge: Cambridge University Press, 1990).

15 Cobo, *Fundación*, 43.

16 Jorge E. Hardoy, "European Urban Forms in the Fifteenth to Seventeenth Centuries and Their Utilization in Latin America", in *Urbanization in the Americas from Its Beginnings to the Present* (Chicago: Aldine, 1978), 233.

17 Matthew Restall and Felipe Fernández-Armesto, *Conquistadores: A Very Short Introduction* (Oxford: Oxford University Press, 2012).

18 Francisco Cervantes de Sálazar, *Comentaria in Ludovici Vives Exercitationes Linguae Latinae* (Mexico City: Brisensem, 1554), dialogues 2 and 3.

19 Margarita García Luna O. and José N. Iturriaga de la Fuente, *Viajeros extranjeros en el Estado de México* (Mexico City: University Autónoma, 1999), 141-143; Serge Gruzinski, *La ciudad de México: una historia* (San Diego', Fondo de Culture, Econónica de US, 2004), 200ff.

20 Antonio de Léon Pinelo, *Epítome de la Biblioteca oriental y occidental, náutica y geográfica*, i, ed. Horacio Capel (Barcelona: 1982), xxiv; Guillermo Lohmann villena, "La 'Historia de Lima' de Antonio de Léon Pineld", *Revista de Indias*, 12, no.50 (Madrid, 1952), 766ff.; Manuel Lucena Giraldo, *A los cuatro vientos: las*

ciudades hispanoamericanas (Madrid: Pons, 2006), 129-172.

21 Richard Kagan, "A World without Walls: City and Town in Colonial Spanish America", in James D. Tracy, ed., *City Walls: The Urban Enceinte in Global Perspective* (Cambridge: Cambridge University Press, 2000); Rodolfo Segovia, *El Iago de piedra* (Bogotá: Ancora, 2001); Jorge E. Hardoy, "The Scale and Functions of Spanish American Cities around 1600: An Essay on Methodology", in *Urbanization in the Americas*, 87-88.

22 Alexander Humboldt, *Political Essay on the Kingdom of New Spain* (London: Longman, 1811), ii, 38.

23 Sharon Bailey Glasco, *Constructing Mexico City: Colonial Conflicts over Culture, Space, and Authority* (New York: Palgrave Macmillan, 2010); Richard Warren, *Vagrants and Citizens: Politics and the Masses in Mexico City from Colony to Republic* (Wilmington, Del.: Scholarly Resources, 2001); Alexandre Coello de la Rosa, *Espacios de Exclusión, Espacios de Poder* (Lima: IEP, 2006).

24 Matthew Restall, Lisa de Sousa, and Kevin Terraciano, *Mesoamerican Voices* (Berkeley: University of California Press, 1995), 67.

25 E. Kofi Agorsah, ed., *Maroon Heritage* (Barbados: Canoe, 1994); Dirceu Lindoso, *O poder quilombola* (Maceló: EDUFAL, 2007).

26 Bertram Lee, ed., *Libras de cabildos de Lima*, iv (Lima: Torres Aguirre, 1937), 507.

27 J. Legorreta, "El agua y la ciudad de México", in Juan Bromley and José Barbagelata, *Evolución Urbana de Lima* (Lima: Lumen, 1945), 57.

28 Camilla Townsend, ed., *Here in This Year: Seventeenth-Century Nahuatl Annals of the T laxcala-Puebla Valley* (Stanford: Stanford University Press, 2010), 7-8; Rik Hoekstra, *Two Worlds Merging: The Transformation of Society in the Valley of Puebla, 1570-1640* (Amsterdam: CEDLA, 1993), 64, 72, 234; Julia Hirschberg, "Social Experiment in New Spain: A Prosopographical Study of the Early Settlement at Puebla de Los Angeles, 1531-1534", *Hispanic American Historical Review*, 59, no.1 (1979), 1-33; Ida Altman, *Transatlantic Ties in the Spanish Empire: Brihuega, Spain and Puebla, Mexico 1560-1620* (Stanford: Stanford University Press, 2000); James Lockhart, *Spanish Peru* (Madison: University of Wisconsin

Press, 1994), 257.

29 Restall et al., *Voices*, 76, 87–93, 131–133.

30 Hoekstra, *Worlds*, 72, 234; Altman, *Ties*, 50; Hirschberg, "Experiment", 8; Restall et al., *Voices*, 69.

31 Townsend, *Here*, 9; Restall et al., *Voices*, 70–72.

32 Charles Boxer, *Portuguese Society in the Tropics: The Municipal Councils of Goa, Macao, Bahia, and Luanda, 1510–1800* (Madison: University of Wisconsin Press, 1965), 73.

33 Maria Fernanda Bicalho, *A cidade do império: o Rio de Janeiro no século XVIII* (Rio de Janerio: Civilizacao Brasileira, 2003).

34 Antonello Gerbi, *La disputa del nuovo mondo* (Milan: Adelphi, 2000); Jorge Cañizares Esguerra, *How to Write the History of the New World* (Stanford: Stanford University Press, 2001).

35 Felipe Fernández-Armesto, "Las independencias colombinas en la historia mundial", in Juan Carlos Torres, ed., *El gran libro del bicentenario*.

36 Robert Gwynne, *Industrialization and Urbanization in Latin America* (Baltimore: The Johns Hopkins University Press, 1986).

37 Susana Zanetti, *La dorada garra de la lectura: lectoras y lectores de novela en América Latina* (Buenos Aires: Beatriz Viterbo, 2002), 107–108.

38 Jorge Romero Léon, *Retórica de imaginación urbana. La ciudad y sus sujetos en Cecilia Valdés y Quincas Borba* (Caracas: CELARG, 1997).

39 M. Velázquez Castro, "La intimidad destapada: la representaci6n de la mujer en el Mercurio Peruano (1791–1795)" in Luis Bravo Jáuregui and Gregorio Zambrano, eds., *Mujer, Cultura y Sociedad en América Latina*, iii (Caracas: University Central, 2002), 181–198.

참고문헌

Aguilera Rojas, Javier, *Fundación de ciudades hispanoamericanas* (Madrid: Mapfre, 1994).

Butterworth, Douglas, and Chance, John K., *Latin American Urbanization* (Cambridge: Cambridge University Press, 1981).

Houston, James M., "The Foundation of Colonial Towns in Hispanic America", in Robert P. Beckinsale and James M. Houston eds., *Urbanization and Its Problems: Essays in Honour of E. W Gillbert* (New York: Barnes and Noble, 1968).

Jay, Felix, *Urban Communities in Early Spanish America, 1493-1700* (Lewiston, N.Y.: Edwin Mellen Press, 2002).

Joseph, Gilbert M., and Szuchman., Mark D.. *I Saw a City Invincible: Urban Portraits of Latin America* (Wilmington: SR Books, 1995).

Kagan, Richard, *Urban Images of the Hispanic World, 1493-1793* (New Haven: Yale University Press, 2000).

Kinsbruner, Jay, *The Colonial Spanish American City: Urban Life in the Age of Atlantic Capitalism* (Austin: University of Texas Press, 2005).

Navarro Garcia, L., ed., *Elites urbanas en hispanoamérica* (Seville: Universidad de Sevilla, 2005).

Schaedel, Richard, Hardoy, Jorge Enrique, and Kinzer Stewart, Nora, *Urbanization in the Americas from Its Beginnings to the Present* (The Hague: Mouton, 1978).

Solano, Francisco, *Historia urbana de Iberoamérica* 3 vols. (Madrid: Consejo Superior de los Colegios de Arquitectos de España, 1987).

Vidal, Laurent, ed., *La ville au Brésil, XVIIIe-XXe siècles: naissances, renaissances* (Paris: Indes savantes, 2008).

전근대 도시

PRE-MODERN CITIES

주제

Themes

제21장

경제

Economy

바스 판 바벨
Bas van Bavel

마르턴 보스커
Maarten Bosker

엘트요 뷔링
Eltjo Buringh

얀 라위턴 판 잔던
Jan Luiten van Zanden

서론과 이론적 체계

타운town은 전前 산업pre-industrial 경제와 사회에서 몇 가지 중요한 기능을 수행했다. 우선 타운은 종종 행정·사법·종교의 중심지였고, 이와 관련한 서비스를 제공했다. 타운은 또한 무역·운송·금융 서비스를 제공하는 교환의 중심지로 기능했으며, 따라서 흔히 타운에 산업이 집중되었다.[1] 이를 바탕으로 오래된 견해들은 흔히 타운을 전산업 세계에서 새롭고 역동적인 유일한 위치로 묘사해왔다. 타운은 퇴보하고 침체한 농촌경제rural economy 속의 근대적 섬이었다.[2] 엄밀한 형태 측면에서 볼 때, 이 견해는 이제 대체로 구식이 되었다. 농촌권rural area과 그리고 시골countryside에 산재한 몇몇 소재지도, 농업 자본주의agrarian capitalism, 마을 시장village market, 원原산업화proto-industrialization 논쟁에서 확인된 것처럼, 이런 기능 중 일부를 받아들였고 혁신의 무대가 될 수 있었다. 그러나 이와 같은 미묘한 차이에도 타운은 그 역할이 명확했다. 비非농업적 기능의 대부분은 일반적으로 타운에 집중되어 있었다.

이에 따라, 도시의 기능이 더 발달하고 정교할수록 그리고 비농업 부문이 더 클수록 타운은 더 커질 것이라 말할 수 있다. 이들 커다란 타운은 비농업 인구를 부양할 잉여물을 창출할 수 있는 고도로 생산적인 농업 부문이 필요할 것이다. 따라서, 신뢰할 수 있는 경제 지표가 없는 경우, 도시화율urbanization rate과 커다란 타운의 존재가 해당 사회의 경제발전 수준 혹은 지속적 미래 발전의 잠재력을 나타내는 대체물로 흔히 가정되곤 한다.[3] 아주 일반적인 의미에서 적어도 첫 번째는 십중팔구 성립할 것이다. 높은 수준의 도시화urbanization는 사회가 대규모 농업 잉여물을 생산하고, 이를 먼 거리의 도시로 운송할 수 있는 역량을 나타내며, —간접적으로는— 이 도시들이 농업 잉여물을 확보하기 위해 흔히 사용하는 발전된 기능을 시사한다. 이러한 방식으로 높은 수준의 도시화는 농업 부문 및 운송 부문 둘 다의 발전과, 아마도 함축적으로, 도시의 산업 부문 및 서비스 부문의 발전을 드러낸다.

이와 같은 내용은 전산업 시기에 가장 높은 수준의 도시화율이 양쯔강 유역에서 티그리스강과 유프라테스강 사이 지대에 이르기까지, 나일 삼각주에서 지중해 연안 및 북해 지역에 이르기까지 경제적 발전의 중심지로 여겨지는 곳에서 발견된다는 사실에 반영되어 있다. 중세 후기와 근대 초기에, 일본, 중국과 인도 일부, 이라크, 이집트, 스페인

〔에스파냐〕, 이탈리아, 저지대 국가들Low Countries, 잉글랜드 등에서 도시화 수준은 아마도 15퍼센트나 더 높게는 20퍼센트 정도였을 것이고, 일부 지역(8~10세기의 이라크, 르네상스 시기 북부 이탈리아, 15~18세기의 저지대 국가들)은 실제로 이 수준을 넘어섰다. (여기에 사용된 타운 인구 임계치는 1만 명 이상의 거주지다. '도시화'라는 용어는 이 임계치를 초과하는 타운에 거주하는 이들의 지역 또는 국가의 총인구 비율로 사용된다.)

상기한 지역들의 높은 수준의 도시화는 실제로 해당 지역에서 앞섰던 경제발전을 나타내는 것으로 간주될 수 있다. 그러나 이처럼 높은 수준의 도시화가 때때로 가정되는 것처럼 더 큰 경제성장을 위한 커다란 잠재력을 나타내는 것인지는 불분명하다. 이런 잠재력과 관련해 상황은 더 복잡하며, 장기적 차원에서는 도시화 수준이 서로 다르게 발전하는 것을 이미 확인할 수 있다. 이들 지역 중 일부는 북해 지역과 같이 도시화율이 더 증가했고, 다른 지역은 이라크와 같이 도시화율이 침체했다. 이는 이미 중세 성기부터 시작된 다양성이다.

이 차이는 도시화 수준을 유지하는 근본적 기제가 균일하지 않다는 것을 인정해야만 이해할 수 있다. 도시화 과정과 그 관찰된 차이를 이해하고 설명하려면 이와 같은 근본적 기제를 살펴보고, 그 과정을 보다 광범위한 경제와 사회의 맥락에 배치해야만 한다. 경제가, 특히 전산업 경제의 핵심 부문인 농업이 어떻게 이러한 도시화를 지탱할 수 있었을까? 농업 부문에서 생산된 잉여물들은 어떻게 타운으로 흘러갔는가? 나중의 질문은 이 흐름을 가능하게 한 물리적 도구 즉 운송장비와 사회적·제도적 도구를 모두 포함한다. 타운들은 경제적이고 비경제적인 둘 다의 측면에서 매우 다양한 방식을 통해 농업 잉여물을 확보했다. 그리고 타운이 큰 규모로 잉여물을 확보할 수 있었던 방식이 타운이 더 발전할 것인지 아닌지를 좌우했다.

이와 같은 연관성은 이미 막스 베버가 만들어낸 소비자도시 consumer city와 생산자도시producer city 간의 구별과 관련된다. 베버는 중세 유럽의 산업도시industrial city들 혹은 생산자도시들을 고대의 소비자도시들과 대비한바,[4] 이것은 고대 경제사와 중세 경제사를 모두 이해하는 데서 더 많은 정교함을 요구하지만 —예컨대 소비자도시의 잉여 인구가 지출을 현지 생산물에 했는지 역외 생산물에 했는지, 사치품에 했는지 대량 생산품에 했는지에 대한 조사[5]— 여전히 얼마간의 성과를 낳은 구별이다. 이 장에서는 베버의 분류를 분석에 적용하기 위해 생산자도시를 '시장지향적market-oriented'으로, 소비자도시를 '강제지향적 coercion-oriented'으로 표현하며, 후자는 특정 형태의 강제가 시골에서 도시로 잉여물을 인도한다는 점에서 그런 표현을 사용했다. 또 집중과 분산 사이의 구별을 추가했다. 그 결과는 하나의 행렬matrix이며, 우리는 이것을 분석 도구로 사용할 것이다([도형 21.1] 참조).

집중적 강제centralized coercion는 고전적인 국가지향적state-oriented 도시에서 찾을 수 있다. 이곳은 통치와 군사적 보호(혹은 점령)의 중심지로,

[도형 21.1] 전근대의 경제 및 정치 체계 모형

	강제	시장 교환
집중 체계	집중적 강제: 마드리드, 모스크바, 델리, 에도(도쿄)	17~18세기 오사카와 런던
분산 체계	분산적 강제: 토스카나, 14~15세기 라인란트와 플랑드르	중세 성기 유럽 도시들, 북아메리카 도시들

세금의 대가로 서비스—행정, 보호—를 제공하며, 그 위상은 국가나 군주와 긴밀하게 연결되어 있다. 도시가 속한 왕국의 번영과 영토 및 인구의 확대는 도시성장urban growth을, 특히 탁월한 군주지향적sovereign oriented 도시인 수도capital city의 성장을 유도할 것이다. 게다가 그런 도시의 가장 효율적인 위치는 통제되는 영토의 중앙인 경향이 있다. 바그다드, 다마스쿠스, 마드리드, 델리(무굴 제국의 중심지), 모스크바 같은 수도가 그 전형적 예시라 할 수 있다. 주요 운송로와의 인접성은 필수이지는 않았는데, 이러한 도시의 근본적인 원리적 근거가 상대적으로 낮은 거래 비용으로 물품을 교환하는 것에 있지 않았기 때문이다. 상업 활동은 당연히 일어날 것이지만—도시를 먹여 살리고 여타의 소비재를 공급받기 위해 도시는 주변 환경에 의지해야 하는 만큼—, 이는 정치적·군사적 역할에서 파생된 부차적 기능이었다.

분산적 강제〔비집중적 강제〕decentralized coersion는 중심적 국가가 약하고, 수도가 덜 중요하며, 세금이 시골에서 잉여물을 추출하는 주요 방식이 아닌 곳에서 나타난다. 이런 유형의 도시는 도시 엘리트 지향적urban elite oriented이라고 지칭된다. 이들 도시는 종종 행정과 특히 생산과 서비스 측면에서 역할을 하지만, 특정의 요소도 추가한다. 강제적 방식의 농업 잉여물 통제는, 힘으로 또는 더 흔히는 재산권property rights 즉 경제적 강제로 농지나 농업 생산물을 보유하게 했다. 이는 토지 또는 10분의 1세tithe, 장원莊園, manor 또는 노예 재산을 소유하는 형태일 수 있었다. 종종 이는 시골에서의 비농업 활동과 시장 교환에 대한 통제와, 해당 영역에서의 잠재적 도시 또는 국가 경쟁자의 배제를 결합했고, 필요한 경우 군사력이 동원되기도 했다. 극단적인 경우, 도시 엘리트들은 자신들의 통제하에 있는 도시국가city-state의 건설에 성공할 수 있었고, 농촌의 잉여물을 타운으로 전달하는 데 사용되는 도구를 추가하기 위해 자체 재정 체계를 개발할 수 있었다. S. R. 엡스타인S. R. Epstein은 그 사례로 토스카나에서 중세 성기에 도시체계urban system와 도시경제urban economy가 번성했다가 침체한 것이 바로 이런 구조의 출현에서 기인했다고 주장했고, 바스 판 바벨 또한 중세 후기에 플랑드르—3개 대규모 도시large city에 의해 지배된—에 대해 같은 주장을 했다.[6]

반면 시장지향적 도시의 경제적 기초는 인접 배후지hinterland 및 훨씬 멀리 떨어진 여러 (시장지향적) 도시에 공급하는 상품의 생산과 그곳과 이루어지는 상업/시장 서비스의 교환이다. 국제무역은 이 타운들의 번영에 중요한 요소다. 타운과 통치자 또는 통치자의 국가 사이 관련성은 일반적으로 덜 밀접하고, 타운의 운명은 타운이 자신들의 고유한 경제적 기반을 갖추고 있는 만큼 자신들이 속한 정치적 실체로부터 얼마간 독립적일 수 있다. 분명 국가의 공간적 중심에 위치할 이유는 없으며, 실제로 중요한 무역로—무역 흐름에서 이익을 얻는—의 전략적 요충지가 그러한 도시에서 더 좋은 소재지일 가능성이 더 크다. 원거리 시장에 대한 접근의 중요성을 고려할 때, 이상적 '시장지향적' 도시는 바다 인근, 배가 다닐 수 있는 강 혹은 육상 무역로의 허브hub에 위치할 것이었다. 막스 베버와 앙리 피렌이 이미 분석한 중세 유럽 생산자도시의 '이념형ideal type'이 가장 쉽게 떠오르는 예다—우리가 알기 원하는 것은 그러한 도시체계가 1800년 이전 세계경제에서 얼마나 예외적이었는가 하는 것이다. 이러한 도시들은 시골과의 시장 교환을 기반으로 하는 만큼 그와 같은 도시체계는 전문화specialization 및 상업화commercialization 과정을 생성할 수 있을 것이며, 이는 관련 도시들의 지속적 경제 변화와 지속적 성장의 기초를 형성할 것이고, 반면에 강제에 기반을 둔 도시들은 그들이 속한 국가의 생애 주기에 훨씬 더 의존할 것이다. 이상적으로, 한 사회 내에서 시장지향적 유형의 지배가 개방적인 시장 계층과 연관된 균형 잡힌 도시체계를 만들어내며, 이는 이 위계 내에서 1개 중심도시central city의 지배를 불러올 수 있다. 영국경제에서 런던의 역할이 그 사례이며 오사카가 또 다른 사례다. 오사카는 진정한 의미에서 '시장지향적' 도시였으나, 국가 구조로 인해 부분적으로만 주요 역할을 담당했다(이하 참조).[7]

오사카의 사례가 예시하듯 이와 같은 범주의 도시들은, 당연히, 서로를 배제하지 않으며 아울러 몇몇 도시는 각자의 특성 가운데 일부를 결합한다. 사회들 또한 단일한 형태의 도시로만 구성되지 않는다. 그럼에도, 우리는 연대기적인 특히 공간적인 양상을 식별할 수 있고 그것들이 도시화의 장기적 발전을 이해하는 것에 더 많은 도움을 준다고 생각한다. 우리는 이런 유형의 도시 간 차이도 일반적으로 도시체계의 구조 속에서 스스로 표현된다고 주장한다. 수도는 전형적인 국가지향적 도시다. 도시체계가 국가에 의존하는 정도를 측정할 수 있는 척도의 대용물은 가장 큰 규모의 도시—흔히 수도—의 인구가 도시 인구에서 차지하는 비중이다. 일례로 최근 알베르토 F. 아데스Alberto F. Ades와 에드워드 L. 글레이저Edward L. Glaeser의 연구는 도시 종주성宗主性, urban primacy의 측정이 해당 국가의 정치경제학과 연관되어 있음을 입증한다. "도시 거인urban giant들은 궁극적으로 수도에 거주하는 소수의 관료 손에 집중된 권력에서 비롯한다. 이 권력은 지도자들이 배후지에서 부를 추출해 수도에 분배하게 만든다."[8] 높은 수준의 도시 '종주성' 즉 가장 큰 규모의 도시/수도의 인구가 총 도시 인구에서 차지하는 비율이 높다는 것은 도시가 국가지향적임을 시사하며, 전형적인 시장지향적 도시체계는 상대적으로 균형을 유지하고 상대적으로 낮은 수준의 도시 종주성을 갖는다.

이와 같은 생각들은 이 장에서 전 세계 여러 지역에서 발견되는 도시화의 양상들을 분석하고 경제적 성과에서의 차이점과 연결하는 데서 활용될 것이다. 아래에서는 우선 북아메리카와 남아메리카의 서로 다른 도시화 양상을 대조하며, 그다음으로 중국과 일본의 더욱 혼합된 체계들을 대조한다. 세 번째로, 더 나은 자료들과 최근의 연구들 덕분에 중동과 유럽의 장기간에 걸친 서로 다른 궤적을 심층 비교 한다. 마지막으로, 다양성이 두드러지고 광범위한 자료를 통해 조명할 수 있는 서유럽 내의 궤적을 확대하고 이어 결론을 내릴 것이다.

사례: 아메리카 대륙의 도시체계

먼저 근대 초기의 도시개발urban development에서 매우 현저한 차이를 발견할 수 있는 아메리카 대륙으로 짧은 여행을 떠나보자. 존 H. 앨리엇John H. Elliot은 저서 《대서양 세계의 제국들Empires of the Atlantic World》(2006)에서 주의 깊게 스페인령 아메리카와 영국령 아메리카를 비교했다.[9] 처음부터 스페인인 콩키스타도르Conquistador(정복자)들은 도시들

—구도시와 새로 설립한 도시 모두—을 자신들이 획득한 영토와 그곳의 인구를 통제하는 중심지로 삼았다. 1500년, 스페인령 라틴아메리카에서는 안데스 지역의 잉카와 멕시코의 아스테카 복합 문명 덕분에 이미 대륙의 북부보다 훨씬 더 도시화가 진행되었다.[10] 이들 제국의 수도들—테노치티틀란Tenochtitlan(아마도 10만 명이 거주한 것으로 보이는)과 쿠스코Cuzco(8만 명)—은 세계에서 가장 큰 규모의 도시들의 하나였다.[11] 이는 근대 초기 많은 기간에 계속되었고, 스페인은 두 제국[아스테카, 잉카]의 많은 제도를 물려받고 유럽의 관료적 절차를 그것들에 추가하는 방식을 사용했다. 일반적으로 대도시big city(멕시코시티, 쿠스코, 키토, 포토시 같은)는 내륙에 위치했다(리마는 스페인인들이 새로 건립한 도시로 가장 주목할 만한 예외다). 다양한 형태의 강제노동corced labour은 잉여를 추출하는 데서 큰 역할을 해서, 잉여의 많은 부분이 은으로 바뀌어 스페인의 국가 금고를 채웠다. 스페인인 점령자들은 도시들을 새로 획득한 영토를 통치하는 도구로 명시적으로 활용했고, 통치기구가 필요한 곳에 새로운 도시를 세웠다(또한 통제와 과세를 용이하게 하고자 인구를 시골에 대규모 단위로 집중시켰다). 그들이 활용한 강제노동 체계는 전적으로 새로운 것은 아니었다—이미 아스테카와 잉카 제국 모두 다양한 형태의 강제노동이 일상적이었다(화폐와 시장 교환을 사용하지 않은 잉카인들에게는 이 강제노동이 전문화를 조직하고 또 도시에 제공할 잉여를 생산하는 주 방법이었다). 스페인은 이 제도들을 사용했고 자신들의 것을 추가했다. 한 세기가 지난 후 그들은 서서히 더욱 시장지향적인 통제 형태로 바뀌었으나 체제의 정치적 구조에는 근본적 변화가 없었다. 따라서 뉴멕시코와 페루의 총독 관할 도시들은 중앙집중적 통제 체계 내부에

존재하는 '강제지향적' 도시들의 전형적인 사례에 해당했다.

북아메리카의 도시체계는 전적으로 달랐다. 1500년에 도시는 거의 존재하지 않았다. 미시시피 문화는 상당한 정도의 도시 집중을 낳았지만 인구 붕괴 이후에는 남은 것이 많지 않았다. 1700년에 북쪽에서 최대 규모의 도시는 보스턴이었고 거주민은 7000여 명에 불과했다. 18세기가 되어서야 도시는 성장하기 시작했으나, 도시화 수준은 실제로 매우 낮았다. 1800년에는 뉴욕과 필라델피아가 최대 규모의 도시로 각각 약 6만 5000명의 거주민이 살고 있었으며, 이는 여전히 멕시코시티의 절반 규모였다. 그런데 북아메리카 도시들은 바다 근처에 위치해 자신의 배후지와 세계 시장 사이에 중요한 교통 연계를 구축했다. 이 도시들은 가장 순수한 형태의 생산자도시로—특히 〔미국이 독립한〕 1776년 이후— 분권화한 정치적 통제 체계 내에서 작동했다.

도시화 수준만으로 경제적 성공을 측정한다면, 스페인령 라틴아메리카는 '성공담'이 되고 북아메리카는 '실패담'이 될 것이다. 1800년 무렵에도 북아메리카에서는 여전히 인구의 3퍼센트만이 1만 명 이상의 도시들에 거주했는데, 멕시코와 안데스 지역에서 이 비율은 둘 모두 7~10퍼센트였다. 이러한 도시체계의 —스페인령 라틴아메리카와 영국령 북아메리카에서— 장기적 역학은 완전히 달랐음이 분명하다. 이 역학은 '운명의 역전' 사례를 제공하는바, 초기에 가장 높은 수준의 도시화(그리고 사회적 복잡성)를 보인 남쪽은 매우 느리게 발전하고 북쪽은 남쪽을 빠르게 추월하기 시작하며 또 장기적으로 이 작업을 시선을 집중시키는 방식으로 수행한다. 이런 변화의 원인에 대해서는 격렬한 논쟁이 진행되고 있는데, 예컨대 변화가 식민자colonizer들이 이식한 제도들과 관련되는지(Acemoglu et al., 2001), 아니면 그것이 가용 자원 및 기부금과 관련되는지(Engerman and Sokoloff, 1997) 등이다.[12] 스페인령 아메리카에서 은이 몇몇 '중심적' 위치에서 발견되었다는 사실은 경제에 대한 중앙집중 통제를 용이하게 했다. 북부에서 추출된 자원(비버 가죽에서 목재에 이르는)은 대륙 전역에 분산되어 있었기 때문에 중앙집중 추출 체계를 허용하지 않았다. 그런데 심지어 더 중요한 점은 스페인의 식민국가가 집중적 잉여물 추출 형태에 기반을 둔 기존의 사회-정치적 구조에 접목되었던 반면, 북부에는 〔남부와〕 비견될 만한 게 거의 없었던 만큼 그곳에 세워진 영국과 프랑스 식민지들은 아무것도 없이 〔운영을〕 시작했다는 점이다—좀 더 정확하게는 유럽의 제도들과 시장 체계를 채택했다. 도시체계의 구조가 경제적 성과의 이와 같은 서로 다른 발전을 명확하게 반영한다는 것은 분명하다.

혼합 체계: 일본과 중국

북아메리카와 남아메리카는 '시장지향적' 도시체계와 '강제지향적' 도시체계의 얼마간 '순수한pure' 판본이었다. 세계의 다른 지역에서는 종종 그런 '이념형'이 아니라 더 혼합된 체계를 발견할 수 있다. 일본이 그 좋은 사례로, 일본의 대규모 도시들이 두 극단을 대표한다는 점에서다. 도쿠가와 막부(1603~1868)에서 일본은 도시 붐을 경험했고, 세계에서 가장 도시화한 지역의 하나가 되었다(인구의 10퍼센트 이상이 인구 1만 명 이상의 도시에 거주했다). 도시구조는 3개 도시가 지배했다. 에도(지금의 도쿄)는 아마 100만 명이 거주했을 것으로 십중팔구 18세기에 세계에서 가장 큰 규모의 도시였을 것이고, 30만~40만 명이 거주한 오사카와 교토 또한 상당한 규모의 도시였다. 이런 도시 붐은 처음에는 새 체제 아래 정치적 통제의 중앙집중화를 반영했다. 15세기 후반과 16세기의 쓰라린 내전 이후 정치적 통제는 도쿄에 중앙집중되어, 도쿄는 쇼군將軍이 거주한 도시로, 모든 봉건영주가 의무적으로 거주지를 가지고 일 년 중 일정 기간을 도쿄에서 보내야 했다(그리고 통치자에 대한 충성을 확실히 하기 위해 그 가족의 일부는 항상 도쿄에 거주해야만 했다). 도쿄는, 따라서 (정치적으로 무력한) 천황이 거주한 교토와 마찬가지로, 전형적인 소비자도시였다.[13] 동시에 오사카는 국가의 중앙시장으로 부상했다. 이곳에서 판매되는 쌀의 상당 부분은 국가에 납부된 세금으로 구성되었다. 국가권력의 중앙집중화와 함께 조세체계의 효율성이 증가하면서 오사카의 중앙시장으로서 중요성이 높아졌고, 오사카에서는 각종 부가 활동이 전개되기 시작했다—일례로 상인기관이 등장해 은행업으로 확장되었다. 온갖 혁신(쌀시장에서의 선물계약先物契約, futures contract 같은)으로 시장의 효율성이 더욱 향상되었고, 다른 지역의 쌀시장은 오사카 시장을 중심으로 발전한 판매 네트워크에 밀접하게 통합되었다.

유사한 힘이 중국에서도 작동했다. 중국은 (17장에서 살펴본 것처럼) 명 말기에 도시체계에 중요한 결과를 가져온 두 번째 '상업혁명commercial revolution'을 겪었다. 명 태조의 치세에서 정치권력이 중앙집중되면서 다소 불균형한 도시체계가 등장해 '수도 효과capital city effect'가 매우 강력해졌다. 난징이 다시 수도가 되자 1300년에 약 10만 명 미만이었던 인구는 1400년에 약 50만 명으로 즉각적으로 증가했다—1421년 수도가 베이징으로 이전된 이후에는 인구가 다시 감소해 1500년에는 약 15만 명이 되었다. 베이징은, 반대로, 인구가 1400년에 약 15만 명에서 1500년에 약 70만 명, 1800년에 약 110만 명으로 늘어나 도쿄를 추월해 세계에서 가장 큰 규모의 도시가 되었다.[14] 그러나 16세기의 상업혁명은 훨씬 더 균형 잡힌 체제의 출현으로 이어졌고, 이는 많은 진鎭(비교적 작은)의 성장 특히 장강 삼각주 하류의 성장에 힘입은 바로 이곳에는 항저우(인구가 1400년과 1800년 사이에 25만~40만 명으로 증가), 쑤저우(12만 명에서 24만 명으로 증가), 상하이(19세기 동안 두드러지게 확장될 것이다), 그리고 물론 난징 같은 대규모 도시들 또한 위치했다. 이곳들은 경제를 지배한 대규모 상업도시commercial city였다. 남부 끝자락의 광둥은 또 다른 무역의 중심지로, 1800년에는 거주민이 80만 명에 이르렀을 것이다. 이들 대규모 타운 각각은 거대한 중국 제국이 조직한 성省들 가운데 한 곳에서 개별적 도시 네트워크를 가지고 있었다.[15]

그러나 도시 종주성 —최대 규모 도시의 인구가 총 도시 인구에서 차지하는 비율— 측면에서는 중국과 일본이 그다지 다르지 않았다. 일본에서는 1800년에 도시 인구의 약 3분의 1이 도쿄에 거주했고, 이것은 극단적으로 높은 수치였다. 중국에서는 베이징에 총 도시 인구의 약 19퍼센트가 살았으며, 중국이 훨씬 더 면적이 넓은 국가임을 고려하면 이 역시 매우 높은 수치였다. 이는 일본과 중국 두 국가의 다른 정치경제를 반영하는 것이었다. 1인당 기준으로, 일본은 중국보다 더 많은 자원을 동원했다. 높은 수준의 종주성은 근대 초기의 기준에서 상당히 중앙집중화한 두 국가의 정치경제와 유사하게 연결되었다. 그 결과 일본과 중국에서는 유럽에서 발견된 것과는 상당히 다른 도시체계가 나타났는바, 유라시아 두 지역의 역학을 이해하는 데 관련될 수 있는 이런 차이점은 대분기大分岐, Great Divergence 논쟁 속에서 그 의미를 더 탐구할 수 있을 것이다.[16]

유럽과 중동: 서로 다른 궤적

아메리카 대륙과 동아시아의 사례들은 1800년 이전 세계경제에서 발견되는 도시적 구조의 차이를 예시해준다. 이런 간소한 사례연구는 다소 눈에 잘 띄는 증거에 기반을 두고 있었으며, 해당 지역의 도시개발을 도표화하는 포괄적 자료 틀은 (아직) 이용이 가능하지 않다. 이 주제에 관한 지속적 연구 덕에, 유럽과 중동(북아프리카 포함)의 도시개발에 대한 보다 구체적 분석이 가능해졌다. 중동은 1800년 이전 수 세기에 극적인 '부의 역전'이 나타났다는 점에서 특히 관심이 가는 지역이다. 약 900년에, 세계에서 가장 높은 수준의 도시화는 십중팔구 중동에서 달성되었을 터인데, 아마도 우연히 최초의 도시가 출현했었던 게(메소포타미아와 바빌로니아에서) 아닐 것으로, 이곳에서는 7~8세기의 아랍의 정복 이후 새 도시의 붐이 일어나 바그다드·다마스쿠스·바스라 같은 대규모 도시의 출현으로 이어졌다. 지금의 이라크에서는 총인구의 3분의 1이 도시에 거주했으며(900년 기준), 단연코 가장 큰 규모의 도시들이 이곳에서 발견되었다. 대조적으로, 800년이나 900년의 유럽은 —로마와 콘스탄티노폴리스를 제외하면— (대)도시가 거의 없는 지역이었다(로마조차도 로마 제국 시기의 약 5~10퍼센트로 그 크기가 줄어든 상태였다). 서유럽의 여타 대규모 도시들(코르도바, 세비야, 팔레르모 같은)은 이슬람 세계의 일부였다.

800년에서 1800년 사이에 이러한 상황이 극적으로 변화했다. 서유럽은 앞으로 나아가 세계에서 가장 도시화한 지역이 되었으나, 반면에 중동의 도시화 수준은 정체되었다. 이는 분명하게 각 지역 경제의 서로 다른 추세를 반영했다. 서유럽은 소득과 인구 측면에서 거의 지속적인 증가를 나타냈으나, 중동의 경제는 두 측면에서 거의 증가하지 않았다. 이를 총인구 추정치로 예시해보자. 중동/북아프리카의 총인구는 1800년에 2720만 명으로 800년에 2420만 명과 비교해 아주 약간 더 증가했을 뿐이다. 반면 서유럽의 경우 같은 기간에 총인구가 1930만 명에서 1억 780만 명으로 다섯 배가 넘게 증가했다.[17]

이와 같은 다양한 경향을 설명하기 위해 우리는 3개 지역에 걸쳐 800~1800년 기간의 도시 인구 구조에 대한 상세한 데이터 세트를 취합했다. 3개 지역은 중동 및 북아프리카(모로코에서 이라크, 사우디아라비아, 터키[튀르키예]에 이르기까지. 이란은 제외), 서유럽(독일, 스위스, 이탈리아와 서쪽의 모든 국가 포함), 오스트리아에서 우랄산맥에 이르기까지 유럽의 나머지 지역을 포괄하는 중부유럽 및 동유럽이다. 이 3개 지역은 (인구) 규모에서 비교가 가능한 지점이 있다. 800년경에 동유럽/중부유럽은 인구가 약 1000만 명(나머지 2개 지역은 약 2000만 명)으로 3개 지역 중 가장 작으나, 이 지역 또한 가장 빠르게 인구가 증가했다— 1800년에는 거의 7500만 명이 거주했고 이는 중동 인구의 3배였다.

[표 21.1]은 이 3개 지역 도시체계 발전의 기본적 특징을 나타낸다.

[표 21.1] 유럽, 중동, 북아프리카 도시개발 핵심 지표, 800~1800년

연도	800	900	1000	1100	1200	1300	1400	1500	1600	1700	1800
만 명 이상 도시 인구 (단위: 백만 명)											
WE	0.23	0.35	0.79	0.96	1.73	3.27	2.45	3.73	6.20	7.69	13.84
CEE	0.07	0.20	0.32	0.32	0.45	0.74	0.71	0.92	1.29	1.45	3.39
MENA	1.52	1.83	1.77	1.88	1.84	1.70	1.60	1.71	2.36	2.45	2.45
총인구 (단위: 백만 명)											
WE	2.9	3.3	3.8	4.6	6.4	9.9	7.6	10.4	13.5	14.8	23.8
CEE	10.1	11.2	12.5	15.7	21.0	25.3	21.6	28.8	36.3	43.2	74.8
MENA	24.2	25.2	26.3	23.3	23.7	25.7	20.3	22.1	27.4	25.1	27.2
도시화율 (단위: 퍼센트)											
WE	1.2	1.6	3.4	3.4	4.7	6.1	6.5	7.2	9.5	10.2	12.8
CEE	0.7	1.7	2.5	2.0	2.1	2.9	3.3	3.2	3.6	3.4	4.5
MENA	6.3	7.3	6.7	8.1	7.8	6.6	7.9	7.8	8.6	9.7	9.0
최대 규모 도시 인구 (단위: 천 명)											
WE	75	95	100	80	80	120	100	150	300	575	948
CEE	30	60	45	42	40	75	95	70	100	130	300
MENA	350	450	300	250	200	220	250	280	700	700	500
도시 종주성 (단위: 퍼센트)											
WE	33.2	26.8	12.6	8.3	4.6	3.7	4.1	4.0	4.8	7.5	6.8
CEE	42.9	30.8	14.2	13.1	8.9	10.1	13.5	7.6	7.7	9.0	8.8
MENA	23.1	24.6	17.0	13.3	10.9	12.9	15.7	16.4	29.6	28.6	20.4

*WE: 서유럽, CEE: 중부유럽/동유럽, MENA: 중동·북아프리카

표를 통해 서유럽의 도시화 수준은 800년에 국제 기준으로 극도로 낮았고, 중세에는 상당히 증가했으나 16세기 들어서야 중동 수준을 추월했음을 알 수 있다. 총 도시 인구는 800년에 25만 명 미만에서 1800년에 거의 1400만 명으로 급성장했다. 초기인 중세에는 동유럽과 중부유럽의 도시성장도 상당히 유망했으나 서유럽과 견주어 낮은 수준을 지속했다. 그런데 약 1400년 이후 동유럽과 중부유럽의 도시화 과정이 정체되면서 서유럽과의 격차가 더 벌어졌다. 근대 초기에 몇몇 대

도시가 등장했는바, 거의 전적으로 수도였고 이는 그 영토의 나머지 도시경관urban landscape을 왜소하게 만들었다. 수도 그리고/또는 (행)정부 소재지 역할과 관련해, 이들 도시는 모스크바, 빈, 나중의 베를린, 프라하, 바르샤바를 포함해 인구가 10만 명 이상으로 성장했다. 가장 극적인 예시로는 1713년 이래 러시아의 상트페테르부르크로 이 수도는 불과 10년 전에는 사실상 아무것도 존재하지 않았던 곳에 창조되었다.

이미 설명한 대로, 세 번째 양상은 중동에서 발견되는바 중동의 도시화율은 6~7퍼센트에서 시작해 17세기와 18세기에 약 9퍼센트로 증가하는 데 그쳤다. 1500년의 이 지역 총 도시 인구는 800년과 비교해 아주 조금 증가했을 뿐이며, 근대 초기의 증가는 그 많은 부분이 이스탄불에 집중되어 있었고, 이스탄불은 1600년에 인구가 70만 명으로 폭발적으로 증가했다(그리고 이 과정에서 이스탄불은 세계 최대 규모 도시의 하나가 되었으며, 서유럽에서는 1800년이 되어서야 런던이 이를 추월했다).

이스탄불을 통해 알 수 있듯, 일반적으로 중동의 도시 및 도시체계의 부침은 해당 지역의 커다란 국가들—특히 초기 이슬람 칼리프 왕조들과 오스만 제국—의 흥망성쇠와 밀접하게 관련되었다. 이 지역의 상대적으로 높은 도시 종주성은 이를 반영한다. 특히 800~1000년에(아바스 왕조의 전성기) 그리고 다시 1500년 이후(오스만 제국의 융성기)에, 이러한 제국의 수도들은 총 도시 인구에서 큰 부분을 차지한다([표 21.1] 참조). 이것은 8세기나 9세기의 유럽도 마찬가지지만 그 해석은 다르다. 당시 유럽에는 도시가 아주 적어서 최대 규모 도시가 총 도시 인구의 상당한 지분을 차지하는 게 당연했다. 900년 이후 이 지역의 도시체계가 확장되기 시작하면, 종주성 비중은 균형 잡힌 탈중앙 집중적인 (지방분권적) 도시구조를 반영하는 수준으로 급감한다. 서유럽에서 종주성 비중의 하락은 정치적 분열의 시기에 일어났다—카롤링거 제국의 점진적 해체와, 많은 작은 '봉건feudal' 국가로 구성된 아주 단편적인 정치 체제의 형성이 그것이다. 이는 유럽의 도시체계 구조가 중동의 그것과 근본적으로 달랐다는 지표 가운데 하나다.

서유럽 도시체계와 중동과 북아프리카 도시체계 사이의 상호작용은 매우 제한적이었다. 종교적 차이를 가르는 두 지역 사이에서, 특히 접경 지역에서 발생한 구조적 상호작용(부정적이건 긍정적이건)의 증거는 거의 없다.[18] 이들 도시체계의 경제적 발전 배후에서 작동하는 기제는 대체로 내생적內生的, endogenous이다. 그런데 선행 연구들이 주장했던 것처럼, 800~1800년의 유럽과 이슬람 세계 사이 발전 격차는 어느 한쪽 지역의 농업 잠재력 차이에서 기인하는 바가 아니었다. 그 대신 장기적 경제발전의 변화는 지역의 제도와 수송 방식의 차이에 의한 것으로 폭넓게 설명될 수 있다.

유럽의 경우, 바다에 직접 접근할 수 있는 것이 도시개발을 촉진했다. 유럽의 무역은 수상운송에 매우 집중되었다. 이슬람권은 해안(연안)에 자리한 도시의 비율이 유럽의 그것보다 높았지만, 이들 도시가 내륙 지역의 도시들보다 더 발달하지는 않았다. 바그다드, 다마스쿠스, 페스, 마라케시, 카이로, 코르도바와 같은 정말 규모가 큰 이슬람 도시들은 모두 바다에서 멀리 떨어져 있었고 종종 내륙 깊숙한 곳에 위치했다(이스탄불은 주목할 만한 예외지만 이 도시는 1453년이 되어서야 이슬람의 영역으로 편입되었다). 이슬람 세계에서 지중해 무역은 사하라

사막과 인도양을 가로지르는 무슬림 무역에 비하면 그 중요성이 극히 미미했다. 무슬림 세계에서는 낙타 기반의 대상隊商, caravan 무역이 말, 황소, 그리고/또는 바퀴 달린 수레를 이용한 무역보다 훨씬 더 효율적이었다. 그런데 이와 같은 운송 형태는 바다에 특히 해상무역에 집중한 유럽과 달리 시간이 지나면서 더 이상의 효율성을 발생시키지 않았다. 수상운송은 특히 조선술, 항해술, 개선된 항법의 (기술적) 혁신으로 생산성이 크게 향상되어 장기적으로 매우 유익한 것으로 판명되었다.

서유럽과 중동/북아프리카 도시성장 사이 차이를 만든 두 번째 중요한 설명은 바로 여러 제도에서 찾을 수 있을 것이다. 한 국가의 수도가 되는 것은 도시 규모에 상당히 긍정적 영향을 끼친다. 흥미롭게도 이 효과는 유럽과 이슬람 세계 모두에서 매우 유사하다. 또한 교회 조직에서 중요한 지위를 확보한 도시들은 다른 도시들에 비해 규모가 크며, 그만큼 교회 내에서의 위상도 더 중요해진다. 유럽에서는 특히 (대)주교는 교회 업무에만 국한하지 않고 상당한 정치적 영향력을 행사하며 때때로 현지의 경제에 핵심적 역할을 하기도 했다. 수도의 지위를 갖는 것 그리고/또는 교회의 위계 내에서 중요한 지위를 갖는 것의 긍정적인 (그리고 큰) 효과는 이들 도시의 소비주의적 특성을 확인해준다.[19] 통치자의 그리고/또는 (대)주교의 소재지가 되는 것은 공적 지출이나 왕실의 특권이 이들 도시에 편중하게 해 일자리와 사업 기회를 창출하면서 사람과 자본 모두를 끌어들인다. 그런데 수도 효과의 시간에 따른 진화는 유럽과 이슬람 세계 사이에서 크게 달랐다. 수도들은 처음부터 무슬림 세계의 경관을 지배했다. 이슬람 세계 정치 지형의 상당한 변화에도 800년에서 1800년 사이 수도의 지배력은 크게 변화하지 않았다. 이와는 대조적으로 유럽의 경우는 같은 시기에 처음에는 수도가 주는 장점이 없었으나 시간이 지남에 따라 수도 효과가 상승했다. 13세기부터 수도가 갖는 장점을 관찰할 수 있는데, 16세기가 되어서야 유럽의 수도들이 이슬람 세계의 수도들과 동일 수준으로 혹은 그 이상으로 도시경관을 지배하게 되었다. 수도들의 점점 증가하는 지배력은 유럽에서 (느린) 국가 형성 과정을 분명하게 반영한다.[20] 카롤링거 제국의 멸망 이후 유럽은 정치적으로 매우 분열되어 종종 지역적으로만 권력을 행사하거나 혹은 단일 도시로만 구성된 정치체들의 복잡한 조각보를 만들어냈다. 그러나 궁극적으로 성공적인 지역 혹은 도시국가가 더 큰 영토를 통합할 수 있었고, 그 결과 거대한 중앙집중 정부가 주로 수도에 위치하는 신흥 강국의 영토국가territorial state들(프랑스, 스페인, 영국)이 형성되었다. 마드리드·베를린·빈은 이런 기능에 거의 전적으로 의존했으며, 상트페테르부르크·토리노도 이에 해당한다고 할 수 있다.[21]

유럽과 중동/북아프리카 지역의 장기적 도시개발 양상에서 차이를 낳은 것에 대한 주요 설명 중 하나는 대의제 제도들로 현지의 참여적인 정부 그리고/또는 대의제 의회가 그것이다. 유럽에서 등장한 이 제도들은 강력한 중앙 관료제 통치로 유지되던 이슬람 권역의 도시들에서는 결코 생겨나지 못했다.[22] 유럽에서 이들 참여적 제도들의 발전은 도시개발에 직접적이고 긍정적인 매우 커다란 이익을 제공했다. 경제 행위자들에게 시장친화적인 제도들의 확립을 허용했던 것이 한 예이다. 전반적으로, 참여적 지방정부의 중요성에 관한 유럽의 연구 결과들은 이슬람 권역에서 그와 같은 상향식 제도의 형성 과정이 없었던 것과는 뚜렷이 대비된다. 결국, 유럽과 이슬람 세계 모두에서 정치적 분열의 시기에 뒤이어 강력한 (국민)국가[(민족)국가](nation) state들이 출현했다. 그러나 유럽의 도시들은 지역 및 국가 정책 형성에 영향력을 행사한 덕분에 이러한 신흥 강국이 취한 '포식 행위'를 더욱 잘 견뎌냈다. 따라서 유럽 도시개발의 중심이, 프랑스나 스페인과는 대조적으로, 도시가 지역적 권한을 유지하거나 그리고/또는 국가 대의 제도들에서 입지를 강화할 수 있었던 바로 그 지역으로 옮겨간 것도 놀랄 일이 아니다(특히 네덜란드와 영국뿐 아니라 스위스와 스웨덴의 경우를 그 사례로 들 수 있다).

서유럽: 각기 다른 행적의 조각보

중동의 사례와 비교해보면 서유럽의 도시화 궤적은 매우 명확하지만, 유럽에서 일어나고 있었던 일들을 더 자세히 살펴본다면 유럽의 서쪽 부분은 매우 다른 도시 성좌星座의 조각보로 특징지어지는 것 같다. 부분적으로 이런 인상은 어쩌면 우리 지식 상태의 논리적 결과일 것이다. 서유럽 지역은 사료들과 연구들을 상대적으로 더 많이 활용할 수 있고, 따라서 세계의 다른 지역에서 가능했던 것보다 더욱 미묘한 차이를 그곳에서 더욱 잘 인식하게 된다. 그러나 이와 같은 서유럽의 다양성에는 실제적이고 본질적인 요소도 있다. 그 주된 것은 정치적 분열로서, 이 지역은 수십 개 또는 수백 개에 이르는 매우 다른 유형의 정치 단위로 덮여 있었다.[23] 적어도 로마 시대와 근대 초기 사이에는 크고 잘 조직된 국가가 서유럽에서 눈에 띄지 않았다. 서유럽의 제국들은 일시적이었고 실제적 권력보다 명목적 권력을 가지고 있었으며, 이는 그들의 수도들에도 마찬가지로 적용된다. 이러한 상황은 타운들 혹은 타운들의 연합체가 정치적 권력을 확보할 수 있는 여지를 더 많이 남겼다. 이 점에서 서유럽은 세계의 다른 지역과 커다랗게 대조가 되며, 가장 선진적이고 도시화한 지역들—나일 삼각주, 티그리스강과 유프라테스강 사이 또는 장강 삼각주 지대—은 바로 일련의 거대 제국이 지배한 지역이었다.

두 번째 핵심 특징은 서유럽의 각지에서 도시화 전통이 약하거나 혹은 전혀 없었다는 것이다. 특히 로마 제국의 영역이 아니었던 서유럽 북부는 과거 도시화를 경험한 적이 없었으며, 반면 로마 제국의 범위 내 지역은 제국이 몰락한 이후 타운들이 쇠퇴하고 도시 인구가 살상되었다. 제2천년기〔1001~2000〕의 시작 시점에 유럽의 많은 지역에서 도시화는 상대적으로 새로운 현상이었다. 그곳의 엘리트들은 대부분 시골, 농촌 수도원, 성, 영주 저택에 기반을 두고 있었다. 서유럽의 남부는 이와는 대조적이었는바, 그곳은 도시 연속성urban continuity이 미약하게나마 계속 존재했고 타운들은 행정 기능을 일부 유지했으며, 이곳의 엘리트 집단은 세계의 다른 많은 지역과 마찬가지로 도시를 기반으로 했다.

마지막 측면은, 앞의 두 요소와 연관된 것으로, —이미 논의한 대로— 무역 및 산업 생산에서 경제적 기능이 일반적으로 세계의 많은 여타 지역에서보다 서유럽에서 타운이 부상하는 데서 더 큰 역할을 한다는 것이다. 타운이나 도시 엘리트에 의한 정치적 권력 혹은 강제적 권력의 획득은 주로 타운이나 도시 엘리트들의 경제적 성장에 뒤이은 이차적 발전이었다.

이와 같은 세 가지 특징은 서유럽에서 그 정도가 다르게 발현되었고 지역별로도 연대기적 다양성을 보였던 터라 결과적으로 여러 양상을 드러내는 여러 가지 색깔의 모자이크가 형성되었다. 이런 의미에서 서유럽은 다양한 도시 성과의 소우주다. 유럽 도시화의 연속적 중심지들인 북부 이탈리아, 저지대 국가들, 잉글랜드에 대해 개괄해보자. 대략 1000년 이후 유럽 도시화의 세 핵심 지역이 등장했고, 이들 사이에는 유사한 점들도 있다. 북부 이탈리아, 라인란트, 저지대 국가들은 중앙권력이 상대적으로 약했으며, 이는 도시 자체의 힘이 성장한 것에 부분적으로 기인하는 것이기도 했다.[24] 이 타운들의 발전은 다소 분권화한 시장 교환 체계 내에서 무역 및 수출 산업의 번영으로 추진되었다. 이들 지역은 또한 2차 개발의 과정에서 타운과 도시 엘리트 스스로가 강제적 권력을 얻기 시작했고, 그 권력은 특권, 독점, 기본적 물리력, 사법권 재정 부담금, 소유권에 의해 주변 시골에 행사되었으며, 특히 13세기 이후부터는 도시국가를 건설하기 시작했다. 종종 이러한 강제 수단들은, 시장 외부에서가 아니라, 시장 내부에서 상품에 대해서만이 아니라 토지·노동·자본에 대해서도 사용되었고, 이런 현상은 쾰른·헨트·피렌체에서 가장 두드러지게 나타났다.[25] 한편으로 도시 엘리트와 도시 시장市場은 영주manorial lord들의 세력 약화와 〔시민의〕 자유 증진과 임금 노동의 신장에 한몫했지만, 다른 한편으로 도시 엘리트는 땅과 부동산 시장을 장악했고 농촌 노동을 강제하기도 했다.

이탈리아 중부와 북부의 타운과 도시 엘리트들이 이를 가장 성공적으로 수행했고, 이것은 결과적으로 분권화한 강제 체계로 이어졌다. 14세기와 15세기에 더 큰 규모의 타운들은 종종 군사력으로 더 작은 규모의 도시 경쟁자들을 제거하고 더 큰 정치체를 형성했는데, 피렌체가 토스카나에서(예컨대 1406년에 피사를 정복할 때) 그러했고 베네치아가 그 배후지에서 그러했다. 이는 중세 후기 토스카나에서 피렌체가 상위 10개 도시 인구의 50퍼센트 이상을 차지하면서 피렌체의 도시 종주성이 증가한 것에도 반영되어 있다.[26] 엡스타인에 따르면, 더욱 큰 정치체로 결합된 제도들이 더 이상의 경제적 성장을 방해했고, 주변 시골의 생산력을 감소시켰으며, 도시화의 성장 역시 가로막았다.[27] 도시화율은 1300년경에 정점에 이른 뒤 정체되었고 심지어 서서히 줄어들었다.

저지대 국가들의 남부, 프랑스 최북단 지역, 이후 롬바르디아에서도 이러한 과정은 왕권의 부상으로 중단되었다—중세 후기의 플랑드르 백작과 프랑스 왕, 15세기와 16세기의 롬바르드 공작이 그 사례다. 타운, 귀족층, 도시 길드urban guild는 강제적 권력의 일부 수단을 획득했고 이런 상황이 헨트에서 가장 명확하게 나타났음에도, 플랑드르의 타운들은 진정한 도시국가들을 건설하는 데 성공하지 못했다.[28] 여기에서도 14세기부터 도시 종주성의 증가와 도시화의 정체 현상이 목격되어 도시화율이 약 33퍼센트에 이르렀다가 15세기에 약 25퍼센트로 감소했다.

저지대 국가들의 북부 지역에서 도시화는 14세기와 15세기 들어서야 실제로 시작되었으며, 타운들은 이미 잘 확립된 공국들과 대면했고 강제적 수단을 확보하지 못했다. 이곳에서 도시화 과정이 가장 진척되었다. 분권화한 시장체계 내에서 수많은 중간 규모 타운들은 상호 균형을 이루었고 대공들에 의해 정치적으로 견제를 받았으나, 이번에는 대공들이 타운들의 행정적 지위와 정치적 자치를 제압할 수 없었다. 14세기부터 17세기까지 지속된 이런 맥락에서 타운들은 꾸준히 성장했으며, 그 결과 도시화율은 당시까지 가장 높은 수치를 기록해 도시 거주민이 총인구의 50퍼센트를 웃돌았고, 다른 도시들을 압도하는 도시는 없었다. 곧, 도시 종주성은 낮았다.[29] 이것은 단지 16세기 후반부터, 암스테르담이 경제적 성공과 유럽 무역의 허브라는 위치를 기반으로 눈부시게 성장한 것처럼, 변화하기 시작했지만 17세기 들어서는 점점 더 해외에서 가장 분명하게 행사된 강제적 요소와 혼합되기도 했다. 동시에 17세기 후반에 암스테르담의 인구는 21만 명으로 정점에 도달했고, 이후 인구 정체와 감소가 이어져 19세기까지 계속되었다. 이 모든 경우에서, 즉 북부 이탈리아와 저지대 국가들 모두에서 매우 규모가 큰 도시들의 성장이 반드시 그 이상의 경제적 잠재력을 충분히 나타내지는 않는다는 사실을 알 수 있다.

암스테르담에 이어, 런던이 북해 지역에서 가장 역동적인 도시 중심지urban centre로 자리 잡았다. 이 장에서 소개했던 틀로 볼 때, 런던은 중앙집권화한 시장 교환의 전형으로 평가될 수 있다. 중세 성기에 잉글랜드는 여전히 적당한 수준으로 도시화되었다. 이전보다 더 높은 비율을 제시하는 최근의 추정치에서는 당시 잉글랜드인 10~15퍼센트만이 타운에 살았다. 중세 후기의 수치는 15~20퍼센트인데 잉글랜드는 서유럽의 다른 곳과 비교해 여전히 고도로 도시화한 곳이 아니었다.[30] 그러나 잉글랜드에서 런던은 템스Thames강에 자리하는 전략적 입지와 그 어느 때보다 중앙집중된 왕국의 수도라는 혜택 덕에 (국제)

무역에서의 역할을 기반으로 한 도시 중심지로서 그 어느 때보다 뚜렷하게 부각되어, 11세기부터 13세기까지 긴 도시성장이 가속화되었다. 1300년 무렵 런던은 잉글랜드에서는 큰 규모인 약 8만~10만에 이르는 거주민을 수용했으며, 이는 일례로 북부 이탈리아의 큰 타운과 거의 비견할 만한 것이었다. 여전히 런던의 잉글랜드 내 위치는 독보적이어서, 런던의 위상에 가장 근접한 도시는 그 규모가 절반에 불과했고, 가장 가까운 큰 타운big town들은 런던과 100킬로미터 이상 떨어져 있었다. 나머지 도시 인구들은 다수의 지방 타운과 수백 개의 작은 규모의 시장타운market town에 흩어져서 거주했다. 잉글랜드는 서유럽의 다른 대부분 지역과 비교해 도시 인구가 분산된 것이 특징이었다.

중세 후기에 잉글랜드의 도시 인구는 정체 혹은 하락하고 있었다. 이것은 런던에도 적용되었지만, 이 도시는 국제무역, 내부무역internal trade, 제조업, 서비스업을 기반으로 잉글랜드 내에서 탁월한 위치와 상대적인 부를 쉽게 유지했다. 런던은 그 어느 때보다 분명하게 잉글랜드 국제무역의 중심지가 되었고 잉글랜드의 정치적 수도로서의 역할 또한 더욱 강화되었다. 16세기와 17세기에는 새로운 도시성장이 나타났고, 다시 한번 런던은 이 과정 내내 선두를 차지하며 1550년 무렵 약 7만 5000명이었던 인구가 1650년대에 약 40만 명으로 급증했다. 이 시점에서 런던은 서유럽에서 가장 큰 규모의 도시가 되었다(파리만이 그 규모가 비슷했다). 게다가 런던은 17세기 후반과 18세기에 급속한 성장 과정을 지속했고, 인구는 1800년 무렵 거의 100만 명으로 증가했다. 잉글랜드의 전체 도시화율은 1700년 무렵에는 33퍼센트 이상으로, 1800년 무렵에는 42퍼센트로 일제히 증가했다.[31] 근대 초기의 런던은 무력이나 강제에 의해서가 아니라 중세 시대에 런던을 발전시켰던 동일 요소들에 의해 자신의 위상을 구축하고 강화했다—런던의 국제무역, 유통, 서비스 및 산업에서의 중심적 지위는 그 어느 때보다 강력해진 국가의 수도로서의 위상과 결합했다. 그런데 17세기 후반부터 이 국가와 그 엘리트들은 가장 분명한 식민권력[식민국]colonial power으로 해외에서 무력을 사용하기 시작했는바, 가장 분명하게는 영국식 대농장plantation에 노예 노동력을 사용하고 계약노동indentured labour 형태를 적용한 것이었다.

지금까지 검토한 런던의 사례와 다른 서유럽의 사례들은 앞서 관찰한 양상에 새로운 두 가지를 추가해준다. 첫째, 전산업 시기 서유럽에서 도시의 부상과 도시화의 가속화는, 낮은 도시 종주성의 균형 잡힌 도시체계 내에서, 주로 집약적 시장 교환과 탈중앙집중된 정치권력의 형태로 이루어졌다는 것이다. 이는 특정 시점에서 도시화 과정을 주도한 모든 지역에 적용된다. 둘째, 이 모든 지역에서 이후 중앙집중화가 등장하며, 이는 대부분 강제의 역할이 커진 것과 연관되었다는 것이다. 이는 흔히 도시 엘리트에 의해 주도되었고 이탈리아의 사례에서 가장 분명하게 볼 수 있다.

결론

이 장은 한편으로는 도시화와 타운 규모의 관계가, 다른 한편으로는 도시화와 경제발전의 관계가 직접적이지 않다는 주장을 한다. 대도시들의 존재는 미래 성장의 지표는커녕 반드시 경제성장의 지표인 것도 아니다. 타운에는 분명 농업 잉여물이 필요하고, 따라서 생산적 농업이 필요하며, 이러한 잉여물을 타운으로 들여올 발전된 물리적·제도적 기반설비가 필요하다. 그런데 이는 서로 다른 체계들 내에서 수행될 수 있는바, 곧 시장체계 내에서, 또는 공물이나 과세 체계 내에서, 중앙집중되거나 탈중앙집중된 체계 내에서 등이다. 더 이상의 성장을 촉진하거나 혹은 방해하는 것은 이러한 체계들의 엄밀한 합의다. 경제발전과 도시화의 관계는 따라서 제도적, 사회-정치적 합의를 통해 조정되며, 이는 세계 각지의 경험 분석을 통해 조명된다. 일반화하자면, 균형 잡힌 도시체계는 더 이상의 경제발전을 위한 최적 조건을 생성한다는 것이다. 권력이 ―그것이 정치적이든, 군사적이든, 종교적이든 간에― 한 개 또는 몇 개의 도시와 그 엘리트들에게 지나치게 집중되는 순간, 이 도시만이 계속 성장하게 될 것이고 종종 여타의, 더 작은 규모의 도시 및 시골들은 희생될 것이다. 지구적으로, 전근대 말의 이른바 동양과 서양 사이의 대大분기에 대한 점점 더 도시지향적이 된 논쟁의 맥락에서(34장 참조), 우리가 논의하는 다양한 역사적 배경은 강제지향적 도시체계의 장기적 운명이 도시가 재화, 사람, 아이디어의 교환을 통해 도시와 경제발전의 혜택을 공유하는 좀 더 균형 잡힌 도시 체계보다 훨씬 덜 유리하다는 것을 증명한다.

주

1 Adriaan Verhulst, *The Rise of Cities in North-West Europe* (Cambridge: Cambridge University Press, 1999).

2 고전적 연구 성과로는 Paul M. Sweezy, *The Transition from Feudalism to Capitalism* (London: NLB, 1976); Philip T. Hoffman, *Growth in a Traditional Society. 1he French Countryside, 1450-1815* (Princeton: Princeton University Press, 1996).

3 Paul Bairoch, *Cities and Economic Development. From the Dawn of History to the Present* (Chicago: The University of Chicago Press, 1988).

4 1922년의 막스 베버에 대해서는 Guenther Roth and Claus Wittich, *Economy and Society: An Outline of Interpretive Sociology* (Berkeley: University of California Press, 1978); Moses I. Finley, *Ancient History: Evidence and Models* (London: Chatto and Windus, 1985).

5 David R. Ringrose, *Madrid and the Spanish Economy, 1560-1850* (Berkeley: University of California Press, 1983).

6 S. R. Epstein, "Town and Country: Economy and Institutions in Late-Medieval Italy", *Economic History Review*, 46 (1993), 453-477; Bas J. P. van Bavel, *Manors and Markets. Economy and Society in the Low Countries, 600-1600* (Oxford: Oxford University Press, 2010).

7 Masahita, Fujita, Paul Krugman and Anthony Venables, *The Spatial Economy: Cities, Regions and International Trade* (Cambridge, Mass.: MIT Press, 1999). 이 책은 서로 다른 경제 상황에서 (상이한 유형의) 도시체계가 (내생적으로) 출현한 것에 관한 이론적인 경제학적 문헌에 대해 매우 유용한 개요를 제시한다.

8 Alberto F. Ades and Edward L. Glaeser, "Trade and Circuses: Explaining Urban Giants", *The Quarterly Journal of Economics*, 110.1 (1995), 199-258, 특히 224.

9 J. H. Elliot, *Empires of the Atlantic World: Britain and Spain in America 1492-1830* (New Haven: Yale University Press, 2006).

10 이 책의 20장을 참고하라.

11 도시들의 규모 추정은 다음의 책에 의존한다. Tertius Chandler and Gerald Fox, *3000 Years of Urban Growth* (New York: Academic Press, 1974).

12 Daron Acemoglu, Simon Johnson, and James Robinson, "The Colonial Origins

of Comparative Development: An Empirical Investigation", *American Economic Review*, 91 (2001), 1369–1401; Stanley Engerman and Kenneth Sokoloff, "Factor Endowments, Institutions and Differential Paths of Growth among New World Economies: A View from Economic Historians from the United States" in Stephen Haber, ed., *How Latin America Fell Behind* (Stanford, Calif.: Stanford University Press, 1997), 260–304.

13 이 책의 18장을 참고하라.

14 다음 책에 기반을 둔다. Chandler and Fox, *3000 Years of Urban Growth*.

15 G. William Skinner, ed., *The City in Late Imperial China* (Stanford: Stanford University Press, 1977).

16 대분기를 고찰한 책에서 도시화는 거의 역할을 하지 않는다. K. Pomeranz, *The Great Divergence. China, Europe and the Making of the Modern World Economy* (Princeton: Princeton University Press, 2000).

17 이 부분의 모든 추정은 다음에 기반을 둔다. Maarten Bosker, Eltjo Buringh, and Jan Luiten van Zanden, "From Baghdad to London, Unraveling Urban Development in Europe, the Middle East and North Africa, 800–1800". 이 책의 13장도 참고하라.

18 Bosker et al., "Baghdad to London".

19 Weber는 다음 책에서 다루어진 것을 참고했다. Roth and Wittich, *Economy and Society*.

20 예를 들어 다음을 참고하라. Charles Tilly, *Coercion, Capital, and European States, AD 990–1990* (Cambridge, Mass.: Blackwell, 1990).

21 Jan de Vries, *European Urbanization, 1500–1800* (London: Methuen, 1984).

22 개괄을 위해서는 이 책의 23장을 참고하라.

23 W. P. Blockmans and J.-P. Genet, *Visions sur le developpement des états européens: théories et historiographies de l'état moderne*. Actes du colloque organisé par la Fondation européenne de la science et de l'École française de Rome, Rome 18–31 mars 1990 (Rome: Ecole Française de Rome, 1993).

24 W. P. Blockmans, "Voracious States and Obstructing Cities", *Theory and Society*, 18 (1989), 733–755.

25 Bas van Bavel, "Markets for Land, Labor, and Capital in Northern Italy and the

Low Countries, Twelfth to Seventeenth centuries", *Journal of Interdisciplinary History*, 41 (2011), 503-531.

26 Epstein, "Town and Country".

27 Ibid. 도시화율에 대해서는 P. Malanima, "Urbanisation and the Italian Economy during the Last Millennium", *European Review of Economic History*, 9 (2005), 97-122, 특히 101-103.

28 D. Nicholas, *Town and Countryside. Social, Economic and Political Tensions in Fourteenthcentury Flanders* (Brugge: De Tempel, 1971).

29 Jan de Vries, *European Urbanization*. 이후의 발전은 이 책의 25장을 참고하라.

30 C. Dyer, "How Urbanized Was Medieval England?", in J.-M. Duvosquel and E. Thoen, eds., *Peasants and Townsmen in Medieval Europe. Studia in honorem Adriaan Verhulst* (Ghent: Snoeck-Ducaju & Zoon, 1995), 169-183.

31 Peter Clark, ed., *The Cambridge Urban History of Britain*, vol.2 (1540-1840) (Cambridge: Cambridge University Press, 2000), 4.

참고문헌

Acemoglu, Daron, et al., "The Colonial Origins of Comparative Development: An Empirical Investigation", *American Economic Review*, 91 (2001), 1369-1401.

Bairoch, Paul, Cities and Economic Development. *From the Dawn of History to the Present* (Chicago: University of Chicago Press, 1988).

Bavel, Bas J.P. van, *Manors and Markets. Economy and Society in the Low Countries, 600-1600* (Oxford: Oxford University Press, 2010).

Blockmans, W. P., "Voracious States and Obstructing Cities", *Theory and Society*, 18 (1989), 733-755.

Bosker, Maarten, Buringh, Eltjo, and Zanden, Jan Luiten van, "From Baghdad to London, Unraveling Urban Development in Europe, the Middle East and North Africa, 800-1800" working paper, Utrecht, 2011.

Engerman, Stanley, and Sokoloff, Kenneth, "Factor Endowments, Institutions and Differential Paths of Growth among New World Economies: A View from

Economic Historians from the United States", in Stephen Haber, ed., *How Latin America Fell Behind* (Stanford: Stanford University Press, 1997), 260–304.

Epstein, S. R., "Town and Country: Economy and Institutions in Late-Medieval Italy", *Economic History Review*, 46 (1993), 453–477.

Fujita, Masahita, Krugman, Paul, and Venables, Anthony, *The Spatial Economy. Cities, Regions and International Trade* (Cambridge, Mass.: MIT Press, 1999).

Verhulst, Adriaan, *The Rise of Cities in North-West Europe* (Cambridge: Cambridge University Press, 1999).

Vries, Jan de, *European Urbanization, 1500–1800* (London: Methuen, 1984).

제22장

인구와 이주: 유럽과 중국의 비교

Population and Migration: European and Chinese Experiences Compared

아너 빈터르
Anne Winter

이 장은 인구학적, 공간적, 사회적, 경제적, 정치적, 문화적 차원에서 중세 후기 도시들과 근대 초기 도시들의 이주migration 문제를 다룬다. 우선 13세기부터 18세기까지 유럽의 경험들을 검토하고 이를 송 왕조부터 청 왕조까지 중국의 도시들의 사례와 비교해 그 유사점과 차이점을 탐구할 것이다(12, 13, 17장 참조). 로이 빈웡Roy Bin Wong(중국명 왕궈빈王國斌)이 주창하는 '대칭적 비교symmetrical comparison'의 체계적 추구는 사료의 제한과 언어의 장벽으로 어려울 것 같다.[1] 그 대신 유럽의 경험들에서 도출된 통찰력을 바탕으로 한 비교 탐구에 착수하고자 한다. 먼저 도시 이주의 전반적인 인구학적 중요성을 다룬 이후 여러 유형의 이주를 비교하고 나열한 뒤, 이주 규제의 양상과 도시 통합의 양상에 대한 전반적 의미를 고찰할 것이다. 방법상의 한계가 있음에도, 비교접근법이 전근대 중동과 같은 세계의 다른 지역에서의 이주 양상을 이해하는 새 관점을 제시할 수 있다.

도시 생활의 필수요소

이주는 전산업pre-industrial 시기 유럽과 중국 모두에서 도시개발urban development과 도시성장urban growth에 필수적이었다. 제1천년기〔1~1000〕 이후의 3세기 동안 서유럽을 특징짓는 도시팽창urban expansion의 물결 속에서, 정주지settlement의 형성과 성장은 뉴타운new town에 거주한 이주민들에 의해 이루어졌다. 마찬가지로, 슬라브 지역과 발트해 지역에서 동부로 팽창하는 물결 속에 새로 설립된 도시들에서도 적극적인 구인 정책이 동원되었다.[2] 어떤 임계질량에 이른 이후에도 중세 및 근대 초기 유럽의 도시들은 영속적인 인구 보충이 필요했다. 대체로 사망률이 출생률을 초과하면서 — '도시 묘지 효과urban graveyard effect'와 관련된 현상 — 도시들은 변함없이 유입되는 새 거주민들에 의존해 인구를 유지했고 늘렸다. 전산업 시기 도시들의 불안정한 인구는 전염병 혹은 여타의 사망률 관련 위기들이 가져온 파멸적 감소로 철저하게 붕괴한 터라, 시골countryside에서 이주한 사람들의 유입은 도시city가 지속하는 데서 생명줄이나 다름이 없었다. 얀 드 브리에스의 계산에 따르면, 근대 초기 북유럽의 총 도시 인구 단위의 증가를 위해서는 평균적으로 두 배의 사람들이 시골에서 도시로 영구히 이동해야 했고, 이러한 이주는 종종 작은 중심지들을 경유하는 단계적 이동의 궤적에서 이루어졌다. 타운으로의 이주 대부분은 사실상 일시적이었던 만큼, 훨씬 더 많은 사람이 그들 생애의 어느 시점에 도시 이주의 양상과 관련되었다. 예를 들어, 17세기 북유럽의 경우 농촌rural 성인 인구의 최대 10퍼센트가 궁극적으로 도시 생활을 경험한 것으로 추산되었다.[3] 대조적으로, 스페인[에스파냐]의 레콩키스타reconquista[재정복] 이후 코르도바의 또는 1585년 이후 안트베르펜의 상당한 도시 쇠퇴는 일반적으로 상당한 **국외이주**emigration와 관련 있었다.

따라서 상대적으로 인구가 정체된 근대 초기 도시에서도 평균 약 30퍼센트의 거주민들은 도시 경계 외부에서 태어난 이들이었다. 거꾸로, 17세기 암스테르담처럼 급성장하는 도시들은 대개 최근의 이주민들로 구성되었다. 분명, 그와 같은 조건에서 연령, 성별, 가족 구성, 종교, 학력 측면에서 인구 이동 흐름의 구성은 도시 인구의 구조에 결정적 영향을 끼쳤다. 도시 이주민은 대부분 10대 후반과 20대 초반의 젊은 미혼자들이어서, 그들의 타운 거주는 도시 인구 피라미드의 중간층을 확대했고 도시의 결혼시장을 좌우했다. 많은 수가 견습 과정을 마치거나 가정을 부양하기에 충분한 돈을 모은 뒤에 다시 자신들의 출신지로 돌아갔음에도, 이주민들은 여전히 전체 도시 결혼 상대자의 절반 이상을 공급했으며, 보통은 현지 출신 배우자—현지 출신자들의 경우보다 조금 늦은 나이였기는 하나—와 결혼했으며, 이런 시간상의 차이는 도시의 출산율과 사망률에도 영향을 끼쳤다.[4]

사료의 세부사항들은 전산업 시기 중국 도시들의 도시 인구학적 체제를 평가하는 것을 더 어렵게 한다. 인구 등록이 도시와 농촌 인구가 혼재된 지역 행정 단위에서 이루어져서, 도시와 농촌의 성장률·출산율·사망률을 체계적으로 구분·비교하거나 총이동률을 평가하는 것 또한 불가능한 경우가 많다. 제국 후기 도시들에 체류자들—자신들의 '출생지' 외부에 거주하는—이 있었음을 빈번하게 언급하는 것은 이주가 친숙한 경험이었음을 나타내지만, 체류자의 지위가 세습되었던 만큼 여기에는 이전에 이동해온 후손들도 포함되었다. 기존 자료들은 여하튼 이주가 중국 인구의 분포에서 지리적 변화를 실현했고 도시화urbanization의 분출을 가능하게 만드는 데 중요한 역할을 했음을 말해준다. 일례로, 당 대 후기에서 송 대에 이르는 기간에 양쯔강 하류의 급격한 도시성장은 북부 평원에서 남부 산악 및 남동부 해안으로의 대규모 이동과 관련 있었다. 체류자들의 존재는 또한 도시의 인구학적, 경제적 운명과 함께했다. 체류자들은 제국 후기 상하이와 같은 호황의 중심지에 가장 많았고 같은 시기에 린칭臨清과 양저우처럼 경제적 중요성이 하락하는 도시에서는 소규모였다.[5]

유럽과 중국 모두에서 이주와 이동(성)mobility은 도시 생활의 보편적 특성이었으며 개별 도시들의 인구 곡선의 상승과 하강을 결정하는 주요 동인이었다. 그러나 두 지역 사이 도시 이주의 전반적 **발생 정도**를 비교하는 것은 복잡한 일이다. 전근대 시기에는 총이주 역학에 대한 직접적 자료가 없는 동시에, 도시 인구 수치와 중요한 통계—이용가능한 최고의 간접적 측정치—조차도 고작해야 대략적 성격이고, 질적으로 불균등하며, 공간적·시간적 맥락에서 쉽게 비교할 수 없다는 점에서다. 이용가능한 추정치에 따르면 제2천년기〔1001~2000〕의 첫 세기가 중국과 유럽 모두에서 뚜렷한 도시팽창의 상황을 조성했고, 결과적으로 중국이 유럽보다 대도시big city(10만 명 이상이 거주하는)가 더 많았음에도 중국과 유럽의 13세기까지 도시화 수준—도시city의 기준을 거주민 5000명 이상으로 정의할 때—은 대략 10퍼센트 정도로 서로 비슷해 보인다. 중국의 도시화는 다소 더 진전되었을 수도 있지만, 16세기 이후부터는 인구의 도시 〔거주〕 비율이 하락하기 시작해 19세기 초반에 5퍼센트 수준에 불과했고, 이때 유럽의 해당 수치는 13퍼센트였다. 명 대 후기와 특히 청 대 중국 도시화의 **상대적** 감소는 주로 농촌과 국경 지역에 집중된 전체 인구의 매우 강력한 팽창과 밀접하게 연관되며, 중국의 도시 인구의 **절대적** 규모 감소를 암시하지는 않는다.[6] 이에 더해, 중요한 지역적 차이가 있었다—유럽과 중국에서 가장 발달한 지역의 도시화 수준은 30퍼센트를 넘어섰다. 그러나 이주가 전근대 시기 도시 인구 발전에 필수적이었음을 감안할 때, 적어도 16세기 이후로 눈에 띄는 다양한 경향은 도시 이주에 관련된 전체 인구 비율이 동시대 유럽보다 명·청 대 중국에서 더 낮았음을 시사한다.

유럽인의 도시 거주 비율이 장기적으로 증가한 이유는 도시 대 농촌 소득기회의 상대적 유인에 구조적 변화가 있었음을 의미하며, 이것은 농민 주변화marginalization의 장기적 역학과 임금 의존도의 증가에 따른 변화다. 이런 변화로 발생한 노동이동(성)labour mobility의 일부만이 타운들로 향했고 많은 사람이 도시에서 시골로 되돌아갔지만, 이와 같은 변화의 **순**결과net result는 장기적으로 농촌 거주민과 비교해 도시 거주민의 절대적이고 상대적인 중요성을 축적했다는 점이다.[7] 근대 초기 중국에서 도시 거주민의 비율이 전반적으로 더 낮았다는 것은 시골에서 도시로의 인구 분포의 장기적 이동을 촉진하는 구조적 역학이 덜

작용했음을 나타내는바, 이는 중국 농업을 유럽의 경우보다 훨씬 더 큰 규모로 영세 자작농이 주도하고 있었던 데서 비롯한다.[8] 다만 이것이 중국 사회가 덜 유동적이었음을 의미하지는 않는다. 오히려 〔중국의 경우〕 국가가 지원하는 영토의 확장 및 내부 식민(지)화internal colonization의 역학은 강 하류 지역의 인구 압력 증가를 해소할 중요한 **농촌** 이주의 대안을 제공했다. 원거리 식민화 양상이 노동력 배분의 기제로서 효율적으로 기능했을 수 있으나, 농촌-도시 이주 양상에 대한 함의와 함께 유럽에서 관찰된 증가하는 프롤레타리아화proletarianization에 필적할 경향은 없었다.[9] 게다가, 관련된 이주민의 유형, 그들이 택한 경로, 그들의 이동이 가져온 우려 혹은 규제의 정도는 상당히 다를 수 있었다.

강제적 이주와 자발적 이주

이주는 전산업 시기 도시 생활의 보편적 특징이었으나, 그 목적, 거리, 의도된 기간, 혹은 관련 이주민들의 유형에 따라 매우 다를 수 있었다. 그런데 연관된 구분은 거의 명확하지 않으며, 종종 이분법으로 구분되지 않고 하나의 연속체continuum가 지닌 양극으로 간주된다. 강제적 이주forced migration와 자발적 이주voluntary migration 사이 구분이 적절한 사례다.[10] 전쟁, 박해, 인신예속, 추방은 가장 극단적인 경우인 노예무역과 같이 자유 선택의 여지를 완전히 박탈하지는 않으나 자유 선택을 심각하게 제한할 수는 있다. 그러나 무력에 의한 강제적 이주라 해도 예컨대 최종 종착지를 결정하는 데서 선택적 요소가 있을 수 있었다.

16세기에 마라노Marrano들이 박해를 받고 이베리아반도에서 추방당했을 때, 이들이 피렌체, 베네치아, 밀라노, 콘스탄티노폴리스, 살로니카, 안트베르펜, 암스테르담, 함부르크와 같은 상업적 허브hub를 목적지로 선호했다는 것은 이주 결정에서 경제적 고려의 중요성을 입증해준다.* 이와 같은 모호함의 또 다른 예시는 네덜란드반란Dutch Revolt 과정에서 저지대 국가들 남부에서 약 10만 명이 북부로 이동한 것으로, 이들은 네덜란드공화국에서 급속하게 커가던 도시들에 인구뿐 아니라 섬유산업과 상업 활동에 중요한 자극을 제공했다.** 군사적 격변과 종교적 박해는 분명 그들의 이동을 낳은 중요한 추동 요소지만, 기존 연구에 따르면, 더 나은 경제적 기회의 추구 또한 종종 자극 요소였다[11] 반대로, 덜 긴급한 상황에서 이루어진 이주 결정조차도 불완전한 정보나 제한된 소득기회에 의해 심각하게 제한되는 경우가 많았다.[12]

이처럼 이주를 개인 차원에서 자발적인 혹은 강제적인 것으로 분류하기는 매우 어려운 일이긴 하지만, 전쟁의 빈도와 그 특성의 격차disparity는 개인의 부자유unfreedom에 따른 차이에 더해 이주의 총규모와 양상의 차이를 더 크게 했다. 중세와 근대 초기 서유럽에서 대규모 이주는 중세 후기 십자군과 16~17세기 종교전쟁 같은 종교적 박해와 전쟁의 맥락 속에서 주로 발생했다. 유럽의 경쟁적 국가체계라는 맥락

* '마라노'는 중세 후기 스페인·포르투갈 등에서 기독교로 개종한 유대인으로, 특히 강제나 압박으로 기독교로 개종해 종종 은밀히 유대교를 믿고 있던 사람을 비하해 칭하는 말이다. 스페인어로 '불결한〔더러운〕 사람' '돼지' 등을 의미한다.

** '네덜란드반란(1568~1648)'은 네덜란드 주들이 세습 통치자였던 스페인(합스부르크가)에 반란을 일으켜 독립을 이룬 일을 말한다. '네덜란드독립전쟁Dutch War of Independence' '80년 전쟁Eighty Years' War' 등으로도 불린다.

에서 여러 곳의 도시와 정부는 종종 부유하거나 기술력을 보유한 난민들을 영입할 기회를 빠르게 포착했고, 이들은 많은 경우에 주요 도시 인구를 강화하게 되었으며, 프로이센에 정착한 위그노Huguenot〔16~17세기 프랑스의 칼뱅파 신교도〕들 혹은 베네치아에 정착한 이베리아 유대인들처럼 해당 도시에 민족적인 다양성을 더했다. 그러나 동유럽에서는 '재판再版 농노제second serfdom'〔제2의 농노제〕의 맥락에서 개인적 부자유의 편재가 이동을 제어하는 역할을 했다.[13] 전산업 시기의 중국에서 대규모 인구 이동과 추방은 종종 군사적 격변과 정권 변화의 맥락에서 발생했다. 금金 왕조가 중국 북부를 장악한 이후 발생한 남쪽으로의 대규모 이동과 명 대 후기의 학살 이후 쓰촨의 인구 회복을 그 예시로 들 수 있다. 제국의 확장은 국경 지역으로의 대규모 이동과 때때로 먼 거리에 있는 민족집단의 강제적 제거, 집중 그리고/또는 분산을 포함하는 식민화 및 정주 정책과 함께 이루어졌다.[14] 조정적, 강제적 이동의 빈도와 효율성은 공간과 시간에 따라 편차가 컸으나, 국가 개입은 유럽보다 중국에서 대규모 전치轉置, displacement를 실현하는 데서 더욱 중요한 역할을 한 것으로 보인다. 유럽 국가 중 러시아만 특히 동부 국경 지역에 세워진 신도시로 대규모의 추방과 강제적 정착을 국가가 주도했다.

도시 이주 피라미드

도시 이주 양상을 구별하는 데 도움이 되는 또 다른 구분 지점은 이주민들의 사회적 배경과 관련 있는 이동 시간과 이동 거리의 결합이다.

서유럽 구체제〔앙시앵레짐〕ancien régime에 관한 기존 연구는 명확한 이주 경로를 규명했는바, 이에 따르면, 직접적 배후지hinterland는 흔히 견습생〔도제徒弟〕, 가내하인, 일용 노동자, 그 밖의 상대적으로 비숙련된 노동력의 주요 공급처였고, 전문 장인과 사무직 노동자는 일반적으로 도시 간이나 더 먼 거리를 이동했다. 주변 시골로부터의 이주 흐름은 시장 관계, 토지 소유권, 사법적 관할권을 포함해 도시를 배후지와 연결하는 일련의 광범위한 사회적, 경제적, 정치적 관계 및 상호작용의 일부를 형성했으며, 이는 사실상 대부분 농촌 거주민을 위한 이주 정보의 주요 공급자로 기능했다. 도시의 농촌 배후지 너머에서 모집된 이주민들은 일반적으로 서로 다른 도시들을 연결하는 무역 및 행정 네트워크를 따라 이동했을 가능성이 더 컸다. 이들은 일반적으로 농촌 출신보다 숙련도가 더 높거나 그리고/또는 사회적으로 더 우위에 있어서, 장인 단체, 상인 네트워크, 국가 관료제 같은 좀 더 선택적이고 효율적인 이주 정보 및 더 넓은 공간적 범위의 이동 정보를 제공하는 보다 특권적인 사회적 네트워크에 참여했다.[15]

도식적으로, 도시로의 이주는 피라미드 형태와 유사했다. 넓은 하부층은 상대적으론 짧은 거리를 오가는, 기술이 거의 없는 농촌 이주민들로 구성되었다. 배후지 이주는 비전문적 노동 집약 활동들에 필요한 일손을 공급했으며 도시경제urban economy에 필수적 기능을 수행했다. 전문적 활동일지라도 유기 에너지를 기반으로 한 전산업 시기에는 운반, 포장, 포장 풀기, 불씨 유지, 바퀴 돌리기 등과 같은 보조 업무에서 다수의 비숙련공이 필요했기 때문이다. 17세기 런던의 소규모 제과점에서도 여섯 쌍의 인력이 필요했는데 그중 몇 쌍은 비숙련공이었다. 또한 농촌 이주민들은 자주 식품가공업, 소매업, 목공업 등의 기초적 사업에서 비교 우위를 확보했으며, 방적, 뜨개질, 옷감 재단, 건설업 등 다소 낮은 전문성이 필요한 기술도 충분히 갖추고 있었다. 이들은 사회적 네트워크와 고용의 순환을 통해 도시 노동시장으로 접근했고 특정 부분의 직업적인 틈새시장을 구축했다.[16] 많은 이동이 대부분 계절적이고 일시적이었으나, 배후지 이주민의 상당수는 자신의 목적지 도시에서 결혼하고 정착해 도시 인구에 주요하게 기여했다—이들이 모집된 지역은 도시의 '인구학적 권역demographic basin'으로 불렸다. 인구학적 권역의 공간적 윤곽이 장기적 연속성continuity으로 특징지어졌다는 관찰 결과는 하나의 타운과 그 배후지 사이 이주 경로의 강한 사회적 '착근성embeddedness'을 증명한다.[17]

도시 이주 피라미드의 최상층은, 대조적으로, 더 먼 거리에 걸쳐 도시들을 오가는 전문가와 상류층 이주민으로 구성되었다. 특정 목적지에 얽매이지 않고 전문적 기술의 소득기회를 지향하는 이러한 장거리 이주 양상은 단거리 이주 양상보다 덜 오래갔다. 즉 새 기회가 열릴 때는 신속하게 나타나지만, 다른 곳의 전망이 더 좋은 것으로 확인되면 마찬가지로 신속하게 사라진다. 중세의 한자Hansa동맹, 이탈리아 상인협회, 프랑스 동업조합compagnonnage, 위그노의 디아스포라diaspora와 같은 상인·장인·민족 네트워크는 흔히 이동을 좌우하는 중요한 제도적 틀을 제공했다. 전문 장인, 상인, 금리생활자rentier의 희귀한 기술과 자원을 이용하고자 도시 당국들은 종종 특권, 보호, 혜택을 부여하며 이들을 유인하려 다른 도시들과 경쟁했다.[18] 고작해야 단기적 효과를 낸 이와 같은 유인 정책 이상으로, 도시와 도시 네트워크urban network를 연결하는 상업적이고 인간적인 관계의 밀도가 도시 간 이주 양상의 지속성을 결정했던 것으로 보인다. 예컨대 중세 후기 플랑드르에서 섬유 생산도시 네트워크는 네덜란드반란 전까지 숙련된 섬유 노동자들의 지속적인 도시 간 이주 경로의 출현을 촉진했고, 이 도시 네트워크는 이후 팽창해 어느 정도는 네덜란드공화국과 잉글랜드의 섬유도시들로 옮겨졌다.[19] 도시 당국에 의한 이주민들의 등장, 더 높은 사회적 지위, 더 장거리의 이동에 따른 더 높은 수준의 '이국주의exoticism'에서 비롯하는 중요성은 장거리 이주민이 흔히 역사 기록에서 훨씬 더 많은 관심을 받아온 이유를 설명하는 데 도움이 된다. 그러나 새로운 산업 및 상업 기술의 확산과 도시 네트워크의 통합에서 때때로 장거리 이주민들이 중요한 역할을 했음에도, 그들의 수적 중요성은 배후지 이주민들과 비교했을 때 여전히 제한적이어서, 관찰된 총 도시 인구의 장기적 증가에는 아무런 역할을 하지 못했다. 도시 이주 피라미드의 특정 부분은 토지소유주로 채워졌는바, 토지소유주들의 도시로의 이동은 중세 후기 도시화 양상에서 중요한 차원이었으며, 이들은 유럽 전역에서 (특히 수도들에서) 임시 거주를 목적으로 하는 타운하우스town house를 점점 더 많이 건설했다.[20]

여성 또한 도시 이주 피라미드에 특정 위치를 차지했다. 전반적으로, 이동 거리가 멀수록 여성의 이주 비율은 낮아진다. 미혼 여성들은 몇 년 동안 도시 가정에서 가사노동을 수행할 젊은 여성을 모집하는 비전문적인 배후지 이주 경로를 활용했다. 가사의 노동집약적 성격을 감안할 때, 도시 중산층 및 상류층 가정의 가내하인 수요는 상당해서 이주 피라미드의 하층에는 남성보다 여성이 많았다. 실제로 도시에 들어오는 여성 이주민 대부분은 가정부〔하녀〕domestic servant였다.[21] 대부분은 아니더라도 많은 수가 몇 년 동안 일하고 돈을 모아 다시 도시를 떠났지만, 상당수는 결혼하고 도시에 정착해 세탁부婦, 실 잣는 여성spinster, 여관 관리인 또는 상점 관리인처럼 결혼 생활과 병행할 수 있는 비전문 직군으로 옮겨갔다. 게다가 과부나 미혼모 같은 취약한 여성들은 자선을 포함한 다양한 소득 전략과 결합할 수 있는 도시환경의 더 큰 가능성에 유인되었다. 도시에서 여성 이주민의 존재에 상당히 기여한 또 다른 집단은 매춘 여성들이었다—이들은 종종 도시들 사이를 오갔다.[22] 그런데, 전반적으로 여성들의 이주는 도시 간 이동 경로에서 과소표상under-represented 되었는바, 도시 이주 피라미드의 정점에 위치하는 여성들이 종종 장인, 상인, 토지소유주, 공무원 가정에 속했기 때문이다.

중국 사례의 다양한 이주 양상에 대해서는 정보가 부족하다. 구역 단위의 인구 구분 및 등록이라는 특성상 도시 주변 시골에서 도시로 향하는 이주는 종종 이동으로 전혀 기록되지 않았으며, 동시대인들도 전적으로 그렇게 생각하지 않았다. 이러한 이유로 중국의 배후지 이주의 규모와 성격에 대한 직접적 증거는 희박해, 중국과 유럽의 도시 이주 양상을 상세히 비교하기는 어렵다. 중국의 당대 사료와 역사 문헌에서 발견되는 도시 이주에 대한 대부분은 보다 '이국적인exotic' 유형을 언급하고 있으며, 이는 비교적 먼 거리를 이동하는 이주민과 관련되는 것으로 이들이 행정적 경계를 넘어서고 특정 방언이나 언어를 사용하며, 고유한 신념·습관·관습을 간직한 채 이동하는 것에서 비롯하는 것이다. 이들 이주민 중 많은 수가 출신지를 따라 직업 전문화 형태를 보인바, 제국 후기의 한 장로교 선교사가 이를 다음과 같이 관찰하고 있다.

> 사실상 모든 목수, 목공, 도장공塗裝工, 소목공, 약상藥商들은 닝보寧波 출신이다. 차 상인, 옷감 상인, 소금장수, 객줏집 주인은 안후이安徽에서 왔다. 도자기 상인들은 장시江西, 아편 상인은 광둥, 주류 상인은 샤오싱紹興 출신이다. 대다수 은행업자와 환전상, 대장장이 또한 샤오싱 출신이다. (…) 대다수 관리와 '가기歌妓'와 식당 주인은 쑤저우 출신이 많다.[23]

중국에서 이들 이주민 대부분이 상인, 장인, 혹은 공무원 집단에 속한다는 것은 유럽의 도시 이주 피라미드 '상층'에서 볼 수 있는 것과 상응한다. 토지소유주들이 도시로 이주하는 유럽의 사례와 유사한 것 역시 발견할 수 있다. 유럽에서와 마찬가지로, 중국 도시 간 장인과 상인의 장거리 이동은 지역 간 시장의 확산과 통합, 신기술 보급에 중요한 역할을 한 것으로 보인다. 마찬가지로, 디아스포라와 이주민 네트워크는 양저우 내의 산시山西와 산시陝西 출신 소금 상인들처럼 친족과 민족성이 결부된 도시 내부의 상인·장인 네트워크 발전을 위한 성공적인 제도적 틀을 제공할 수 있었을 것이다.[24] 청 대 후기의 도시 상인 행회行會〔동업공회同業公會, 공회. 일종의 서양의 '길드'〕의 기원은, 문헌들에는 더 이전의 다른 기원을 소개하고 있을지라도, 많은 경우에 명 대 초기에 만들어진 이주민들의 동향 회관〔후이관〕會館에서 찾을 수 있다.[25] 지역 자치와 이주 정책의 차이는 동시에 도시의 '유인 정책'이 중국의 경우가 유럽의 경우보다 상류층의 이주 양상을 형성하는 데 매우 작은 역할을 했음을 함축한다.

중국 도시 네트워크의 규모와 특수성은 도시 간 이주 경로가 유럽과 다른 방식으로 작동했음을 시사한다. 얀 드 브리에스는 다핵多核 체제에서 단일 중심 체제로의 전환으로 대표되는 근대 초기 동안 유럽 도시 네트워크의 통합이 증가하는 것을 관찰한 한편, G. 윌리엄 스키너는 중국의 도시화가 다수의 독특한 광역 지역 경제의 맥락에서 발생했다고 주장했다.[26] 프레데릭 더글러스 클라우드Frederick Douglass Cloud에 의해 확인된 제국 후기 항저우에서의 '이국적인' 이주민 대부분도 길어야 수백 마일을 움직인 것에 불과했다. 일부 이주민은 서로 다른 성들을 이동했고 수도들은 제국 전역에서 이주민을 유인했지만, 중국에서 도시 간 이동 대부분은 십중팔구 광역 도시체계의 권역 내에서 발생했을 것이다. 정량화하기가 어렵고 중요한 예외가 있을지라도, 도시 간 이주 거리의 중앙값median은 반드시 유럽의 그것이 더 크지는 않았다('중앙값'은 통계 데이터에서 변량을 크기순으로 늘어놓았을 때 그 한가운데 값으로, 전체 항을 이등분 한 위치에 있는 값이다). 중국의 이주는 일반적으로 하나의 제국 내에서 일어났고, 유럽의 이주는 가장 이동성이 높으며 상류층인 도시 간 이주민들이 자주 국가의 경계를 넘었다.

중국의 사료는 더 드물지만, 노동 계약 체계, 도제 제도, 인적 네트워크가 도시와 시골을 연결하는 이주 통로로 기능한 것처럼 보이고, 유럽의 타운들을 그 '인구학적 권역'과 연결해준 것과 유사한 배후지에서의 이주민 모집 양상이 있었던 것 같다.[27] 그러나 장기간에 걸친 농촌-도시 이주의 전반적 발생에 관한 위의 관찰을 고려할 때, 그러한 중국의 네트워크는 유럽의 경우보다 전반적으로 소규모 형태로 이루어졌을 것이다. 또 다른 명백한 차이점은 이주와 노동이동(성) 양상에서 중국의 경우가 유럽의 경우보다 여성의 참여가 낮았으며, 이는 결과적으로 유럽보다 중국에서 여성이 거의 보편적인 조혼과 관련이 있기 때문이다—결혼 연령이 유럽에서는 20대 후반이었고 중국에서는 10대 후반이었다. 유럽에서의 성인 초기early adulthood와 같은 생애 단계가 없는 중국 사례는 유럽에서 여성의 이주에 아주 결정적 역할을 한 여성 가정부에 비견되는 제도가 중국에는 없었음을 예시한다. 더 광범위하게는, 중국의 경우 집 **밖에서의** 여성 노동은 상당히 덜 관례적이었다. 중국에서 주요 도시의 유흥 구역은 여성 매춘부, 광대, 기생들을 끌어모았으나, 독신 여성의 전반적 도시 이주는 훨씬 더 낮은 규모였고, 종종 남성 혹은 가족 단위 이주에 동반되었던 것으로 보인다.[28] 가족과 남성의 이주가 상대적으로 더 중요해지면서, 이주가 결혼율과 출산에 끼친 영향은 결과적으로 완화되었음이 틀림없다.

배후지 이주는 의심할 여지 없이 유럽에서처럼 중국에서도 도시 인구 수를 유지하는 데 중요한 역할을 했지만, 중국의 경우는 사료 문제로 인해 수치화하고 유형화하기가 더 어렵다. 전반적으로, 장기적 관점에서 중국의 농촌-도시 이주의 순이익은 총인구 대비 유럽의 그것보다 적었다. 구조적 원인은 유럽과 중국 사이 서로 다른 농촌 및 농업 환경에 놓여 있을 수 있으나, 근인近因에는 중국에서 십중팔구 여성과 독신 이주민의 낮은 참여에 따른 도시 인구 통계에 대한 이주민의 직간접적 기여도 축소가 포함될 수 있을 것이다. 중국의 더 장거리의 이주 경로는 더 잘 기록되어 있으며 유럽에서 확인된 도시 간 이주 양상과 분명한 유사성을 보여준다. 여기에는 주로 상대적으로 희소한 기술과 자원을 가진 장인·상인·공무원이 포함되고, 전문적, 민족적, 또는 친족적 유대로 연계되며, 직업 전문화 양상이 나타난다. 유럽에서도 중국과 마찬가지로 도시 이주 양상은 문화적 습관·관습·신념의 교류와 혼합, 기술적 혁신의 순환, 도시 노동시장의 공급, 지배 엘리트 갱신의 중요한 매개체였다. 장인, 상인, 여타 이주민의 도시 간 순환은 더 큰 규모의 도시에서 도시의 범세계적cosmopolitan 문화의 발전을 위한 수단이었고, 도시와 그 배후지 간 지속적 인구 교류는 도시 풍속 확산을 위한 중요한 컨베이어벨트였다.[29] 도시 이주민들은 근거리든 장거리든, 나이가 많든 적든, 남성이든 여성이든 혼자인 경우는 거의 없었지만, 이들은 자신들의 움직임을 고려하고 실행하는 데서 사회적 연결과 개인적 네트워크를 이용했다.

도시 이주 규제하기

이주민은 도시경제와 도시 인구에 필수적이었으나, 현지 혹은 상위 지역의 당국들이 언제나 이들을 반긴 것은 아니었고, 오히려 이주를 제한·통제·억제하는 여러 규정이 고안되었다. 이주 양상에 개입하려는 동기는 다양하고 시간과 공간에 따라 상당히 달라질 수도 있으나, 흔히 사회적·정치적 안정, 지역 자원 보호, 노동·상품·서비스 공급 경로와 도시 시장의 조절에 초점이 맞추어졌다. 이동(성) 때문에 등록 및 통제의 시도를 복잡하게 만들 수 있다는 점에서, 이주민들은 특히 사회적 격변기나 정권 교체기에 정치적 질서를 어지럽히는 자들로 간주될 수 있었다. 소수민족들의 통제되지 않은 이동은 민족 중심적이거나 국가주의적 정책들에 집중된 정치 구상에 도전할 수도 있었고, 빈곤한 농민들의 대규모 유입은 부실한 구호와 같은 공공 서비스 및 자원을 한계점까지 압박할 위험이 있었다. 이와 동시에 이주민들은 필수적인 공급의 경로였다. 곧 행상은 도시와 지방 사이 주요 교역로를 형성했고, 이동하는 장인들은 신기술을 전파하고 도시 생산물의 새로운 시장을 개척하는 데서 산파 역할을 했으며, 근거리 및 원거리 노동자 모두 도시노동의 노동력 수요를 공급하는 데서 필수적이었다. 따라서 이주 정책은 한편으로 사회적 이동(성) 및 지역적 자원 보호라는 측면에서 잠재적으로 불안정한 영향을 한정하기 위한 제한적 규제와, 다른 한편으로 가장 '가치 있는valuable' 이주민을 유치하기 위한 지원 정책이 혼합된 결과였다—일부 이주민들은 다른 이주민들에 비해 분명 '환영'을 받았다. 그러나 이주의 비용과 편익便益이 서로 다른 이익집단 간에 불균등하게 배분되는 경향이 있어서, '환영받는' 이주민과 '환영받지 않는' 이주민의 궁극적인 결과와 정의는 현지의 권력관계만 아니라 현지 및 그 상위의 지역 당국 사이 관계에 의해서도 좌우되었다.[30]

도시 이주 규제의 유형은 세 가지로 나눌 수 있다. 전반적 이동의 자유를 제한하기, 도시로 들어오는 것을 제한하기, 정착 과정을 적절하게 규제하기가 그것이다. 이 장에서 논의한 지역들에서 확인되는 이 세 유형의 주요 차이는 한편으로 도시의 정치적 자율성의 격차와, 다른 한편으로 개인적 자유의 격차와 관련되었다. 서유럽에서 중세 성기에 시작된 도시들의 부상은 개인적 자유의 회복과 밀접하게 관련되었다. 일정 기간 중단되지 않은 도시 거주지는 이전의 농노들을 봉건영주에 대한 의무에서 말 그대로 벗어나게 할 수 있었으며, 14세기의 위기 이후 농노제의 전반적 쇠퇴는 개인 이동(성)에 대해 남아 있던 봉건적 제한을 제거했다.[31] 빈민 구제 대상자들과 같은 특정 범주는 계속해 한곳에 그대로 머물러 있도록 요구받았을 수 있고, 일부 소수집단은 때때로 강제로 거처가 이전되었지만, 대부분은 근대 초기에 법적으로 자유롭게 이동할 수 있었다. 이와 같은 이동의 자유는 동유럽에서 '재판 농노제'에 수반해 발생한 개인 이동(성)의 제한과 대비되면서 도시 성장의 역학을 억제했다. 중국의 명·청 시기에 이동의 자유는 호적 체계를 통해 제한되었으며, 가구들은 각 행정구역에서 관리되었다. 그러나 명 대 초기의 엄격했던 이주 제한은 점차 완화되었고 호적 변경 또한 쉬워졌다.[32]

전반적 이동의 자유와 관련한 제한에서 특히 도시 이주와 관련한 제한으로 이동할 때, 다시 중요한 자이섬이 나타난다. 서유럽에서 대부분의 도시가 누렸던 정치적 자율성과 '자유freedom'는 동시에 이주에 대한 자체적 유인, 제한, 추방 정책이 시행되었음을 시사한다. 가치 있고 유용하다고 여겨지는 사람들의 유입을 자극하고 '게으른 이방인idle strangers'의 진입을 막기 위해 고안된 도시조례는 중세 후기 또는 근대 초기 도시 정책을 연구하는 모든 사람에게 친숙하며 반복되는 주제다. 이러한 도시조례들이 중앙 당국의 바람과 노력에 반反한다는 것은 주목할 필요가 있는바, 중앙 당국은 도시 당국에 동기를 부여하는 경제적 측면에 대한 고려보다 사회적 안정과 정치적 통제 측면에 대한 고려를 우선했기 때문이다. 주로 사회적 안정에 대한 우려에서 비롯된 잉글랜드 튜더Tudor 왕조의 노동이동(성)에 대한 국가적 차원의 제한은, 예를 들어, 적절한 노동 공급을 모집하려 한 도시 당국에 의해 적극적으로 회피되었다. 반대로, 18세기 리옹은 부랑자 발생을 억제할 목적에서 경제적으로 쓸모가 없는 하층민riff-raff을 수용하려는 왕실의 계획을 받아들이지 않고, 실업 기간의 현지 견직공을 수용하기 위해 구빈원救貧院, Hôpital Général을 확보하려 했다.[33]

중국의 도시들은 유럽과 비슷한 수준의 정치적 자치를 누리지 못했고, 흔히 제국의 행정구역 단위에서 배후지와 공동으로 관리되었으며, 이로써 도시 진입을 위한 자율적 정책의 범위는 매우 좁았고 도시 거주지는 특별한 개인적 자유나 특권을 수반하지 않았다. 이것은 중앙 당국이 고안한 이주 정책이, 종종 이동(성)을 회피하면서, 유럽보다 중국 개별 도시의 운명에 훨씬 더 많은 영향을 끼친 이유를 설명하는 데 도움이 된다. 명 대 초기에 추진된 반反이주, 반反도시 정책으로 도시 성장이 후퇴한 것을 그 사례로 들 수 있다.[34] 유사하게, 높은 수준의 의지주의意志主義[주의주의主義主義]voluntarism는 특정 도시를 다른 도시보다 선호하는 제국의 정책을 특징으로 하며 한 도시에서 다른 도시로 인구 수치의 상당한 이동을 가져왔다—예컨대 새로운 왕조나 통치자가 수도를 설립 또는 이전하거나 정치적 이유로 전체 도시 인구가 옮겨진 경우다.[35] 그리고 여행 법령은 원칙적으로 중국 제국 전역에서 균일하게 작동되었지만, 유럽의 경쟁적 국가와 도시체계에서는 여행 제한에 대해 반대 의사를 표명할 가능성이 훨씬 더 컸다.

도시 이주에 대한 추가적 규제들은 정착 관련 문제, 특히 타운 내 거주지를 위한 조건을 구체화하는 것이었고, 여기에는 그들이 어디에서 살아야 하는지, 누구와 함께 살 수 있는지, 어떤 종류의 일이나 활동을 할 수 있는지, 구호 조항의 적용을 받을 수 있는지 등이 포함되었다. 일례로 16세기 울름Ulm〔독일〕의 시 정부는 거주 외국인들이 아침에 작업 시작종이 울릴 때부터 저녁 종이 울릴 때까지 일해야 하고, 개를 기를 수 없고, 집 밖에서 술을 마실 수 없고, 주중에 선술집〔주점〕tavern에 출입하거나 도박을 할 수 없으며, 일몰 후에는 회합을 금지한다고 아주 구체적으로 명시했다—이를 어길 시에는 추방될 위험이 있었다. 치안 유지와 통제는 한계가 있었으며, 이것은 엄격한 규율이 보편적으로 실현되는 정책이라기보다는 종종 문제가 되는 사안들이 발생할 때 이를 해결하는 도구로 기능했음을 시사한다.[36] 길드guild 및 시민권citizenship 관련 규정은 신입자newcomer들의 경제적 선택권을 간접적으로 제한할 수 있는 것들 가운데 하나였다. 곧 특정 활동이 특정 길드의 회원이나 그리고/또는 특정 타운의 뷔르거〔도시민〕burgher들에게만 허용될 경우, 관련 진입 조건은 —재정적이든 그렇지 않든— 이주민에 대한 차별적 장벽이 될 수 있는 것이다. 일례로 16세기 초반 헨트의 새로운 이주민은 목공 길드에 가입하기가 상대적으로 어려웠는바, 장인들의 아들과 현지 태생 시민들의 입회비가 매우 낮았기 때문이다. 소수민족은 때때로 도시의 특정 구역으로 밀려났으며, 베네치아의 유대인 게토가 그 사례다.

비슷한 방식으로 도시 정책, 연쇄적 이주 네트워크, 직업 전문화의 조합은 종종 민족적으로 구분되는 동네들을 만들었고, 이는 근대 초기 중국 도시의 형태학적 특징이 되었다. 중국 도시들에서 '행회'의 특성과 기능은 생산자 중심의 결사체였던 유럽의 길드와 달랐다. 행회는 주로 관료와 상인들을 결합하면서 향촌 결사체에서 발전했고, 행회의 사회적 · 상업적 기능은 제품시장 및 노동시장의 규제에 대한 어떠한 개입보다 우위를 차지하는 경향이 있었다. 향촌 결사체, 상인조합, 동회洞會는 이주민이 지역 규범을 준수하게 하고, 분쟁을 해결하며, 기성 집단에 대응하는 정치적 로비를 하면서 이주민 집단들의 사회화에 중요한 기능을 수행했다.[37]

통합

이주 기간, 이주민의 사회적 배경, 활용한 이주 경로, 시행 중인 규제 유형, 지역적 기회 구조의 차이는 도시 조직체urban fabric에서 뚜렷한 통합intergration과 혼합incorporation의 방식을 만들어냈다. 통합이라는 개념은 종종 일상 언어에서 '이질적 요소들'이 비교적 안정적 환경에 동화되는 것이라 이해되지만, 이러한 인식은 근대 초기의 도시 이주 양상들에 관련된 도전들을 제대로 보여주지 않는다. 이 도전들은 '통합' 개념의 원래 의미에서 다양한 수준의 사회적 상호작용에 나타나는 서로 다른 집단과 개인의 상호적 의존과 상호적 관계로 더욱 잘 이해될 수 있다. 이 도전들은 여러 방향으로 작동하고 적어도 이주민들의 자체적인 기관agency만큼 도시 조직체의 역학 및 구조에 의해 결정되었다.

근대 초기 유럽 도시들에서 통합 문제는 흥미로운 역설에 직면한다. 도시 정부에 연계된 이념적 수사들은 현지 시민권으로 예시되는 도시 공동체urban communitas에 대한 지역 소속감을 강조했으나, 실제 도시 거주민의 대다수는 이주민들과 비非시민들이었다. 시민권은, 종종 결혼과 매입을 통해 확보할 수 있었으나, 많은 이주민의 열망에 도달할 수 없거나 그리고/또는 열망을 벗어난 상태로 남아 있었다. 따라서 도시 인구는 한편으로는 시민-거주민의 고정적 핵심과 다른 한편으로는 임시 이주민의 '유동적 인구floating population'로 구성되는 것으로 특징지어졌다.[38] 대다수 이주민이 일시적으로 머물렀어도, '내부인insiders'과 '외부인outsiders'의 너무 강한 구별은 오해를 불러일으킬 소지가 있다. 일부 이주민은 빠르게 도시 엘리트들 사이에서 자리를 잡았고, 가난한 '현지민locals'은 많은 측면에서 정치적 공동체political communitas로부터 배제되었다. 이주민들은 사회적으로 단절되지 않았고 종종 도시 조직체에 대한 다양한 연결을 제공하는 사회적 지원 네트워크에 착근했다. 현지민 '내부인'과 이주민 '외부인'을 구별하기보다는 도시사회 전체를 특징짓는 서로 다른 교차 방식과 통합의 지층을 드러내는 더 많은 연구가 필요하다.

개인과 도시사회를 연결하는 비非친족 관계의 밀도는 도시 생활의 인구학적 특성의 결과로 근대 초기 유럽의 예외적 특징으로 구분되었다. 높은 사망률과 이주율은 가족관계가 거의 없는 많은 개인을 서로 의지하게 했고, 이에 따라 친족 네트워크의 정서적 기능과 지원 기능 모두를 대신하는 자발적 결사체들이 발전했다. 도시적 맥락에서 남성 사교 모임, 여성 친목회, 결사체, 동호회, 사회단체의 밀도는 새 이주민에게 지역사회 네트워크에 접근하는 여러 기회를 제공했거니와 시민사회의 발전을 촉진했다.[39] 이러저러한 사회적, 정치적, 문화적, 경제적, 종교적 협회가 통합 궤적에서 중요한 기능을 수행했음에는 의심의 여지가 없으며, 어떤 경우 이들 결사체는 —새 이주민이 특정 거래를 수행할 수 있는지를 결정하는 길드 회원들과 같이— 이주 규제 측면과 직접 관련이 있었다. 동시에 이런 결사체의 회원 자격은 사회적으로 계층화되고 다양했으며, 공식적·비공식적으로 포용 **그리고** 배제에 대해 서로 다른 기준이 적용되었다는 사실을 인식하는 것이 중요하다. 일례로 16세기 후반에 로마의 세인트식스투스Saint Sixtus병원에 입원을 하려면 도시에서 오래 거주했음을 입증해야만 했고, 18세기 안트베르펜에서 정육 거래업은 거의 세습에 가까웠다. 때로 배제의 역학은 이민자(국외이주민)들에게 유리할 수도 있다. 예를 들어 17세기 암스테르담의 직인journeyman들은 다수가 함부르크 출신인 재단사cloth shearer 장인들이 동향 사람 고용하기를 선호한다고 불평했고, 18세기 빈의 굴뚝 청소 길드는 이주민들이 완전히 장악하고 있었다.

결사체들은 거주 방식, 결혼 양상, 동네neighbourhood 네트워크와 같이 통합의 양상을 구조화하는 데 최소한으로 중요했던 덜 공식적인 통합 기제들에 의해 보완되었다. 많은 이주민이 젊은 독신 성인이어서 숙박 방식—고용주와 같이 거주하느냐, 여타의 가정집 또는 하숙집에 거주하느냐 등—은 새로운 환경에서 사회적 유대관계를 정교하게 하는 데서 첫 번째 진입점이었다.[40] 이민자들은 약간 늦은 나이에 결혼했고 현지 출신보다는 같은 이주민들과 더 자주 결혼했지만, 결혼은 종종 어떤 젊은 성인들이 타운에 최종적으로 정착했으며 누가 떠나갔는지를 결정하는 강력한 통합 기제였다. 예를 들어, 거주 방식이나 결혼 양상과 관련해 현지 태생 거주민과의 상호작용 측면을 측정했을 때, 대부분의 연구는 배후지 이주민들이 도시 이주 피라미드의 상층을 차지하는 상류층 이주민들보다 더 '통합'되었음을 알려준다. 상류층은 결과적으로 상인 결사체나 종교적 디아스포라처럼 도시환경을 훨씬 넘어서는 민족적 또는 초지역적 네트워크에 더 자주 관여했다. 많은 사람이 다른 곳에서 더 나은 전망이 열릴 때 그곳으로 이주하려 했던 만큼, 그러한 원거리 접촉을 유지하는 것이 종종 현지에서의 관계를 발전시키는 것보다 더 중요했다. 그런 맥락에서, '현지 착근성local embeddedness'이란 의미에서 통합은 반드시 성공의 척도를 나타내는 것이 아니라 오히려 제한적 이주의 지평을 나타내는 것으로 간주되어야만 한다.

중국 도시들은 유럽의 경우와 달리 자율적 정치체라는 개념과 긴밀하게 연결되는 도시 공동체 의식을 함양하지 못했다.[41] 도시와 동네의 정체성은 도시 신의 숭배와 같은 지역적 관습과 믿음에 의해 배양되었다. 이것은 지역 정체성 및 친족 정체성에 대한 강한 의식으로 보완되었으며, 호적 제도 및 성씨 집단의 정치적·사회적·문화적 중요성에 의해 예시되고 촉진되었다.[42] 이처럼 서로 다른 제도적 구조를 적절하게 비교하기는 어려우나, 중국의 경우 이주민의 지리적·혈연적 기원과 관련된 네트워크와 제도들이 유럽의 경우보다 장기간에 걸쳐 훨씬 더 중요했던 것처럼 보인다. 일례로 유럽에서 지역 소속감의 공식적, 비공식적 개념은 주로 출생지나 거주지에 근거하는 경향이 있었고, 중국의 호적 제도와 성씨 혈통은 이주민들이 몇 세대에 걸쳐 도시에 거주한 이후에도 여전히 '이주민 공동체migrant community'의 일부로 간주될 수 있음을 시사했다.[43] 반면에, 중국의 향촌 결사체들은 종종 도시 조직체에 새로 들어오는 사람들의 가장 중요한 진입점이 되었다. 이런 점에서 대부분 중국의 행회는 도시 이주민들 사이에서 공통된 민족적 배경을 바탕으로 설립된 향촌 결사체로부터 유래했다고 말해지는바, 이주민들은 자신들의 출신지를 강조하고 이를 바탕으로 결집해 정착한 타운에서 입지를 강화하려 했다. 이와 같은 모습은 원저우溫州의 닝보 상인 협회의 규정 서두에 명시되어 있다.

> 여기 원저우에서 우리는 고립되었다. 산과 바다가 우리를 닝보와 갈라놓고, 상거래에서 우리가 원저우 사람들에게 시기심을 자극시키거나 모욕과 상해를 입을 때 우리에게는 적절한 구제책이 없다. (…) 이것이 바로 우리에게 행회를 설립할 책무를 지게 했다.[44]

중국의 경우에 여타의 도시 전역 네트워크 및 서비스가 부재했거나 발달하지 않은 도시들에서는 이주민들 사이에서 출생지 및 성씨 혈통의 중요성이 계속해서 커졌고, 따라서 이는 유럽의 타운들보다 중국의 타운들에서 태생에 근거하는 차이들을 훨씬 강력하게 키우고 확증하는 원인이 되었을 수 있다.

결론

중세 후기부터 근대 초기에 이르는 유럽의 도시 이주 양상과 궤적을 동시대 중국의 그것과 비교하는 것은 유사하지 않은 사료, 언어 장벽, 각각의 뚜렷한 역사지리 전통으로 어려운 일이다. 이 장은 하나의 초기적 비교 탐구를 소개한 것에 지나지 않지만, 향후 연구에 중요한 단서를 제공할 수 있는 많은 차이점과 유사점을 도출했다. 첫 번째 중국과 유럽 사이 결정적 차이점은 중국에서 농촌-도시 이주가 유럽의 사례보다 덜 중요한 것으로 보인다는 점으로, 이것은 적어도 장기적 관점과 지역 전체에 관련한 순결과로 측정할 때 위에서 탐구한 시기에 중국의 도시화 수준은 감소하고 유럽의 그것은 증가하는 경향에서 입증된다. 배후지 이주 양상의 체계적 비교는 직접적인 사료의 희소성과 가변성으로 방해를 받지만, 그 설명의 일부는 십중팔구 농촌에 대한 압박과 농민의 주변화를 감소시켰던 소규모 농경의 더 큰 회복력, 여성의 전반적인 더 낮은 결혼 연령, 서로 다른 가구 양상. 농촌으로의 이주라는 대안에 놓여 있다. 다른 중요한 차이점은 개입과 규제 정도에 있다. 중국에서는 중앙 정책의 영향이 더 크고 당연히 더 획일화한 것으로 보인 반면에, 현지 자치 수준이 낮고 또 서로 다른 국가들이 부재해서 유럽에서 흔히 접하는 '가치 있는' 이주민에 대한 도시 간 경쟁이 불가능했다. 인구집단의 대규모 이주나 일반적인 여행 제한은, 대조적으로, 유럽보다 중국에서 더 쉽게 실현된 것으로 보인다.

이주 양상과 궤적의 유사성은 부유하고 숙련된 이주민들의 상류층 범주에서 확인되며, 이들은 도시 이주 피라미드의 꼭대기에서 도시들 사이를 이동한다. 중국과 유럽 모두에서 상인·관리·장인들은 주로 서로 다른 도시를 연결하는 전문적 혹은 민족적 이주 네트워크를 활용했다. 상세한 비교만이 이 문제에 대한 결정적 통찰력을 제공할 수 있겠지만 도시 간 이주민들의 전체적 이주 거리는, 수도가 중국 제국 전역에서 이주민을 유인했음에도, 유럽보다 중국에서 반드시 훨씬 더 높지는 않았던 것으로 보인다.

그러나 두 지역에서 통합과 혼합의 양상은 상당한 차이가 있는 것으로 보인다. 이주에 대한 대부분의 중국 연구 및 사료에서 두드러지는 점은 제국의 가구 등록 체계에 의해 배양되고 중국 도시에서 향촌 결사체가 수행하는 중요한 역할에 의해 예시되는 출신과 혈통의 커다란 중요성이다. 향촌 결사체는 종종 새 이주민들을 위한 첫 번째 만남의 장소로서 경제적·사회적·문화적·정치적 지원을 제공했고, 동네·직업·종교 결사체와 중첩되면서 이주민과 여러 세대에 걸친 그들의 후손들을 부양했다. 이는 유럽 도시에서의 통합 양상과 현저하게 대비된다. 소수민족의 경우는 몇 세대에 걸쳐 예외적 상황이 지속될 수 있었지만, 도시 공동체라는 정치적 개념, 출신지 기반이 아닌 공식적·비공식적 결사체를 통한 충분한 지원, 출생지와 거주지가 소속감을 부여하는 것 등의 중요성 모두가 새 이주민을 유럽 타운의 도시 조직체에 더 넓고 빠르게 혼합하는 요소였다.

주

1 Roy Bin Wong, *China Transformed. Historical Change and the Limits of the European Experience* (Ithaca: Cornell University Press, 1997), 2.

2 Robert Bartlett, *The Making of Europe: Conquest, Colonization and Cultural Change 950–1350* (London: Penguin Press, 2003), 5–9, 15–18, 177–182.

3 Jan de Vries, *European Urbanization, 1500–1800* (London: Methuen, 1984), 175–207. Cf. Jan Lucassen and Leo Lucassen, "The Mobility Transition Revisited, 1500–1900: What the Case of Europe Can Offer to Global History", *Journal of Global History*, 4, no.3 (2009), 361. 도시 묘지 효과에 대한 비판적 성찰에 대해서는 Allan Sharlin, "Natural Decrease in Early Modern Cities: A Reconsideration", *Past and Present*, 79 (1978), 126–138.

4 Jan de Vries, *European Urbanization*, 175–198; Ad van der Woude, "Population Developments in the Northern Netherlands (1500–1800) and the Validity of the 'Urban Graveyard' Effect", *Annales de Démographie Historique* (1982), 55–75.

5 Yoshinobu Shiba, "Urbanization and the Development of Markets in the Lower Yangtze Valley", in John W. Haeger, ed., *Crisis and Prosperity in Sung China* (Tucson, Ariz.: University of Arizona Press, 1975), 15–22; G. William Skinner, "Urban Social Structure in Ch'ing China", in G. William Skinner, ed., *The City in Late Imperial China* (Palo Alto: Stanford University Press, 1977), 538–546.

6 Paul Bairoch, *Cities and Economic Development. From the Dawn of History to the Present* (Chicago, 1988), 352–358; Mark Elvin, *The Pattern of the Chinese Past* (London: Methuen, 1973), 176; James Z. Lee and Wang Feng, *One Quarter of Humanity: Malthusian Mythology and Chinese Realities, 1700–2000* (Cambridge, Mass.: Harvard University Press, 2001), 116; George William Skinner, "Regional Urbanization in Nineteenth-century China", in Skinner, ed., *The City*, 229; Van de Vries, *European Urbanization*, 76.

7 Van de Vries, *European Urbanization*, 175–252.

8 많은 사람이 점점 더 산업 활동에 참여했지만, 중국 농민들은 유럽의 경우보다 훨씬 더 토지와의 관계를 유지했다. Gang Deng, *The Premodern Chinese Economy: Structural Equilibrium and Capitalist Sterility* (London: Routledge, 1999),

36-121; Wong, *China Transformed*, 47.

9 William T. Rowe, "Social Stability and Social Change", in Willard J. Peterson, ed., *The Cambridge History of China*, vol.9, 1: *The Ch'ing Empire to 1800* (Cambridge: Cambridge University Press, 2002), 477-484; Lucassen and Lucassen, "The Mobility Transition", 376-377; Kenneth Pomeranz, *The Great Divergence: China, Europe and the Making of the Modern World Economy* (Princeton: Princeton University Press, 2000, 84-85, 288; Wong, *China Transformed*, 47.

10 다음도 참고하라. Jan Lucassen and Leo Lucassen, "Migration, Migration History, History: Old Paradigms and New Perspectives", in Jan Lucassen and Leo Lucassen, eds., *Migration, Migration History, History: Old Paradigms and New Perspectives* (Bern: Lang, 1997), 11-14.

11 J. Briels, *Zuid-Nederlanders in de Republiek 1572-1630: een demografische en cultuurhistorische studie* (Sint-Niklaas: Danthe, 1985).

12 Leslie Page Moch, *Moving Europeans: Migration in Western Europe since 1650*, 2nd edn. (Bloomington: Indiana University Press, 2003), 16.

13 이것이 동유럽에서 전반적 이동이 없었다는 것을 의미하지는 않는다. Lucassen and Lucassen, "The Mobility Transition", 372-373.

14 Pamela Kyle Crossley, Helen F. Siu, and Donald S. Sutton, eds., *Empire at the Margins: Culture, Ethnicity, and Frontier in Early Modern China* (Berkeley: University of California Press, 2006); William T. Rowe, *China's Last Empire: The Great Qing* (Cambridge, Mass.: Harvard University Press, 2009), 92-95.

15 Jean-Pierre Poussou, "Mobilité et migrations", in Jacques Dupâquier, ed., *Histoire de la population française*, vol.2 (Paris: Presses Universitaires de France, 1988), 99-143; Etienne François, ed., *Immigration et société urbaine en Europe occidentale, XVIe-XXe siècle* (Paris: Recherche sur les Civilisations, 1985).

16 Marlou Schrover, "Immigrant Business and Niche Formation in a Historical Perspective. The Netherlands in the Nineteenth Century", *Journal of Ethnic and Migration Studies*, 27 (2001), 295-311.

17 Poussou, "Mobilite".

18 Denis Menjot and Jean-Luc Pinol, eds., *Les immigrants et la ville: insertion, intégration, discrimination (XIIe-XXe siècles)* (Paris: Harmattan, 1996); Hugo Soly

and Alfons K. L. Thijs, eds., *Minorities in Western-European Cities* (16th–20th Centuries) (Brussels: Institut Historique Belge de Rome, 1995).

19 Nigel Goose and Lien Bich Luu, eds., *Immigrants in Tudor and Early Stuart England* (Brighton: Sussex Academic Press, 2005); Peter Stabel, *Dwarfs among Giants: The Flemish Urban Network in the Late Middle Ages* (Leuven: Garant, 1997).

20 Peter Clark, *European Cities and Towns, 400–2000* (Oxford: Oxford University Press, 2009), 44.

21 Antoinette Fauve-Chamoux, "Servants in Preindustrial Europe: Gender Differences", *Historical Social Research*, 23, no.1 (1998), 112–129.

22 Lotte van de Pol and Erika Kuijpers, "Poor Women's Migration to the City: The Attraction of Amsterdam Health Care and Social Assistance in Early Modern Times", *Journal of Urban History*, 32, no.1 (2005), 44–60.

23 Frederick Douglass Cloud, *Hangchow: The City of Heaven, with a Brief Historical Sketch of Soochow* (np: Presbyterian Mission Press, 1906), 9–10.

24 Antonia Finnane, *Speaking of Yangzhou: A Chinese City, 1550–1850* (Cambridge, Mass.: Harvard University Asia Center, 2004), 43–68; Rowe, "Social Stability", 481, 540.

25 Peter J. Golas, "Early Ch'ing Guilds", in Skinner, ed., *The City*, 555–559.

26 Skinner, "Regional Urbanization"; George William Skinner, "Cities and the Hierarchy of Local Systems", in Skinner, ed., *The City*, 275–352; Van de Vries, *European Urbanization*, 158–172.

27 Mark Elvin and George William Skinner, *The Chinese City between Two Worlds* (Palo Alto: Stanford University Press, 1974); Susan Mann, "Urbanization and Historical Change in China", *Modern China*, 10, no.1 (1984), 89–90.

28 Lee and Feng, One Quarter of Humanity, 63–68; Pomeranz, *The Great Divergence*, 102–103; Bonnie G. Smith, *Women's History in Global Perspective* (Chicago: University of Illinois Press, 2004), 78.

29 Peter Clark and Bernard Lepetit, eds., *Capital Cities and Their Hinterlands in Early Modern Europe* (Aldershot: Scolar Press, 1996).

30 Bert De Munck and Anne Winter, eds., *Gated Communities? Regulating Migration* in *Early Modern Cities* (Aldershot: Ashgate, 2012).

31 David Nicholas, *The Growth of the Medieval City: From Late Antiquity to the Early Fourteenth Century* (London: Longman, 1997), 156–157.

32 Rowe, *China's Last Empire*, 92.

33 D. Woodward, "The Background to the Statute of Artificers: The Genesis of Labour Policy, 1558–1563", *Economic History Review*, NS 33, no.1 (1980), 40; Jean-Pierre Gutton, *La société et les pauvres. L'exemple de la généralité de Lyon, 1534–1789* (Paris: Les Belles Lettres, 1970), 458–462.

34 Edward L. Farmer, *Zhu Yuanzhang and Early Ming Legislation: The Reordering of Chinese Society Following the Era of Mongol Rule* (Leiden: Brill, 1995), 52, 89.

35 전근대 중국 도시들에 관한 이 책의 16장, 17장의 사례들을 참고하라.

36 Jason P. Coy, "Earn Your Penny Elsewhere: Banishment, Migrant Laborers, and Sociospatial Exclusion in Sixteenth-century Ulm", *Journal of Historical Sociology*, 20, no.3 (2007), 285–286; Marie-Claude Blanc-Chaléard et al., ed., *Police et migrants en France, 1667–1939* (Rennes: Presses Universitaires de Rennes, 2001).

37 Donald R. Deglopper, "Social Structure in a Nineteenth-century Taiwanese Port City", in Skinner, ed., *The City*, 633–650; Kristofer M. Schipper, "Neighborhood Cult Associations in Traditional Taiwan", in Skinner, ed., *The City*, 651–678; Sybille van der Sprenkel, "Urban Social Control", in Skinner, ed., *The City*, 609–632.

38 Marc Boone and Maarten Prak, eds., *Individual, Corporate and Judicial Status in European Cities (Late Middle Ages and Early Modern Period)* (Leuven: Garant, 1996). 다음과 비교해보라. Sharlin, "Natural Decrease".

39 Katherine A. Lynch, *Individuals, Families, and Communities in Europe, 1200–1800. The Urban Foundations of Western Society* (Cambridge: Cambridge University Press, 2003).

40 Bert De Munck, "From Brotherhood Community to Civil Society? Apprentices between Guild, Household and the Freedom of Contract in Early Modern Antwerp", *Social History*, 35, no.1 (2010), 1.

41 Wim Blockmans, "Constructing a Sense of Community in Rapidly Growing European Cities in the Eleventh to Thirteenth Centuries", *Historical Research*, 83,

no.222 (2010), 575-587.

42 Skinner, "Urban Social Structure", 522-527, 538-549.

43 Munck and Winter, *Gated Communities*; Skinner, "Urban Social Structure", 545-546; Finnane, *Speaking of Yangzhou*, 265-296.

44 인용 출처는 Golas, "Early Ch'ing Guilds", 556.

참고문헌

Boone, Marc, and Prak, Maarten, eds., *Individual, Corporate and Judicial Status in European Cities (Late Middle Ages and Early Modern Period)* (Leuven: Garant, 1996).

Clark, Peter, *European Cities and Towns, 400-2000* (Oxford: Oxford University Press, 2009).

Crossley, Pamela Kyle, Siu, Helen F., and Sutton, Donald S., eds., *Empire at the Margins: Culture, Ethnicity, and Frontier in Early Modern China* (Berkeley: University of California Press, 2006).

Lee, James z., and Feng, Wang, *One Quarter of Humanity: Malthusian Mythology and Chinese Realities, 1700-2000* (Cambridge Mass.: Harvard University Press, 2001).

Menjot, Denis, and Pinol, Jean-Luc, eds., *Les immigrants et la ville: insertion, intégration, discrimination (XIIe-XXe siecles)* (Paris: Harmattan, 1996).

Moch, Leslie Page, *Moving Europeans: Migration in Western Europe since 1650*, 2nd edn. (Bloomington: Indiana University Press, 2003).

Munck, Bert De, and Winter, Anne, eds., *Gated Communities? Regulating Migration in Early Modern Cities* (Aldershot: Ashgate, 2012).

Pomeranz, Kenneth, *The Great Divergence: China, Europe and the Making of the Modern World Economy* (Princeton: Princeton University Press, 2000).

Skinner, George William, ed., *The City in Late Imperial China* (Palo Alto: Stanford University Press, 1977).

Vries, Jan de, *European Urbanization, 1500-1800* (London: Methuen, 1984).

제23장

권력
Power

빔 블록만스
Wim Blockmans

마욜라이넌트 하르트
Marjolein 't Hart

권력power의 행사 즉, 저항에도 불구하고, 타인의 행동의 자유를 제한하고 그들의 행동을 억제할 수 있는 능력은 분명 각 정파가 이용가능한 수단에 달려 있다. 이러한 수단은 설득 및 경제적 유인책에서부터 물리적 강압의 효과적 사용에 이르기까지 광범하다. 권력 수단의 질은 기술의 발달에 따라 변화하고, 그 양은 주어진 시공간에서 집중과 축적의 가능성 함수에 따라 다양하다.[1] 함수의 변수들은 사회의 가치 지향과 물리적 환경을 활용하는 데 이용가능한 기술뿐만 아니라 계층화stratification와 분화differentiation 정도에 따라 다르다.

중세 유럽의 수많은 타운town은 급속한 상업화commercialization 시대에 발전했다. 따라서 타운들은 탈중앙집중 사회 내에서 풍부하고 새로운 유형의 자원 추출을 이용할 수 있었다. 이는 막스 베버가 정의한 유럽 자치도시self-governing city, 성문 헌장에 근거하는 특권적 시민권citizenship을 가진 도시가 대두할 수 있는 훌륭한 조건을 형성했다. 베버는 서구 도시의 응집력, 정체성, 경제발전을 위한 시민 공동체적 제도의 독특한 중요성을 주장했는바, 특히 도시의 "최소한 부분적인 자치와 자율성, 따라서 뷔르거[도시민]burgher들이 참여하는 선거로 구성된 당국에 의한 행정"을 강조했다. 이것은 법적으로 보호되는 뷔르거들이 기능하지 않아서 심지어 직업조합들이 도시에 실재했을 때조차도 국가의 권력과 비교해 동양의Oriental 도시들이 상대적으로 약했던 것과 대비된다.[2]

서구 도시의 권력에 근거해 아래로부터의 대표성을 포함하는 새 형태의 정치 참여가 생겨났다. 그런데 이러한 도시 자치의 유형이 유럽 전역에서 나타났던 것은 아니었다. 더군다나 국가 형성 과정에서 대다수의 전형적인 베버주의적 자치도시는 새롭게 통일된 영토국가territorial state에 권한을 대부분 넘겨야만 했다. 이 장의 목표는 전산업 시기의 유럽, 중국, 이슬람권 전역에서의 도시권력의 차이를 명확히 하는 것이다. 이를 위해 먼저 전반적으로 권력의 생태적 기반을 살펴볼 것이다. 이어 도시 공동체에 필요한 자원 동원의 서로 다른 잠재성을 이해하는 데서 중요한 계층화의 이러저러한 구조들을 설명할 것이다.

생태적 조건과 자원 추출

도시개발urban development은 상당한 농업 잉여물이 계속해서 생겨나는 곳에서만 발생할 수 있다는 기본적 사실을 염두에 두면, 전산업pre-industrial 시기 사회에서 도시화urbanization의 차원은 시간과 공간에 따라 크게 달랐을 것이다. 일반적으로, 도시의 가장 이른 초기의 성장은 강이나 해안을 따라 교통이 편리한 곳은 물론 온난하고 습한 기후가 풍부한 관개시설과 결합된 지역에서도 발생했음을 관찰할 수 있다.

메소포타미아, 이집트, 인도 북부, 중국은 최초의 도시문화의 요람이었거니와, 그곳들의 자연환경은 도시들을 수 세기 동안 세계의 다른 곳에서는 상상할 수 없을 정도의 차원과 밀도로 성장하게 해주었다(2장, 4~6장 참조). 인더스강과 갠지스강을 따라 형성된 충적토 평원은 관개체계의 중추를 구성했으며, 이는 농업 생산성을 높여 기원전 2500년 무렵부터 기원전 1500년 무렵까지 인구가 수만 명으로 추산되는 도시가 발전할 수 있게 했다. 기원후 10세기에서 18세기까지 도시화는 120개 주요 중심지에 집중되어 꾸준히 증가했고 그 비율은 전체 인구의 약 15퍼센트로 추산되었다. 무굴 제국 통치 시기(16세기 중반에서 18세기 초반)에 가장 큰 규모의 수도capital는 인구가 수십만 명에 이르렀다. 아그라Agra는 궁정의 존재 여부로 인구가 50만~66만 명에서 유지되었고 수라트Surat는 인구가 약 20만 명 정도였다.[3] 8세기 중국 당 왕조의 수도 장안은 인구가 100만~200만 명 정도였다. 10만 명 이상이 거주하는 도시들은 1100년에 이미 전체 인구의 6~7퍼센트를 차지했다. 북송의 수도 카이펑에는 12세기에 약 100만 명이 거주했고, 남송 왕조의 수도 항저우에는 60만~70만 명이 거주했다. 관개농지에서의 집약적 쌀 생산과 대규모 수운시설은 높은 수준의 상업화와 자원의 추출에 알맞았다.[4]

거대한 강을 따라 형성된 비옥한 관개평야의 위치도 이슬람 중동에서 수십 개 위대한 도시가 부상한 것을 설명하는 데서 비슷하게 도움이 된다(14장 참조). 다마스쿠스, 바그다드, 사마라Samara, 푸스타트/카이로는 처음에는 군사와 행정의 중심지였으며 이후 인구가 10만 명이 넘는 도시로 급성장했다. 권력의 소재지 이전은 빠르게 다른 곳의 쇠퇴와 확장을 이끌었다. 이집트 아바스 지방의 수도인 푸스타트는 이 점을 잘 예시해준다. 푸스타트는 궁전palace과 군 주둔지military camp를 넘어 홍해로 가는 교차로에 있는 나일강 동쪽 둑 위에 자리해서 상거래 기능이 발전했다. 969년에 이집트를 정복한 파티마 왕조의 통치자들은 궁전을 종래의 위치에서 북쪽으로 약 4킬로미터 떨어진 곳에 건설했고, 이곳이 급속하게 팽창하는 카이로의 중심이 되었다. 10세기부터 12세기까지 서방에서 모든 주요 도시는 페스와 코르도바에 이르기까지, 로마 제국 후기의 동쪽 수도 콘스탄티노폴리스만을 제외하고는, 이슬람권에 속했다. 도시들은 모두 신용, 금융, 공예품 생산, 지역 시장 및 원거리 교역 시장의 중요한 중심지였다. 아바스 왕조의 수도 바그다드는 9세기경 약 30만 명이 거주한 것으로 추정되고, 파티마 왕조의 수도 푸스타트/카이로는 인구가 13세기에 약 25만 명으로 증가했다. 그라나다는 15세기에 이와 유사한 수준에 이르렀다.[5] 그러나 920년대와 930년대에 이란 북부와 바그다드는 이례적으로 차가운 겨울 기온을 겪었고, 이는 11세기에서 1230년대까지 가뭄을 동반하는 연속적 양상으로 변했다. 지속된 추운 겨울은 시베리아 강풍 체계의 영향을 받았으며 면화농장뿐 아니라 대추, 무화과, 레몬 나무와 같은 여러 작물에 심각한 손상을 입혔다. 이와 같은 기후 변동의 결과로 바그다드는 몽골이 정복하기 훨씬 이전에 이미 인구가 감소했다.[6]

이슬람 도시들의 규모와 활동이 얼마나 인상적이었든 간에, 그 발전은 지중해 기후 지역과 아열대 기후 지역에 국한되었다. 이들 도시의 성장과 번영은 정치 및 종교 중심지의 선택, 원거리 교역로의 유리한 입지, 상업화한 집약적 농업, 고도로 숙련된 지역 공예품의 매력 등의 결합에 달려 있었다. 이와 같은 점에서 이슬람 도시들은 인도와 중국의 도시화한 지역의 도시들과 현저한 유사성이 있다. 실제로 전산업 시기의 모든 도시는 경제적, 사회적, 종교적, 정치적 권력을 집중시켰다. 그러나 대규모 자원 추출의 가능성과 역량은 도시마다 상이했다. 엄청난 양의 쌀과 곡물의 꾸준한 공급과 그것들을 운반하고 저장할 가능성은 중국에서 중앙의 국가 권위를 옹호하는 엄청난 자산을 창출했다. 그러한 역량의 절대적 규모는 중국 황제들에게 다른 권력 경쟁자들의 자원을 분명하게 능가하는 자원을 제공했다. 다른 지역에서의 권력체계는 더욱 취약했다. 인도는 매우 가변적인 기후 조건의 결과 때문이었고, 이슬람 세계는 각종 세금을 부과하는 유목민 통치자들의 변동성 때문이었으며, 유럽은 농업경제에서 발생하는 잉여의 작은 이익 때문이었다.[7]

사실 10세기와 11세기 무렵의 유럽의 도시에서 중동의 도시들과 규모 측면에서 비교할 수 있는 유일한 사례들은 콘스탄티노폴리스, 코르도바, 그라나다를 들 수 있다. 이들 도시의 중요성은 비옥한 지역과 전략적 교차로에 위치하는 수도로서의 위상에서 분명하게 비롯되었다. 안달루시아Andalusia의 경우 나머지 아랍 세계 국가들과의 문화적 단결이 해외와의 연계를 촉진했다. 11세기부터 이탈리아 북부와 중부 도시들은 아말피Amalfi와 팔레르모 같은 남부의 초기 발전 중심지의 위상을 계승해 분명히 지배적이 되었다. 인구학적 절정에 도달했던 1300년 무렵에 베네치아·밀라노·피렌체는 각각 최소 10만 명이, 제노바·볼로냐는 각각 약 8만 명이 거주했다. 당시 이 도시들 주변에는 거주민이 2만 명이 넘는 도시가 20개가 있었다. 당시 유럽에서 두 번째로 밀집 도시화를 이룬 권역은 저지대 국가들Low Countries 남부, 특히 플랑드르였다. 1300년 무렵 헨트의 경우 약 6만 5000명 이상이, 브뤼허는 십중팔구 4만 5000여 명 가까이 거주했을 것이고, 아라스·생토메르·릴·두에·이프르에는 2만~3만 명이 살았다. 16세기가 되어서야 브라반트의 도시들이, 특히 알프스 이북 최초의 무역 거대도시metropolis로 인구가 10만 명의 문턱을 넘어선 안트베르펜이 성장하면서 이와 같은 인구 집중을 넘어섰고, 17세기에는 암스테르담이 그러했다.

유럽의 최대 도시 가운데 정치적 수도라서 대두된 도시는 없었으며, 그 도시들의 성장은 모두 육상 무역로에서 차지한 예외적 유리한 입지와 자원 접근을 확보하게 해준 해상 연결에 힘입은 바였다. 이들 타운 가운데 일부는 정치적 연결성에 의해 팽창했다. 런던과 파리의 경우 입지상의 경제적 이점이 도시를 예외적 규모로 성장하게 도왔고, 여기에 해당 도시가 커다란 왕국에서 정치적 주도권을 차지했던 점이 성장의 추가적 요소가 되었다. 이들 도시는 매우 넓은 지역의 인구 잉여를 흡수하면서 왕국의 다른 도시들보다 훨씬 더 커졌다.[8] 따라서 권력관계의 측면에서, 초기 왕조국가dynastic state의 수도에 집중된 기본적으로 봉건적인 권력 구조와 상업적 거대도시들이 의존한 배후지hinterland 및 원거리 교역 네트워크와의 연관성 사이의 대조, 즉 서로 다른 자원 추출 체계의 대조를 강조할 필요가 있다.

도시와 영토국가 간 다양한 권력관계

이용가능한 자원 추출 방법이 자동적으로 강력한 봉건권력을 대두하게 한 것은 아니었다. 빅토리아 틴보르 후이Victoria Tin-bor Hui는 중국에서 진秦이 어떻게 경쟁적 국가들의 '모범 사례'를 부분적으로 모방해 새 정책을 시행함으로써 '전국시대'(기원전 475~기원전 221)에 승자로 부상했는지를 설명했다. 기원전 4세기 중국에서는 이미 대규모 관개시설과 농기구 지원 및 기술 조언 등을 통한 다모작 집약적 농경이 장려되었다. 20세 이전 결혼을 의무화하고 더 많은 자녀를 둔 가구에 보조금을 제공함으로써 인구성장을 자극했다. 보완된 호적체계는 세금 부과를 쉽게 했다. 능력주의meritocracy를 근간으로 삼은 행정체계는 점차 4개 층위로 확대되어 연간 보고서를 기반으로 생산을 통제했고, 이는 보상과 제재로 이어졌다. 따라서 진나라는 정복지를 통합하고 중앙집중화한 자원 추출의 정도를 계속해서 확장했다. 농민들은 군역과 부역으로 공공사업을 수행할 의무가 있었다. 기원전 1세기에는 충효를 강조하는 유교가 중국 제국의 지배적 이념이 되었고, 그 이후 관료들은 백성들의 보호자를 자처했다. 제국의 수도는 새 왕조가 들어설 때마다 우주의 질서를 반영하며 건설되었다. 고루鼓樓(큰 북을 단 누각)는 시민적 질서를 유지하기 위해 변함없이 중앙에 서 있었다.[9]

전국시대가 상업화의 증대 시기와 일치하면서 중국 상인들이, 중세 후기 유럽의 상인들과 다르지 않게, 새로운 무역 기회에 힘입어 상당한 자원을 축적할 수 있었다는 점은 주목할 만하다. 그러나 진의 부상은 도시 자치의 경향을 억제했다. 진의 통치자들은 무거운 의무들을 부과하고 이동(성)mobility을 제한하는 상인 등록부를 도입해 상인 계층을 효율적으로 억압했다. 한漢(기원전 202~기원후 189)은 덜 억압적이었고 상인의 재산 축적을 허용했지만, 상인들에게 값비싼 옷을 입고 무기를 소지하거나 말을 타는 등 자신의 지위를 과시하는 일련의 행위를 엄격히 금지했고 관직에서도 상인들을 배제했다. 중국 제국이 건설된 방식—군사적·상징적·행정적 목적으로 거대한 물질적·인적 자원을 추출하기 위한 대규모 물리적 폭력—은 막스 베버가 유럽의 발전에 본질적이라 생각했던 유형의 자치권이 출현하는 것을 막았다.[10] 그러나 당시에도 중국의 황제가 권력을 위해 자원을 동원할 수 있는 능력은 언제나 정치적이고 경제적인 균형에 달려 있었으며, 이것은 중앙 통치의 약화나 예상치 못한 갑작스러운 경제 팽창으로 변화할 수도 있었다. 당 왕조(618~907)는 튀르크족과 페르시아 왕국과의 교역을 선호해 북부의 수도 장안과 뤄양에 소그드Sogd 상인들의 정착을 허용했고, 소그드인의 사원들은 시장 광장 근처에도 세워졌다.* 소그드 상인

* 소그드는 소그디아나(중앙아시아)를 근거지로 하는 이란계 주민이다. 5세기부터 9세기까지 중국, 인도, 동로마 제국 등에 걸쳐 통상을 했다. 중국에서는 상호商胡, 고호賈胡, 또는 속특粟特 등으로 불렸다.

들은 또한 황허강 하류 계곡의 작은 타운에 자리를 잡고 비단 생산자와 직접 거래할 수도 있었다. 750년경에는 국가 수입의 55퍼센트가 비단과 마포麻布에 매기는 세금으로 구성되었으며, 이는 제국과 소그드 상인들 사이의 연관성을 보여준다. 아랍과 페르시아 상인들 또한 중국 남부의 항구에 정착할 수 있었다.[11] 송 왕조(960~1279) 시기 중국의 최대 규모 도시들은 16~17세기의 명의 사례와는 대조적으로 상당한 수준의 상업적 자유를 누렸다.

유럽에서는, 중국과는 대조적으로, 강력한 왕조국가가 존재하지 않았던 시기에 인구가 성장했고 교역 네트워크가 확장되었다. 농업의 상업화는 중국과 같은 능력주의가 아니라 지배세력인 봉건영주들의 가산제家産制, patrimonialism를 통해 발생했다.* 중국의 황제들은 이슬람 세계의 술탄sultan처럼 상업적 세금을 마음대로 부과할 수 있었고, 철과 무기, 소금, 술, 차 생산에 국가가 독점권을 행사할 수 있었으나, 유럽의 통치자들은 폭력의 독점을 확립할 수 없었고, 대부분은 적어도 원칙적으로 농노 공동체까지 자의적 착취로부터 보호한다는 관습법에 얽혀 있었다. 유럽의 봉건 구조는 더욱 상호적이었다. 마그나카르타〔대헌장〕Magna Carta(1215)는 봉건영주의 횡포에, 이에 더해 왕의 횡포에 저항할 수 있는 봉신封臣의 권한을 명확하게 제시했다. 봉건 모델은 공법公法, public law의 더욱 일반적인 원칙으로 확장되었으며, 도시 런던 또한 왕권을 제한할 수 있는 대상 목록에 명시적으로 포함되었다. 시민을

* '가산제'는 가부장적 통치자가 종속자들에게 일정한 자산을 할당해 권력을 분산적으로 유지하며 통치자의 권위에 대한 충성을 요구하는 전통적 지배의 한 형태다.

보호하는 봉건적 저항권이 확장된 아주 이른 사례는 1128년 8월 22일에 나타났다. 새로 취임한 플랑드르 백작 티에리Thierry〔알자스의 티에리, 티에리 달자스Thierry d'Alsace〕는 그의 가장 뛰어난 남작들이 승인한 생토메르의 특권을 보장했는바, 남작들은 자신들이 부여한 특권과 관습법을 백작이 위반할 경우 시민들을 돕겠다고 맹세했다. 13세기 후반에 저항권은 브라반트 공작들이 시민을 포함해 영지에 부여한 모든 특권의 요점이 되었다. 자유민으로서 그들은 분명하게 제한된 수의 서비스를 영주에게 제공할 의무가 있었으며, 그것은 대부분 국가 방어와 관련이 있었다.

중국에서 전쟁 자원의 추출은 주로 강압에 의존했지만, 유럽에서 전쟁은 군주들과 협력하려는 재정 엘리트들의 의지에 훨씬 더 의존했고, 따라서 협상과 흥정에 의존했다.[12] 게다가, 전쟁은 중국(징집)보다 유럽(용병 고용)에서 훨씬 더 큰 비용이 드는 경향이 있어서 이러한 의존적 관계를 강화했다. 11세기 이래로 빠르게 성장하는 유럽의 도시들은 방어벽을 건설하고 민병대를 조직해 봉건세력의 공격으로부터 자유를 수호했다. 일례로, 12세기 후반 연맹체를 구성한 롬바르드 도시들은 군사적 수단으로 신성로마 제국의 황제 프리드리히 바르바로사Frederick Barbarossa〔프리드리히 1세, '바르바로사'는 이탈리아어로 '붉은 수염'이다. 재위 1155~1190〕의 침입에 효과적으로 저항했다.

그러나 상업화 시기, 국가 효율성 차이, 봉건적 호혜성reciprocity, 유럽의 고비용 전쟁이 유일한 관련 동인이었던 것은 아니다. 곧, 로마 제국 후기의 전통에서 구성원과 재산에 대한 법적·재정적 면제의 지위를 누렸으며, 실질적 자원 추출의 또 다른 방식을 지휘했던 가톨릭교회의 세속적 구조를 고려하는 것이 필수적이다. 사실상 서유럽에서 교회는 수 세기 동안 정교하고 안정적이었던 유일한 권력 구조였다. 주교들은 이탈리아와 신성로마 제국에서 대부분의 도시와 그 배후지를 효과적으로 통치했다. 교회는 물리적 권력의 소유자들과 호혜적 관계를 통해 확장함으로써, 자신들의 행동을 진정한 신앙과 신성한 왕권을 전파하는 성전holy war으로 정당화했고, 이로써 귀족 경쟁자들을 이념적으로 대체할 수 있었다. 10세기가 끝날 무렵 주교들은 보편적 평화의 개념을 장려했고, 이를 통해 봉건적 폭력에 맞서 농민과 시민들을 보호했다.

유럽에서 상대적 인구과잉은 대규모 영지를 소유한 성직자와 귀족이 새 경작지를 개간하기 시작한 소농들에게 더 큰 개인적 자유를 양보하게 했다. 마찬가지로, 그들은 자신들의 영지를 떠나 신흥 도시 중심지urban centre에 정착한 사람들에 대한 영주의 권리를 포기해야만 했다. 10세기부터 오래된 타운과 도시의 인구가 성장했고, 새 결집지가 항해가 가능한 강들을 따라 교차 지점에 등장했다. 새로 설립된 농업 영지 내 공동체들과 성장하는 도시 중심지의 공동체들 모두 3세기부터 지배를 받아온 노예 상태에서 벗어나 특정한 특권과 자유에 기반을 둔 고유한 생활방식을 구축했다. 시민의 개인적 자유, 상당한 수준의 자치, 개인의 재산권property rights뿐 아니라 개별 시민을 보호하는 특정한 법적 규정은 지방 영주들이 일종의 '양도concession'를 통해 농촌과 도시 코뮌commune〔코무네〕에 보장해준 전형적 특권이었다. 그러나 코뮌의 완전한 자치와 독립의 사례는 드물었는데, 토지 귀족은 여전히 확고부동하게 자리를 잡고 있었고, 팽창, 약한 경쟁자의 제거, 영방

領邦, territorial principality 및 심지어는 왕국으로의 집중을 통해 훨씬 더 큰 권력 구조를 만드는 과정에 있었기 때문이다('영방'이란 중세 신성로마 제국의 황제권이 약화되면서 독자적 국가로 기능한 봉건 제후국들을 일컫는다).

외부 압력과 위협은 초기 코뮌들이 연대의 계약을 형성하게끔 장려했고, 이것은 코니우라티오coniuratio 곧 비밀서약을 통해 형식화되었다. '수평적' 사회관계는 동등한 지위를 가진 사람들 사이에서 자발적으로 합의된 관계로서 이전의 '수직적' 의존 모델을 대체했다. 내부적 관계들은 이상적일 만큼 평화로운 것으로 여겨졌다. 방문객들은 무기를 도시의 출입문에 두고 가야 했고, 시민 간 갈등은 신체적 폭력 사용 제한과 함께 규제되었다. 1114년 발랑시엔Valenciennes(프랑스)의 도시 특권은 전형적인 '도시의 평화peace of the city'로 환기되었다. 뷔르거들이 충분히 강하다고 느끼는 곳에서는 흔히 주교나 수도원장인 지역 영주들이 제약했었던 자유의 한계를 벗어날 수 있었다. 오래된 도시 중심지에 살면서 귀족의 하인으로서 비굴한 지위에 있었던 장인들은 코뮌 전체와 마찬가지로 자유를 획득할 수 있는 위치에 이르렀다. 그것은 일반적으로 시민 개인의 자유, 공동체, 시민권, 재산권을 군사적 수단과 자체 법률 제정이나 관할권 같은 법적 수단으로 보호할 수 있는 권리를 의미했다. 길드guild와 동네neighbourhood 조직체들은 연합적 정치문화를 강화했으며, 이는 공동의 축제와 의례로 더욱 활성화되었다. 발전해가는 도시 대부분에서 수 세기 동안 이곳을 지배했던 영주나 주교의 성 또는 수도원은 그 표상적 존재 자체가 상징적 가치를 유지했음에도, 뷔르거들이 점유한 팽창해가는 지역과 비교해 점진적으로 무시되었다.

따라서 유럽에서는 중앙집중화되는 막 등장한 영토국가와 함께 세 가지 다른 권력 구조가 등장했으며, 각각은 자체적 논리를 가지고 있었고, 자원을 추출하고 다른 권력 수단을 통제할 수 있는 독립적 역량을 가지고 있었다. 성직자는 설득과 믿음의 수단을 완벽하게 다룰 수 있었고, 귀족은 물리력의 행사를 통해 입지를 다졌으며, 시민들은 시장을 통제했다. 성직자와 귀족들은 영지에서 지대와 세금을 추출했고, 축적된 유동 자본은 시민들이 다소 낮은 이자율로 대규모 계약을 할 수 있게 했다. 이와 같은 차별화된 환경은 동맹이나 연합 형성을 가능하게 했다. 귀족, 봉건적 토지소유주, 성직자 간의 연합은 북부, 중부, 동부 유럽과 같이 도시화 정도가 낮은 대개의 국가에서 우세했고, 도시의 이해관계는 주로 도시화한 지역에서 더 잘 대표되었다. 그럼에도 유럽의 전형적인 예는 권력을 놓고 경쟁하는 봉건, 기독교, 뷔르거 세력이 다른 세력 가운데 하나와 동맹을 맺음으로써 항상 자신의 지위를 강화할 수 있다는 것이었고, 이로써 세 세력 모두 독점을 누리거나 우세한 집단이 없이 지속적인 균형 잡기balancing act를 했다.

비유럽 국가 대부분에서는 이와 같은 동맹이 변화할 가능성이 없었는바, 종교권력이 대체로 영토권력의 보유자들을 반대하지 않았기 때문이다. 중국의 다양한 종교 분파는 국가기관에 확고히 뿌리내린 유교 이념으로 대체되었다. 종교적 불만과 혼재된 정치적 반대는 항상 본질적으로 현지적일 수밖에 없었다. 수니파 이슬람이 지배하는 지역에서는 현지의 종교 지도자들인 울라마ulama가 자신들의 자원을 국가에 의존했다. 국가와 종교는 하나의 분리할 수 없는 전체를 구성했으며 민법, 봉건법, 이슬람법 사이에는 구별이 없었다.[13] 오스만 제국에서는 도시 관리들이 모두 술탄에 의해 임명되었다. 행정관이자 재판관인 카디kadi는 수니파, 기독교인, 유대인의 여러 법원에 대한 권한을 가졌다.[14] 그러나 이란의 사파비 왕조(1501~1722)는 시아파 이슬람을 도입해 다른 길을 선택했다. 성직자들은 정부의 손에 들어갈 필요가 없는 종교 세금에 대한 직접적 통제권을 얻었고, 이에 따라 울라마는 독립적이고 비판적인 정치적 위상을 가질 수 있었다. 이란의 성직자들은 독자적 자원 추출 체계를 통해 강력한 도시 네트워크urban network를 지휘하고 교육과 복지를 조직하면서 유럽과 다르지 않은 모든 유형의 도시 집단과 동맹을 강화했다. 따라서 이란의 교회와 국가 사이 분열은 일반적으로 도시에 기반을 둔 이해관계에 유리하게 작용할 수 있는 세력균형balance of power을 낳았다.[15]

도시경제 확보하기

10~13세기 동안 유럽의 장인 생산과 무역은 더 이른 초기의 시장들에서는 전례가 없던 규모로 발전했다. 도시적 생활양식urban way of life은 농업과 간접적 관계를 나타냈으며, 이는 대다수 뷔르거가 더는 자신들의 식량을 직접 생산하지 않았기 때문이다. 따라서 모든 도시와 타운은 시골countryside에서 공급받는 식량과 원자재에 의존했고, 마을이나 영지에서 통상적으로 얻을 수 있는 것에 비해 더 높은 품질의 가공품을 제공해야만 했다. 오직 궁정도시court city, 수도, 주교 소재지bishop seat만이 넓은 지역에 대해 직접적인 정치적 통제를 행사할 때, 무엇보

다도 강압에 기반을 둔 또 다른 수입에 의존할 수 있었다.

따라서 도시 시장은 교역로를 따라 안전을 요구하는 연결의 노드node였다. 잠재적으로 도시 시장은 도시경제urban economy를 외부 권력의 간섭에 취약하게 했다. 도시가 더 커지고 생산이 더 체계화될수록 도시의 배후지는 더 멀리 확장되어야 했다. 일례로, 런던은 12세기 초반부터 템스강을 따라 상류로 65킬로미터, 하류로 61킬로미터의 운항을 통제했고, 이로써 강의 남쪽과 북쪽 지류에 있는 시장도 통제했다.[16] 쾰른 출신 상인들은 라인강 하류에서 도르드레흐트Dordrecht까지의 운항을 효과적으로 독점했고, 특히 자신들의 가장 가치가 있는 주력 상품인 포도주를 판매했다.[17] 헨트 상인들은 유사하게 도시의 두 강의 운항을 지역 경계선까지, 레이어Leie강〔리스Lys강〕과 스켈트Scheldt강〔스헬더Schelde강〕 양방향으로 운항을 독점했는바, 특히 곡물의 주요 시장을 유지하기 위해서였다. 더 작은 규모의 타운들은 입지가 더 좋은 도시들의 독점적 경향으로 발전이 제한되었고 결과적으로 이를 극복하기 위한 더 많은 성장 기회를 얻게 되었다.

가장 직접적으로 관여한 이들은 원거리 무역 상인으로, 이들은 종종 호혜적 연대를 기반으로 서로를 보호하기 위해 자체 결사 조직을 만들었고, 호송 상단을 꾸려 이동했으며, 지방 당국과 협상했다. 이러한 조직인 상인 길드와 한자Hansa동맹은 상호 신뢰를 바탕으로 위험을 줄이고 거래 비용을 낮췄다.[18] 상인들은 초기 도시 중심지의 경제 엘리트 중 가장 두드러진 구성원이라서, 이들이 성장하는 도시의 정부를 효과적으로 장악한 것은 놀라운 일이 아니다. 상인들이 그렇게 한 것은 잘 합의된 이익에 따른 것임에 의심의 여지가 없으며, 그 결과 이들은 종종 14세기까지 도시 내에서 기업가적, 상업적, 정치적, 사법적 독점권을 노골적으로 남용했다.

도시의 내부적 권력관계는 경제구조와 인구 규모에 따라 달라졌다. 가장 큰 산업 및 상업 중심지의 경우, 13세기부터 수백 명 규모의 봉기가 일어났고, 피렌체와 헨트 같은 몇몇 경우, 섬유산업에 종사하는 수천 명의 장인이 특히 국제적 혼란에 민감했다. 상당수 도시에서 이와 같은 긴장은 동업자들의 더 높은 수준의 정치적 참여와 자체 조직화로 이어졌다. 따라서 더 큰 규모의 도시의 정치체는 옛 귀족 가문에 의한 독점적 지배가 줄어들게 되었고 중산층과 심지어 장인 출신의 신참자들에게까지 요직을 개방해야만 했으며, 이는 공권력과 상인 길드 사이에 기능적 분화가 필요하다는 것을 의미했다.

코뮌은 여전히 모든 시민의 평등주의적 권리를 옹호할 수 있었으나, 기업가와 거대 상인 엘리트들은 대개 자본주의적 이윤을 극대화하는 자신들의 고유한 논리를 따랐다. 인접한 시골은 재화·지대·공물 형태의 공급이 필요했던 도시의 토지소유주들에게 시장 조절, 주요 관세, 길드 독점, 재정적·사법적 특권이 있는 자본 투자의 대상이 될 수 있었다. 극단적 경우에, 그리고 14세기와 15세기 이탈리아 중부와 북부처럼 강력한 주권 통치자가 부재한 경우에, 이 패권은 해당 지역에서 가장 큰 규모의 도시가 지배하는 도시국가city-state를 형성하는 경향이 있었다.[19] 이러한 맥락에서 지배적인 도시들은 지역의 특권, 경제적 이익, 자치를 더 존중한다는 것을 제외하고는 자원의 영토를 통제하려 경쟁했던 봉건영주들과 근본적으로 다르지 않게 행동했다.

자체 결사를 위한 민간 주도권은 운송의 안전을 확보하는 데서 주요 선택지였다. 해상보험maritime insurance은 다수의 제휴로 위험을 분산하는 것과 짝지어진 제노바 상인들의 특징이었다. 바르셀로나, 마요르카Mallorca, 발렌시아에서 해양영사관 콘술라도 델 마르consulado del mar는 정규적 관계들을 보장하기 위해 설립된 해상무역 전문 관할체였다. 베네치아는 국가 자체의 상업용 함대를 조직하고 이를 보호하는 독특한 해결책을 제시했다. 대서양, 북해, 발트해 연안에서 무역 보호는 해외에서 자국민을 지원하는 공동체 또는 왕권의 개입에 대한 의존과 자유기업의 조화에 달려 있었다. 협상, 보복, 불매, 불가피한 경우의 무역 전쟁은 서로 다른 영역과 관할권에 속한 무역 당사자 사이 갈등을 해결하는 대표적 수단이었다. 독일의 한자동맹은 이 민간-공공 결합의 가장 확장된 사례이며(많은 사례 중에서), 한자동맹이 1358년에 상인 길드 조직에서 상업도시commercial city 정부 중 하나로 전환된 것은 또한 우리가 앞서 상인조합과 도시 정부를 구별한 것을 분명하게 나타낸다.[20]

유럽에서 참신함은 식민지무역colonial trade 전문 회사의 설립이었고, 이는 중앙 당국의 허가 아래 민간 조직과 상업 이익 보호가 가장 정교하게 조합을 이룬 형태였다. 도시 자본가와 국가의 강압적 권력의 이와 같은 융합을 통한 자원 추출은 실질적으로 상당히 다양했다. 스페인[에스파냐]과 포르투갈 회사들은 무엇보다도 국가를 위해 자금을 조달해서, 이익을 얻은 상인은 극히 일부에 불과했다. 대조적으로, 네덜란드와 영국의 식민지 기업들은 근본적으로 상인들이 자체적으로 운영하는 기업이었다. 네덜란드동인도회사의 제도들은 압도적으로 높은 수준의 도시 자치를 허용한 공화국의 연방 구조를 반영했다. 서로 다른 도시에 위치하는 6개 행정 사무국들이 회사를 구성했다. 주식은 상당수의 투자자들에게 판매되었다. 수익은 별도의 지역 상인 엘리트들에게 돌아갔다. 영국동인도회사도 마찬가지로 상인들이 운영했다. 주식은 시장에서 거래되었고 수익은 마찬가지로 주주들에게 배당되었으나, 수익금은 정부에 대한 대출로 정기적으로 빠져나갔다. 영국동인도회사는, 네덜란드동인도회사처럼, 도시 자치 제도에 의해 제한이 되지 않았고, 런던에 기반을 둔 모든 상인이 이익을 얻는 훨씬 더 국가적인 조직을 구성했다. 식민지 회사들은 중세에 상인 길드가 수행한 역할을 글로벌 규모로 계속했다.[21]

유럽 밖에서는 유럽과 같은 강력한 원거리 무역 기업들이 등장하지 않았다. 그럼에도 소규모 상인 연합회와 길드가 회원들의 거래를 보호·촉진했으며, 신뢰를 창출함으로써 거래비용을 절감하는 한편, 공동의 (종교) 의례와 축제를 통해 결속을 강화했다. 중국의 공동체 기반 상단商團과 동향同鄕 조직들은 주목할 만한 높은 수준의 자치를 바탕으로 운영되었다. 상인 사이 분쟁의 조정은 이들 조직의 중요한 역할이었다. 몇몇은 민간 소방대를 운영하거나 자체 치안대를 조직했다. 그러나 그와 같은 조직은 유럽 조직의 독립적·기업적 구조를 보장하는 헌장이 없는 상황에서 활동할 수밖에 없었고, 이는 갑작스러운 국가 간섭의 위험을 시사하는 것이었다. 1219년 중국의 남송 왕조는 은의 유출을 막으려 사치품 수입에 드는 비용을 비단, 양단, 도자기로 제공하도록 강제하는 규정을 발표했다. 국가 정책이 무역만 억제한 것은 아니었다. 특히 1684년에 청은 해금海禁 정책을 해제하면서 상업 활동의 증가와 새 행회行會(서양의 길드) 및 결사체의 성장을 촉진했다. 19세기 후반에 또 다른 무제한 상업 경쟁의 시기가 도래했는바, 이 기간에 중앙은행의 기초적 기능을 가정한 금융 행회가 출현했고, 이는 지역 시장의 안정에 이바지하고 지역 간 교역 및 원거리 무역의 필요를 충족시켰다.[22]

마찬가지로 오스만 제국에서도 길드의 자치 정도가 다양했다. 대부분의 길드는 무역과 생산을 규제할 뿐 아니라 질병과 사망에 대비해 상호적 지원을 제공하는 자발적 결사체로 출발했지만, 많은 길드가 당국으로부터 지시를 받는 등 지방정부와 작업장 사이의 행정적 연결고리 역할을 하게 되었다. 위로부터의 통제는 이스탄불에서 가장 컸고 다마스쿠스와 세레스Seres 같은 지방 도시에서는 덜했다. 마찬가지로 견직공은 외국무역〔대외무역〕에서 비단이 중심적 위치를 자치하고 있었기 때문에 현지 당국의 정기적 간섭에 대처해야 했고, 제화공과 제혁공 길드들은 대개 독자성을 유지할 수 있었다.[23] 그러므로 오스만 제국과 중국 두 곳 모두에서 상인과 장인은 무역과 생산을 위한 유사한 조직을 구성했으며, 그들의 활동 범위는 당대 중앙과 현지 당국이 부여한 (일시적) 책략의 여지에 크게 좌우되었고, 반면 유럽의 무역상들은 전통과 규약에 의존할 수 있었으며 이것들은 무역상들의 권력은 물론 협상의 기초로 사용되었다.

정치적 대표성을 위한 도시 기반의 요구사항

비유럽 상인들과 길드 구성원들이 항상 무력한 것은 아니었으나, 그들에게는 유럽의 도시 조직체가 지닌 법적 지위에서 나오는 강력한 지원이 부족했다. 유럽의 도시들과 심지어 더 작은 규모의 타운들 또한 성벽 너머에서도 합법적 수단으로 시민들을 보호하기 위해 그들이 속한 영역의 경계선 내부와 외부에서 다른 모든 공공 당국 및 민간 결사체들과 협상할 수 있는 권리가 있었다. 15세기 플랑드르, 브라반트, 홀란트 지역에서 도시 대표단은 독일 한자동맹의 대표들, 잉글랜드 및 카스티야의 왕들과 협상을 벌였다. 자신들의 상업적 이해관계가 군주의 이익과 충돌했을 때 당사자들은 타협점을 찾기 위해 협상했고, 군주는 대부분 시민들의 수입이 자신의 조세 수입의 기초가 된다는 것을 이해했다.[24] 유럽 도시의 법인격legal personality은 도시들이 국가 통치자들의 자의적 조치에 반대하는 것을 도왔다. 유럽 도시들은 다양한 경우에 부여된 특권을 언급하고 시민들의 안전과 재산권을 보장함으로써 그렇게 했다. 이것은 특히 국가 간 관계에서 독립적인 전략적 자산을 대표하는 상업자본과 관련해 중요했다.

유럽의 도시권력의 기초에는 별도의 예산과 일반적으로 개별 도시에 특화된 상당한 재정 자율성을 가진 명확한 시민 행정부가 있었다. 유럽 외부에서는 지방 행정부가 흔히 타운의 행정부와 중복되었다. 지방 행정 단위의 경계선이 타운 한가운데를 관통하기도 했다. 지방의 재정 자율성은 없었다. 중국과 이슬람 왕국들에서는 지역 명사들이 정부 관리들에게 조언하고 그들을 지원하는 비공식적 도시 통치 방식이 있었다. 이 '명사들'과 국가 사이 관계는 유동적이었다. 지역 명사들은 국력이 강할 때는 정부의 대리인으로 활동했지만 정부가 약해지거나 위기를 맞았을 시기에는 상당한 수준의 자치권을 행사했다. 지리적 거리는 또 다른 요소를 구성했다. 오스만 제국에서 이스탄불은 의심할 여지 없이 가장 통제된 도시였지만, 중앙의 권한은 알제와 튀니스 같은 멀리 위치하는 속주 수도들에는 훨씬 적은 영향을 끼쳤다. 트리폴리의 샤이흐shaykh('노인' '장로'를 의미하는 아랍어로, 행정 조직이나 집단의 '장長'을 통칭하는 용어)는 18세기에 도시 명사들의 정기적 회합에서 도움을 받았다. 이 지역 중재자들은 대개 자신들의 공동체의 이익을 옹호하고, 세금 감면이나 여타의 특권을 요구할 수 있었다.[25] 일본에서는 상인이 지배한 사카이堺(오사카 근처) 타운이 15세기와 16세기에 독립된 단위로 통치했다고 알려지기도 했다.[26]

이들 비공식적 도시 행정을 보조한 것은 동네 결사체였다. 이와 같은 조직은 범죄 및 화재 예방, 쓰레기 처리, 갈등 조정, 조세 지원, 지역 종교 숭배(특히 중국과 일본에서), 질병 및 죽음으로 인한 상호 부조, 외침에 대한 방어 등 각양의 업무를 맡았다. 이 서비스에는 의무가 부과될 수 있었다. 다시 말하지만, 동네 결사체는 보통 중앙권력으로부터의 거리에 따라 자치의 수준이 각기 달랐다.[27] 일례로, 에도시대에는 쇼군將軍 정부가 동네 책임자를 임명해 엄격한 통제권을 행사하며 지방정부의 독립성을 약화시켰다.

사실 이슬람과 중국 모두 실제 도시 행정의 상당 부분을 비국가 부문에 일임했고, 이는 현지 엘리트와 그 결사체가 일상을 지배하고, 통치자와는 독립적으로 사회적 권력과 영향력을 가지며, 별개의 도시 정체성과 자부심을 강화할 수 있게 했다.[28] 그러나 시민을 보호할 법적 장치가 없었고, 현지 명사들이 고도로 개인화한 네트워크를 통해 정권과 긴밀하게 협력했던 터라 거리낌 없이 독립적 중산층의 발전은 방해를 받았다. 경제적 권력은 유럽에서처럼 쉽게 정치적 권력으로 전환되지 않았다. 이슬람과 중국 세계의 법률체계가 사업상의 위험이나 자의적 과세 및 몰수에 대한 안전을 제공하는 기제를 개발하지 않았던 만큼 도시의 자본 축적은 항상 위협에 처해 있었다. 중앙정부에 의한 특별 징수, 예기치 않은 세금, 추가적 부담금을 제한할 강력한 완충장치는 없었다. 과도한 야망을 지닌 군주들의 전횡으로부터 기업가와 무역업자를 보호하는 피난처가 되어줄 도시는 존재하지 않았다.[29] 중국의 경우 염상鹽商이 상당한 부를 축적했고 국가와 경제계 사이에서 일종의 중개자 위치에 있었으며, 프랑스 구체제〔앙시앵레짐〕에서 강력했던 징세 도급인tax farmer과 다르지 않았는데, 이들은 '공상公商'으로까지 불렸다. 대부분의 중국 상인들에게 정치적 권력에 접근하는 가장 좋은 길은 땅을 사고 신사紳士층에 합류한 다음, 아들들을 교육해 그들에게 황실 관리의 지위를 확보하게 하는 것이었다.[30] 이슬람의 경우 상인 기반의 부富의 연속성은 축적된 자본을 파편화하는 경향이 있는 분할 상속제로 저해되었으며, 경제적 협력자 관계는 협력 상대방의 관계 파기, 무능력, 또는 사망 후의 관계 해체라는 정기적 위협에 직면했다.[31]

유럽 타운들의 재정 자율성은 점차 침식되어 전형적인 베버주의적 공동체에도 영향을 끼쳤다. 통일적 왕조국가의 부상은 전형적인 유럽의 도시 자치권을 축소했으며, 이는 영토 통치자들에게 우수한 군사 기술과 점점 더 많은 군대를 활용할 수 있게 해준 규모의 경제의 직접적 결과다. 새 세대의 황제와 왕은 도시 공동체에 더 큰 재정적 압박을 가했다. 이전의 특권이 계속 유지되는 동안 새 규정과 새 행정 네트워크가 기존 자치 체계에 점점 더 많이 침투했다. 도시 자치의 쇠퇴는 유럽 전역에 걸쳐 다양하게 진행되었다. 선도적 상업도시들은 군주가 도시들의 서비스로부터 이익을 얻고 재정적으로 도시들을 고갈시키지 않는 한 일반적으로 상당한 수준에서 자치권을 유지했다. 상인 엘리트가 통치하는 주요 자치도시들은 영토국가보다 신용 거래에 더 쉽게 접근할 수 있는 것으로 나타났다. 이 엘리트들이 지대地代를 추구하며 경제적으로 덜 역동적인 태도로 전환했을 때, 왕조국가의 지배를 위한 초석이 놓였다.[32] 네덜란드의 타운들은 18세기 말까지 자치적 지위를 유지했지만, 지중해 지역에서는 베네치아를 제외하고 도시 자치정부가 사실상 사라졌다. 다수의 독일, 플랑드르, 브라반트의 타운은 간신히 자치적 지위를 이어갔으나 조세나 대출 상환액의 형태로 점차 고비용을 지출해야만 했다. 어쨌든 타운들은 자신의 벽을 넘어 시민들의 특정한 이익을 방어할 기회를 잃었다. 약간의 보상은 현지 엘리트가 자신들을 위해 확보할 수 있었던 국가 세금의 배분을 통한 몫이었다.[33]

국가의 이런 권력 신장에도 불구하고, 국가가 통제하는 도시들조차도 위로부터의 직접적 간섭을 회피할 수 있는 공간을 가지고 있었다. 전 세계적으로 시장marketplace, 선술집public house, 커피하우스coffeehouse 및 찻집teahouse[다관]은 정부 정책에 관한 비판적 의견을 공식화할 수 있는 잠재력과 쉽고 신속한 의사소통을 가능하게 하는 '공론장public sphere'을 구성했다. 이슬람권에서 모스크mosque는 도시의 주요 야외 회합 장소로 기능했다. 와크프waqf(종교적 기부금의 공익 신탁)는 여관 건립을 통해 도시 내 사회적 상호작용의 기반설비를 더욱 확장했다.[34] 이슬람과 중국의 국가 통치자들이 지역의 통치와 경영에 일종의 자유방임적 정책을 채택했다는 사실은 현지 명사들과 결사체들이 정치 문제를 논의할 수 있게 했다. 실제로 국가는 모든 것을 통제할 능력이 없었다. 부유한 중국 상단의 독립 자산은 자선 활동에만 이바지한 것이 아니었다. 그것은 또한 축제와 공연을 후원하고, 중요한 사회 중심지가 된 다관茶館과 공공정원을 만들었다. 다관은 일종의 공공재판소 역할을 해서, 중국인들은 종종 다관 중재자의 조정을 지방정부의 정의보다 더욱 선호했다.[35]

이와 같은 사회적 공간에서는 모든 종류의 토론이 허용되었지만, 그 대부분은 현지 문제와 현지 운영에 관한 주제에 국한되었다. 위르겐 하버마스에 따르면, 근대 초기 서유럽의 '공론장'은 네덜란드공화국, 잉글랜드, 프랑스에서 모든 종류의 신문과 엄청난 수의 소책자가 등장하면서, 보다 개방적이고 전국적인 정치적 논쟁의 출현과 함께 새로운 무엇인가를 형성했다.[36] 유럽의 선술집은 이슬람 와크프가 재정을 지원하는 사교적 모임 장소 혹은 중국의 다관과는 달랐다. 중국의 다관은 국민에게 국정에 대해 논하지 말라고 경고하는 공문을 벽에 붙여야 했고, 중대 시국에는 종종 문을 닫았다. 와크프가 후원하는 조직체들은 기부금 조성 시점부터 운영 규칙이 정해져 있었고 따라서 새 상황에 유연하게 대처하기 어려웠다.[37]

더욱이 잉글랜드와 네덜란드의 공론장은 전통적으로 특별히 높은 정치적 요소를 포함하고 있었다. 잉글랜드 자체의 도시 자치권은 항상 장소에 따라 상당히 다양했으며 재정 자율성은 항상 대륙보다 훨씬 낮았으나, 수많은 자치체 단체는 자유로운 선거를 통해 대표를 선출했다. 18세기에 이 선거는 진정한 공동체적 행사가 되었다. 프랑스대혁명 이전 유럽 대륙에서 이러한 선거가 진행되었는지는 알려진 바가 없다. 유권자 수가 많은 편은 아니었고 잉글랜드 공론장에 대한 접근이 종종 가정되는 것만큼 개방적이지는 않았지만, 더 넓은 정치 참여에 관한 새 개념 형성에 도시 기반 전통이 끼친 영향력은 결코 의심의 여지가 없다.[38]

시민권과 의회 대표성에 관한 이상은 점차 유럽의 다른 지역과 그 너머로 퍼져나갔다. 메르세데스 볼레Mercedes Volait는 19세기 이슬람 도시 정부의 새 대의제가 어떻게 기존의 비공식적 도시관리urban management 방식에 기반을 두었는지를 설명해준다(32장 참조). 중국에서는 19세기 후반에 상회商會, chamber of commerce가 설립되면서 공론장이 탄력을 얻었다. 이 엘리트 기관의 임원들은 이전의 행회와 상단 출신으로 정부에 상당한 압력을 가할 수 있었고, 독단적 과세에 저항할 수 있었다. 상회는 1872년 최초의 중국어 주요 신문의 출현으로 더욱 발전된 새로운 종류의 정치의식의 온상이었다.[39]

결론

유라시아 전역에서 도시의 권력 기반은 여러 요소의 조합에 의존했으며, 특히 자원 추출에 대한 독립적인 통제와 관련 정치적 맥락 내에서의 세력균형 요소가 두드러졌다. 유럽 도시들은 생태학적 요인으로 인해 글로벌 규모로 발달하기에는 뒤늦었고 비교적 규모도 작았다. 10세기에서 13세기에 걸친 경제 및 인구의 꾸준한 성장은 유럽의 교회 제도들뿐 아니라 봉건영주들과 그들 중 가장 성공적인 경쟁자였던 영토군주territorial prince의 팽창을 촉진했다. 바로 교회, 귀족, 영토군주들의 일부 경쟁적이고 일부 보완적인 권력 구조의 삼각구도 맥락에서 타운이 근본적으로 다른 자원 추출 시스템을 기반으로 새로운 권력 경쟁자로 부상하고 성장했다. 유럽의 전형적인 세력균형 덕에 이러한 도시 코뮌(코무네)들은 군주, 교회, 귀족, 심지어 외부 이해관계와 대립해 하나의 집합으로 대표될 수 있는 법적, 정치적 실체로 인정을 받았다. 상당한 상업자본에 대한 지배력을 감안할 때 그들의 목소리는 고려되어야 했다.

이슬람과 중국 세계에서는 유럽의 경우보다 더 이른 초기에, 또 더 빠르게 세력균형이 중앙 통치자에게 수렴되어 도시 자치 공동체의 발전을 방해했다. 그러나 모든 곳에서 타운 거주민들은 중앙 통치의 일시적 약화와 관련해 이득을 볼 수 있었고, 특히 왕국의 주변부 권peripheral area에서 그러했다. 실제 지방 행정부는 중국과 이슬람 국가 모두에서 다소 약하게 규정되었기에, 지역 명사들은 이 격차를 메울 기회를 얻었고 도시 자문위원회, 상단, 길드(또는 행회), 동네 결사체를 설립했다. 이와 같은 제도를 통해 중국과 이슬람 국가 도시의 명사들은 자신들의 이익과 지역사회의 이익을 증진했으나, 강력한 법적 보호 수단과 재산권이 부족했던 만큼 그 성공의 정도는 일반적으로 유럽의 경우보다 낮았고 지속적이지도 않았다. 그러나 유럽 도시 제도들의 장점들은 배제를 낳을 수도 있다. 유대인과 비기독교인들은 그저 건성으로 용인되었을 뿐이다. 이에 비해 중국과 이슬람의 도시들은 더 관용적이었으며, 적어도 중세에는 종교가 다른 외국 상인들의 정주지를 포용하고 있었다.

대체로 도시 자치와 전형적인 도시 기반의 공론장은 유럽 내에서 다양한 규모로 나타난 현상으로 볼 수 있다. 공론장의 역할과 그 안에 있는 도시 구성 요소의 역할은 권력 기반의 변화에 따라 달랐다. 타운에서 공론장은 주로 인구 규모, 경제적·재정적 번영, 소통 시설, 행정적·경제적·재정적·사법적 특권, 자체의 군사력 문제들을 다루었다. 인구가 적은 지역의 수천여 개 소규모 타운에서는 19세기까지도 교회, 영주, 군주의 지배력이 우세했다. 심지어 도시화가 상당히 진전된 서유럽의 많은 지역에서도 17세기와 18세기를 거치면서 도시 자치가 쇠퇴했다. 도시는 성벽 너머를 통치할 수 있는 능력을 잃었지만, 가장 진취적인 시민들은 전 세계로 확대된 기업과 회사 내에서 활동했다. 그런데도 오래된 시민권과 유권자들은 18세기 후반에 자신의 힘을 입증했고, 정치적 대표성에 관한 새롭고 급진적인 요구의 개발을 강화했다. 이러한 발전은 유럽 밖에서도 알려지지 않은 것은 아니었으나, 권력 참여 확대의 장애물은 대개 더 감당하기 어려운 것이었다. 그러나 동서양 모두에서 이와 같은 정치적 요구는 과거에 강한 뿌리를 가지고 있던 전형적인 도시 기반의 공론장에서 표출되었다.

주

1 권력에 관한 논의에 대해서는 Michael Mann, *The Sources of Social Power*, vol.1 (Cambridge: Cambridge University Press, 1986), 1-32.

2 Max Weber, *The City*, trans. and ed. Don Martindale and Gertrud Neuwirth (Glencoe, Ill.: The Free Press, 1958), 81-88, 100-104, 120.

3 Monica Juneja, "Vorkoloniale Stiidte Nordindiens. Historische Entwicklung, Gesellschaft und Kultur, 10.-18. Jahrhundert", in Peter Feldbauer, Michael Mitterauer, Wolfgang Schwentker, eds., Die vormoderne Stadt. *Asien und Europa im Vergleich* (Vienna and Munich: Oldenburg, 2002), 108-114.

4 Mark Elvin, *The Pattern of the Chinese Past* (Stanford: Stanford University Press, 1973), 113-199, 250-267; Arthur Cotterell, *The Imperial Capitals of China. A Dynastic History of the Celestial Empire* (Woodstock and New York: The Overlook Press, 2007), 33.

5 Peter Feldbauer, "Die islamische Stadt im 'Mittelalter'", in Feldbauer et al., *Die vormoderne Stadt*, 91-95.

6 Richard W. Bulliet, *Cotton, Climate, and Camels in Early Islamic Iran* (New York: Columbia University Press, 2009), 69-95.

7 Eric L. Jones, *The European Miracle. Environments, Economies and Geopolitics in the History of Europe and Asia* (Cambridge: Cambridge University Press, 1987), xxii-xxiii.

8 Giuliano Pinto, "Poids démographique et réseaux urbains en Italie entre le XIIIe et le XVe siècle", in Elisabeth Crouzet-Pavan and Elodie Lecuppre-Desjardin, eds., *Villes de Flandre et d'Italie (XIIIe-XVIe siècle). Les enseignements d'une comparaison* (Turnhout: Brepols, 2008), 13-27; Peter Stabel, "Composition et recomposition des réseaux urbains des Pays-Bas au bas Moyen Age", ibid. 44-53; Giorgio Chittolini, "Urban Population, Urban Terrritories, Small Towns: Some Problems of the History of Urbanization in Central and Northern Italy, 13th-16th Centuries", in Peter Hoppenbrouwers, Antheun Janse, and Robert Stein, eds., *Power and Persuasion* (Turnhout: Brepols 2010), 227-41; Peter Clark, *European Cities and Towns, 400-2000* (Oxford: Oxford University Press, 2009), 37; Patrick

Boucheron, Jean-Luc Pinol, and Marc Boone, eds., *Histoire de l'Europe urbaine*. vol. 1. *De l'Antiquité au XVIIIe siècle: genèse des villes européennes* (Paris: Seuil, 2003), 395; Derek Keene, "London from the PostRoman Period to 1300", in David M. Palliser, ed., *The Cambridge Urban History of Britain*. vol.1: *600-1540* (Cambridge: Cambridge University Press, 2000), 196-202.

9 Victoria Tin-Bor Hui, *War and State Formation in Ancient China and Early Modern Europe* (Cambridge: Cambridge University Press, 2005), 60-67, 81-92, 103; Mark Edward Lewis, *The Early Chinese Empires: Qin and Han* (Cambridge, Mass.: Harvard University Press, 2007), 17-19, 31-40; Cotterell, The Imperial Capitals, 18, 28, 41-49.

10 Hui, *War and State Formation*, 210-213; Lewis, *The Early Chinese Empires*, 32, 75-76, 102.

11 Etienne de la Vaissière, *Histoire des marchands Sogdiens* (Paris: Collège de France, 2002), 133-174; Jonathan Skaff, "Documenting Sogdian Society at Turfan in the Seventh and Eighth Centuries: Tang Dynasty Census Records as a Window on Cultural Distinction", ibid. 311-341; Binglin Zheng, "Non-Han Ethnic Groups and Their Settlements in Dunhuang during the Late Tang and Five Dynasties", ibid. 343-362; Cotterell, *The Imperial Capitals*, 54, 73,

12 Charles Tilly, *Coercion, Capital, and European States*, AD 990-1990 (Oxford: Blackwell, 1992).

13 Ira M. Lapidus, *Muslim Cities in the Later Middle Ages* (Cambridge: Cambridge University Press, 1967), 188.

14 이 책의 15장을 참고하라.

15 Nikkie R. Keddie, *Modern Iran. Roots and Results of Revolution* (New Haven: Yale University Press, 2006) 16, 26, 68; Said Amir Arjomand, "Religion, Political Action and Legitimate Domination in Shi'ite Iran: Fourteenth to Eighteenth Centuries AD", *Archives Européennes de Sociologie*, 20:1 (1979), 59-109.

16 Derek Keene, "Issues of Water in Medieval London to c.1300", *Urban History*, 28 (2001), 167.

17 Franz Irsigler, "Kölner Wirtschaft im Spätmittelalter", in Herman Kellenbenz, ed., *Zwei Jahrtausend Jahre Kölner Wirtschaft* (Cologne: 1975), 242-243.

18 S. Ogilvie, *Institutions and European Trade. Merchant Guilds 1000-1800* (Cambridge: Cambridge University Press, 2011), 41-159; Wim Blockmans, "Formale und informelle soziale Strukturen in und zwischen den großen flämischen Städten im Spätmittelalter", in Peter Johanek, ed., *Einungen und Bruderschaften in der spätmittelalterlichen Stadt* (Cologne, Weimar, Vienna: Böhlau, 1994), 1-15; Wim Blockmans, "Regionale Vielfalt im Zunftwesen in den Niederlanden vom 13. bis zum 16. Jahrhundert", in Knut Schulz, ed., *Handwerk in Europa* (Munich: Oldenbourg, 1999), 51-63; Wim Blockmans, "Constructing a Sense of Community in Rapidly Growing European Cities in the Eleventh to Thirteenth Centuries", *Historical Research*, 83:222 (2010), 575-587.

19 Daniel Waley and Trevor Dean, The Italian City-Republics (Harlow: Longman, 2010); P. J. Jones, *The Italian City-State: From Commune to Signoria* (Oxford: Oxford University Press, 1997).

20 Rolf Hammel-Kiesow, *Die Hanse* (Munich: Beck, 2008).

21 Ogilvie, *Institutions and European Trade*, 228-230, 322-330.

22 Linda Cooke Johnson, *Shanghai. From Market Town to Treaty Port, 1074-1858* (Stanford: Stanford University Press, 1995) 107-110, 124-128; William T. Rowe, *Hankow. Commerce and Society in a Chinese City, 1796-1889* (Stanford: Stanford University Press, 1984), 175.

23 Nelly Hanna, "Guilds in Recent Historical Scholarship", in Salma K. Jayyusi et al., eds., *The City in the Islamic World* (Leiden: Brill, 2008), 895-923.

24 Wim Blockmans, "Representation", in Christopher Allmand, ed., *The New Cambridge Medieval History*, vol.7, *c.1415-c.1500* (Cambridge: Cambridge University Press, 1998), 29-64.

25 Andre Raymond, "The Management of the City", in Jayyusi et al., eds., *City in the Islamic World*, 775-794.

26 이 책의 18장을 참고하라.

27 S. Van der Sprenkel, "Urban Social Control", in G. William Skinner, ed., *The City in Late Imperial China* (Stanford: Stanford University Press, 1977), 615.

28 Susan Mann, *Local Merchants and the Chinese Bureaucracy, 1750-1950* (Stanford: Stanford University Press, 1987), 13; 이 책의 15장을 참고하라.

29 Van der Sprenkel, "Urban Social Control", 632; Rowe, *Hankow*, 209–210; Mann, *Local Merchants*, 21.

30 Antonia Finnane, *Speaking of Yangzhou. A Chinese City, 1550–1850* (Cambridge: Cambridge University Press, 2004), 264.

31 Timur Kuran, *The Long Divergence. How Islamic Law Held Back the Middle East* (Princeton: Princeton University Press, 2011), 79, 98.

32 David Stasavage, *States of Credit. Size, Power, and the Development of European Polities* (Princeton and Oxford: Princeton University Press, 2011).

33 Clark, *European Cities*, 209–211; Richard Bonney, ed., *The Rise of the Fiscal State in Europe c.1200–1815* (Oxford: Oxford University Press, 1999), 152–156.

34 Hugh Kennedy, "From Polis to Madina: Urban Change in Late Antique and Early Islamic Syria", *Past and Present*, 106 (1985), 16.

35 Kwam Man Bun, *The Salt Merchants of Tianjin. State-Making and Civil Society in Late Imperial China* (Honolulu: University of Hawaii Press, 2001), 85–87; Johnson, *Shanghai*, 99.

36 Jürgen Habermas, *The Structural Transformation of the Public Sphere: An Inquiry into a Category of Bourgeois Society* (Cambridge: Polity Press, 1989), 25–26; Robert Darnton, *The Forbidden Best-Sellers of Pre-Revolutionary France* (New York and London: W. W. Norton, 1996), 236–239.

37 Kuran, *The Long Divergence*, 111; Di Wang, "The Idle and the Busy. Teahouses and Public Life in Early Twentieth-Century Chengdu", *Journal of Urban History*, 26:4 (2006), 419, 424; Johnson, *Shanghai*, 109–110, 141.

38 P. J. Corfield, *The Impact of English Towns 1700–1800* (Oxford: Oxford University Press, 1982), 147–152.

39 Mann, *Local Merchants*, 19, 153–154; 이 책의 17장을 참고하라.

참고문헌

Blickle, Peter, ed., *Resistance, Representation, and Community* (Oxford: Clarendon Press, 1997).

Blockmans, Wim, Holenstein, André, and Mathieu, Jon, eds., *Empowering Interactions. Political Cultures and the Emergence of the State in Europe 1300–1900* (Farnham: Ashgate, 2009).

Bonney, Richard, ed., *The Rise of the Fiscal State in Europe c.1200–1815* (Oxford: Oxford University Press, 1999).

Feldbauer, Peter, Mitterauer, Michael, and Schwentker, Wolfgang, eds., *Die vormoderne Stadt. Asien und Europa im Vergleich* (Vienna and Munich: Oldenbourg, 2002).

Lapidus, Ira M., *Muslim Cities in the Later Middle Ages* (Cambridge: Cambridge University Press, 1967).

't Hart, Marjolein C., *The Making of a Bourgeois State. War, Politics, and Finance in the Dutch Revolt* (Manchester: Manchester University Press, 1993).

Tilly, Charles, *Coercion, Capital, and European States, AD 990–1990* (Oxford: Blackwell, 1992).

Tilly, Charles, and Blockmans, Wim P., eds., *Cities and the Rise of States in Europe A.D. 1000 to 1800* (Boulder, Colo.: Westview Press, 1994).

Tin-Bor Hui, Victoria, *War and State Formation in Ancient China and Early Modern Europe* (Cambridge: Cambridge University Press, 2005).

Weber, Max, *Economy and Society* (Berkeley, Los Angeles, and London: University of California Press, 1978).

제24장

문화와 표상
Culture: Representations

피터 버크
Peter Burke

비교의 측면에서 표상과 이미지를 다루는 이번 장의 본질적 목표는 세계 각지의 서로 다른 유형의 사람들(내부인과 외부인, 부자와 빈자, 남성과 여성 등)이 도시를 인식하는 다양한 방식(찬미, 사랑, 두려움, 혐오 등)을 식별하는 것이다. 그것은 물리적 도시(인공물인 도시)와 상상된 공동체 imagined community 혹은 공동체들의 결집체로서의 도시라는 사회적 도시 모두와 관련된다. 주요 분석 대상은 유럽, 서아시아, 동아시아의 대규모 도시large city들(인구 약 10만 명 이상의 도시)이며, 유럽 전통과 토착 전통이 만나 서로 충돌하고 상호 침투하는 혼합체인 식민도시colonial city도 포함된다. 아울러 비교사는 물론이고 도시 사이 '관련성' 또한 고찰할 것이다. 도시에 대한 개괄적 내용은 특히 12~13장, 16~19장까지를 참조하기 바란다.

비교에서 불가피한 연대 설정은 문제를 일으킨다. 일례로, 중국에서는 960년(당 말과 송 초), 1368년(명 시작). 1644년(청 시작), 제국이 멸망한 1911년에 왕조 변화와 함께 역사적 연속성이 크게 단절되었고, 일본에서는 1600년 도쿠가와가 부상하고, 1868년 제국의 '유신維新, restoration'이 이루어지고 근대화modernization 정책이 시작되면서 주요 전환점이 생겨났다. 보편적 절충으로, 아래에서는 1000~1850년 시기를 고려하며 출처가 더 풍부해지는 그 후반부를 강조할 것이다.

활용한 각종 풍부한 사료는, 다른 모든 사료가 그러하듯, 문제를 해결하는 한편으로 발생시키기도 한다—사료들은 실제적이면서도 허구적이며, 문헌적이면서도 회화적이기도 하다. 유럽의 경우, 논의 대상인 도시 대부분은 그들의 많은 윤곽이 그리고 일부의 경우 많은 건물이 보존되어 있어 훨씬 더 큰 설십이 된 '역사적 중심지historic centre'가 되었다. 도시에 대한 공식적 설명이나 도시에 대한 안내는 풍부하며, 시와 희곡(예컨대, 17세기 런던을 배경으로 한 '도시희극city comedy')뿐 아니라 여행기와 산문에서도 도시에 대한 짧은 언급이 있다. 시각적 사료로는 지도, 시경관cityscope 회화, 도시 생활의 목판화·판화가 포함된다. 간단히 말해, 중세 또는 근대 초기 유럽 도시에 대한, 그리고 이보다 정도는 덜하지만, 아메리카 대륙 남부와 북부의 식민도시에 대한 표상 연구자들은 〔넘치는 자료로〕 난처할 상황에 직면한다.

아시아의 경우는 관련 자료가 그렇게 풍부하지는 않고, 중국어, 일본어, 아랍어, 터키어〔튀르키예어〕 등의 문헌을 읽을 수 없는 학자들은 문헌에 대한 접근도 불가능하다. 일본은 전통도시의 흔적이 거의 남겨지지 않았지만 이러한 손실을 보상해주는 문헌 및 삽화는 특히 17세기 이후부터 꽤 남아 있다. 중국 역시 관련 사료가 드문 편이다. 이슬람 세계에서는 일부 역사적 중심지가 살아남았으나 도시들의 토착적 이미지는 거의 없다.

사료를 전적으로 신뢰할 수만은 없고, 참고문헌 또한 편견과 수사 모두를 지니고 있다는 점은 말할 필요도 없을 것이다. 표상representation은 단순한 사회적 현실의 반영이 아니라 개인의 경험과 관습이라는 이중의 필터를 통과하며 형성된다. 예를 들어, 표상은 문학과 회화 장르의 관습에 의해 상징화된다. 찬미자와 풍자자 모두 근거를 취사 선택하고 재단한다. 여행자들, 특히 외국인 여행자들은 도시의 작은 부분만을 보거나 자신들이 본 것을 제대로 이해하지 못할 수 있다. 거지와 도둑 무리 같은 '지하세계underworld'를 다룬 문학과 시각예술에는 특히 고정관념이 많지만 그렇다고 오직 그것만이 있는 것은 아니다. 이와 같은 고정관념은 모든 표상과 마찬가지로 과거의 인식을 파악하는 데 도움을 준다는 점에서 인정되어야 하며 무시되어서는 안 된다.

아래에서는 시대나 지역이 아닌 세 가지 주요 주제 즉 인공물artefact로서의 도시, 이상도시ideal city, 사회적 도시social city를 고찰할 것이다.

인공물로서의 도시

특정 도시의 최고의 표상이 도시 그 자체라는 것은 맞는 말이다. 도시의 이미지는 그것의 계획, 주요 건물, 도시공간urban space에서 구체화되

었고, 종교적이고 세속적인 도시 의례 둘 다에서 재현되었다.[1]

일례로, 바그다드는 762년부터 원circle 형태로 재건되었는바 아마도 우주의 이미지였을 것으로 보인다. 13세기 밀라노는 '완벽의 상징'인 원형으로 묘사되었다. 르네상스 시대의 이상적 도시 건축에 관한 논의는 때때로 별star의 형태를 취하는 질서 있는 계획의 필요성을 강조했다.

세계 각지의 도시들은 대개 격자grid 형태로 계획되었으며, 이는 교통 혼잡을 해소하는 동시에 도시가 합리적 조직체라는 것을 상징하기 위해서였다. 당의 수도 장안은 이러한 형태를 기준으로 만들어졌고 베이징의 전신인 금나라 수도 중도中都와 원나라 수도 대도가 이를 모방했다. 일본의 나라와 교토, 신라의 경주를 건설한 사람들은 장안의 모델을 수용했다. 격자 계획에 따라 13세기 서섹스Sussex의 윈첼시Winchelsea부터 18세기 에든버러의 뉴타운까지 몇몇 유럽 도시가 건설되었다. 아스테카 도시 테노치티틀란('신들의 집')도 격자 계획으로 건설되었고, 멕시코시티·리마·포토시·필라델피아 등 신대륙의 많은 식민도시 또한 마찬가지였다.

유럽에서 타운홀town hall은 실용적 이유에서만 아니라 시민의 자부심과 권력의 상징으로 중세 후기부터 건립되었다.[2] 타운홀은 실제로는 자치self-government(대개 과두정치oligarchy를 의미했다)의 이상ideal을 보여주었다. 그곳의 실내 장식들은 종종 로마의 역사에서 비롯한 것이든(불 속에 손을 넣은 가이우스 무키우스 스카이볼라Gaius Mucius Scaevola는 피렌체와 시에나를 표상했다), 구약성경에서 비롯한 것이든(모세와 솔로몬은 암스테르담을 표상했다) 덕성의 사례를 포함했다('가이우스 무키우스 스카이볼라'는 로마 건국 신화에 등장하는 로마인으로서 고결한 정신과 죽음을 두려워 않는 용기로 에트루리아인의 침략을 물리쳐 로마를 구했다고 전해지는 인물이다].[3] 안트베르펜의 새로운 타운홀은 SPQA Senatus Populusque Antwerpiensis('안트베르펜의 원로원과 대중')이라는 명문이 있어 고대 로마의 경우['로마의 원로원과 대중Senatus Populusque Romanus']와 암묵적으로 대비가 된다.[4] 다시 한번, 도시 간 경쟁이 표상을 통해 이루어졌고, 심지어 네덜란드공화국의 소규모 도시 엥크하위전Enkhuizen의 타운홀에도 'SPQE'가 자랑스럽게 새겨졌다. 교회와 길드홀guildhall은 18~19세기 도시에 있었던 극장, 콘서트홀, 박물관, 도서관, 미술관과 마찬가지로 무엇보다 시민의 자부심과 부의 표현이었다. 밀라노의 오스페달레마조레Ospedale Maggiore 같은 병원들도 15세기부터 도시 방문객들이 찾는 명소였다.

1743년 브리스톨 증권거래소Bristol Exchange 개소식 연설은 이런 유형의 건물에 관한 공통적 동기를 명확하게 예시해준다. "공공건축물은 항상 존중을 받아왔으며 국가적 위엄과 지혜의 표현으로 고려되었다." 이와 같은 시민적 정체성civic identity의 상징은 경쟁의 한 형태이기도 했다. 웅장하게 건설하는 것은 다른 수단을 사용하는 전쟁의 연속이었다. 그래서 시에나 사람들은 타운홀 팔라초퓌블리코Palazzo Pubblico의 탑을 피렌체 타운홀 팔라초델라시뇨리아Palazzo della Signoria의 탑보다 더욱 높게 만들었다.

이슬람 세계에서도 유사한 방식으로 모스크mosque, 첨탑[미너렛]minaret, 바자르bazaar, 공공병원이 실용적 기능과 아울러 상징적 기능을 수행했다(카이로 경관에 대한 유럽식 표상은 [도판 24.1]을 보라). 예컨대, 여행객들에게 다마스쿠스의 대모스크Great Mosque나 블루모스크Blue Mosque

[도판 24.1] 카이로 조감도, 마테오 파가노Matteo Pagano, 1549년경 (출처: Georg Braun & Franz Hogenberg, *Civitates Orbis Terrarum*, 1st edn. Cologne, 1572)

는 기도의 장소이자 감탄의 대상이기도 했다. 남아시아와 동아시아에서는 힌두교, 불교, 도교 사원이 모스크와 교회의 상징적 역할을 대신했다. 베이징의 우타사[오탑사]五塔寺와 교토의 난젠지南禪寺를 예로 들 수 있다.[5] 동서양을 막론하고 면밀하게 만든 관문은 안전을 상징했고 실제 안전에 한몫했다. 그 가운데 몇몇은 유명세를 떨쳤다. 베이징은 '구문九門'(1550년 이후 13개로 증가했다)으로 유명해졌다['구문'은 궁전 둘레에 있는 아홉 개의 문이다].

공간, 특히 사각의 광장square은 상징성과 실용성 둘 다를 갖추고 있었다. 사각의 광장은 이미 14세기와 15세기에 이탈리아인의 삶의 일부였으며, 몇몇 유명한 광장은 훨씬 더 이전부터 그러했다(베네치아의 산마르코광장Pizza San Marco은 1200년경에, 피렌체의 시뇨리아광장Piazza della Signoria은 1300년경에 조성되었다). 16세기의 건축가 자코포 산소비노Jacopo Sansovino는 베네치아의 집정관 곧 도제doge의 의뢰를 받아 산마르코광장의 외관을 개선하고, 상점과 노점을 정리하고, 도서관을 세웠으며 종탑[캄파닐레]Campanile 기단부에 작은 로제타loggetta[한쪽 벽이 없는 복도 모양의 방]를 마련했다. 파리는 1600년에 사각의 광장 2개만을 가지고 있었고, 런던의 경우 사각의 광장은 사실상 17세기의 코벤트가든Covent Garden이 그 시작이다.*

유럽의 몇몇 광장은 유명 건축가에 의해 설계되었고 —로마의 성베드로광장Piazza San Pietro은 잔 로렌초 베르니니Gian Lorenzo Bernini가, 파리의 빅투아르광장Place des Victoires과 루이르그랑광장Place Louis-le-Grand(지금의 방돔광장Place Vendôme)은 쥘 아르두앙-망사르Jules Hardouin-Mansart가— 통치자의 권력을 대중에게 각인하기 위해 만들어졌다. 트래펄가광장Trafalgar Square은 승리의 상징이자 제국의 상징이었다(1843년 세워진 허레이쇼 넬슨Horatio Nelson 제독의 기념물을 중심으로 조성되었다). 광장은 대중에게 더 강한 인상을 주는 분수, 조각상, 이런저런 '부속설비'로 꾸며졌다. 스페인령[에스파냐령] 아메리카에서 광장은 본국에서보다 더욱 중요했다. 식민도시의 중심은 흔히 대성당과 지방정부가 위치한 아르마스광장Plaza de Armas이었으며, 이는 스페인 사람들이 소수에 불과했던 식민지에서 스페인 통치의 상징이 되었다.

* 이하에서 '광장'은 특별한 설명이 붙지 않는 한 '사각의 광장'을 말한다. 참고로 '원형의 광장'을 지칭하는 영어 단어는 'circle' 'circus'다.

반면, 세계의 다른 지역에서 광장은 있었다 하더라도 덜 중요했다. 1453년 튀르크족은 콘스탄티노폴리스를 점령한 이후 일부 광장을 지붕을 덮은 바자르로 대체했다. 일반적으로 이슬람 세계에서는 종교 회합이 모스크에서 열렸고, 세속적 모임은 도시 외곽의 개방공간이나 마이단maidan에서 열렸다.* 페르시아 사파비 왕조는 주요한 예외였다. 이스파한Isfahan의 마이단-에-샤Maidan-e-Shah(샤광장)는 17세기 초반 샤 아바스Shah Abbas를 위해 조성된 것으로 산마르코광장의 7배 규모였다〔'샤 아바스'는 페르시아 제국 사파비 왕조의 제5대 황제 아바스 1세 또는 아바스 대제Abbas the Great를 말한다. 재위 1587/1588~1629〕.

중국 베이징에서는 1651년에 천안문〔톈안먼〕天安門 외곽공간이 정비되면서 광장이 조성되었고 당시에는 지금 크기의 4분의 1에 불과했다. 도쿠가와 막부 시절 일본의 도시들에는 일반적으로 광장이 부족했으며, 넓은 공간을 사람들이 모이는 광장이 아니라 교통로로 사용하는 경향이 있었다. 공개적인 처형은 보통 도시 외곽에서 거행되었고, 이는 유럽과 대비적인 것으로, 유럽에서 처형은 도시 한복판에서 의도적으로 이루어지는 하나의 공공의례로 많은 관중이 지켜볼 수 있었다.

유럽의 광장은 수많은 의례가 진행되는 무대로, 광장의 의례들은 도시, 도시의 사회구조, 도시의 역사를 총체적으로 표상하는 것이었다. 밀라노, 마드리드, 베네치아는 '의례도시ritual city' 혹은 '의식도시ceremonial city'로 불렸다. 일례로 산마르코광장과 그에 인접한 피아제타

* '마이단'은 페르시아어 '메이단'에서 온 단어로 '광장square'을 의미한다. 주로 아시아 남부 지역에서 도시 안이나 인근에 있는 보통 잔디가 덮인 광장을 지칭하기도 한다.

Piazzetta〔작은 광장〕의 무대 같은 외관은 특히 도제의 궁전에서 볼 때 종종 주목을 받았으며, 도제 그 자신은 그의 '특석box'에 앉아 카니발 같은 주요 행사를 내려다보았다.[6] 그러나 그 어느 도시도 로마만큼 의례에 충실할 수는 없었는바, 부활절 축복, 성인 시성식諡聖式, 신임 교황이 도시 소유지possèsso를 인수하는 방식으로 실행하는 도시 순회, 1450년, 1500년, 1550년, 1600년 등 공식적 성년聖年, holy year의 개회 같은 의례의 빈도를 고려할 때 그러하다. 가톨릭교도의 로마 순례는, 이슬람교도의 메카 순례처럼, 그 자체가 일종의 입교 의례였다. 이 의례의 핵심은 로마에 있는 주요 7개 교회를 방문하는 것이었다. 16세기 후반에 교황 식스토 5세Sixtus V〔재임 1585~1590〕는 이 교회들을 연결하는 새로운 도로 건설을 명했다. 이처럼 타운계획town planning은 의례를 위한 것이기도 했다.[7]

가톨릭 도시에서는 수호성인patron saint이 시민의 표상에서 중요한 역할을 담당했다. 베네치아의 산마르코St. Mark, 파리의 생드니St. Denis와 생트주느비에브Ste. Geneviève, 마드리드의 산이시도레St. Isidore 등을 그 사례로 들 수 있다.[8] 피렌체에서 도시의 수호성인 세례자 성요한 축일은 주요 의례 행사였다. 주요 축제 행사의 하나는 두오모Duomo〔대성당〕에서 폰테베키오Ponte Vecchio〔베키오다리〕까지 갔다가 다시 시뇨리아광장을 거쳐 돌아오는 행렬로, 성직자, 수도사, 세속 성직자, 합창단, 종교단체들이 참여했다. 그들은 가장 좋은 옷을 차려입고 음악과 함께 성유물聖遺物을 들고서 화려하게 장식된 도시의 거리를 행진했고, 성요한의 탄생과 그리스도의 세례와 같은 종교적 장면을 표상하는 수레들이 뒤따랐다. 이 축제에서 더욱 특이한 모습은 피사Pisa와 아레초Arezzo

같은 피렌체 통치하의 도시들이 성요한에 대한 헌사를 공식적으로 발표하는 것이었다. 다시 말해, 성요한은 그가 보호하는 도시의 화신化身, personification으로 여겨졌고, 의례는 본질적으로 피렌체 자체의 존엄성과 권력을 축하하는 것으로서 피렌체의 다른 도시에 대한 지배력의 집단적 확증이었다.

개신교 세계에서는 종교개혁이 의례에 거대한 변화를 가져왔다. 수호성인과 그 축제 대신 다른 의례들이 자리를 잡았으며, 그중 런던의 시장 취임 행진Lord Mayor's Show은 교황 즉위 행진이 잉글랜드에서 세속적 의례로 변용된 것과 같았다. 매년 10월 29일, 신임 런던 시장은 보통 바지선을 타고 길드홀Guildhall에서 웨스트민스터궁Palace of Westminster으로 가서 취임서약을 했다. '시티City'(런던의 상업 중심지) 구역으로 돌아오면 시장은 세인트폴대성당St. Paul Cathedral 근처에 도착한다. 시장을 맞이하는 것은 대성당 경내의 '축제행렬pageant'이었다. 환대를 받은 그는 이후 주요 길드와 '런던 상업조합city company'들의 구성원들과 함께 행렬에 참여해 개선문을 지나고 더 많은 풍경을 바라보는 행진을 했다. 행렬은 거리를 극장으로 바꾸어 도시의 사회구조를 드러나게 했으나—"그것은 거리에서 펼쳐진 성명서였고 이를 통해 도시는 스스로를 표상했다"—도시가 만장일치였다고 말하기는 어렵다. 실제로 이 행사는 경쟁적인 개인이나 길드에 의한 우선권 분쟁으로 방해를 받는 일이 드물지 않았다.[9]

유럽 전역에서 권력의 중앙집중화는 마드리드에서 모스크바에 이르기까지 왕실의 도시 입성이나 통치자들의 이동 같은 의례를 통해 각인되었다.[10] 동아시아에서도 도시에서의 의례가 중요했다. 중국의 전통적 도시들은 대개 남북을 관통하는 행렬용 도로가 있었다. 중국의 도시 신들은 가톨릭 세계에서의 수호성인과 같은 역할을 했다. 청 대 초기 베이징의 모습을 아주 상세하게 표상한 것들에는 1713년 강희제康熙帝의 60세 생일을 축하하는 행렬을 묘사한 회화가 있다. 일본의 종교적 축제는 공개적으로 진행되었고 중요한 3개 도시 축제가 있었는바, 교토의 기온마쓰리祇園祭, 오사카의 텐진마쓰리天神祭, 에도의 산노마쓰리山王祭다. 이를 보기 위해 많은 사람이 시내로 몰려들었다. 교토의 기온마쓰리는 서기 1000년 무렵에 시작한 것으로 보인다. 행렬의 중심에는 크고 정교한 수레들이 있었고, 남성들이 끄는 수레바퀴에는 조각품들이 〔장식되어〕 있었다. 유럽과 마찬가지로, 도시의 여러 구역에서 온 도시민들은 최고의 수레를 만들기 위해 경쟁했다.[11] 에도의 산노마쓰리 경우에도 경쟁적인 수레 만들기가 있었다. 행렬은, 베네치아의 도제가 그러했듯, 쇼군將軍이 내려다보는 가운데 성의 경내를 통과하는 것이 허가되었다. 이 연례행사들은 16세기 후부터 17세기 중반 사이에 제작된 현존하는 많은 그림 속에 기록되어 있다.

이상도시와 그 반대 사례

도시들은 이 시기에 종종 이상화되었다. 도시들은 〔이탈리아의 수사이자 철학자〕 토마소 캄파넬라Tommaso Campanella의 《태양의 도시Civitas Solis》(1623), 〔독일 신학자〕 요하네스 발렌티누스 안드레아Johannes Valentinus Andreae의 《그리스도의 도시Christianopolis》(1619)처럼 유토피아의 무대를 형성했다. 로마와 예루살렘은 세계의 수도Caput Mundi〔카푸트 문디. 세계의 머리〕로 간주되었고, 이들 이후의 도시는 새 로마New Rome 또는 새 예루살렘New Jerusalem을 자처했다. 일례로, 〔11세기 연대기작가〕 로돌푸스 글라버Rodulfus Glaber〔985~1047〕의 11세기 연대기에서 오를레앙Orléans은 새 예루살렘으로 소개되었고, 누에바 에스파냐Nueva España의 툴라Tula 또한 사람들이 그렇게 믿고 있었다.[12] 이러한 연유로 도시 간의 경쟁은 표상의 영역으로 확대되었다. 콘스탄티노폴리스는 이미 4세기에 새 로마로 묘사되었다. 13세기경 파도바Padova는 '사실상 제2의 로마quasi secunda Roma'였다. 15세기에 이르러서는 피렌체와 베네치아가, 16세기에는 세비야가 로마를 자처했다. 런던은 더 이례적으로 새 트로이New Troy로 불렸다. 1453년 술탄 메흐메트 2세가 콘스탄티노폴리스를 정복한 후에 일부 러시아인들은 모스크바가 제3의 로마이며 "네 번째 로마는 존재하지 않을 것"이라고 주장했다.

구술과 문헌 모두를 통한 도시에 대한 찬사는 고대 그리스와 로마 시대까지, 인도의 '영광mdhdtmya'의 시기로 알려진 푸라나Puranas 시대(300~1200)까지 올라간다. 이슬람 문학에도 도시에 대한 찬사fada'il가 빈번하게 등장한다. 알카티브 알바그다디al'Khatib al'Baghdadi(1071년 사망)가 바그다드(사원과 욕장의 수가 많음을 강조)에 관해, 또는 타키 알딘 알마크리지Taqi al-din al-Maqrizi(1442년 사망)가 카이로에 관해 묘사한 것들을 들 수 있다. 서양에서는 알바그다디와 유사하게 1140년대에 《도시 로마의 경이Mirabilia Urbis Romae》라는 문헌이 있었고, 1280년대의 《도시 밀라노의 경이De magnalibus Mediolani》에서는 120개의 탑을 언급하는 등 통계적 수사법을 통해 도시의 규모와 부를 강조했다.[13]

이탈리아 르네상스 시대에는 고전적 형태를 추구하는 도시들에 대한 찬사가 점점 일반화되었다. 그중 가장 유명한 것은 토스카나의 인문주의자 레오나르도 브루니Leonardo Bruni가 쓴 《도시 피렌체 찬가Laudation Florentinae Urbis》(1444)다. 브루니는 피렌체가 그때까지 존재했던 도시 가운데 가장 청결한 도시임을 주장했다. 브루니와 같은 청결에 관한 주장은 아닐지라도 도시에 대한 애정 표현은 밀라노와 브레시아 등지에서 뒤따라 등장했다. 많은 작가가 표현한 이른바 '베네치아의 신화'는 도시의 독특한 사회적 조화와 선정을 강조했다. 찬사가 〔도시/여행〕 안내서guidebook와 결합한 가장 정교한 사례는 프란체스코 산소비노Francesco Sansovino(1581)의 《고귀한 도시 베네치아Venezia città nobilissima》와, 나폴리를 소개한 줄리오 체사레 카파치오Giulio Cesare Capaccio의 《이방인Il forastiero》(1634)을 들 수 있다.

다른 나라의 작가들 또한 이 경쟁에 참여했다. 15세기 스코틀랜드 시인 윌리엄 던바William Dunbar가 런던을 '모든 도시의 꽃'으로 칭한 것은 유명하고, 인문주의자 알폰소 데 프로아자Alfonso de Proaza는 《발렌시아 찬가Oratio luculenta de laudibus Valentiae》(1505)를 출간했다. 이러한 웅변에 필적할 만한 시각예술로는 16세기 중반 피터르 클라에이선스Pieter Claeissens the Elder가 그린 세계 7대 불가사의의 축소판인 〈브뤼허의 7대 불가사의Septem Admirationes Civitatis Brugensis〉가 있었다.

좁은 의미로 정의하면, 도시 찬가 장르는 16세기 말에 쇠퇴하기 시작했다(토머스 데커Thomas Dekker가 1604년에 펴낸 런던을 찬미하는 소책자는 시류보다 다소 늦은 예로 언급될 수 있다). 그러나 더 넓은 의미의 정의에서, 도시 찬가 장르는 안내서의 형태로 그 시대의 말까지 —실제로 오늘날까지— 계속되었다. 이와 같은 안내서의 선구자 격은 프란체스코 산소비노의 《베네치아의 주요 명소Cose notabili de Venezia》(1558)이고, 피렌체, 나폴리, 암스테르담, 파리, 런던(1681년에 경쟁적인 두 안내서가 나왔다)이 그 뒤를 이었다. 명나라와 에도 막부 시기에도 안내서가 나왔는데, 그중 교토(1658, 1665, 1678, 1685), 에도(1662, 1677), 오사카(1675) 안내서가 있었다. 안내서는 점점 더 방대해졌고 독자들이 도시를 거리별로 돌아다닐 수 있게 해주었으며, 그중 일부는 주소명부directory로 더 잘 묘사될 수 있었는바 대표적으로는 니콜라 드 블레니Nicolas De Blegny가 출간한 《편리한 파리 주소록Le livre commode des adresses de Paris》(1692)과 18세기 런던의 상호商戶 명부가 있었다.

안내서는 종종 지도를 포함했고, 도시 지도는 유럽·중국·일본에서 점차 중요한 인쇄 장르가 되었다([도판 24.2] 참조). 자코포 데 바르바리Jacopo de Barbari의 베네치아 지도(1500)는 유명한 초기 사례이고, 이후로 베이징(1560), 런던(1560), 나폴리(1566)의 사례가 있으며, 《세계의 도시들Civitates Orbis Terrarum》(1572~1617)은 글로벌 범위의 이례적인 경우다〔총 6권으로 구성되었다〕. 지도는, 안내서와 마찬가지로, 17세기 이후의 거리뿐 아니라 주택까지 구체적으로 묘사했다. 일례로, 알레산드로 바라타Alessandro Baratta의 나폴리 지도(1629), 5개 장으로 분할 제작이 된 에도 대지도([도판 24.2] 참조), 존 오길비John Ogilby와 윌리엄 모건William Morgan의 런던 지도(1676년경) 등을 들 수 있다.

타운경관화townscape는 16세기에 자연경관화landscape에 상대되는 것이자 보완물로 등장한 회화의 장르이며 특히 네덜란드에서 인기를 끌었다(일례로, 1660년경 작품으로 추정되는 얀 베르메르〔얀 페르메이르〕

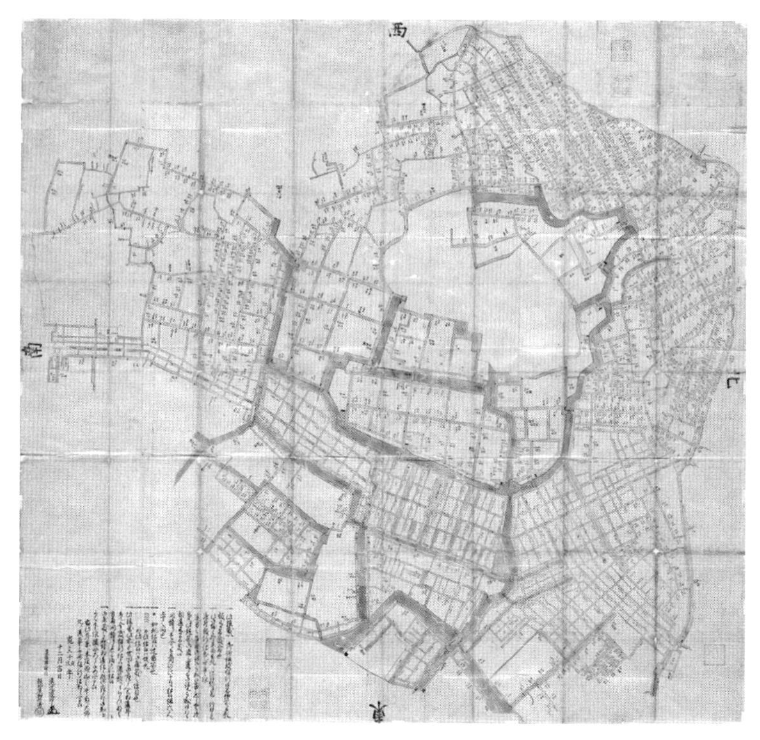

[도판 24.2] 에도 지도(전체 5장 중 1장), 1670년. 아와安房 영주였던 고위 관료 호조 우지나가北条氏長의 실측에 근거해 막부의 요청으로 출판되었다. 에도 전체가 5개 장으로 그려져 있다.

Jan Vermeer의 델프트 경관화, 그보다 조금 뒤의 것으로 보이는 헤릿 베르크헤이데Gerrit Berckheyde의 하를렘 경관화 연작을 예로 들 수 있다). 조반니 안토니오 '카날레토'Giovanni Antonio 'Canaletto'와 프란체스코 과르디Francesco Guardi가 표현한 18세기의 베네치아는, 카날레토와 폴 샌드비Paul Sandby가 표현한 런던과 마찬가지로, 기억할 작품들이다. 이 장르의 인기가 높아진 것은 그림 수가 증가했을 뿐만 아니라 이들 그림이 판화로 재생산된 데서도 알 수 있으며, 그중 일부는 적어도 관광시장을 겨냥하고 있었기에 각종 언어로 작품의 제목을 설명했다. [에도시대 우키오에浮世繪 화가] 우타가와 히로시게歌川廣重(1797~1858) 같은 일류 예술가들이 도시 거리를 새긴 목판화가 많아진 것은 당대 일본 대중의 취향이 유럽의 그것과 다소 유사했음을 시사한다.

표상들의 세부사항과 그에 따른 현실 효과reality effect에도 불구하고, 이러한 표상들이 항상 신뢰할 수 있는 것은 아니다. 자코포 데 바르바리가 베네치아를 묘사한 걸작은 '도덕화한 지리학moralized geography'의 전형이며, 1688년 예수회의 베이징 지도 역시 도시를 규격화하고 이상화했다.[14] 타운경관화에 대해서도 비슷한 지적이 나올 수 있겠다. 현장에서 그린 그림과 출판을 위해 만들어진 동일한 장면의 판화를 비교하면 판화의 경우가 광장이 더 커지고, 거리가 더 넓어지고, 공공건물이 더 높아졌다는 점을 확인할 수 있으며, 플랑드르 화가 안톤 반 빈헤르드Anton van Wyngaerde가 1560년대의 스페인 도시들을 묘사한 작품들과, 스웨덴 미술가 에리크 달베리Erik Dahlbergh의 1660년 이후 작품 〈고대와 근대 스웨덴Suecia Antiqua et Hodierna〉에서도 마찬가지였다.[15]

표절이나 이미지와 텍스트의 재활용은 드문 일이 아니었다. 악명 높은 사례는 1493년에 제작된 〈뉘른베르크 연대기Nuremberg Chronicle〉였다. 여기서는 다마스쿠스, 베로나, 만토바Mantova, 나폴리라는 서로 다른 4개 도시를 묘사하면서 동일한 목판화를 활용했다. 또 17세기의 판화 작품 〈파리의 곤경L'Embarras de Paris〉에서 묘사된 교통 혼잡은 다수의 경쟁적 예술가들에 의해 모방되었다. 기록의 경우, 불교 승려이자 작가 아사이 료이淺井了意(1612~1691)가 에도 극장가를 묘사한 것이 생생하고 구체적이지만, 이것은 사실 의사이자 시인 나카가와 키운中川喜雲

〔1636~1705〕의 교토에 관한 이야기를 표절한 것이며, 료이의 작품 또한 《에도의 참새江戸雀》의 작가들에 의해 표절되었다.

유럽의 도시는 종종 여성으로 의인화되었는바, 마그데부르크('처녀의 도시Virgin City')는 30년전쟁 기간인 1631년에 '강간당한'(약탈당한) 것으로 묘사되었다. 베네치아는 틴토레토Tintoretto〔1518~1594〕의 그림에서 기품 있는 여성의 모습으로 등장했다. 17세기 베네치아 시인 조반니 프란체스코 부세넬로Giovanni Francesco Busenello는 자신의 도시를 '바다의 여왕이자 파도의 여신'으로 칭송했고, 영국 시인 존 포드John Ford〔1586~1639경〕에게는 런던이 '도시의 여왕'이었다.

도시는 종종 '문명civilization'과 '도시성urbanity'으로, 18세기에는 '예절politeness'로 표상되었는바, 세 단어 모두 '도시city'(키비타스civitas, 우르브스urbs, 폴리스polis)에서 파생되었다. 도시를 찬미하는 또 다른 주제는 자유freedom였으며, 특히 오늘날 부정적 의미로 간주하는 통제control로부터의 자유였다. 베네치아, 안트베르펜, 암스테르담, 파리, 런던은 모두 자유의 근거지로 묘사되었다. 일례로, 16세기 베네치아 귀족 마린 사누도Marin Sanudo는 "그 누구에게도 복속되지 않은 자유의 땅"이라는 문구를 썼다. 외국인들은 베네치아의 자체적 시각을 수용하게 되었다. 프랑스 학자 장 보댕Jean Bodin〔1530경~1596〕은 《7일간의 담화Colloquium Heptaplomeres》에서 등장인물 한 사람의 언급을 통해 베네치아를 "누구나 최대한의 자유를 누리며 그곳에서 살 수 있다"라고 표현했다.

그러나 1560년대에 교회가 베네치아를 더욱 엄격하게 통제하면서, 베네치아 상인 조반니 존카Giovanni Zonca에 의해 '위대한 자유'가 있다고 칭송받은 곳은 안트베르펜이었다. 존카의 견해는 그보다 10여 년 먼저 "각각의 이단적 의견을 따라 그곳에서 살 수 있기에" 안트베르펜으로 사람들이 몰려든다고 발언한 플랑드르 공의회 위원의 불만을 통해 확인된다.

근대 초기 거대도시metropolis의 자유는 일부 동시대 사람들에 의해 익명성anonymity과 연결되었으며, 이를 어떤 이들은 찬양했고 어떤 이들은 비난했다. 런던에 거주하는 동안 〔스코틀랜드 전기작가·법률가〕 제임스 보즈웰James Boswell〔1740~1795〕은 "말과 사소한 비난으로부터의 자유"라고 불리는 것을 점점 더 높게 평가하게 되었다. 17세기의 한 파리 시민은 "개인은 한 구역에서 다른 구역으로 이동할 때 지방이 바뀌는 것과 유사하게 알려지지 않고 숨겨진 익명의 존재inconnu et caché가 된다"라고 기록했다.[16]

도시, 특히 대도시big city는 또한 이민자〔이주민〕들에게 성공이 보장된 길은 아닐지라도 사회적 이동(성)social mobility의 기회를 제공하는 약속의 땅으로 표상되었다. 런던 시장이 된 가난한 소년 딕 휘팅턴Dick Whittington의 이야기는 17세기 잉글랜드에 널리 퍼졌고, 다음 같은 발라드의 네 구절로 마무리된다. "너희 가난한 농촌 소년들아/ 비록 비천한 신분으로 태어났지만/ 신의 섭리를 통해 보아라/ 결국에 어떤 사람이 될지를."

전통적 도시 연대기는 종종 시민적 자부심의 표현이었고, 15세기 이후 유럽에서 발견되는 도시사 또는 도시 유적 이야기라는 새로운 장르 역시 마찬가지였다. 이 장르는 플라비오 비온도Flavio Biondo 같은 이탈리아 인문주의자들의 창작물로서, 비온도의 《로마의 재건Roma Instaurata》〔전 3권, 1444~1448〕은 곧 비테르보Viterbo, 라벤나Ravenna, 브레시아와 여타의 도시연구들로 이어졌다. 이후 발렌시아·톨레도 같은 스페인 도시, 파리·님·리옹 등 프랑스 도시, 마지막으로 엑서터Exeter·런던(존 스토John Stow의 1598년 《런던 탐사A Survey of London》) 같은 잉글랜드 도시 역사서가 등장했다.[17] 1600년에 이르러서는 30권 이상의 도시 역사서가 출간되었으며, 17~18세기에는 그 수가 훨씬 증가했다.

이슬람 세계에서도 도시 역사를 기록하는 전통이 있었으나, 이러한 기록들은 출판되지 않고 필사본으로만 유통되었다. 앞서 언급한 알카디브 알바그다디의 바그다드에 관한 저작과 타키 알딘 알마크리지의 카이로에 관한 저작은 이븐 툴룬Ibn Tulun(1546년 사망)이 다마스쿠스의 역사를 정리한 문헌처럼 묘사와 역사를 서로 결합했다.[18] 도시에 관한 시각적 표상은 비교적 드물었지만, 16세기의 이스탄불 미세화微細畫는 당시의 생생한 이미지를 제공한다([도판 24.3] 참조). 이어지는 세기에는 (터키〔튀르키예〕의 도시) 이즈니크Iznik 타일tile에 메카와 메디나 같은 도시들의 관례화한 표상을 그리는 것이 유행했다.

도시들이 항상 긍정적으로만 여겨진 것은 아니었다. 몇몇 유럽인들에게 도시는 새 예루살렘이 아니라 근대의 바빌론이었고, 이런 비교는 14세기 프란체스코 페트라르카Francesco Petrarca의 아비뇽Avignon에 대한 언급부터 19세기 윌리엄 블레이크William Blake의 런던에 대한 언급까지 되풀이된다. 도시 예찬자들은 아름다움·질서·청결을 보았으나, 다른 이들은 추함·무질서·불결함을 보았다(당시 파리는 진창과 오물로 악명이 높았다).[19] 심지어 시민의 자부심 중 하나인 거대한 도시의 규모가 일부 방문객들에게는 두려움을 주었다. 1680년대 런던을 방문한 스코틀랜드인에게 이 도시는 '거대한 광야'로 보였다. 이와 유사하게

[도판 24.3] 16세기 오스만 제국 이스탄불의 미세화

장자크 루소Jean-Jacques Rousseau의 소설 《신新엘로이즈La Nouvelle Héloïse》(1761)의 등장인물 한 명은 파리를 '광활한 사막'으로 묘사했다.

대도시의 익명성은 모두에게 매력을 주지는 못했다. 일례로, 프랜시스 베이컨Francis Bacon〔1561~1626〕은 우정에 관한 에세이에서 "위대한 도시는 위대한 고독이다Magna civitas, magna solitudo"라는 라틴어 경구를 인용하며, "거대한 타운에서는 친구들이 흩어져 있어서, 대부분의 경우에, 더 작은 이웃에 있는 친교가 없다"라고 평했다. 17세기 중반 피에르 프티Pierre Petit는 파리의 주택들이 야만 부족들처럼 스스로만 지키는 서로 무관심한 가족들로 가득 차서 가족 이외 이웃들의 "이름조차 모른다"라고 서술했다. 100년 뒤 또 다른 파리 시민은 "같은 주택에서 오랫동안 살아온 이웃이라 할지라도 누구인지 서로가 모른다"라고 기록했다. 18세기 후반에 언론인 루이 세바스티앵 메르시에Louis Sébastien Mercier는 파리에서 "사람들이 이웃에 무관심하다"라고 지적했다. 그의 관찰은 명백하게 문학적 주제인 만큼 글자 그대로 이해할 필요는 없다. 그 대신에 우리는 도시를 보는 새로운 방식의 사회적 근원을 인식하는 차원에서 그러한 관찰을 진지하게 받아들여야 한다.[20]

도시의 소리의 경관[음경音景]soundscape과 우리가 향의 경관[향경香景]smellscape이라고 부를 수 있는 것 또한 모두를 기쁘게 하지는 않았다. 도시의 소음은 도시 거주민과 방문객 모두에게 혐오감을 주는 것으로 자주 기록되었다. '사륜마차 덜컹거리는 소리' '개 짖는 소리' '행상 외치는 소리' '장인 망치질 소리' '종 울리는 소리' 등이다. 17세기 잉글랜드 여행객들은 런던보다 파리가 더 악취를 풍긴다고 생각했지만, 존 에블린John Evelyn 같은 런던 시민들도 이 거대도시의 '탁한 공기'를 불평했다. 1786년 요한 볼프강 폰 괴테Johann Wolfgang von Goethe가 이탈리아를 방문했을 때 그는 베로나와 베네치아의 오물에 경악을 금치 못했다. 그는 자신의 일기에 이렇게 적었다. "나는 걸어 다니면서 위생 규정을 고안하고 있었다." 이런 문제는 유럽인들만의 것이 아니었다. 명대 사조제謝肇淛는 《오잡조五雜組》(1608)에서 베이징을 비위생적이며 시끄러운 곳으로 묘사했다. "수도의 주택들은 여유공간이 전혀 없이 촘촘하게 서로 붙어 있다. 시장은 오물과 쓰레기가 넘쳐났다. 모든 지방에서 모여든 사람들이 떠들썩한 시끄러움과 함께 살았다."

도시의 삶의 속도는 이미 방문객들에게 다른 곳보다 훨씬 더 빠르게 인식되었다. 토비아스 스몰렛Tobias Smollett의 소설 《험프리 클링커Humphry Clinker》(1771) 속 등장인물은 런던의 "모든 것이 소란스럽고 성급하다"라고 지적했다. 보즈웰도 "매우 급함"을 언급했다. 분주함은 언어에도 영향을 끼쳤다. 메르시에는 "파리 사람들은 빠른 말로 다른 이들과 구별이 된다"는 것에 주목했다.

오물, 악취, 무질서, 소음, 분주함 말고도 도시의 죄는 차고도 넘쳤다. 15세기에 피렌체 시인은 베네치아를 새로운 소돔Sodom으로 묘사했다. 토머스 오트웨이Thomas Otway의 희곡 《보존된 베네치아Venice Preserved》(1682) 속 인물 피에르Pierre는 이 도시를—때때로 처녀로 간주가 되었다— "아드리아해의 탕녀"로 지칭했다. 18세기의 런던은 누군가에게는 낙원이었지만 다른 누군가에게는 그저 도시 지옥으로 여겨졌다.[21]

도시에 대한 풍자는, 종종 고대 로마에 대해 시인 유베날리스Juvenalis가 남긴 풍자시를 모델로 했으며, 일반적이었다. 잉글랜드 시인 앤드루 마블Andrew Marvell(1621~1678)은 암스테르담을, 이탈리아 시인 알렉산드로 타소니Alessandro Tassoni(1565~1635)는 바야돌리드Valladolid와 마드리드를 풍자했다. 파리에 대한 풍자는 예를 들어 시인 니콜라 부알로Nicolas Boileau(1636~1711)의 연작 풍자시집들과 프랑수아 콜레테François Colletet의 "익살스러운 시구"로 쓰인 《파리의 소동Tracas de Paris》(1666)이 유명하다. 존 게이John Gay의 시집 《트리비아: 런던의 거리를 걷는 방법Trivia, or The Art of Walking the Streets of London》(1716)은 런던의 부주의한 보행자들을 위협하는 거리의 환경을 생생하게 묘사했다. 새뮤얼 존슨Samuel Johnson은, 런던에 대한 애정으로 더 이름이 났으며, 1738년 그 도시의 오물과 더러움을 강조하는 풍자시를 발표했다.[22] 이미지도 풍자적일 수 있는데, 도시에 대한 예술가 자신의 태도가 비난과 홍

겨운 무관심 사이에서 왔다 갔다 해서 때론 단정하긴 어렵긴 해도, 윌리엄 호가스William Hogarth(런던 시민이었다〔1697~1764〕)의 유명한 판화 〈진 골목Gin Lane〉이나 〈창녀의 편력The Harlot's Progress〉의 사례를 들 수 있다.

다른 표상들은 창작자의 심경을 보다 직설적으로 보여주었다. 예를 들어 레스티프 드 라 브르톤Restif de La Bretonne은 부르고뉴 농촌 소년으로 18세기 후반에 파리로 이주해 작가로서 성공적 이력을 쌓았다. 대표작은 소설 《타락한 농부Le paysan perverti》(1775)다. 레스티프는 도시가 교육을 널리 보급하고 취향을 고상하게 한다고 믿었으나, 동시에 도시 문명의 대가가 너무 크다고 지적했다. 레스티프의 견해에 따르면, 도시는 위선자와 사기꾼들로 가득해 순진한 농민들을 타락시키고 종래의 가치관을 전면적으로 포기하게 한다. 이러한 협잡꾼들에 대해서는 다음 절에서 다룰 것이다.

사회적 도시

사회적 구조의 표상은 공식적인 것과 비공식적인 것으로 나눌 수 있다. 중국의 경우 공식적 신분제는 사농공상士農工商이었으며, 에도 막부 시기의 일본 또한 중국과 유사한 신분제로 사무라이·농민·장인·상인이 있었다(마지막 두 신분은 도시에 거주해 '도시민townspeople'을 뜻하는 조닌町人으로 불렸다). 두 나라 모두 특히 18세기에 일부 상인들이 부유해졌고 그들의 소비 양상은 엘리트의 것과 같았다. 규모를 축소해보면,

일본의 도시 주소명부에 나오는 특정 직업에 대한 구체적 묘사는 통상적 신분 개념의 약화를 암시한다.[23]

성직자, 귀족, 도시민 등 그 외 모든 사람이라는 '3신분제three estates'가 공식적 체계였던 유럽에서는, 서로 다른 유형의 사람들의 일상적 경험 덕분에 사회적 구조의 이미지는 실제와 다소 달랐던 것처럼 보이며, 이는 계급으로 구분된 19~20세기 사회에서도 마찬가지다. 때로는 두 계급(귀족과 평민, 또는 '가진 자'와 '가지지 못한 자')이, 때로는 세 계급 혹은 그 이상의 계급이 존재하는 것으로 인식되었다. 반면에 유럽인, 아시아인, 아프리카인, 아메리카 원주민들이 혼재하는 식민도시에서 주요한 비공식적 체계는 피부색주의pigmentocracy로, 상층에는 피부색이 옅은 사람들〔백인〕이, 하층에는 피부색이 짙은 사람들〔흑인〕이, 중간에는 메스티소와 물라토mulatto가 있었다. 다만 인종에 기초한 이러한 사회적 표상은 일부 도시에서 '존경할 만한 이들gente decente'과 '평민plebe'의 구별을 통해 대체까지는 아니더라도 보완이 되었다.

이탈리아의 도시, 특히 피렌체에서는 부자와 빈자를 '뚱뚱한 사람popolo grasso'과 '메마른 사람popolo minuto'으로 구분하는 것이 일반적이었다. 몇몇 기록에서는 이 둘 사이의 '중간' 집단을 언급하며 평범한 사람들mediocri 혹은 중간 사람들uomini di mezzana qualità이라 지칭했다. 다른 이들은 '사람popolo'을 '쓰레기 인간fece della plebe'과 분리하고자 했다. 유사한 구별이 이탈리아 외에서도 나타났다. 프랑스인들은 이탈리아인들처럼 '작은 사람들menu peuple'을 부유한 이들les riches, aisés, opulents과 대비했다. 혁명 직전 메르시에는 파리 사람들을 귀족, 변호사, 금융가, 상인, 장인, 인부, 하인, 빈민 등의 여덟 계층으로 구분했다. 다른 곳에서 그는 민중populace을 소시민petit peuple과 소부르주아petit-bourgeois로부터 구분하려 했다. 도시 과세 계획은 도시 생활의 익명성이 높아지고 결과적으로 외관으로 판단할 필요성이 증가함에 따라서 더욱 그럴듯하게 만들어진 이런 종류의 모형을 사용하도록 장려했다.

런던에 대한 18세기의 일부 묘사는 도시의 혼잡함과 혼란스러움에서 비롯되는 위계hierarchy에 대한 위협을 강조했다. "검댕을 뒤집어쓴 굴뚝 청소부가 죽은 시의원의 저택에서 벽 장식품을 가져가고, 빗자루 청소부는 교구의 사제를 밀쳐댈 것이다."[24] 스몰렛의 소설 《험프리 클링커》 속 웨일스 대토지소유자squire에게 런던이 인상적인 것은 "구별과 예속"이 없어서 "건축 잡부, 하급 기계공, 술집 급사, 선술집 주인, 상점 주인, 엉터리 변호사, 시민, 조신朝臣 등 인생의 여러 부문이 뒤섞여 있다"는 점이었다.[25]

위계hierarchy에 대한 다른 위협은 도시민 무리를 달리 지칭하던 '군중mob'에서 비롯하는 것으로서, 이들은 텍스트와 이미지에서, 상류층의 마음속에서 무질서, 폭동, 무의미한 폭력을 일으키는 '머리 많은 괴물many-headed monster'로 표상되었다. 폭동과 반란에 대한 동시대의 설명에 따르면, 종종 군중은 자연의 힘으로 취급되어 고온, 홍수, 폭풍, 화재, 지진과 같은 소란으로 묘사되었다.[26] 유럽과 마찬가지로 아랍의 연대기작자들은 '대중amma'을 '군중ghawgha'이나 '부랑자ayyarun'와 구별하고자 했다.[27] 말할 필요도 없이, 편견과 고정관념은 이 모든 설명에 가득하다. 따라서 이러한 설명들은 글자 그대로 읽혀서는 안 되긴 하지만 적어도 일부 동시대 사람들의 태도에 대한 귀중한 증거로 활용될 수 있다.

일본의 도시 주소명부와 마찬가지로 유럽의 직업들에 관한 생생하고 구체적인 묘사는, 도시의 과밀처럼, 어떤 단순한 위계를 훼손하는 역할을 했다. 16세기에는 도시를 표상하는 새로운 장르가 탄생해 17세기와 특히 18세기에 널리 퍼졌다. 로마·파리·런던 등지에서 다양한 직업의 사람들이 표출하는 '외침Cries'은 목판화 또는 판화에 새겨졌으며, 특히 거리에서 볼 수 있는 물과 식초, 모자와 옷, 발라드ballad, 나뭇단fagots 판매자 등이 묘사되었다.[28] 이와 같은 표상은 다른 자료들에서 도외시된 여성 노동에 대한 소중한 증거를 제공한다. 예컨대 가에타노 좀피니Gaetano Zompini의 '베네치아의 행상들'을 소재로 한 60여 점의 동판화(1753)〔이탈리아어 원제는 〈Le arti che vanno per via nella città di Venezia〉〕는 여성들이 운세를 점치고, 하인을 고용하고, 튀김 음식, 중고 옷, 극장표를 파는 모습이 새겨져 있다. 그러나 다시 한번 여기에는 이상화의 논리가 작동하고 있음을 인식해야 하는바, 한 동판화에 표상된 많은 아름다운 소녀들의 모습이 그러하다. 이러한 이미지는 중산층과 상류층의 수집품 시장을 위해 제작되었으며, 거리의 상거래가 점점 더 '그림같이 아름다운' 것으로 인식되고 있음을 시사한다.

이러한 종류의 이미지는 유럽에만 국한된 것이 아니었다. 무굴 제국의 문서에 그려진 삽화에는 건물 건설 같은 작업이 표상되어 있다(작업 현장에서 짐을 나르는 여성의 모습도 그려져 있다).[29] 18세기 후반의 노점상을 소재로 한 일련의 그림은 십중팔구 유럽인들에게 팔기 위해 광저우에서 두 중국인 화가가 제작한 것으로 추정된다.[30] 한편, 일본의 히시카와 모로노부菱川師宣의 연작 판화(1685)는 현지 시장 판매용으로 제작되었다.

이슬람 세계의 예술가들은 공인된 도시 직업에 대해 유사한 관심이 있었던 것 같지 않다. 반면에 아랍 작가들은 최초로 거지와 도둑들이 사는 도시 지하세계인 바누 사산Banu Sasan을 표상했다. 9세기의 문헌은 이미 거짓 고행자와 가짜 간질환자와 불구인 척하는 사람 등을 다루었다. 10세기 시인 아부 둘라프Abu dulaf는 거지 무리 목록을 만들었고, 바디 알자만Badi az-Zaman은 이러저러한 유형의 도둑을 묘사했으며, 13세기 시리아 작가 자우바리Jaubari는 많은 세부사항을 추가했다.[31]

18세기 오스만 제국에서는 저자 미상의 《기이한 것들에 관한 소고Risale-i Garibe》가 유사한 방식으로 거지의 잔재주를 묘사했다. 이슬람 세계와 기독교 지중해 세계의 긴밀한 접촉 덕분에 아랍 문헌 또는 적어도 그 문헌들이 전해준 사상은 15세기에 유럽에 전파되어 이탈리아와 독일에서 유사한 종류의 서적들이 유통되기 시작했다. 16세기에 이르러 이슬람권의 서적들은 보헤미아, 폴란드, 프랑스, 잉글랜드 등지로 홍수처럼 퍼져나갔다.[32] 1590년대에 출판된 로버트 그린Robert Greene의 '토끼몰이coney-catching'〔속임수, 사기를 뜻함〕를 다룬 소책자는 그러한 장르의 생생한 사례를 제공했다. 《기이한 것들에 관한 소고》는 또한 스페인의 '피카레스크picaresque' 소설〔악한惡漢소설〕에 영감을 주었는데, 마테오 알레만Mateo Alemán의 《구스만 데 알파라체Guzmán de Alfarache》(1599)와 미겔 데 세르반테스 사아드베라Miguel de Cervantes Saavedra의 《세비야의 건달들Rinconete y Cortadillo》(1613) 등이 그러하다.

이와 같은 소책자는 토포이topoi〔정형화한 또는 전통적인 주제·사상〕로 가득 차 있으며, 무엇보다도 세계의 장소가 전도顚倒되어 있는데, 지하세계를 왕들과 그 형제자매들로 완성된 정상적인 사회 계층 구조의 전도轉倒, inversion으로 제시하고 있다. 게다가 어떤 소책자는 다른 것들의 구절을 도용한다. 이러한 텍스트들은 편견을 드러내고 호소하며 독자들에게 대상을 엿보는 즐거움을 제공한다. 작품에서 묘사하는 몇 가지 속임수는 진정한 것으로 오늘날까지도 여전히 실행되고 있는 것인 한편, 다양한 거지와 도둑 사이 분업은 대규모 도시에서만 기대할 수 있는 것이었다.

악인문학literature of roguery은 동아시아에서 없었던 것으로 보이지만, 일본에서는 적어도 17세기 후반부터 이를 대응하는 문학이 번성했다. 예컨대 도쿠가와 막부에서는 유럽과 마찬가지로 저렴하고 대중적인 형태의 문학이 발전했다. '싸구려 책chapbook'〔옛날 행상인chapman이 팔고 다닌 소설·속요 등의 소책자〕으로 번역될 수 있는 용어인 가나조시仮名草子는 종종 배우와 기녀들의 '부유浮遊하는 세상floating world'인 '우키요浮世'〔'덧없는 세상' '속세' '향락의 세상' 등 여러 의미로 쓰인다〕를, 그들이 3개 주요 도시 곧 교토의 시마바라島原, 오사카의 신마치新町, 에도의 요시와라吉原에 거주했던 유흥구역을 묘사했다.[33] 그것들은 또한 새 장르인 채색목판화의 주요 주제의 하나였다. 지역과 주민에 대한 안내서로는 《동부 이야기東物語》(1642), 《요시와라 사람들吉原一束》(1680), 《제국 유흥가 안내諸国色里案内》(1688) 등이 있다.[34]

우키요의 개념은 이스탄불과 같은 이슬람권 도시와 무관하지 않을 수 있다(이스탄불의 17세기 작가 에블리야 첼레비Evliya Çelebi는 포도주 판매소와 남성 매춘부들의 구역을 기록으로 남겼다).[35] 하지만 그것은 베네치아, 암스테르담, 런던과 같은 도시들과 훨씬 더 잘 들어맞는다. 비록 그 도시들의 부유하는 세상이 전혀 같은 방식으로 조직되지 않았더라도 말이다. 베네치아 고급매춘부courtesan에 대한 안내서는 1535년과 1566년에, 암스테르담의 매춘부에 대한 안내서는 1630년과 1681년에 등장했다. 런던에서 부유하는 세상의 중심지는 코벤트가든과 드루리레인Drury Lane이었고, 《해리스의 코벤트가든 여성 명단Harris's List of Covent Garden Ladies》(1757년부터 1795년까지 연감 형태로 발행)은 독자들에게 접대부의 신상정보와 주소를 공개했다.[36] 이러한 목록들이 외설물pornography로 얼마나 기능했는지, 안내서로 얼마나 기능했는지는 여전히 불확실하다—여느 때와는 다른 18세기에 말이다.

결론

지금까지 살펴본 전산업pre-industrial 시기 세계 각지 도시들의 표상은 차이점과 아울러 흥미로운 유사점을 보여준다. 우선 유럽과 중국 모두 도시 성문을 안전의 상징으로 강조했다. 로마의 교황 소유지에서의 의례는 동아시아 통치자들의 전국 순행巡幸과 유사하며, 피렌체와 교토에서는 공통적으로 축제에 사용할 최고의 이동 수레를 만들기 위해 장인들 간의 경쟁이 펼쳐졌다. 도시에 대한 찬사는 유럽뿐만 아니라 인도와 아랍 세계에서도 하나의 문학 장르를 형성했다. 이슬람 세계와 유럽의 거지 및 도둑에 대한 소고나 이야기들은 많은 공통적 특성을 드러냈다. 높은 수준의 교육을 받은 고급매춘부 시장 같은 주요한 측면에서, 일본의 부유하는 세상은 베네치아의 그것과 유사하다. 거지문학begger literature이 '서로 연결된 역사connected history'의 사례를 제공한다면, 서로 멀리 떨어져 있는 도시들이 성장하고 다양해짐에 따라 부유하는 세상의 유사성이 독자적으로 생겨났다.

다시 말하건대, 도시안내서, 지도, 싸구려 책, 가나조시의 등장은 17세기 이후 유럽과 일본에서 유사한 측면을 보인다. 두 지역 모두에서 나타난 이러한 현상은 실제로 도시를 본 적 없는 대중을 대상으로 하는, 도시 표상물의 상업화를 예시한다. 경쟁은 상업화와 직접 연결되었다. 1658년 교토에서, 1663년과 1664년에 암스테르담에서, 1681년에 런던에서 안내서가 경쟁적으로 등장한 것은 절대 우연이 아니다. 도시경관을 담은 회화 또는 판화 대부분은 일본 혼슈, 이탈리아 북부, 네덜란드 등 도시 인구밀도가 가장 높은 곳에서 생산되었다.

대조적으로 이슬람 세계에서는 유럽과 동아시아 지역과 달리 도시 표상이 인쇄문화가 아니라 필사본으로 남겨졌고, 인물의 공적 표상 금지는 도시의 표상에도 영향을 끼쳤다. 유럽과 다른 나라들의 도시 사이에는 막스 베버의 대비가 너무 강하게 고려되었을지도 모르고, 이런 대조는 동아시아와 이슬람 세계의 역사 전문가들로부터 비난을 받아왔을 수도 있다. 그럼에도 베버는 서구 도시들에서 자치의 상대적 중요성에 주목하면서 표상의 중요한 차이점에 대한, 특히 유럽에서 광장, 공공건물, 그중에서도 타운홀 같은 공공공간의 중요성에 대한 그럴듯한 설명을 제시했다.

주

1 Kevin Lynch, *The Image of the City* (Cambridge, Mass.: MIT Press, 1960).

2 Maria Bogucka, "The Town Hall as Symbol of Power", *Acta Poloniae Historica*, 75 (1997), 29–38; Robert Tittler, *Architecture and Power: The Town Hall and the English Urban Community, c.1500–1640* (Oxford: Clarendon Press, 1991).

3 Nicolai Rubinstein, *The Palazzo Vecchio 1298–1532: Government, Architecture, and Imagery in the Civic Palace of the Florentine Republic* (Oxford: Oxford University Press, 1995).

4 Holm Bevers, *Rathaus von Antwerpen* (Hildesheim: Olms, 1985).

5 Susan Naquin, *Peking: Temples and City Life 1400–1900* (Berkeley: University of California Press, 2000).

6 Ian Fenlon, *The Ceremonial City: History, Memory and Myth in Renaissance Venice* (New Haven: Yale University Press, 2007).

7 Gérard Labrot, *L'image de Rome: une arme pour la Contre-Réforme, 1534–1677* (Lille: Atelier Reproduction des Thèses, 1978: repr. Seyssel: Champ Vallon, 1987); M. Visceglia, *La città rituale: Roma* (Rome: Viella, 2002).

8 Maria José del Río Barredo, "Literatura y ritual en la creación de una identidad urbana: Isidro, patrón de Madrid", *Edad de Oro*, 17 (1998), 149–168.

9 Robert Darnton, "A Bourgeois Puts His World in Order: The City as a Text", in *The Great Cat Massacre* (New York: Basic Books, 1984), 107–144, 특히 120.

10 Maria José del Río Barredo, *Urbs Regia: Madrid Capital Ceremonial de la Monarquia Católica* (1560–1650) (Madrid, 2000).

11 Haruko Wakita, "La fête de Gion à Kyoto", *Annales: Histoire, Sciences Sociales*, 52 (1997), 1039–1056.

12 Pablo Escalante Gonzalbo, "Tula y Jerusalem", in Clara Garcia Ayluardo and Manuel Ramos Medina., eds., *Ciudades mestizas* (Mexico City: Condumex, 2001), 77–88.

13 J. Kenneth Hyde, "Medieval Descriptions of Cities", *Bulletin of the John Rylands Library*, 48 (1966), 308–340.

14 Jürgen Schulz, "Jacopo de'Barbari's View of Venice", *Art Bulletin*, 60 (1978),

425–472.

15 Richard L. Kagan (1986), "Philip II and the Art of the Cityscape", repr. in Robert Rotberg and Theodore Rabb, eds., *Art and History* (Cambridge: Cambridge University Press, 1988), 115–136; Borje Magnusson, "Sweden Illustrated: Erik Dahlbergh's Sueda Antiqua et Hodierna as a Manifestation oflmperial Ambition", in Allan Ellenius, ed., *Baroque Dreams* (Uppsala: Uppsala University Library, 2003), 35–39.

16 Peter Burke, "Imagining Identity in the Early Modern City", in Christian Emden, Catherine Keen and David Midgley, eds., *Imagining the City* (Oxford: Peter Lang, 2006), vol.1, 23–38.

17 Peter Clark, "Antiquarians and the English City", in Derek Fraser and Anthony Sutcliffe, eds., *The Pursuit of Urban History* (London: Edward Arnold, 1983); Gino Benzoni, "Gli storici municipali", in Storia della cultura veneta 4 (Vicenza: Neri Pozza, 1984), 72–83; Rosemary Sweet, *The Writing of Urban Histories in 18th-Century England* (Oxford: Oxford University Press, 1997).

18 Franz Rosenthal, *A History of Muslim Historiography* (Leiden: Brill, 1952).

19 Emily Cockayne, *Hubbub: Filth, Noise and Stench in England, 1600–1700* (New Haven: Yale University Press, 2007).

20 Burke, "Imagining Identity".

21 Arthur Weitzman, "Eighteenth-Century London: Urban Paradise or Fallen City?", *Journal of the History of Ideas*, 36 (1975), 469–480.

22 Ian Donaldson, "'The Satirists' London", *Essays in Criticism*, 25 (1975), 101–122.

23 Mary Elizabeth Berry, *Japan in Print: Information and Nation in the Early Modern Period* (Berkeley: University of California Press, 2006).

24 Tom Brown, *Amusements* (London: J. Nutt, 1700).

25 Tobias Smollett, *The Expedition of Humphry Clinker*, ed. L. M. Knapp, rev. P. G. Boucé (Oxford: Oxford University Press, 1984), 88.

26 Herbert M. Atherton, "The 'Mob' in Eighteenth-Century English Caricature", *Eighteenth Century Studies*, 12 (1978), 47–58.

27 Claude Cahen, "Mouvements populaires", Arabica, 6 (1958); James Grehan, "Street Violence and Social Imagination in Late-Mamluk and Ottoman Damascus

(ca.1500–1800)", *International Journal of Middle East Studies*, 35 (2003), 215–236.

28 Vincent Milliot, *Les eris de Paris au le peuple travesti (16e–18e siècles): les représentations des petits métiers parisiens* (Paris: Publications de la Sorbonne, 1995); Sean Shesgreen, *Images of the Outcast: The Urban Poor in the Cries of London* (Manchester: Manchester University Press, 2002).

29 Ahsan Jan Qaisar, *Building Construction in Mughal India: The Evidence from Painting* (Delhi: Oxford University Press, 1988).

30 Shijian Huang and William Sargent, *Customs and Conditions of Chinese City Streets* (Shanghai: Shanghai Classics Press, 1999).

31 Clifford Edmund Bosworth, *The Medieval Islamic Underworld* (2 vols., Leiden: Brill, 1976).

32 Bronislaw Geremek, *Les fils de Cain: l'image des pauvres et des vagabonds dans la littérature européenne du 15e au 17e siècle* (French trans., Paris: Flamarion Oxford University Press, 1991).

33 Howard Hibbett, *The Floating World of Japanese Fiction* (London, 1959).

34 Jurgis Elisonas, "Notorious Places: A Brief Excursion into the Narrative Topography of Early Edo", in James McClain et al., eds., *Edo and Paris* (Ithaca, N.Y.: Cornell University Press, 1994), 253–291; Teruoka Yasutaka, "Pleasure Quarters and Tokugawa Culture", in C. Andrew Gerstle, *Eighteenth-Century-Japan: Culture and Society* (Sydney: Allen and Unwin, 1989), 3–32.

35 Shirine Hamadeh, *The City's Pleasures: Istanbul in the 18th Century* (Seattle: University of Washington Press, 2008).

36 Hallie Rubenhold, *The Covent Garden Ladies* (London: 2005); Lotte van der Pol, *The Burgher and the Whore: Prostitution in Early Modern Amsterdam* (Oxford: Oxford University Press, 2011).

참고문헌

Behringer, Wolfgang, and Roeck, Bernd., eds., *Das Bild der Stadt in der Neuzeit, 1400-1800* (Munich: Beck, 1999).

Buisseret, David, ed., *Envisioning the City* (Chicago: University of Chicago Press, 1998).

Chaix, Gérald, et al., eds., *La ville à la Renaissance: espaces-representations-pouvoirs* (Paris: H. Champion, 2008).

De Seta, Cesare, et al., *Città d'Europa: Iconografia e vedutismo dal xv al xix secolo* (Naples: Electa Napoli, 1996).

Frugoni, Chiara, *Una città lontana, Eng. trans. A Distant City: Images of Urban Experience in the Medieval World* (Princeton: Princeton University Press, 1991).

Kagan, Richard L., and Marías, Fernando, *Urban Images of the Hispanic World* (New Haven: Yale University Press, 2000).

McClain, James, Merriman, John M., and Ugawa, Kaoru, eds., *Edo and Paris* (Ithaca: Cornell University Press, 1994).

Merritt, Julia F., ed., *Imagining Early Modern London* (Cambridge: Cambridge University Press, 2001).

Meyer, Jeffrey F., *The Dragons of Tiananmen: Beijing as a Sacred City* (Columbia: University of South Carolina Press, 1991).

Petitfrere, C., ed., *Images et imaginaires de la ville à l'époque moderne* (Tours: Maison des Sciences de la Ville, Université François-Rabelais, 1998).

Quesada, Santiago, *La idea de ciudad en la cultura hispaña de la edad moderna* (Barcelona: Universitat de Barcelona Publicacions, 1992).

Weber, Max, *The City*, trans. (Glencoe, Ill.: Free Press, 1958).